尚志钧本草文献全集

本草古籍辑注丛书·第一辑

2018年度国家古籍整理出版专项经费资助项目

尚志钧／辑注
尚元胜 尚云飞／整理
尚元藕 任 何

尚志钧百年诞辰典藏

《本草经集注》辑校

【梁】陶弘景 编
尚志钧 尚元胜 辑校

北京科学技术出版社

图书在版编目（CIP）数据

本草古籍辑注丛书. 第一辑.《本草经集注》辑校／（梁）陶弘景编；尚志钧，尚元胜辑校. —北京：北京科学技术出版社，2019.1

ISBN 978 - 7 - 5304 - 9985 - 6

Ⅰ. ①本… Ⅱ. ①陶… ②尚… ③尚… Ⅲ. ①本草 - 中医典籍 - 注释 ②《神农本草经》- 注释 Ⅳ. ①R281.3

中国版本图书馆 CIP 数据核字（2018）第 268615 号

本草古籍辑注丛书·第一辑.《本草经集注》辑校

辑　　校：尚志钧　尚元胜
策划编辑：侍　伟　白世敬
责任编辑：杨朝晖　张　洁　董桂红　白世敬　朱会兰　吴　丹
责任印制：张　良
责任校对：贾　荣
出 版 人：曾庆宇
出版发行：北京科学技术出版社
社　　址：北京西直门南大街 16 号
邮政编码：100035
电话传真：0086 - 10 - 66135495（总编室）
　　　　　0086 - 10 - 66113227（发行部）
　　　　　0086 - 10 - 66161952（发行部传真）
电子信箱：bjkj@ bjkjpress. com
网　　址：www. bkydw. cn
经　　销：新华书店
印　　刷：北京七彩京通数码快印有限公司
开　　本：787mm×1092mm　1/16
字　　数：531 千字
印　　张：29.75
版　　次：2019 年 1 月第 1 版
印　　次：2019 年 1 月第 1 次印刷
ISBN 978 - 7 - 5304 - 9985 - 6/R · 2540

定　　价：700.00 元

京科版图书，版权所有，侵权必究。
京科版图书，印装差错，负责退换。

辑校说明

一、本书基本情况

《本草经集注》为陶弘景所编著。陶氏，梁代医学家，字通明，号隐居，又号华阳居士、华阳真人，人称真白先生，丹阳秣陵人。生于刘宋元嘉二十九年（452），卒于梁大同二年（536）。陶氏一生著作很多，其中关于道家的较多。其医学著作有《补阙肘后百一方》《效验方》《太清草本集要》《陶隐居本草》《本草经集注》《养性延命录》等。

本书始撰于齐永明十年（492），成书于齐永元二年（500）以前。原书至北宋末年亡佚，但其内容保存在有关医籍中。据日本冈西为人《宋以前医籍考》介绍，此书有日本森立之辑本，惜未见刊行。

全书共7卷，由序录及药物两部分组成。序录载《神农本草经》序文13条，并加以解释，以及关于创制合药分剂料治法、诸病通用药、解药毒、服药食忌例、药不宜入汤酒、七情畏恶等内容。

药物部分取《神农本草经》药365种，并据魏晋名医记录文献增入365种，共计730种。创药物天然来源分类法，分为玉石、草木、虫兽、果、菜、米食等类；同时，每类药物除有名无实者外，又分为上、中、下三品。这一将药物按自然属性分类的方法，一直为后世本草学所沿用。

每味药物下，陶氏增加了产地和主治，并加小注，其注文多来自实践所得，真实可靠。全书药物条文，属于《神农木草经》原文朱书者，本书用准雅宋字体；属于《名医别录》文字墨书者，本书用宋一字体。陶氏注文原为双行小字排列，本书改用单行小字。书中资料来源翔实可靠，清晰了然，保存了古代的原始珍贵资料，对于后世本草学的发展有深远的影响。

二、版本选目

（一）底本

本书以现存最早引用《本草经集注》原文之各书为底本，包括以下书籍：吐鲁番出土《本草经集注》残卷（仅存豚卵、燕屎、天鼠屎、鼺鼠鼠及部分注文）；1900 年敦煌出土《本草经集注》序录（无具体药物条文）；敦煌出土《新修本草》残卷（仅存草部下品之上，即包括"甘遂"至"白蔹"等 30 味药物）；武本《新修本草》（仅存卷 4、卷 5、卷 12、卷 15、卷 17、卷 19）；罗氏藏《新修本草》（缺玉石类上品、草类、虫鱼类）；傅氏影刻《新修本草》（缺草类、虫鱼类）；孙思邈《千金翼方》（缺彼子和《新修本草》注文，并缺《神农本草经》文和《名医别录》文标记）；柯逢时影刻唐慎微《经史证类大观本草》；人民卫生出版社影印《重修政和经史证类备用本草》。

（二）主校本

日本望草玄翻刻《经史政类大观本草》、商务印书馆影印《重修政和经史证类备用本草》、明成化年间翻刻《重修政和经史证类备用本草》、明万历年间翻刻《重修政和经史证类备用本草》、明万历年间刻《经史证类大全本草》等为主校本。

（三）旁校本

日本丹波康赖《医心方》，日本深江辅仁《本草和名》。宋寇宗奭《图经衍义》（1924 年上海涵芬楼影印《正统道藏》本），明刘文泰《本草品汇精要》（1936 年商务印书馆版），明李时珍《本草纲目》（1977—1981 年人民卫生出版社校点本），明缪希雍《本草经疏》（1891 年周学海刊本），清邹澍《本经疏证》（1959 年上海科学技术出版社版），清邹澍《本经续疏》（1959 年上海科学技术出版社版），清叶天士《本草经解》（1957 年上海科学技术出版社版），清孙星衍等辑《神农本草经》（1799 年问经堂刻本、1891 年周学海刊本及 1955 年商务印书馆本），清黄奭辑《神农本草经》（1893 年汉学堂丛书本），清顾观光辑《神农本草经》（1955 年人民卫生出版社影印本），日本森立之辑《神农本草经》（1957 年上海卫生出版社影印本），日本狩谷望之志辑《神农本草经》（涩江籀斋订，抄本），清吴其濬《植物名实图考长编》（1959 年商务印书馆版），以及卢复、王闿运、姜国伊、莫文泉辑复的《神农本草经》。

（四）其他参考书

清康熙年间敕修《古今图书集成·博物汇编》内的《草木典》《禽虫典》《食货典》（1934 年中华书局影印本），唐欧阳询《艺文类聚》（1959 年中华书局影印本），唐徐坚《初学记》（孔氏古香斋刻本），唐虞世南《北堂书钞》（1888 年孔广陶校注本），宋李昉等《太平御览》（上海涵芬楼影印本）。

三、辑校方法

《本草经集注》亡佚已久，其内容分散在各种古本草、各种类书及古典文、史、哲的注文中，而这些书又因历代传抄和翻刻，对《本草经集注》资料的记载存在很大差异。因此，辑复《本草经集注》重点工作是辑佚、校勘、考证、标点以及训诂和注释。兹将本书辑校方法分述如下。

（一）卷数和药物数目

《本草经集注》原书 7 卷，据后世各书所记载药为 730 种。《新修本草》（又称《唐本草》）所收药物 850 种，是在《本草经集注》的基础上新增了 114 种，又将原列为一条的"海蛤、文蛤""葱、薤""粉锡、锡铜镜鼻""大豆黄卷、赤小豆""白冬瓜、白瓜子""冬葵子、葵根"等药各分为两条，即又增加了 6 条，所以《新修本草》所收药物为 850 种。现将《新修本草》的药物重行归并，减去新增的 114 种，使《本草经集注》恢复其原貌为 730 种。

（二）药物分类

主要是按药物自然属性分类。依据敦煌出土《本草经集注》序录中"诸药制使"（七情畏恶药物），将药物分为玉石、草木、虫兽、果、菜、米食、有名无实等七类。

《本草经集注》中所载药物排列顺序，是以本书序录中七情畏恶药物排列为序，又参照《新修本草》药物目录，以及陶隐居对药物的注文等，详加研究厘定的。

（三）药物三品分类

本书收载药物，除按照陶弘景首创的药物自然属性分类外，同时也保留了《神农本草经》药物三品分类的方法。

《神农本草经》药物三品分类，因历代医家认识不同，其三品类别亦略有差异。例如水银，自《新修本草》以后，都被列在中品，但《本草经集注》序录中七情畏恶药将水银列在上品。按，《神农本草经》上品药定义有"久服不老延年，轻身神仙"，而"水银"条经文云"水银……镕化还复为丹，久服神仙不死"，此与《神农本草经》上品药含义吻合。由于水银在古代能炼丹，故列为上品。后来人们发现水银有毒，不能列为上品，就将其移入中品。又如黄耆，自《新修本草》以后，都被列在上品，但黄耆在《本草经集注》序录七情畏恶药物中被列为中品。《神农本草经》中品定义有"遏病，补虚羸"，而"黄耆"条经文云"黄耆，主痈疽久败疮，排脓止痛，大风癞疾，五痔鼠瘘，补虚小儿百病"，此与《神农本草经》中品药含义吻合，故列为中品。后来人们发现黄耆无毒，有补益作用，就把黄耆从中品移入上品。本书辑录时，即以《本草经集注》七情畏恶药物三品分类为准，将水银列在上品，黄耆列在中品。类似此例很多，此处从略。

（四）《神农本草经》文、《名医别录》文鉴别

《本草经集注》原是由陶弘景合《神农本草经》文、《名医别录》文注释而成。陶氏对《神农本草经》文用朱字书写，对《名医别录》文用墨字书写。唐代苏敬作《新修本草》时，沿用陶氏旧例。今陶氏书不全，苏氏书仅存半数，而所存半数又缺乏《神农本草经》《名医别录》标记。为此，分辨《神农本草经》文和《名医别录》文，只得借助于《证类本草》。而《证类本草》因版本不同，其白字《神农本草经》文、墨字《名医别录》文标记亦有差异。例如成化《政和本草》、商务《政和本草》对"菖蒲""龙胆""白英""麝香""鹿茸""姑活"等条全作墨书，无白字《神农本草经》文标记。人卫本《政和本草》"曾青"条亦无白字《神农本草经》文标记。因此，还要借助于其他各种本草，如《本草纲目》、各种

辑本《神农本草经》旁证之。

在鉴别时，如遇校本《神农本草经》文和《名医别录》文标记不同于底本时，但又不能确定底本是否有误，仍以底本为正。例如卷六虫兽下品"燕屎"条的《名医别录》文和《神农本草经》文，原以吐鲁番出土《本草经集注》残卷为底本，该残卷"燕屎"中，有"生高谷山平谷"6字作朱书《神农本草经》文，但校本《大观本草》、玄《大观本草》、《大全本草》《证类本草》《政和本草》、成化《政和本草》、《本草品汇精要》《本草纲目》等皆注作《名医别录》文，孙本、黄本、顾本、森本、狩本均不取此4字为《神农本草经》文，按校本应订为墨字《名医别录》文，但又不能确定底本有误，所以本书仍从底本为正，订正此6字为朱书《神农本草经》文。

在鉴别时，如能确认底本中《神农本草经》文和《名医别录》文标记有误，即依校本订正。例如卷五草木下品"白蔹"条，原以敦煌出土《新修本草》残卷为底本，底本"白蔹"条有"无毒"2字作两种标记，"无"字作朱书《神农本草经》文标记，"毒"字作墨书《名医别录》文标记。通检《大观本草》、玄《大观本草》、《大全本草》《证类本草》《政和本草》、成化《政和本草》，此2字皆作《名医别录》文，孙本、黄本、顾本、森本、狩本亦不取此2字为《神农本草经》文，据此2字应为《名医别录》文，本书即订正"无毒"2字作墨书《名医别录》文。

（五）校勘

在确定《神农本草经》文、《名医别录》文后，对于文中字句歧异、增衍、脱漏、颠倒者均做了校勘。如遇底本与校本不同时，但又不能确定底本是否有误，仍以底本为正。例如卷五草木下品"乌头"条全文，原以敦煌出土《新修本草》残卷为底本，底本"乌头"条中有"力视"2字，此2字在《千金翼方》《大观本草》、玄《大观本草》、《政和本草》、成化《政和本草》、《大全本草》《证类本草》《本草品汇精要》《本草纲目》《植物名实图考长编》《本经疏证》等校本中均作"久视"，从完整句意来看，校本作"目中痛不可久视"，而底本作"目中痛不可力视"亦可理解，所以本书仍以底本为正。

如能确定底本有误，即据底本订正。例如卷六"羖羊角"条，原以武田本《新修本草》为底本，底本"羖羊角"条中有"欱味""补寒"等语，核各校本如《千金翼方》《大观本草》、玄《大观本草》、《大全本草》《证类本草》《政和本

5

草》、成化《政和本草》、《本草品汇精要》《本草纲目》等均作"咳嗽""补中"，本书即从校本订正为"咳嗽""补中"。在出注时，即注据某书改。

在校勘时，如能确定底本有脱漏，即据校本补。例如卷三草木上品"蔓荆实"条，原以武田本《新修本草》为底本，"蔓荆实"条中有"去长"2字，其他各本如《千金翼方》《大观本草》、玄《大观本草》、《大全本草》《证类本草》《政和本草》、成化《政和本草》、《本草品汇》《本经疏证》《本草纲目》《植物名实图考长编》等均作"去长虫"。本书即根据校本补"虫"字。

在校勘时，如底本与校本有字句歧异者，即作理校，据药物作用来判断底本正误。例如卷三草木上品"茯苓"条，原以武田本《新修本草》为底本，底本"茯苓"条中，有"好唾"2字，而玄《大观本草》作"好垂"，《千金翼方》《大观本草》《本草品汇精要》作"好唾"，《政和本草》、成化《政和本草》、《大全本草》《证类本草》《本草纲目》《植物名实图考长编》《本经疏证》等作"好睡"。"唾"与"睡"字形相近，系传抄舛误。从药物功用推论，因茯苓利水，故能止好唾，当以"好唾"为正。

在校勘时，如有义可两存者，即在校记中说明之。例如卷二玉石下品"锡铜镜鼻"条，有"生桂阳"3字。各种版本《大观本草》《政和本草》《大全本草》皆作墨字《名医别录》文，《本草纲目》《本草品汇精要》《本草图经》注为《名医别录》文，各种辑本《神农本草经》均不取此3字为《神农本草经》文。据此，"生桂阳"3字应为《名医别录》文。但陶弘景注文却说"《本经》云，生桂阳"，陶氏所注"生桂阳"3字应为《神农本草经》文。二说不同，即在校勘记中，并存其说。

（六）考证

在辑校中，会遇到一些经过校勘后仍不能解决的问题，此时就必须进行考证，以求得问题的解决。例如"发髲"条，原以傅氏刻本《新修本草》为底本。该底本条文末为"疗小儿惊热下"，其句末的"下"字很难理解；再查各种版本《证类本草》作"疗小儿惊热"，无"下"字；查各种版本的《本草纲目》作"疗小儿惊热百病"，把"下"字改成"百病"2字；查《小儿卫生总微论》引本草作"疗小儿惊热下痢"，则"下"字后似是脱漏"痢"字；查《备急千金要方》《外台秘要》治痢方均载有乱发灰治下痢。据此可知《小儿卫生总微论》所引当属正确。盖因唐代抄本《新修本草》已脱落"痢"字，到了宋代本草，以"下"字不可解而删之。李时珍援引此文，又用陶弘景注文"百病"2字置换"下"字。从此《本草经集注》原文"疗小儿惊热下痢"，自宋以后已失去真实面貌，同时发髲灰治痢之药效，亦为后世本草所失载。通过诸书的考证，即可弄清这个问题。

（七）避讳字改正

唐代苏敬《新修本草》是以《本草经集注》为蓝本。因避唐太宗李世民、唐高宗李治的"世""治"等字讳，《新修本草》药物条文中，遇到"世"改用"俗"，遇到"治"改用"疗"或改用"造"或删除不用。例如燕屎、鼹鼠等药效，《新修本草》《证类本草》分别作"燕屎，主虫毒""鼹鼠，主痈疽"，但吐鲁番出土《本草经集注》断片作"燕屎，主治虫毒""鼹鼠，主治痈疽"。由此可见，《本草经集注》对药效原作"主治×××"，到《新修本草》因避唐高宗李治讳，把"主治"的"治"字删掉。在有些药物条文中，把"治"改为"疗"。宋代本草沿用《新修本草》旧例，不用"主治×××"，而作"主×××"，或作"疗×××"。本书辑校时，仿《本草经集注》体例，凡药物条文中病名如消渴、中风等，在开头病名上，冠以"主治"二字，如主治消渴、中风。凡药物条文功效名，如益气、利水等，在开头功效名上，冠以"主"字，如主益气、利水。

此外，还有其他字避讳例。如陶弘景的"弘"字，因避唐高宗的太子"弘"讳，被省掉成"陶景"。《本草和名》引陶弘景注，俱作"陶景"注。《新修本草》编者苏敬的"敬"字，因避宋代赵匡胤祖父赵敬的讳，被改名为苏恭。"玄参"的"玄"，因避清代康熙皇帝玄烨的讳，被改为"元"。本书在辑校时，凡因避讳所改的字，均改正之，恢复其原来所用的字。

（八）古今字的处理

在交勘时，如遇某些字的古今写法不同，即改用现行的写法。例如"闭""脑""桑""因""热""蛇""血""肉""蜡""叶"等字，在敦煌本《本草经集注》、敦煌出土《新修本草》、武田本《新修本草》、傅本《新修本草》、罗本《新修本草》皆作"閇""脏""桒""囙""焫""虵""衁""宍""臈""菜"。本书不按《本草经集注》《新修本草》写法，而是采用一般通行字的写法。

为保存古籍底本原貌，对某些义同形异的通行字，如"能"与"耐"、"华"与"花"、"创"与"疮"、"痰"与"淡"、"嗽"与"瘶"、"邪"与"耶"等，本书辑校时，未做统一的规定。

（九）训诂

以训字、训词、释句为主。凡辑文中遇有难懂的古字、古词均予以训释。例如书中“雄黄”条陶弘景注云：“始以齐初梁州互市微有所得。”文中“互市”，即南北朝对峙时，互派使臣主持商品交易的地方。又如“青琅玕”条陶弘景注云：“唯以治手足逆胪耳。”“逆胪”，即手足爪甲际皮剥起的症状。类似此例很多，须加注释，详见本书注。

（十）标点

古本草多无标点，少数古本草有断句。如张绍棠刻本《本草纲目》《千金翼方》所录《新修本草》药物条文有断句。但是此等书断句，有时亦有误。例如卷六“鹿茸”条有“散石淋，痈肿，骨中热疽，养骨，安胎下气，杀鬼精物，不可近阴，令痿，久服耐老。四月、五月解角时取”。这一段文字是讲“鹿茸”主治功用及采收时月的，文义连贯，首尾相从。但《千金翼方》及各种版本《大观本草》《政和本草》，均从此文中“养骨”二字处断开，析为两阙，把“养”字以上列为言“鹿茸”，把“骨”字以下列为言“鹿骨”，殊误。要知文末有“四月、五月解角时取”，明言为“鹿茸”采收时月，并非言“鹿骨”采收时月。

又如卷一陶隐居序中有“张茂先、裴逸民、皇甫士安”，《证类本草》误“裴”为“辈”，《本草纲目》沿袭《证类本草》之误，将3个人名误断为2人“张茂先辈，逸民皇甫士安”。由此可见，断句、标点，也有一定的难度。为了读者阅读方便，本书试加标点，若有不当之处，希望读者指正。

四、本书校注中援引书名版本说明

敦煌本《集注》 1900年敦煌石室出土的陶弘景《本草经集注》卷1序录，1915年罗振玉用日本小川琢治摄成照相本，加以影印，收入《吉石盦丛书》，1955年群联出版社据《吉石盦丛书》影印本复印。

吐鲁番出土《集注》残卷 即吐鲁番出土的陶弘景《本草经集注》残缺的断片，1952年罗福颐影抄收入《西陲古方技书残卷汇编》。

《本草经集注》断片 1947年万斯年译，收入《唐代文献丛考》中，1957年商务印书馆版。

武本《新修》 日本国药商武田长兵卫商店制药部内的大阪本草图书刊行会，据唐写卷子本《新修本草》卷 4、卷 5、卷 12、卷 15、卷 17、卷 19，于日本昭和十一年（1936）用珂珞版复制印本。

敦煌本《新修》 敦煌出土卷子本《新修本草》卷 10 残卷，1952 年罗福颐影写收入《西陲古方技书残卷汇编》。

傅本《新修》 日本天平三年（731）田边史抄苏敬《新修本草》，1889 年傅云龙在日本，用日本抄本加以影刻，收入《籑喜庐丛书》，1955 年群联出版社据《籑喜庐丛书》本影印。

罗本《新修》 日本天平三年（731）田边史抄唐苏敬《新修本草》，罗振玉于 1901 年在日本购得影写本，1981 年上海古籍出版社据以影印。

《唐·新修本草》 尚志钧辑复，1981 年安徽科学技术出版社出版。

《和名》 日本深江辅仁《本草和名》，日本大正十五年（1926）日本古典全集刊行会据日本宽政八年（1796）刊本影印。

《大观》 宋代唐慎微撰《经史证类大观本草》，清光绪三十年（1904）武昌柯逢时影宋并重校刊。

玄《大观》 宋代唐慎微《经史证类大观本草》，日本安永四年（1775）望草玄据元大德宗文书院刊本翻刻。

《大全》 《重刊经史证类大全本草》，明万历三十八年（1610）彭端吾据籍山书院重刊王大献本翻刻。

人卫本《政和》 《重修政和经史证类备用本草》，1957 年人民卫生出版社，据扬州季范董氏藏金泰和张存惠晦明轩本，影印的四页合一页本。

商务《政和》 《重修政和经史证类备用本草》，1921—1929 年，商务印书馆影印金泰和甲子下己酉晦明刊本，四部丛刊初编子部，四页合一页本。此本名为影印金泰和本，实际是据成化本《政和》影印的。

成化《政和》 明成化四年（1468）山东巡抚原杰等，据晦明轩本《重修政和经史证类备用本草》翻刻。

万历《政和》 明万历十五年丁亥（1587）经厂刻的《重修政和经史证类备用本草》。

《证类》 泛指各种刊本《大观本草》《政和本草》《大全本草》。

《本草衍义》 宋代寇宗奭撰《本草衍义》，1957 年商务印书馆铅印本。

《图经衍义》 宋代寇宗奭撰《图经衍义本草》，1924 年上海涵芬楼影印《正统道藏》本。

《品汇》 明代刘文泰等《本草品汇精要》，1936 年商务印书馆据故宫抄本铅印。

《经疏》 明代缪希雍《神农本草经疏》，明天启五年（1625）绿君亭刊本。

《疏证》 清代邹澍《本经疏证》，1959 年上海科学技术出版社出版。

《续疏》 清代邹澍《本经续疏》，1959 年上海科学技术出版社出版。

《本草纲目》校点本 刘衡如据明万历三十一年（1603）夏良心、张鼎思序刊的江西初刻本校点，1977—1981 年人民卫生出版社出版。

《乘雅》 明代卢之颐《本草乘雅半偈》，南京图书馆藏书。

《草木典》 清代康熙年间敕修《古今图书集成·博物汇编·草木典》，中华书局影印本。

《禽虫典》 清代康熙年间敕修《古今图书集成·博物汇编·禽虫典》，中华书局影印本。

《食货典》 清代康熙年间敕修《古今图书集成·博物汇编·食货典》，中华书局影印本。

卢本 明代卢复辑《神农本草经》，日本宽政十一年（1799）新镌。

森本 日本嘉永七年（1854）森立之辑《神农本草经》，1955 年群联出版社据日本森氏温知药室本影印。

狩本 日本文政七年（1824）汤岛狩谷望之志辑《神农本草经》，南京图书馆藏有手抄本。

孙本 清嘉庆四年（1799）孙星衍和孙冯翼合辑《神农本草经》，1955 年商务印书馆铅印本。

问本 清代孙星衍和孙冯翼合辑《神农本草经》，清嘉庆四年（1799）阳湖孙氏刻问经堂丛书本。

周本 孙星衍和孙冯翼合辑《神农本草经》，清光绪十七年辛卯（1891）池阳周学海刊周氏医学丛书初集。

徐本 清代徐大椿《神农本草经百种录》，1956 年人民卫生出版社影印本。

黄本 清代黄奭辑《神农本草经》，清光绪十九年（1893）仪徵刘富增刻的汉学堂丛书本。

顾本 清道光二十四年（1844）顾观光辑《神农本草经》，1955 年人民卫生出版社据武陵山人遗书本影印。

《图考长编》 清代吴其濬《植物名实图考长编》，1959 年商务印书馆版。

王本 清代王闓运辑《神农本草经》，清光绪十一年乙酉（1885）成都尊经书院刻本。

姜本 清代姜国伊辑《神农本草经》，清光绪十八年壬辰（1892）成都黄氏茹古书局刊姜氏医学丛书本。

莫本 清代莫文泉校注《神农本草经》，清光绪二十六年庚子（1900）归安月河莫氏家刻本。

《素问》 《补注黄帝内经素问》，清光绪二十二年（1896）图书集成局印。

《伤寒论》 汉代张仲景著，宋代成无己注之，名《注解伤寒论》，1955 年商务印书馆铅印本。

《金匮》 汉代张仲景著《金匮要略方论》，1956 年人民卫生出版社据明赵开美刻《仲景全书》本影印。

《肘后方》 晋代葛洪撰《肘后备急方》，1956 年人民卫生出版社据明万历二年（1574）李栻刻刘自化校刊本影印。

《补辑肘后方》 尚志钧辑校，1983 年安徽科学技术出版社出版。

《诸病源候论》 隋代巢元方等撰《巢氏诸病源候总论》，明代新安汪氏一斋校刊本。

《千金方》 唐代孙思邈《备急千金要方》，1955 年人民卫生出版社据江户医学本影印。

《千金翼》 唐代孙思邈《千金翼方》，1955 年人民卫生出版社江户医学本影印。

《外台秘要》 唐代王焘著《外台秘要》，1955 年人民卫生出版社据歙西槐塘经余居藏本影印。

《小儿卫生总微论方》 1958 年上海卫生出版社出版。

《医心方》 日本圆融帝永观二年（984）丹波康赖撰成《医心方》，1955 年人民卫生出版社据日本浅仓屋藏版影印。

《和名类聚钞》 日本源顺撰《和名类聚钞》，清光绪三十二年（1906）龙璧勤据杨守敬抄本刊印。

《博物志》 晋代张华撰《博物志》，清黄丕烈据汲古阁影宋本翻刻。

《续博物志》 宋代李石撰《续博物志》，清康熙七年（1668）新安汪士汉刊本。

《齐民要术》　后魏贾思勰撰《齐民要术》，商务印书馆版，丛书集成初编本。

《梦溪笔谈》　宋代沈括著，胡道静校注名《梦溪笔谈校证》，1957 年古典文学出版社出版。

《通志略》　宋代郑樵《通志略·昆虫草木略》，中华书局聚珍仿宋版印。

《茶经》　唐代陆羽撰《茶经》，1931 年上海博古斋影印，百川学海丛书本。

《香谱》　宋代洪刍撰《香谱》，1931 年上海博古斋影印，百川学海丛书本。

《刘氏菊谱》　宋代刘蒙撰《刘氏菊谱》，1931 年上海博古斋影印，百川学海丛书本。

《史氏菊谱》　宋代史正志撰《史氏菊谱》，1931 年上海博古斋影印，百川学海丛书本。

《笋谱》　宋代释赞宁撰《笋谱》，1931 年上海博古斋影印，百川学海丛书本。

《蟹谱》　宋代傅肱撰《蟹谱》，1931 年上海博古斋影印，百川学海丛书本。

《橘录》　宋代韩彦直撰《橘录》，1931 年上海博古斋影印，百川学海丛书本。

《群芳谱》　清代刘灏等《佩文斋广群芳谱》，清康熙四十七年（1708）刻本。

《毛诗疏》　唐代孔颖达疏注，名《毛诗注疏》，中华书局聚珍仿宋本印，四部备要本。

《山海经》　清代郝懿行撰《山海经笺疏》，四部备要本，中华书局据郝氏遗书本校刊。

《急就篇》　汉代史游撰，唐代颜师古注，宋代王应麟补注，光绪五年（1879）福山王氏刻本（天壤阁丛书本）。

《说文》　东汉许慎撰，清代段玉裁注之，名《说文解字注》，1981 年上海古籍出版社据经韵楼藏版影印。

《说文解字系传》　南唐徐锴撰《说文解字系传》，商务印书馆版，四部丛刊本。

《尔雅》　商务印书馆版，四部丛刊本。

《尔雅疏》　宋代邢昺注《尔雅注疏》，中华书局聚珍仿宋版印，四部备要本。

《广雅疏证》　清代王念孙注《广雅疏证》，中华书局聚珍仿宋版印，四部备要本。

《一切经音义》　唐代西明寺翻经沙门慧琳撰《一切经音义》，日本元文三年（1738）榑桑雒东狮谷白莲社刻本。

《史讳举例》　现代陈垣著《史讳举例》，1958 年科学出版社出版。

《文选注》 梁代昭明太子撰《文选》，唐代李善注，中华书局聚珍仿宋版印，四部备要本。

《编珠》 隋大业四年（608）杜瞻纂修《编珠》，清康熙三十七年（1698）高士奇刻巾箱本。

《白孔六帖》 唐代白居易撰，宋代孔传续撰，明刊本。

《艺文类聚》 唐代欧阳询等奉敕修《艺文类聚》，1959 年中华书局据宋绍兴本影印。

《北堂书钞》 隋末唐初虞世南撰《北堂书钞》，清光绪十四年（1888）南海孔广陶三十有三万卷堂刊本。

《初学记》 唐代徐坚等撰《初学记》，古香斋袖珍本。是书卷 27～30 有本草资料。

《御览》 宋初李昉等修纂《太平御览》，上海涵芬楼影印宋本。该书卷 840～1000 有本草资料。

《事类赋》 宋代吴淑撰《事类赋》，清代嘉庆癸酉（1813）聚秀堂翻刻剑光阁本。

《事类备要》 宋代谢维新撰《古今合璧事类备要》，明嘉靖丙辰（1556）夏氏据宋本覆刻本。

《事文类聚》 宋代祝穆撰《新编古今事文类聚》，明翻刻元刊本。

《翰墨全书》 宋末刘省轩《新编事文类聚翰墨全书》，元刊本。其后戊集卷 1～4 有本草资料。

《锦绣万花谷》 宋代淳熙年间（1174—1189）不著撰人名氏，明代嘉靖十四年（1535）徽藩刊本。

《海录碎事》 宋绍兴十九年（1149）叶廷珪撰《海录碎事》，明万历戊戌（1598）刊本。是书卷 14～22 有本草资料。

《记纂渊海》 宋代潘自牧撰《记纂渊海》，明万历己卯（1579）胡维新刻本。是书卷 90～99 有本草资料。

《永乐大典》 1960 年中华书局影印本。

《渊鉴类函》 清康熙四十九年（1710）张英等奉敕纂《渊鉴类函》，1917 年同文图书馆复印本。

编校说明

（一）本书为尚志钧先生辑注的本草古籍。本次整理以尚志钧先生已出版的图书《本草经集注》（辑校本）为基础书稿。

（二）尚志钧先生原书为繁体字本，本次统一使用简化字编排。对书稿进行编辑加工时，主要依据国家语言文字工作委员会文字规范文件（《简化字总表》《异体字整理表》等）的规定以及《汉语大字典》的相关释义，在不影响原义的情况下，将书稿中的繁体字、异体字、通假字等改为现行规范字。但对以下情况做变通或特别处理。

1. 简化字可能使字义淆错或不明晰的，不予简化。如中医病名"癥瘕"之"癥"不简化为"症"，"禹餘粮"之"餘"只简化为"馀"而不作"余"。

2. 《异体字整理表》等归并不当或关系有歧见的异体字，不做简单归并。如《异体字整理表》将"剉"并入"锉"，但中草药切制古只作"剉"，与"锉"使用的工具、加工的方式与结果都不相同，故不予归并；"鱓"与"鼍""鳝"二字有关，不易确定古书中的指向，故保留原字。

3. 古书中的特有、习惯表达，不改为现代用字。如中医濡脉，"濡"同"软"，但"濡"字习用，故不改"软"。他如"文"不改"纹"，"合"不改"盒"。

4. 同一物名，若古今用字不同，作者已出注说明者，不予改动。尚志钧先生摘录古籍药名时为尊重古籍文字原貌，所写药名与现代规范药名不同者，也不做改动，如"芒消""斑苗"等。

（三）对于书稿中明显的错别字以及常识性错误，编加时直接予以改正，不予出注。

（四）摘录古籍原文的字词，在不影响阅读的情况下，为尊重古籍原貌，未做统一。如"昌蒲"与"菖蒲"，"曝干"与"暴干"。

（五）为方便读者阅读，古籍卷页均以阿拉伯数字表示。（如卷4页14，卷999页2）

（六）本书涉及诸多古籍，为方便阅读，对部分本草古籍使用简称，如《肘后备急方》简称为《肘后方》，《备急千金要方》简称为《千金方》，具体见"本书校注中援引书名版本说明"。

（七）本书提到的地名，因涉及复杂的地理历史学知识，未轻易改动，以尊尚志钧先生文字原貌。

（八）正文中部分引文所据版本无法寻到，此类引文皆保留底本原貌。

（九）为方便查找及统计，对古籍药物条文添加了编号。"辑校说明"中提示《本草经集注》载药730种，而编号实际统计为742种，可能是分条所致，编加时未敢擅改，特此说明。

（十）文中涉及的反切注音，悉尊原书。

在本书的编辑整理过程中，得到了尚志钧先生弟子郑金生研究员以及国内多位中医文献学者、古籍出版专家的悉心指教。由于本书体量巨大，且出版时间紧促，编辑水平有限，疏漏谬误，恐所难免，欢迎广大读者批评指正，以期再版更正。

目 录

序录 卷第一

玉石三品 卷第二

草木上品　卷第三

草木中品 卷第四

草木下品　卷第五

虫兽三品　卷第六

果、菜、米谷、有名无实　卷第七

序录 卷第一

　　隐居先生，在乎茅山岩岭之上，以吐纳余暇，颇游意方技，览本草药性，以为尽圣人[1]之心，故撰而论之。

　　旧说皆称《神农本草经[2]》，余以为信然。昔神农氏之王天下也，画易[3]卦以通鬼神之情；造耕种，以省煞害[4]之弊；宣药疗疾[5]，以拯夭伤之命。此三道者，历群[6]圣而滋彰。文王、孔子，象象繇[7]辞，幽赞人天。后稷、伊尹，播厥百谷，惠被生民[8]。岐、皇[9]、彭、扁，振扬辅导，恩流含气[10]。并岁踰三千，民[11]到于今赖之。

【校注】

　　[1] **隐居先生……以为尽圣人**　此32字，敦煌本《集注》残缺，据《大观》《政和》补。

　　[2] **经**　其上，《大观》《政和》《纲目》有"草"字。

　　[3] **画易**　"画"，敦煌本《集注》原作"昼"，据《大观》《政和》改。"易"，《大观》《政和》作"八"。

　　[4] **煞害**　《大观》《政和》作"杀生"。

　　[5] **疾**　敦煌本《集注》原脱，据《大观》《政和》补。

　　[6] **群**　《大观》《政和》作"众"。

　　[7] **繇**　敦煌本《集注》原作"繸"，据《大观》《政和》改。"繇"（zhòu），卜辞。《左传·闵公二年》："成风闻成季之繇。"

　　[8] **生民**　《大观》《政和》作"群生"。

　　[9] **皇**　《大观》《政和》作"黄"。

　　[10] **含气**　指病人。《新唐书·于志宁传》："世谓神农氏尝药，以拯含气。"

　　[11] **民**　敦煌本《集注》原脱，据《大观》《政和》补。

　　但轩辕以前，文字未传，如六爻[1]指垂[2]，画象稼穑[3]，即事成迹。至于药性所主，当以识识相因，不尔何由得闻。至乎桐、雷，乃著在乎篇简[4]。此书应与《素问》同类，但后人多更修[5]饰之耳。秦皇所焚，医方、卜术不预，故犹得全录[6]。而遭汉献迁徙[7]，晋怀奔迸[8]，文籍焚靡[9]，千不遗一。

【校注】

[1] **六爻** 《易》将组成卦象的一长划或两短划叫作爻。长划"━"为阳爻，短划"╍"为阴爻。重卦六划，称六爻。如乾卦☰，坤卦☷。

[2] **指垂** "指"，即旨意。《尚书·盘庚上》："不匮厥指"。"垂"，即流传。《荀子·王霸》："名垂乎后世"。

[3] **稼穑** "稼"，耕种。《荀子·解蔽》："好稼者众矣"。"穑"，收割。《诗经·魏风·伐檀》："不稼不穑，胡取禾三百亿乎"。

[4] **至乎桐、雷，乃著在乎篇简** 《大观》《政和》作"至于桐、雷，乃著在于编简"。"乎"，通"于"。《荀子·王霸》："名垂乎后世"。"桐"，桐君，上古时药学家。"雷"，雷公，相传为黄帝臣。

[5] **修** 敦煌本《集注》作"脩"，据《大观》《政和》改。

[6] **秦皇所焚，医方、卜术不预，故犹得全录** 《史记·秦始皇本纪》："（李斯奏请）史官非秦记皆烧之。非博士官所职，天下敢有藏《诗》《书》、百家语者，悉诣守尉杂烧之。……所不去者，医药、卜筮、种树之书。"由于李斯奏请，得以保留医药、卜筮、种树等类书籍，所以《神农本草经》犹能保存全部的著录。

[7] **汉献迁徙** 汉献帝初平元年（190），董卓以山东兵盛，欲迁都以避之，从洛阳迁都长安。

[8] **晋怀奔迸** 《晋书》载晋怀帝永嘉五年（311），匈奴刘曜率兵破洛阳，停怀帝，纵兵烧掳，使文籍全被焚毁，史称永嘉之乱。

[9] **文籍焚靡** 敦煌本《集注》原作"文籍焚糜"，据《大观》《政和》改。

今之所存，有此四卷[1]，是其本经。所出郡县，乃后汉时制[2]，疑仲景、元化等所记。又有《桐君采药录》，说其华[3]叶形色；《药对》四卷，论其佐使相须。魏晋以[4]来，吴普、李当之等，更复损益。或五百九十五，或四百卅一[5]，或三百一十九[6]。或三品混[7]糅，冷热舛错，草石不分，虫兽[8]无辨。且所主治，互有多少[9]。医家不能备[10]见，则识智有[11]浅深。今辄苞综诸经，研括烦省。以《神农本经》三品，合三百六十五为主[12]，又进名医副品，亦三百六十五[13]，合七百卅种[14]。精麁[15]皆取，无复遗落，分别科条，区畛[16]物类，兼注諸世用[17]，土地所出[18]，及仙经道术所须，并此序录，合为三卷[19]。虽未足追踵[20]前良，盖亦一家撰制。吾去世之后，可贻诸知音尔[21]。

【校注】

[1] **四卷** 《大观》《政和》卷1"序例上"引掌禹锡注云："唐本亦作四卷。韩保昇又云：《神农本草》上、中、下并序录合四卷。今按，四当作三，传写之误也。何则，按，梁《七录》云：《神农本草》三卷。又据今《本经》陶序后朱书云：《本草经》卷上、卷中、卷下。卷上注云：序药性之源本，论病名之形诊。卷中云：玉石、草木三品。卷下云：虫兽、果菜、米食三品。即不云三卷外别有序录。明知韩保昇所云，承据误本，妄生曲说，今当从三卷为正。"

[2] **所出郡县，乃后汉时制** "所"，敦煌本《集注》原作"生"，据《大观》《政和》改。《颜氏家训·书证》："秦人灭学，董卓焚书，典籍错乱，非止于此。譬犹本草神农所述，而有豫章、朱崖、赵国、常山、奉高、真定、临淄、冯翊等郡县，出诸药物。皆有后人所羼，非本文也。"

[3] **华** 《大观》《政和》作"花"。下同。

[4] **以** 《大观》《政和》作"已"。下同。

[5] **四百卅一** 《大观》《政和》卷1"序例上"作"四百四十一"。疑此数字即《吴普本草》所载药数。《证类本草》卷1载掌禹锡《补注所引书传》吴氏本草条注云："普，华佗弟子，修神农本草成四百四十一种"。

[6] **或三百一十九** 疑"一"为"六"之误，应为"三百六十九"。下文"以《神农本经》三品，合三百六十五为主"，其中有四个药归并在其他条中，如文蛤归并在海蛤条内。陶弘景注云："此既异类而同条，若别之，则数多，今以附见，而在副品限也。凡有四物如此。"如果把归并的四味药拆开，则总数即成三百六十九种。

[7] **混** 敦煌本《集注》作"昆"，据《大观》《政和》改。

[8] **兽** 敦煌本《集注》作"树"，据《大观》《政和》改。

[9] **多少** 《大观》《政和》作"得失"。

[10] **备** 敦煌本《集注》原作"俻"，据《大观》《政和》改。

[11] **智有** 敦煌本《集注》作"致"，据《大观》《政和》改。

[12] **以《神农本经》三品，合三百六十五为主** 《神农本草经》经过吴普、李当之等医家的损益，形成了多种本子，其所载药数，有595种、441种、319种（应说369种），而陶弘景选择以其中载药365种的本子为主。

[13] **又进名医副品，亦三百六十五** "三"，敦煌本《集注》残缺成"二"，据《大观》《政和》改。《新唐书·于志宁传》："帝曰：《本草》《别录》，何为而二？对曰：班固惟记黄帝《内》《外经》，不载本草，至齐《七录》乃称之。世谓神农氏尝药，以拯含气。而黄帝以前，文字不传，以识相付，至桐、雷乃载篇册，然所载郡县，多在汉时，疑张仲景、华佗窜记其语。《别录》者，魏晋以来，吴普、李当之所记，其言华叶形色、佐使相须，附经为说。故弘景合而之。"在这些"附经为说"的资料中，有很多新药，陶弘景称之为名医副品。陶氏从中挑选365种加入《本草经集注》，故云"又进名医副品，亦三百六十五"。

[14] **合七百卅种** 《神农本草经》载药365种，名医副品365种，共合730种。即《本草经集注》所载药物的总数。

[15] **麁** 《玉篇》："同麤，不精也。又同粗"。

[16] **畛** 《正字通》云"畛"同"畛"。《尔雅》释文云："畛，田间道。"

[17] **兼注諸世用** "諸"，《广韵》云："諸目，或单作名"。"世"，《大观》《政和》沿袭《唐

本草》避讳例作"时"。

[18] **所出** 敦煌本《集注》脱，据《大观》《政和》补。

[19] **三卷** 《大观》《政和》作"七卷"。

[20] **踵** 此下，敦煌本《集注》原衍"卷"字，据《大观》《政和》删。

[21] **音尔** 敦煌本《集注》原作"方"，据《大观》《政和》改。

《本草经》卷上　序药性之本源[1]，诠[2]病名之形诊，题记品录，详览施用之[3]。

《本草经》卷中　玉石、草、木三品，合三百五十六种[4]。

《本草经》卷下　虫兽、果、菜、米食三品，合一百九十五种[5]，有名无实三条[6]，合一百七十九种[7]。合三百七十四种[7]。

右三卷，其中、下二卷，药合七百卅[8]种，各别有目录，并朱、墨杂书并子注[9]。大书分为七卷[10]。

【校注】

[1] **本源** 《大观》《政和》倒置。

[2] **诠** 《大观》《政和》作"论"。

[3] **之** 《大观》《政和》无。

[4] **合三百五十六种** 《大观》《政和》无。

[5] **合一百九十五种** 《大观》《政和》无。

[6] **有名无实三条** 《大观》《政和》作"有名未用三品"。敦煌本《新修》卷20作"有名无用"。

[7] **合一百七十九种。合三百七十四种** 《大观》《政和》无。

[8] **卅** 《大观》《政和》作"三十"。

[9] **子注** 《本草经集注》所载资料有三种，一是《神农本草经》资料，二是《名医别录》资料，三是陶弘景本人注文。其中陶氏注文称为子注。

[10] **大书分为七卷** 《大观》《政和》"大"上有"今"字。又，此6字，敦煌本《集注》原作双行小字，今从《大观》《政和》改。

上药一百廿种为君，主养命以应天，无毒，多服、久服不伤人。欲轻身益气、不老延年者，本上经。

中药一百廿种为臣，主养性以应人，无毒、有毒，斟[1]酌其宜。欲遏病补虚赢者，本中经。

下药一百廿五种为佐、使，主治病以应地，多毒，不可久服。欲除寒热邪[2]

气，破积聚[3]愈疾者，本下经。

　　三品合三百六十五种，法三百六十五度，一[4]度应一日，以成一岁。倍其数，合七百卅名[5]。

　　本[6]说如此。今案上品药性，亦皆能遣疾，但其势力[7]和厚，不为仓卒之效，然而岁月将[8]服，必获大益，病既愈矣，命亦兼申。天道仁育，故云应天。独用[9]百廿[10]种者，当谓寅、卯、辰、巳之月，法万物生荣时也。中品药性，治病之辞渐深，轻身之说稍薄，于服之者，祛患当速，而延龄为缓，人怀性情，故云应人。百廿种者，当[11]谓午、未、申、酉之月，法万物熟成[12]时也。下品药性，专主攻击，毒烈[13]之气，倾损中和，不可恒[14]服，疾愈则止，地体收煞[15]，故云应地。独用[16]一百廿五种者，当谓戌、亥、子、丑之月，兼以闰之，盈数加之，法万物枯藏时也[17]。今[18]合和之体，不必偏[19]用，自随人患苦[20]，参而共行。但君臣配隶，应[21]依后所说，若单服之者，所不论耳。

【校注】

[1] 斟　敦煌本《集注》作"酙"，据《大观》《政和》改。下同。

[2] 邪　敦煌本《集注》作"耶"，据《大观》《政和》改。下同。

[3] 聚　敦煌本《集注》脱，据《大观》《政和》补。

[4] 一　敦煌本《集注》脱，据《大观》《政和》补。

[5] 三品合三百六十五种，法三百六十五度，一度应一日，以成一岁。倍其数，合七百卅名　此段文字，《证类》作白字《本经》文，而宋代掌禹锡认为是《别录》文，应作墨字。本书从掌氏之说。"名"字下，《大观》《政和》有"也"字。

[6] 本　此上，《大观》《政和》有"右"字。

[7] 力　敦煌本《集注》原作"用"，据《大观》《政和》改。

[8] 将　《大观》《政和》作"常"。

[9] 独用　《大观》《政和》无。

[10] 百廿　《大观》《政和》作"一百二十"。

[11] 当　敦煌本《集注》脱，据《大观》《政和》补。

[12] 熟成　《大观》《政和》倒置。

[13] 烈　《大观》作"药"。

[14] 恒　《大观》《政和》作"常"。下同。

[15] 煞　《大观》《政和》作"杀"。

[16] 独用　《大观》《政和》无。

[17] 兼以闰之，盈数加之，法万物枯藏时也　前二句，《大观》《政和》在末句之后。

[18] 今　《大观》《政和》作"凡"。

[19] 偏　敦煌本《集注》原作"徧"，据《大观》《政和》改。

[20] **苦** 《大观》《政和》无。

[21] **应** 《大观》《政和》无。

药有君、臣、佐、使，以相宣摄。合和者[1]**，宜用一君、二臣、五佐**[2]**，又可一君、三臣、九佐也**[3]**。**

本[4]说如此。案今用药[5]犹如立人之制，若多君少臣，多臣少佐，则势力不周故也[6]。而检世道[7]诸方，亦不必皆尔。养[8]命之药则多君；养性之药则多臣；治[9]病之药则多佐。犹依本性所主，而兼复斟酌。详用此者，益当为善。又恐上品君中，复各有贵贱。譬如列国诸侯，虽并得称君制[10]，而犹归宗周。臣佐之中，亦当如此。所以门冬、远志，别有君臣[11]。甘[12]草国老、大黄将军，明其优劣，不皆[13]同秩。自非农、岐之徒，孰敢诠正，正应领略轻重，为分剂也。

【校注】

[1] **者** 《大观》《政和》无。

[2] **五佐** 《大观》《政和》作"三佐五使"。

[3] **九佐也** 《大观》《政和》作"九佐使也"。

[4] **本** 此上，《大观》《政和》有"右"字。

[5] **用药** 敦煌本《集注》脱，据《大观》《政和》补。

[6] **势力不周故也** 《大观》《政和》作"气力不周也"。

[7] **世道** 《大观》《政和》作"仙经世俗"。

[8] **养** 此上，《大观》《政和》有"大抵"2字。

[9] **治** 《大观》《政和》沿袭《新修》避讳例作"疗"。下同。

[10] **称君制** 《大观》《政和》无"君"字。

[11] **臣佐之中，亦当如此。所以门冬、远志，别有君臣** 敦煌本《集注》脱，据《大观》《政和》补。

[12] **甘** 此上，敦煌本《集注》衍"目"字，据《大观》《政和》删。

[13] **不皆** 《大观》《政和》倒置。

药有阴阳配合[1]**，子、母、兄、弟**[2]**，根、叶、华、实**[3]**，草、石、骨、肉**[4]**。有单行者，有相须者，有相使者，有相畏者，有相恶者，有相反者，有相煞者。凡此**[5]**七情，合和当视之**[6]**。相**[7]**须、相使者良，勿用相恶、相反者。若有毒宜制**[8]**，可用相畏、相煞**[9]**；不尔，勿合用也**[10]**。**

本[11]说如此。案[12]其主治虽同，而性理不和，更以成患。今检旧方用药，并[13]亦有相恶、相反者，服之不乃为忤[14]。或能复[15]有制持之者，犹如寇[16]、贾辅汉，程、周佐吴，大体既正，不得以私情为害。虽尔，恐不如[17]不用。今仙方甘草丸，有防己、细辛；世方五石散[18]，有[19]栝楼、干姜，略举大者[20]如此。其余复有数十余条[21]，别注在后。半夏有毒，用之必须生姜，此是取其所畏，以相制耳。其相须、相使[22]，不必同[23]类，犹如和羹、调食鱼肉，葱、豉各有所宜，共相宣发也。

【校注】

[1] **药有阴阳配合**　《证类本草》卷1掌禹锡引"蜀本注"云："凡天地万物，皆有阴阳、大小，各有色类，寻究其理，并有法象。故毛羽之类，皆生于阳而属于阴；鳞介之类，皆生于阴而属于阳。所以空青法木，故色青而主肝；丹砂法火，故色赤而主心；云母法金，故色白而主肺；雌黄法土，故色黄而主脾；慈石法水，故色黑而主肾。余皆以此推之，例可知也。"

[2] **子、母、兄、弟**　《证类本草》卷1掌禹锡引"蜀本注"云："若榆皮为母，厚朴为子之类。"

[3] **根、叶、华、实**　《大观》《政和》作"根、茎、花、实"。

[4] **肉**　敦煌本《集注》作"宍"，据《大观》《政和》改。唐代写本，"肉"多作"宍"。下同。

[5] **此**　敦煌本《集注》脱，据《千金方》《大观》《政和》补。

[6] **合和当视之**　《千金方》卷1"用药第六"作"合和之时，用意视之"；《大观》作"合和时视之"；《政和》《纲目》作"合和视之"。又掌禹锡引"蜀本注"云："凡三百六十五种，有单行者七十一种，相须者十二种，相使者九十种，相畏者七十八种，相恶者六十种，相反者十八种，相杀者三十六种。凡此七情，合和视之。"

[7] **相**　此上，《千金方》《大观》《政和》俱有"当用"2字。

[8] **有毒宜制**　敦煌本《集注》作"有宜毒制"，据《千金方》《大观》《政和》改。

[9] **煞**　《大观》《政和》作"杀者"。

[10] **用也**　敦煌本《集注》脱，据《千金方》《大观》《政和》补。

[11] **本**　此上，《大观》《政和》有"右"字。

[12] **案**　此上，《大观》《政和》有"今"字。

[13] **并**　《大观》《政和》无。

[14] **不乃为忤**　《大观》《政和》作"乃不为害"。

[15] **复**　《大观》《政和》无。

[16] **寇**　敦煌本《集注》作"宼"，据《大观》《政和》改。

[17] **如**　敦煌本《集注》作"及"，据《大观》《政和》改。

[18] **世方五石散**　《大观》《政和》作"俗方玉石散"。《新修》避唐太宗李世民讳，"世"改为"俗"，而宋代本草典籍沿袭《新修》旧例，仍作"俗"。《千金方》卷24有解五石毒，《千金翼》

卷22有五石更生散、五石护命散。可见，宋代本草典籍作"玉石散"，盖传抄笔误。

［19］**有** 《大观》《政和》作"用"。

［20］**者** 《大观》《政和》作"体"。

［21］**余条** "余"，《大观》《政和》无。"条"，敦煌本《集注》作"絛"，今据《大观》《政和》改。

［22］**使** 其下，《大观》《政和》有"者"字。

［23］**同** 敦煌本《集注》作"用"，据《大观》《政和》改。下同。

药有酸、咸、甘、苦、辛五味，又有[1]**寒、热、温、凉四气，及有毒、无毒，阴干、曝干，采治**[2]**时月生**[3]**熟，土地所出，真伪陈新，并各有法。**

本[4]说如此。又有分剂秤两，轻重多少，皆须甄别。若用得其宜，与病相会，入口必愈，身安寿延。若冷热乖衷，真假非类，分两违舛，汤丸失度，当差反剧，以至殆[5]命。医者意也，古之时[6]所谓良医[7]，盖善以意量得其节也。谚言[8]：世[9]无良医，枉死者半；拙医治病，不若[10]不治，喻如宰夫，以鮎[11]鳖为蓴羹，食之更足成病，岂充饥之可望乎？故仲景每[12]云：如此死者，医[13]杀之也。

【校注】

［1］**有** 敦煌本《集注》脱，据《大观》《政和》补。

［2］**治** 《大观》《政和》沿袭《新修》避讳例作"造"。

［3］**生** 敦煌本《集注》作"三至"，据《大观》《政和》改。

［4］**本** 其上，《大观》《政和》有"右"字。

［5］**殆** 《大观》《政和》沿袭唐朝避代宗讳，改"殆"为"殒"。

［6］**时** 《大观》《政和》无。

［7］**医** 此下，《大观》《政和》有"者"字。

［8］**言** 《大观》《政和》作"云"。

［9］**世** 《大观》《政和》沿袭《新修》避讳例作"俗"。下同。

［10］**若** 《大观》《政和》作"如"。下同。

［11］**鮎** 《大观》《政和》作"鳢"。下同。

［12］**每** 《大观》《政和》无。

［13］**医** 其上，《大观》《政和》有"愚"字。

药[1]有宜丸者，宜散者，宜水煮者，宜酒渍者，宜膏煎[2]者，亦有一物兼宜者，亦有不可入汤酒者，并随药性，不得违越。

本[3]说如此。又疾[4]有宜服丸者，宜[5]服散者，宜服汤者，宜服酒者，宜服膏煎者，亦兼参用，察[6]病之源，以为其制耳[7]。

【校注】

[1] **药** 其下，《大观》《政和》有"性"字。

[2] **膏煎** 《伤寒杂病论》作"猪膏发煎"。

[3] **本** 此上，《大观》《政和》有"右"字。

[4] **疾** 《大观》《政和》作"按病"。

[5] **宜** 《大观》《政和》无。下同。

[6] **察** 敦煌本《集注》作"所"，据《大观》《政和》改。

[7] **耳** 《大观》《政和》作"也"。

凡欲治病[1]，先察其源，先候病机。五脏未虚，六腑未竭，血脉未乱，精神未散，食[2]药必[3]活。若病已成，可得半愈。病势已过，命将难全。

本[4]说如此。案今自非明医，听声察色，至乎诊脉，孰[5]能知未病之病乎？且未病之人，亦无肯[6]自治[7]。故桓侯怠于皮肤之微，以致骨髓之痼。非[8]但识悟之为难，亦[9]信受之弗易。仓公有言[10]：病不肯服药，一死也；信巫不信医，二死也；轻身薄命，不能将慎，三死也[11]。夫病之所由来虽多[12]，而皆关于邪。邪者，不正之因，谓非人身之常理，风、寒、暑、湿、饥、饱、劳、佚，皆各是邪，非独鬼气疾厉[13]者矣。人生气中，如鱼之在水，水浊则鱼瘦，气昏则人疾[14]。邪气之伤人，最为深重。经络既受此气，传以[15]入脏腑，脏腑[16]随其虚实冷热，结以成病，病又相生，故流变遂广。精神者，本宅身[17]为用。身既受邪，精神[18]亦乱。神既乱矣，则鬼灵斯入，鬼力渐强，神守稍弱，岂得不至[19]于死乎？古人譬之植杨，斯理当矣。但病亦别有先从鬼神来者，则宜以祈祷祛之，虽曰[20]可祛，犹因药疗致益[21]，李子豫[22]赤丸之例是也。其药疗无益者，是则不可祛，晋景公膏肓之例是也。大都神鬼[23]之害人[24]多端，疾病之源惟一种，盖有轻重者尔[25]。《真诰》言[26]："常不能慎[27]事上者，自致百痾[28]，而怨咎于神灵[29]；当风卧湿，反责他[30]于失福[31]，皆是[32]痴人也"。云[33]慎事上者[34]，谓举动之事，必皆慎思；饮食、男女[35]，最为百痾之本，致使虚损[36]内起，风湿外侵，以[37]共成其害，如此[38]岂得关[39]于神明乎？唯[40]当勤药治为理耳[41]。

【校注】

[1] **凡欲治病** 《大观》《政和》作"欲疗病"。

[2] **食** 《大观》《政和》作"服"。

[3] **必** 敦煌本《集注》此字残缺，据《大观》《政和》补。

[4] **本** 此上，《大观》《政和》有"右"字。

[5] **执** 敦煌本《集注》作"熟"，据《大观》《政和》改。

[6] **肯** 敦煌本《集注》残缺成"止"，据《大观》《政和》改。

[7] **治** 《大观》《政和》作"疗"。

[8] **非** 此上，《大观》《政和》有"今"字。

[9] **亦** 此下，《大观》《政和》有"乃"字。

[10] **言** 此下，《大观》《政和》有"曰"字。

[11] **轻身薄命，不能将慎，三死也** 敦煌本《集注》脱，据《大观》《政和》补。"慎"，《大观》作"谨"。下同。

[12] **多** 其下，《大观》《政和》有"端"字。

[13] **疾厉** 《大观》《政和》作"疫疠"。

[14] **疾** 《大观》《政和》作"病"。

[15] **以** 《大观》《政和》无。

[16] **脏腑** 《大观》《政和》无。

[17] **身** 此下，《大观》《政和》有"以"字。

[18] **精神** 敦煌本《集注》原倒置，据《大观》《政和》改。

[19] **至** 《大观》《政和》作"致"。

[20] **曰** 敦煌本《集注》原作"日"，据《大观》《政和》改。

[21] **因药疗致益** "因"，敦煌本《集注》原作"曰"，据《大观》《政和》改。日本抄本《新修》亦作"曰"。"益"，人卫本《政和》作"愈"。

[22] **李子豫** 《大观》《政和》作"昔李子豫有"。

[23] **神鬼** 《大观》《政和》倒置。

[24] **人** 《大观》《政和》作"则"。

[25] **疾病之源惟一种，盖有轻重者尔** 敦煌本《集注》原作"疾病盖其一种之轻者耳"，据《大观》《政和》改。

[26] **《真诰》言** 《大观》《政和》作"《真诰》中有言曰"。《真诰》为陶弘景著。陶氏把道教经典做了系统化，著成《真诰》。

[27] **慎** 《大观》作"谨"，《政和》作"慎"。

[28] **病** 此下，《大观》《政和》有"之本"2字。

[29] **灵** 此下，《大观》《政和》有"乎"字。

[30] **他** 《大观》《政和》作"佗人"。

[31] **福** 《大观》《政和》作"覆"。

[32] **是** 《大观》《政和》无。

[33] **云** 《大观》《政和》作"夫"。

[34] **上者** 敦煌本《集注》原倒置，据《大观》《政和》改。

[35] **饮食、男女** 《大观》《政和》作"若饮食恣情，阴阳不节"。

[36] **损** 敦煌本《集注》作"积"，据《大观》《政和》改。

[37] **以** 此上，《大观》《政和》有"所"字。

[38] **此** 其下，《大观》《政和》有"者"字。

[39] **关** 敦煌本《集注》作"开"，据《大观》《政和》改。

[40] **唯** 《大观》《政和》作"惟"。下同。

[41] **勤药治为理耳** 《大观》《政和》作"勤于药术疗理尔"。"勤"，敦煌本《集注》原作"懃"，据《大观》《政和》改。

若[1]毒药治[2]病，先起如[3]黍粟，病去即止，不去倍之，不去什[4]之，取去为度。

本说如此。案盖谓[5]单行一两种毒[6]物，如[7]巴豆、甘遂辈[8]，不可便令至剂耳，依如经言[9]。一物一毒，服一丸如细麻[10]；二物一毒，服二丸如大麻[11]；三物一毒，服三丸如小豆[12]；四物一毒，服四丸如大豆[13]；五物一毒，服五丸如菟矢[14]；六物一毒，服六丸如梧子，从此至十，皆如梧子，以数为丸。而毒中又有轻重，如[15]狼毒、钩吻，岂同附子、芫华辈耶？凡此之类，皆须量宜。

【校注】

[1] **若** 此下，《大观》《政和》有"用"字。

[2] **治** 《大观》《政和》作"疗"。

[3] **如** 敦煌本《集注》脱，据《大观》《政和》补。

[4] **什** 《大观》《政和》作"十"。"什"(shí)，十倍。王符《潜夫论·浮侈》："浮末者什于农夫"。

[5] **盖谓** 《大观》《政和》作"今药中"。

[6] **毒** 此上，《大观》《政和》有"有"字。

[7] **如** 其上，《大观》《政和》有"只"字。

[8] **辈** 其上，《大观》《政和》有"之"字。

[9] **依如经言** 《大观》《政和》作"如经所言"。

[10] **细麻** 《政和本草》卷24"胡麻"条引《本草图经》："又序例谓细麻，即胡麻也。"《本草衍义》卷20云："胡麻，止是今脂麻。"

[11] **大麻** 沈括《梦溪笔谈·药议》"胡麻"条："中国之麻，今谓之大麻。"《本草衍义》卷20云："张仲景麻仁丸，是用此大麻子。"

[12] **小豆** 《大观》《政和》作"胡豆"。

[13] **大豆** 《大观》《政和》作"小豆"。

[14] **菟矢** 《大观》《政和》作"大豆"。《证类本草》卷1"序例上"引掌禹锡注："按，唐本旧云：三物一毒，服三丸如小豆；四物一毒，服四丸如大豆；五物一毒，服五丸如兔矢。注云：谨按，兔矢大于梧子，等差不类，今以胡豆替小豆、小豆替大豆、大豆替兔矢，以为折衷。"是知，《大观》《政和》所记乃据《唐本草》（即《新修》）所改。

[15] **如** 其上，《大观》《政和》有"且"字。

治寒以热药，治热以寒药，饮食不[1]消以吐下药，鬼注蛊毒以毒药，痈肿疮瘤以疮药，风湿以风湿[2]药，各随其所宜。

本[3]说如此。案今[4]药性，一物兼主十余病者，取其偏长为本，复应观人之虚实补泻[5]，男女老少，苦乐荣悴，乡壤风俗，并各不同。褚澄治寡[6]妇、尼僧，异乎妻妾，此是达其性怀之所致也。

【校注】

[1] **不** 此下，敦煌本《集注》原衍"以"字，据《大观》《政和》删。

[2] **湿** 敦煌本《集注》脱，据《大观》《政和》补。

[3] **本** 此上，《大观》《政和》有"右"字。

[4] **案今** 《大观》《政和》作"又按"。

[5] **泻** 敦煌本《集注》作"写"，据《大观》《政和》改。

[6] **寡** 敦煌本《集注》作"宾"，据《大观》《政和》改。

病在胸膈以上者，先食后服药。病在心腹以下者，先服药后[1]食。病在四肢血脉者，宜空腹而在旦；病在骨髓者，宜饱满而在夜。

本[2]说如此。案其非但药性之多方，节[3]适早晚，复须修[4]理。今方家所云：先食、后食，盖此义也。先、后二字，当作苏殿、胡豆之音，不得云苏田、胡苟音也。此正大反，多致疑或[5]。又有须酒服[6]、饮服、温服[7]、冷服、暖服[9]。汤[10]有疏、有数，煮汤[11]有生、有熟，皆[12]各有法，用者并应详宜之[13]。

【校注】

[1] 后　此上，《大观》《政和》有"而"字。

[2] 本　此上，《大观》《政和》有"右"字。

[3] 节　此上，《大观》《政和》有"其"字。

[4] 修　《大观》《政和》作"条"。

[5] 先、后二字……多致疑或　《大观》《政和》无此文。又"或"，疑为"惑"之讹。

[6] 服　此下，《大观》《政和》有"者"字。下同。

[7] 温服　《大观》《政和》无。

[8] 暖　《大观》《政和》作"煖"。

[9] 服　此下，《大观》《政和》有"者"字。

[10] 汤　《大观》《政和》作"服汤则"。

[11] 汤　此下，《大观》《政和》有"则"字。

[12] 皆　《大观》《政和》无。

[13] 用者并应详宜之　《大观》《政和》作"用并宜审详尔"。

　　夫大病之主，有中风，伤寒，寒热，温疟，中恶，霍乱，大腹水肿，腹[1]澼，下利[2]，大小便不通，贲豚[3]上气，咳逆，呕吐，黄疸，消渴，留饮，癖食，坚积，癥瘕，惊邪，癫痫，鬼注[4]，喉痹，齿痛，耳聋，目盲，金创[5]，蹶[6]折，痈肿，恶疮，痔瘘，瘿瘤；男子五劳七伤，虚乏羸瘦；女子带下，崩中，血闭，阴蚀；虫蛇蛊[7]毒所伤。此皆[8]大略宗兆，其间变动枝叶，各[9]依端绪以取之。

【校注】

[1] 腹　《大观》《政和》作"肠"。

[2] 利　《大观》《政和》作"痢"。下同。

[3] 豚　敦煌本《集注》作"脁"，《大观》《政和》作"肫"。

[4] 注　《大观》《政和》作"疰"。

[5] 创　《大观》《政和》作"疮"。

[6] 蹶　其下，《大观》《政和》有"乌卧切"3字。《说文》："蹶，足跌也。"

[7] 虫蛇蛊　敦煌本《集注》作"虫虵蛊"，据《大观》《政和》改。

[8] 皆　《大观》《政和》无。

[9] 各　此下，《大观》《政和》有"宜"字。

　　本[1]说如此。案今药之所主，各[2]止说病之一名。假今中风，中风乃[3]数十种，伤寒证[4]候，亦廿[5]余条。更复就中求其例类[6]，大体归其始终[7]。以本性为根宗，然后配合诸[8]证，以命药耳[9]。病生之变[10]，不可一概言之。所以医方千卷，犹未理尽[11]。

【校注】

[1] **本**　此上，《大观》《政和》有"右"字。

[2] **各**　《大观》《政和》无。

[3] **中风乃**　《大观》《政和》作"乃有"。

[4] **证**　敦煌本《集注》作"诊"，据《大观》《政和》改。

[5] **廿**　《大观》《政和》作"有二十"。

[6] **例类**　《大观》《政和》倒置。

[7] **大体归其始终**　敦煌本《集注》作"大归终"，据《大观》《政和》改。

[8] **诸**　《大观》《政和》无。

[9] **命药耳**　《大观》《政和》作"合药尔"。

[10] **生之变**　《大观》《政和》作"之变状"。

[11] **理尽**　《大观》《政和》作"尽其理"。

　　春秋以前及和、缓之书蔑闻，道[1]经略载扁鹊数法，其用药犹是本草家意。至汉淳于意及华佗[2]等方，今之所[3]存者，亦皆修[4]药性。张[5]仲景一部，最为众方之祖宗[6]，又悉依本草。但其善诊脉，明气候，以意[7]消息之耳。至于刳肠剖臆，刮骨续筋[8]之法，乃别术所得，非神农家事。自晋世[9]已来，有张苗[10]、宫泰[11]、刘德[12]、史脱[13]、靳邵[14]、赵泉[15]、李子豫[16]等，一代良医。其贵胜阮德如[17]、张茂先[18]、裴逸民[19]、皇甫士安[20]，及江左葛稚川[21]、蔡谟[22]、殷渊源[23]诸名人等，并亦研精药术。宋有羊欣[24]、王微[25]、胡洽[26]、秦承祖[27]，齐有尚书褚澄[28]、徐文伯[29]、嗣伯群从兄弟，治病亦十愈其九[30]。凡此诸人，各有所撰用方，观其旨趣，莫非本草者[31]。或时用别药，亦修[32]其性度，非相踰越。《范汪方[33]》百余卷，及葛洪《肘后》，其中有细碎单行经[34]用者，所谓出于阿卷是[35]。或田舍试验之法，殊[36]域异识之术。如藕皮散血，起自庖人。牵牛逐水，近出野老。饼店[37]蒜齑，乃[38]下蛇之药。路边地松，为金疮所秘。此盖天地间物，莫不为天地间用，触遇则会，非其主对矣。颜光禄亦云：诠三品药性[39]，以本草为主。

【校注】

[1] **道** 此上，《大观》《政和》有"而"字。

[2] **佗** 原作"他"，据《大观》《政和》改。

[3] **之所** 《大观》《政和》作"时有"。

[4] **修** 《大观》《政和》作"条理"。

[5] **张** 此上，《大观》《政和》有"惟"字。

[6] **宗** 《大观》《政和》无。

[7] **意** 敦煌本《集注》脱，据《大观》《政和》补。

[8] **筋** 敦煌本《集注》作"菥"，据《大观》《政和》改。

[9] **世** 《大观》《政和》沿袭《新修》避讳例，作"代"。

[10] **张苗** 《古今医统》："张苗，晋人，雅好医术，善消息诊脉。"

[11] **宫泰** 《古今医统》："宫泰，不知何郡人，好医术。"

[12] **刘德** 敦煌本《集注》作"刘意"，据《大观》《政和》改。《古今医统》："刘德，晋，彭城人，少以医方自达，官至太医院校尉。"

[13] **史脱** 《古今医统》云："史脱，不知何郡人，官拜太医院校尉。"

[14] **靳邵** 《古今医统》："靳邵，性聪明有才术，制五石散、礜石散等方，晋朝士大夫，无不敬服。"

[15] **赵泉** 《中医大辞典》："赵泉，三国吴医家。好医方，善疗众疾，尤擅治疟证。孙权曾令其为丞相顾雍诊病。"

[16] **李子豫** 《古今图书集成·医部全录》名流列传："李子豫，晋医家。少善医方，治法神妙。时许永为豫州刺史，其弟患心腹痛十余年，子豫予八毒赤丸，须臾，腹中雷鸣疏转，大利数行，遂愈。"

[17] **阮德如** 《古今医统》："阮德如，一名阮侃，陈留尉氏人，官至河内太守。"

[18] **张茂先** 即张华，晋范阳方城人，著有《博物志》。

[19] **裴逸民** "裴"，《大观》《政和》《纲目》作"辈"。《晋书·裴秀传》："秀子颜，字逸民，博学稽古，兼明医术。"

[20] **皇甫士安** 《晋书》本传，皇甫谧，字士安，幼名静，安定朝那（今甘肃灵台）人。中年得风痹疾，因而学医，集览经方，手不释卷。所著《甲乙经》及《针经》行世。

[21] **葛稚川** 《大观》《政和》作"葛洪"。《古今医统》："葛洪，字稚川，丹阳人，自号抱朴子，广览群书诸子百家之言，下至杂文，诵记万卷。著《抱朴子》《肘后方》。"

[22] **蔡谟** 《古今医统》："蔡谟，字道明，东晋陈留考城人。以儒道自达，吏治知名，有道风，性尚医学，常览本草方书，手不释卷。"

[23] **殷渊源** 《大观》《政和》作"商仲堪"。《纲目》作"殷仲堪"。《晋书》本传："殷仲堪，陈郡（今河南淮阳）人。孝武帝（373—396）召为太子中庶子。著有《荆州要方》。"

[24] **羊欣** 《宋书》本传："羊欣，字敬元，善医术，撰《药方》十卷。"

[25] **王微** 《大观》《政和》作"元徽"。《南史·张邵传》："昔王微、嵇叔夜并学而不能。"

[26] **胡洽** 刘宋时人，原名胡道洽，因避齐太祖萧道成讳，改名胡洽。著有《百病方》2 卷。见《隋书·经籍志》。

［27］**秦承祖**　"秦"下，敦煌本《集注》原衍"有"字，据《大观》《政和》删。《古今医统》："秦承祖，南朝刘宋人，性耿介而精于方药，治病不分贵贱。"

［28］**褚澄**　《南齐书·褚渊传》："渊弟澄，善医术，建元中为吴郡太守。"

［29］**徐文伯**　《南史·张邵传》："徐道度生文伯，文伯亦精其业。"

［30］**九**　其上，《大观》《政和》有"八"字。

［31］**者**　此下，《大观》《政和》有"乎"字。

［32］**修**　《大观》《政和》《纲目》作"循"。

［33］**方**　敦煌本《集注》脱，据《大观》《政和》补。

［34］**经**　敦煌本《集注》作"侄"，据《大观》《政和》改。

［35］**所谓出于阿卷是**　《大观》《政和》无。

［36］**殊**　此上，《大观》《政和》有"或"字。

［37］**店**　敦煌本《集注》作"疟"，据《大观》《政和》改。

［38］**乃**　其下，《大观》《政和》有"是"字。

［39］**诠三品药性**　敦煌本《集注》作"诠品三药"，据《大观》《政和》改。

　　道经、仙方、服食、断谷、延年、却老，乃至飞丹转[1]石之奇，云腾羽化[2]之妙，莫不以药导[3]为先。用药之理，又[4]壹同本草，但制御之途，小异世法。犹如粱、肉，主于济命，华夷禽兽[5]，皆共仰资。其为生理则同[6]，其为性灵则异耳。大略所用不多，远至廿余物，或单行数种，便致大益，是其深练岁积[7]。即本草所云久服之效，不如世人微觉便止。故能臻其所极，以致遐龄，岂但充体愈疾而已哉！今庸医处治[8]，皆耻看本草，或倚约旧方，或闻人传说，或遇其所忆，便揽笔疏之，俄然戴面，以此表奇。其畏恶相反，故自寡[9]昧，而药类违僻，分两参差，亦不以为疑脱。偶而值差[10]，则自信方验[11]；若旬月未瘳，则言病源深结，了不反求诸已，详思得失[12]，虚构[13]声称，多纳金帛，非唯在显宜责，固将居幽贻谴矣。其五经四部，军国礼服，若详用乖越者[14]，正[15]于事迹非宜耳。至于汤药，一物有谬，便性命及之。千乘之君，百金之长，何可[16]不深思戒慎耶？许世子[17]侍药不尝，招弑贼之辱[18]；季孙馈药，仲尼未达[19]，知药[20]之不可轻信也。

【校注】

［1］**转**　《大观》《政和》作"錬"。

［2］**云腾羽化**　方士们幻想成仙时的情况。《抱朴子》引《神农经》曰："上药令人身安命延，升天神仙，遨游上下，役使万灵，体生毛羽，行厨立至。"

［3］ **导** 《大观》《政和》作"道"。

［4］ **又** 《大观》《政和》脱。

［5］ **华戎禽兽** "兽"，敦煌本《集注》原作"鸟"，据《大观》《政和》改。"华"，为中国之称。《左传》："夷不乱华"。疏云："中国有礼仪之大，故称夏；有服章之美，谓之华。""夷"，指中国边疆以外的一些地区。

［6］ **生理则同** 《大观》《政和》作"主理即同"。

［7］ **深练岁积** 《大观》《政和》作"服食岁月深积"。

［8］ **治** 《大观》《政和》作"疗"。

［9］ **塞** 敦煌本《集注》作"寒"，据《大观》《政和》改。

［10］ **偶而值差** 《大观》《政和》作"或偶尔值差"。"差"，《方言》："差，愈也。南楚病愈者谓之差。"又"差"通"瘥"，《玉篇》："疾愈也。"

［11］ **验** 此下，敦煌本《集注》原衍"若自信方验"，据《大观》《政和》删。

［12］ **失** 敦煌本《集注》作"夫"，据《大观》《政和》改。

［13］ **构** 《大观》作"驾"。南宋人刻书，避宋高宗赵构讳，"构"改作"驾"。

［14］ **者** 此下，《大观》《政和》有"犹可矣"3字。

［15］ **正** 《大观》《政和》作"止"。

［16］ **可** 《大观》《政和》无。

［17］ **许世子** 《大观》《政和》作"昔许太子"。

［18］ **招弑贼之辱** 《大观》《政和》作"招弑君之恶"。"弑"（shì），古代统治阶级称臣杀君为"弑"。《史记·高祖本纪》："项羽使人阴弑义帝"。

［19］ **未达** 《大观》《政和》作"有未达之辞"。

［20］ **知药** 《大观》《政和》作"知其药性"。

晋时有一才情[1]人，欲刊正《周易》及诸药方，先与祖纳[2]共论，祖云："辩[3]释经典，纵有异同，不足以伤风教，方[4]药小小不达，便[5]寿夭所由，则后人受弊不少，何可轻以裁断。"祖公[6]此言，可谓[7]仁识，足为水镜[8]。《论[9]语》云："人而无恒[10]，不可以作巫、医。"明此二法，不得[11]以权饰妄造。所以医不三世，不服其药。又云[12]"九折臂[13]，乃成良医"。盖谓学功须深故也。复患今[14]承藉者，多恃炫名价，亦不能精心研解[15]，虚传声美[16]，闻风竞往，自有新学该明，而名称未播，贵胜以为始习，多不信用，委命虚名，谅可惜也。京邑诸人，皆尚声誉，不取实录[17]。余祖世以来，务敦方药，本有《范汪[18]方》一部，斟[19]酌详用，多获其效。内护家门，旁[20]及亲族。其有虚心告请者，不限贵贱，皆摩踵救之。凡所救活，数百千人。自余投缨宅岭，犹不忘此。日夜玩味，恒觉欣欣。今撰此[21]三卷，并《效验方》五卷，又《补阙[22]葛氏肘后[23]》三卷。盖欲永[24]嗣善业，令诸子侄，弗[25]敢失坠，可以辅身济物者[26]，孰复是先[27]。

【校注】

[1] 情 《大观》《政和》无。

[2] 纳 《大观》《政和》作"讷"。

[3] 辩 《大观》《政和》作"辨"。

[4] 方 《大观》《政和》作"至于汤"。

[5] 便 此下，《大观》《政和》有"致"字。

[6] 公 《大观》《政和》作"之"。

[7] 谓 《大观》《政和》作"为"。

[8] 水镜 《大观》《政和》作"龟镜矣"。

[9] 论 其上，《大观》《政和》有"按"字。

[10] 恒 《大观》《政和》作"常"。

[11] 得 《大观》《政和》作"可"。

[12] 又云 《大观》《政和》无。

[13] 九折臂 《大观》《政和》作"九折臂者"。

[14] 今 此下，《大观》《政和》有"之"字。

[15] 解 《大观》《政和》作"习，实为可惜"。

[16] 美 敦煌本《集注》原作"羮"，据《大观》《政和》改。

[17] 不取实录 《大观》作"不求实事"，《政和》作"不取实事"。

[18] 汪 敦煌本《集注》脱，据《大观》《政和》补。

[19] 斟 敦煌本《集注》原残缺，据《大观》《政和》补。

[20] 旁 《大观》《政和》作"傍"。

[21] 撰此 《大观》《政和》作"亦撰方"。

[22] 阙 《大观》《政和》无。

[23] 后 其下，《大观》《政和》有"方"字。

[24] 永 《大观》《政和》作"承"。

[25] 弗 《大观》《政和》作"不"。

[26] 者 此下，《大观》《政和》有"也"字。

[27] 孰复是先 《大观》《政和》无。

今[1]诸药采治[2]之法，既并用见成，非能自掘[3]，不复具论其事，唯合药须解节度，列之如左[4]。

【校注】

[1] **今** 此下，《大观》《政和》有"按"字。

[2] **治** 《大观》《政和》沿袭《新修》避讳例，作"造"。

[3] **摇** 《大观》《政和》作"采"。

[4] **列之如左** 《政和》作"例之左"。

案诸药所生，皆的有境界[1]。秦汉以前，当言列国。今郡县之名，后人所改耳。自[2]江东以来，小小杂药，多出近道，气势[3]理，不及本邦。假令荆、益不通，则令[4]用历阳当归，钱唐[5]三建[6]，岂得相似。所以治病不及往人者[7]，亦当缘此故也。蜀药及北药，虽有去来，亦复非[8]精者。又[9]市人不解药性，唯尚形饰。上党人参，殆[10]不复售。华阴细辛，弃之如芥。且各随世相竞，顺方切须[11]，不能多备诸族，故往往遗漏。今之所存，二百[12]许种耳。众医睹[13]不识药，唯听市人，市人又不辨究，皆委采送之家。采送之家，传习治拙[14]，真伪好恶莫测[15]，所以有[16]钟乳酢[17]煮令白，细辛水渍使直，黄耆[18]蜜蒸为甜，当归酒洒取润，螵蛸胶著桑枝，吴公[19]朱足令赤。诸有此等，皆非事实，世用既久，转以成法，非复可改，末如之何，又依方分药，不量剥治[20]。如[21]远志、牡丹，裁[22]不收半；地黄、门冬，三分耗一。凡去皮除心之属，分两皆不复相应，病家唯依此用，不知更称[23]。又王公[24]贵胜，合药之日，悉付群下。其中好药贵石，无不窃遣[25]。乃言紫石[26]、丹沙吞出洗取，一片经数十[27]过卖。诸有此等[28]例，巧伪百端，皆非事实[29]。虽复鉴[30]检，初[31]不能觉。以此治病，理[32]难即效，斯并[33]药家之盈虚，不得咎医人之浅拙也。

【校注】

[1] **界** 原作"堺"，据《大观》《政和》改。

[2] **自** 《大观》《政和》无。

[3] **势** 《大观》《政和》作"力性"。

[4] **令** 《大观》《政和》作"全"。

[5] **钱唐** 《大观》《政和》作"钱塘"。钱唐即浙江钱塘。隋以前皆作钱唐，唐以避讳"唐"之国号，加"土"字边为钱塘。

[6] **三建** 《证类本草》卷10"天雄"条，陶隐居注云："（天雄）与乌头、附子三种，本并出建平（今四川巫山），故谓之三建。"

[7] **往人者** 《大观》《政和》无"者"字。

［8］**复非** 《大观》《政和》倒置。

［9］**又** 《大观》《政和》作"且"。

［10］**殆** 《大观》《政和》作"世"。

［11］**顺方切须** 《大观》《政和》无。

［12］**百** 敦煌本《集注》作"伯"，据《大观》《政和》改。

［13］**睹** 《大观》《政和》作"都"。

［14］**治拙** 《大观》《政和》作"造作"。

［15］**莫测** 《大观》《政和》作"并皆莫测"。"测"，敦煌本《集注》作"恻"，据《大观》《政和》改。

［16］**有** 《大观》《政和》脱。

［17］**酢** 《大观》《政和》作"醋"。

［18］**耆** 《大观》作"芪"。

［19］**吴公** 《大观》《政和》作"蜈蚣"。

［20］**治** 《大观》《政和》作"除"。

［21］**如** 其上，《大观》《政和》有"只"字。

［22］**裁** 《大观》《政和》作"缠"。"裁"，通"缠"，亦通"才"。《汉书·高惠高后文功臣表》曰："户口可得而数，裁什二三。"

［23］**称** 《大观》《政和》作"秤取足"。

［24］**王公** 敦煌本《集注》原倒置，据《大观》《政和》改。

［25］**遣** 《大观》《政和》作"换"。

［26］**乃言紫石** 《大观》《政和》作"乃有紫石英"。

［27］**经数十** 《大观》《政和》作"动经十数"。

［28］**等** 《大观》《政和》无。

［29］**皆非事实** 《大观》《政和》无。

［30］**鉴** 《大观》《政和》作"监"。

［31］**初** 《大观》《政和》作"终"。"终"义长于"初"。

［32］**理** 《大观》《政和》作"固"。

［33］**斯并** 《大观》《政和》作"如斯并是"。

　　本草[1]采药[2]时月，皆在[3]建寅岁首，则从汉太初后所记也。其根物多以二月、八月采[4]者，谓春初津润始萌，未冲枝叶，势力淳浓故也。至秋则[5]枝叶就[6]枯，又[7]归流于下。今即事验之，春宁宜早，秋宁宜晚，其[8]华、实、茎、叶，乃各随其成熟耳。岁月亦有早晏，不必都依本文矣[9]。《经》说阴干者，谓就六甲阴中干之。依[10]遁甲法，甲子旬阴中[11]在癸酉，以药著酉地也。余[12]谓不必然，正是不露日曝，于阴影处干之耳。所以亦有云曝[13]干故也。若幸可两用，益当为善[14]。

【校注】

[1] **本草** 《大观》《政和》作"凡"。

[2] **采药** 敦煌本《集注》原脱，据《大观》《政和》补。

[3] **在** 《大观》《政和》作"是"。

[4] **采** 敦煌本《集注》原脱，据《大观》《政和》补。

[5] **则** 《大观》《政和》脱。

[6] **就** 《大观》《政和》作"干"。

[7] **又** 《大观》《政和》作"津润"。

[8] **其** 《大观》《政和》无。

[9] **矣** 《大观》《政和》作"也"。

[10] **依** 其上，《大观》《政和》有"又"字。

[11] **旬阴中** 敦煌本《集注》原作"阴中中"，据《大观》《政和》改。

[12] **余** 《大观》《政和》作"实"。

[13] **曝** 《大观》《政和》作"暴"。下同。

[14] **善** 此下，《大观》《政和》有《开宝本草》注云："本草采药阴干者，皆多恶。至如鹿茸《经》称阴干，皆悉烂令坏。今火干易得且良，草木根苗阴之皆恶。九月已前采者，悉宜日干。十月已后采者，阴干乃好。"

古秤唯有铢[1]两，而无分名。今则以十黍为一铢，六铢为一分，四分成一两，十六两为一斤。虽有子谷秬黍[2]之制，从来均之已久，正尔依此用之。但古秤皆复，今南秤是也。晋秤始后汉末已来，分一斤为二斤耳，一两为二两耳。金银丝绵，并与药同，无轻重矣。古方[3]唯有仲景，而已涉今秤，若用古秤作汤，则水为殊少，故知非复秤，悉用今者尔[4]。方有云[5]分等[6]者，非分两之分也[7]，谓诸药斤两多少皆同耳。先视病之大小轻重所须，乃以意裁之。凡此之类[8]，皆是丸散，丸散竟便[9]依节度用之。汤酒中[10]，无分等也。

【校注】

[1] **铢** 古代重量单位，二十四铢为一两。

[2] **秬黍** 黑色的黍。

[3] **方** 敦煌本《集注》原作"秤"，据《大观》《政和》改。

[4] **但古秤皆复……悉用今者尔** 以上75字出《本草经集注》，但《嘉祐本草》注此为《新修本草》文。据此可知，作《嘉祐本草》时，当时医家已见不到《本草经集注》了。

23

[5] **方有云** 《大观》《政和》作"今方家所云"。

[6] **分等** 《大观》《政和》倒置。下同。

[7] **也** 《大观》《政和》无。

[8] **凡此之类** 敦煌本《集注》原作"凡所此",据《大观》《政和》改。

[9] **便** 《大观》《政和》无。

[10] **中** 《大观》《政和》作"之中"。

凡散药有云刀圭者,十分方寸匕之一,准如梧子[1]大也。方寸匕者,作匕正方一寸,抄散取不落为度。钱五匕者,今五铢钱边五字者以抄之,亦令不落为度[2]。一撮者,四刀圭也。十撮为一勺,十[3]勺为一合。以药升分之者,谓药有虚实轻重,不得用斤两,则以升平之。药升合方寸[4]作,上径一寸,下径六分,深八分。内散[5]勿案抑[6],正尔微动令平调耳。而今人分药,多不复用此[7]。

【校注】

[1] **子** 其上,《大观》《政和》有"桐"字。

[2] **为度** 敦煌本《集注》原倒置,据《大观》《政和》改。

[3] **十** 敦煌本《集注》原作"一",据《大观》《政和》改。

[4] **合方寸** 《大观》《政和》作"方"。

[5] **散** 此下,《大观》《政和》有"药"字。

[6] **抑** 其下,《大观》《政和》有"之"字。

[7] **而今人分药,多不复用此** 敦煌本《集注》将此文作双行小字书写。又《大观》《政和》脱"而""多"2字。

凡丸药有云如细麻者,即今[1]胡麻也,不必扁扁,但令较略大小相称耳。如黍粟亦然,以十六黍为一大豆也。如大麻[2]者,即大麻子[3]准三细麻也。如胡豆者,今[4]青斑豆也[5],以二大麻子准之。如小豆者,今赤小豆也,粒有大小,以三大麻子[6]准之。如大豆者,二[7]小豆准之。如梧子者,以二大豆准之。一方寸匕散,蜜和得如[8]梧子,准[9]十丸为度。如弹丸及鸡子黄者,以十梧子准之。

【校注】

[1] **今** 《大观》《政和》无。

[2] **麻** 其下,《大观》《政和》有"子"字。

［3］**即大麻子** 《大观》《政和》无。

［4］**今** 其上，《大观》《政和》有"即"字。

［5］**也** 其上，《大观》《政和》有"是"字。

［6］**子** 敦煌本《集注》脱，据《大观》《政和》补。

［7］**二** 此上，《大观》《政和》有"以"字。

［8］**如** 敦煌本《集注》脱，据《大观》《政和》补。

［9］**准** 敦煌本《集注》脱，据《大观》《政和》补。

凡汤酒膏药，旧方皆云㕮 敷汝反咀 暴汝反[1]者，谓秤毕捣之如大豆者[2]，又使吹去细末，此于事殊不允[3]；药有易碎、难碎，多末、少末，秤两则不复均[4]，今皆细切之，较略令如㕮咀者，差[5]得无末，而[6]粒片调和[7]，于药力同出，无生熟也[8]。

【校注】

［1］**㕮 敷汝反咀 暴汝反** 《大观》《政和》作"㕮 方汝切咀 子与切"。宋代掌禹锡注："看详㕮咀，即上文细切之义"。

［2］**者** 《大观》《政和》无。

［3］**允** 此下，《大观》《政和》有"当"字。

［4］**均** 此下，《大观》《政和》有"平"字。

［5］**差** 《大观》《政和》作"乃"。

［6］**而** 此下，《大观》《政和》有"又"字。

［7］**和** 敦煌本《集注》原脱，据《大观》《政和》补。

［8］**于药力同出，无生熟也** 《大观》《政和》无。

凡丸、散药，亦先细切[1]曝燥乃捣之。又[2]有各捣者，有合捣者，随[3]方所言。其润湿药，如门[4]冬、干地黄辈，皆先切曝，独捣令扁[5]碎，更出细擘曝干。值[6]阴雨，亦以微火烘之，既燥，小停冷仍[7]捣之。

【校注】

［1］**细切** 《大观》《政和》倒置。

［2］**又** 《大观》《政和》无。

［3］**随** 此上，《大观》《政和》有"并"字。

[4] 门　其上，《大观》《政和》有"天"字。

[5] 扁　《大观》《政和》作"偏"。

[6] 值　《大观》《政和》作"若逢"。

[7] 仍　《大观》《政和》作"乃"。

凡润[1]湿药，燥皆大耗，当先增分两，须得屑乃秤为正。其汤酒中不须如此[2]。

【校注】

[1] 润　《大观》《政和》无。

[2] 不须如此　《大观》《政和》作"不如此也"。

凡筛[1]丸药，用重密绢令细，于蜜丸易成[2]熟。若筛散草药，用轻疏绢，于酒[3]服则[4]不泥。其石药亦用细[5]绢筛如[6]丸者。凡筛丸、散药竟[7]，皆更合于臼中，以杵研[8]之[9]数百过，视[10]色理和同为佳[11]。

凡汤酒膏中[12]用诸石，皆细捣之如粟米，亦可以葛布筛令调，并以[13]新绵别裹内中。其雄黄、朱沙[14]细末如粉。

【校注】

[1] 筛　敦煌本《集注》作"筵"，据《大观》《政和》改。下同。

[2] 成　《大观》《政和》无。

[3] 酒　其下，《大观》《政和》有"中"字。

[4] 则　《大观》《政和》作"即"。

[5] 细　《政和》无。

[6] 如　其上，《大观》《政和》有"令"字。

[7] 竟　《大观》《政和》作"毕"。下同。

[8] 研　《大观》《政和》作"捣"。

[9] 之　其下，敦煌本《集注》原衍"治"字，据《大观》《政和》删。

[10] 视　此下，《大观》《政和》有"其"字。

[11] 佳　此下，《大观》《政和》有"也"字。

[12] 中　敦煌本《集注》作"十"，据《大观》《政和》改。

[13] 以　敦煌本《集注》原脱，据《大观》《政和》补。

［14］**沙** 《大观》《政和》作"砂砻"。

凡煮汤，欲微火令小沸，其水数依方多少，大略廿两药，用水一斗[1]，煮取四升，以此为率[2]。然则利汤欲生，少水而多取[3]；补汤欲熟，多水而少取。好详视之[4]，所得宁令[5]多少。用新布，两人以尺木绞之，澄去泥[6]浊，纸覆令密。温汤[7]勿令铛[8]器中有水气，于热[9]汤上煮令暖亦好。服汤家小[10]热易下，冷则呕涌[11]。云[12]分再服、三服者，要令力热势足[13]相及。并视人之强羸，病之轻重，以为进退增减之，不必悉依方说[14]。

【校注】

［1］**斗** 敦煌本《集注》作"升"，据《大观》《政和》改。

［2］**率** 《大观》《政和》作"准"。

［3］**取** 其下，《大观》有"汁"字。《政和》无"汁"字。下同。

［4］**之** 敦煌本《集注》脱，据《大观》《政和》补。

［5］**所得宁令** 《大观》《政和》作"不得令水"。

［6］**泥** 《大观》《政和》作"垩"。

［7］**汤** 敦煌本《集注》脱，据《大观》《政和》补。

［8］**铛** 《大观》《政和》作"枪"。下同。

［9］**热** 《大观》《政和》作"熟"。

［10］**家小** 《大观》《政和》作"宁令小沸"。

［11］**涌** 《大观》《政和》作"潏"。

［12］**云** 此上，《大观》《政和》有"凡"字。

［13］**令力热势足** 《大观》《政和》作"令势力"。

［14］**说** 此下，《大观》《政和》有"也"字。

凡渍药酒，皆须细切，生绢袋盛之，乃入酒密封[1]，随寒暑日数，视其浓烈，便可沥[2]出，不必待至酒尽也。滓可曝燥，微捣，更渍饮之；亦可作[3]散服。

【校注】

［1］**皆须细切，生绢袋盛之，乃入酒密封** 敦煌本《集注》脱，据《大观》《政和》补。

［2］**沥** 《大观》《政和》作"漉"。

［3］**作** 《大观》《政和》无。

27

凡建中、肾沥诸补汤，淬合两剂，加水煮，竭饮之，亦敌一剂新药，贫人当依此[1]，皆应先曝令燥。

【校注】

[1] **当依此** 《大观》《政和》作"可当依此用"。

凡合膏，初以苦酒渍取[1]，令淹，溲浃后[2]，不用多汁，密覆勿泄。云晬时者，周时也，从今旦至明旦。亦有止一宿者。煮膏，当[3]三上三下，以泄其燋[4]势，令药味得出。上之使迊迊[5]沸仍[6]下之，下之取沸静乃上[7]，宁欲小[8]生。其中有薤白者，以两头微燋[9]黄为候。有白芷、附子者，亦令小黄色也[10]。猪肪勿令经水，腊月[11]弥佳。绞膏亦以新布绞之[12]。若是可服之膏，膏淬亦堪[13]酒煮稍[14]饮之。可摩之膏，膏[15]淬即[16]宜以薄[17]病上，此盖贫野人[18]欲兼尽其力[19]。

【校注】

[1] **取** 《大观》《政和》无。

[2] **溲浃后** 《大观》《政和》作"浃"。

[3] **煮膏，当** 敦煌本《集注》脱，据《大观》《政和》补。

[4] **燋** 《大观》《政和》作"热"。

[5] **迊（jiā）** 《大观》《政和》作"币"。《广韵》："迊，同'币'"。

[6] **仍** 《大观》《政和》作"乃"。

[7] **取沸静乃上** 《大观》《政和》作"使沸静良久乃止"。

[8] **小** 《大观》《政和》作"小小"。

[9] **燋** 《大观》《政和》作"焦"。

[10] **也** 《大观》《政和》作"为度"。

[11] **腊月** 《大观》《政和》作"腊月者"。唐代抄本，"腊"作"臘"。下同。

[12] **绞之** 敦煌本《集注》脱，据《大观》《政和》补。

[13] **堪** 《大观》《政和》作"可"。

[14] **稍** 《大观》《政和》无。

[15] **膏** 敦煌本《集注》脱，据《大观》《政和》补。

[16] **即** 《大观》《政和》作"则"。

[17] **薄** 《大观》《政和》作"傅"。

[18] **贫野人** 《大观》《政和》无。

[19] **力** 《大观》《政和》作"药力故也"。

凡膏中有雄黄、朱沙辈，皆别捣细研如面，须绞膏竟乃投中，以物疾搅，至于凝强，勿使沉聚在下不调也。有水银者，于凝膏中，研令消散。有[1]胡粉[2]亦尔。凡汤酒中用大黄，不须细剉。作汤者，先水渍[3]，令淹浃[4]，密覆一宿。明旦煮汤，临熟乃以内中[5]，又煮两三沸，便绞出，则力势[6]猛[7]，易得快利。丸散中用大黄，旧皆蒸[8]，今不须尔。

【校注】

[1] **有** 《大观》《政和》脱。

[2] **胡粉** 《证类本草》卷5"粉锡"条，陶隐居注："即今化铅所作胡粉也。"

[3] **水渍** 《大观》《政和》作"以水浸"。

[4] **浃** 敦煌本《集注》原残缺，据《大观》《政和》补。

[5] **乃以内中** 《大观》《政和》作"乃内汤中"。

[6] **力势** 《大观》《政和》倒置。

[7] **猛** 敦煌本《集注》原残缺，据《大观》《政和》补。

[8] **蒸** 此下，《大观》《政和》有"之"字。

凡汤中用麻黄，皆先别煮两三沸，料[1]去其沫，更益水如本数，乃内余药，不尔令人烦。麻黄皆折去节，令理通，寸斩[2]之；有[3]小草[4]、瞿麦五分斩之；细辛、白前三分斩之；丸、散、膏中，则细剉也。

【校注】

[1] **料** 《大观》《政和》作"掠"。

[2] **斩** 《大观》《政和》作"剉"。下同。

[3] **有** 《大观》《政和》脱。

[4] **小草** 《证类本草》卷6云："（远志）叶名小草。"

凡汤中用完[1]物，皆擘破，干枣[2]、枝子、括楼子[3]之类是也。用细核物亦打碎[4]，山茱萸、五味[5]、蕤核、决明[6]之类是也。细华子物，正尔完用之，旋伏华[7]、菊华、地肤子、葵子之类是也。米、麦、豆辈，亦完用之。诸虫先微炙[8]，亦完煮之[9]。唯螵蛸当中破之。生姜、夜干皆薄切。芒消、饴糖、阿胶皆须绞汤竟，内汁中，更上火两三沸，烊尽乃服之。

【校注】

[1] **完** 敦煌本《集注》作"儿"，据《大观》《政和》改。

[2] **枣** 敦煌本《集注》作"枭"，据《大观》《政和》改。唐代写本，"枣"皆写成"枭"，或写成"枭"。下同。

[3] **子** 《大观》《政和》无。

[4] **碎** 《大观》《政和》作"破"。

[5] **味** 其下，《大观》《政和》有"子"字。

[6] **明** 其下，《大观》《政和》有"子"字。

[7] **伏华** 《大观》《政和》作"复花"。

[8] **炙** 其下，《大观》《政和》有"之"字。

[9] **亦完煮之** 《大观》《政和》无。

凡用麦门冬，皆微润抽去心。杏人、桃人汤柔挞去皮。巴豆打破，剥[1]皮，刮去心，不[2]尔令人闷。石韦、辛夷刮去毛[3]。鬼箭削取羽及[4]皮。藜[5]芦剔取根，微炙。枳实去其核[6]，止用皮[7]，亦炙之。椒去[8]实，于铛器[9]中微熬，令汗出，则有势力。矾[10]石于瓦[11]上若铁物中熬，令沸，汁尽即止[12]，二[13]礜石皆[14]黄土泥苞，使燥，烧之半日，令势热[15]而解散。犀角、灵[16]羊角皆刮截[17]作屑。诸齿骨并炙捣碎之。皂荚去皮子炙之。

【校注】

[1] **剥** 此下，《大观》《政和》有"其"字。

[2] **不** 敦煌本《集注》作"不不"，据《大观》《政和》删改。

[3] **石韦、辛夷刮去毛** 《大观》《政和》作"石韦刮去毛，辛夷去毛及心"。

[4] **及** 《大观》《政和》无。

[5] **藜** 敦煌本《集注》作"藜"，据《大观》《政和》改。下同。

[6] **核** 《大观》《政和》作"瓢"。

[7] **止用皮** 《大观》《政和》无。

[8] **去** 敦煌本《集注》作"云"，据《大观》《政和》改。

[9] **器** 《大观》《政和》无。

［10］**矾**　敦煌本《集注》作"樊"，据《政和》改。又"矾"，《大观》作"礜"。下同。

［11］**瓦**　敦煌本《集注》作"凡"，据《大观》《政和》改。

［12］**即止**　敦煌本《集注》脱，据《大观》《政和》补。

［13］**二**　《大观》《政和》无。

［14］**皆**　其下，《大观》《政和》有"以"字。

［15］**势热**　《大观》《政和》作"熱"。

［16］**灵**　《大观》《政和》作"羚"。

［17］**刮藏**　《大观》《政和》作"锡刮"。

凡汤[1]、丸、散，用天雄、附子、乌头、乌喙、侧子，皆塘灰火[2]炮炙[3]，令微坼[4]，削去黑皮乃秤之。唯姜附子[5]汤及膏酒中生用，亦削去[6]皮乃秤[7]，直理破作七八片，随其大小，但削除外黑尖处令尽[8]。

【校注】

［1］**汤**　此下，《大观》《政和》有"并"字。

［2］**火**　《大观》《政和》作"中"。

［3］**炙**　《大观》《政和》无。

［4］**坼**　敦煌本《集注》作"炘"，据《大观》《政和》改。

［5］**子**　《大观》《政和》无。

［6］**去**　《大观》《政和》无。

［7］**秤**　其下，《大观》《政和》有"之"字。

［8］**但削除外黑尖处令尽**　敦煌本《集注》原作"并割削除冰处者"，据《大观》《政和》改。

凡汤、酒、膏、丸、散[1]，用半夏皆且完。以[2]热汤洗去上滑，手挼之[3]，皮释随剥去，更复易汤挼之[4]，令滑尽。不尔，戟人咽[5]。旧方[6]廿许过，今六七过便足。亦可直[7]煮之，沸[8]易水，如此三[9]过，仍挼洗毕便讫[10]，随其大小破为细片，乃秤[11]以入汤。若膏、酒、丸、散，皆须曝燥乃秤之也[12]。丸、散止削上皮用之，未必皆洗也[13]。

【校注】

［1］**膏、丸、散**　《大观》《政和》作"丸、散、膏中"。

［2］**以**　《大观》《政和》作"用"。

[3] **手捼之** 《大观》《政和》作"以手接之"。

[4] **捼之** 《大观》《政和》作"洗"。

[5] **咽** 其下，《大观》《政和》有"喉"字。

[6] **方** 此下，《大观》《政和》有"云"字。

[7] **直** 《大观》《政和》无。

[8] **沸** 《大观》《政和》作"一两沸一"。

[9] **三** 其下，《大观》《政和》有"四"字。

[10] **捼洗毕便讫** 敦煌本《集注》作"接洗便毕讫"，据文义改。又《大观》《政和》作"接洗毕便暴干"。

[11] **秤** 此下，《大观》《政和》有"之"字。

[12] **也** 《大观》《政和》无。

[13] **丸、散止削上皮用之，未必皆洗也** 《大观》《政和》无。

凡丸、散用胶[1]，皆先炙，使通体沸起，燥乃可捣。有不沸[2]处更炙之。丸方[3]中用蜡皆烊[4]，投少蜜中，搅调以和药。若用熟艾，先细擘，合诸药捣，令散；不可筛者，别捣内散中和之。凡用[5]蜜，皆先火上[6]煎，料去其沫，令色微黄，则丸经久不坏。剋[7]之多少，随蜜精麁。

【校注】

[1] **胶** 《大观》《政和》作"阿胶"。下同。

[2] **沸** 敦煌本《集注》作"泱"，据《大观》《政和》改。

[3] **丸方** 《大观》《政和》作"凡丸"。

[4] **用蜡皆烊** 敦煌本《集注》作"用膌洋"，据《大观》《政和》改。

[5] **凡用** 敦煌本《集注》倒置，据《大观》《政和》改。

[6] **上** 《大观》《政和》无。

[7] **剋** 《大观》《政和》作"掠"。

凡丸、散用巴豆[1]、杏人、桃人[2]、葶苈[3]、胡麻诸有膏脂[4]药，皆先熬黄黑，别捣令如膏。指攎视泯泯尔，乃以向成散，稍稍下臼中，合研捣，令消散，乃[5]复都以轻疏[6]绢筛度之，须尽，又内臼中，依法治[7]数百杵也。汤、膏中用，亦有熬之者，虽生并捣破[8]。

【校注】

[1] **豆** 此下，《大观》有"去皮心膜"4字。

[2] **杏人、桃人** 《大观》作"杏仁、桃仁"。《说文·人部》段玉裁注："果人之字，自宋元以前，本草、方书、诗歌、纪载，无不作'人'字。明成化重刊本草，乃尽改为'仁'字。于理不通，学者所当知也。"

[3] **葶苈** 敦煌本《集注》作"亭历"，据《大观》《政和》改。下同。

[4] **脂** 《大观》《政和》作"腻"。

[5] **乃** 《大观》《政和》作"仍"。

[6] **疏** 《大观》《政和》作"疎"。

[7] **治** 《大观》《政和》作"捣"。

[8] **破** 此下，《大观》《政和》有"之"字。

凡用桂[1]、厚朴、杜仲、秦皮、木兰辈[2]，皆削去[3]上虚软甲错[4]，取里有味者秤之。茯苓、猪苓削除去[5]黑皮。牡丹、巴戟天、远志、野[6]葛等，皆搥破去心。紫菀洗去土皆毕，乃秤之。薤白、葱白除青令尽。莽草、石南草[7]、茵芋、泽兰剔[8]取叶及嫩茎，去大枝。鬼臼、黄连皆除根毛。蜀椒去闭口者及目熬之[9]。

【校注】

[1] **桂** 《大观》《政和》作"桂心"。下同。

[2] **辈** 此上，《大观》《政和》有"之"字。

[3] **削去** 敦煌本《集注》原倒置，据《大观》《政和》改。

[4] **错** 此下，《大观》《政和》有"处"字。

[5] **去** 《大观》《政和》无。

[6] **野** 敦煌本《集注》作"冶"，据《大观》《政和》改。唐代抄本，"野葛"多作"冶葛"。下同。

[7] **石南草** 《大观》《政和》无"草"字。唐代抄本，"石南"多作"石南草"。"石南"原是木类，故宋代本草删去"草"字，作"石南"。

[8] **剔** 此上，《大观》《政和》有"皆"字。

[9] **熬之** 敦煌本《集注》脱，据《大观》《政和》补。

凡狼毒、枳实、橘皮、半夏、麻黄、吴茱萸，皆欲得陈久者[1]。其余唯[2]须新精[3]。

【校注】

[1] **者** 此下，《大观》《政和》有"良"字。

[2] **唯** 《大观》《政和》无。

[3] **新精** 《大观》《政和》作"精新也"。

凡方云巴豆如[1]千枚者，粒有大小，当先去心皮竟，秤之[2]，以一分准十六枚。附子、乌头如干枚者，去皮竟，以半两准一枚。枳实如干枚者，去核竟[3]，以一分准二枚。橘皮一分准三枚。枣有大小，以[4]三枚准一两。云干姜一累者，以重一两为正。

【校注】

[1] **如** 《大观》《政和》作"若"。

[2] **竟，秤之** 《大观》《政和》作"乃秤之"。

[3] **去核竟** 《大观》《政和》作"去穰毕"。

[4] **以** 《大观》《政和》无。

凡方云半夏一升者，洗竟，秤[1]五两为正。云某子一升者，其子各有虚实轻重，不可通以秤准，皆取平升为正[2]。椒一升[3]，三两为正。吴茱萸一升[4]，五两为正。菟丝子一升，九两为正。菴䕡子一升，四两为正。蛇床子一升，三两半为正。地肤子一升，四两为正。此其不同也[5]。

【校注】

[1] **洗竟，秤** 《大观》《政和》作"洗毕，秤"。

[2] **云某子一升者……皆取平升为正** 《大观》《政和》移置段末。

[3] **椒一升** 《大观》《政和》作"蜀椒一升者"。

[4] **升** 此下，《大观》《政和》有"者"字。下同。

[5] **正。菟丝子一升……此其不同也** 敦煌本《集注》脱，据《大观》《政和》补。

凡方云用桂一尺者，削去皮竟[1]，重半两为正。甘草一尺者，重二两为正。凡方[2]云某草一束者，以重三两为正。云一把者，重二两为正。凡方云蜜一斤者，有七合。猪[3]膏一斤者，有一升二合[4]。

右合药分剂料治法[5]。

【校注】

[1] **凡方云用桂一尺者，削去皮竟** 敦煌本《集注》脱，据《大观》《政和》补。

[2] **凡方** 《大观》《政和》无。下同。

[3] **猪** 敦煌本《集注》作"睹"，据《大观》《政和》改。下同。

[4] **合** 此下，《大观》《政和》有"也"字。

[5] **治法** 《大观》《政和》作"理法则"。

又案[1]诸药，一种虽主数病，而性理亦有偏著。立方之日，或致疑混，复恐单行径[2]用，赴急抄撮，不必皆得研究。今宜指抄病源所主药名[3]，仍[4]可于此处治，若[5]欲的寻，亦兼易解[6]。其甘苦之味可略，有毒无毒易知，唯冷热须明。今以朱点为热，墨点为冷，无点者是平，以省于烦注也[7]。其有不[8]入汤酒[9]者，亦条于后也[10]。

【校注】

[1] **又案** 《大观》《政和》作"谨按"。

[2] **径** 《大观》《政和》作"经"。

[3] **名** 敦煌本《集注》作"各"，据《大观》《政和》改。

[4] **仍** 《大观》《政和》作"便"。

[5] **若** 敦煌本《集注》脱，据《大观》《政和》补。

[6] **解** 敦煌本《集注》脱，据《大观》《政和》补。

[7] **今以朱点……以省于烦注也** 《大观》《政和》作"今依《本经》《别录》注于本条之下"。

[8] **不** 其下，《大观》《政和》有"宜"字。

[9] **酒** 此下，《大观》《政和》有"宜入汤酒"4字。

[10] **也** 《大观》《政和》作"矣"。

治风通用

○防风　防己　秦胶　独活　○芎穷

治[1]风眩

菊华　飞廉　○踯躅　○虎掌　茯[2]神　○白芷　杜若　鸱[3]

【校注】

[1] 治 《大观》《政和》无。

[2] 茯 敦煌本《集注》作"伏",据《大观》《政和》改。下同。

[3] 鸱（chī） 凶猛鸟也,俗名猫头鹰。敦煌本《集注》作"颈",据文理、药理改。《大观》《政和》作"鸱头"。

头面风

○芎藭　○薯蓣[1]　○天雄　山茱萸　○莽草　○辛夷　○牡荆子[2]　○藁本　○麋芜　○蒉耳　蔓荆子[3]

【校注】

[1] 薯蓣 《大观》《政和》作"署预"。

[2] 牡荆子 "牡",敦煌本《集注》作"杜",据《大观》《政和》改。又"子",《大观》《政和》作"实"。

[3] 子 《大观》《政和》作"实"。

中风脚弱

石斛　○钟乳[1]　○殷蘖　○孔公蘖　○流黄[2]　○附子　丹参　○甘竹沥[3]　大豆卷[4]　○豉　○天雄　○侧子　○五加皮[5]

【校注】

[1] 钟乳 《大观》《政和》作"石钟乳"。下同。

[2] 流黄 《大观》《政和》作"石硫黄"。下同。

[3] 甘竹沥 《大观》《政和》作"竹沥"。下同。

[4] 大豆卷 《大观》《政和》无"卷"字。

[5] 五加皮 敦煌本《集注》作"五茄",据《大观》《政和》改。唐代抄本,"五加皮"多作"五茄"。下同。

久风湿痹

○菖蒲　○茵芋　○天雄　○附子　○乌头　○细辛　○蜀椒　牛膝　天门冬　○术[1]　丹参　石龙芮　○松叶　茵陈[2]　○松节

【校注】

[1] 术　敦煌本《集注》作"朮"，据《大观》《政和》改。下同。

[2] 茵陈　《大观》《政和》作"茵蔯蒿"。下同。

贼风挛痛

○茵芋　　○附子　　○侧子　　○麻黄　　○芎劳　　萆薢[1]　　苟脊[2]　　○白鲜[3]

白及　　○菓耳[4]　　○猪椒　　杜仲

【校注】

[1] 薢　敦煌本《集注》作"解"，据《大观》《政和》改。

[2] 苟脊　《大观》《政和》作"狗脊"。

[3] 白鲜　《大观》《政和》作"白鲜皮"。下同。

[4] 菓耳　敦煌本《集注》作"枲耳"，据《大观》《政和》改。下同。

暴风瘙[1]痒

蛇床子　　○蒴藋[2]　　○乌喙　　蒺藜　　茺蔚子[3]　　青葙子　　景天　　枫香[4]

●藜芦[5]

【校注】

[1] 瘙　敦煌本《集注》作"搔"，据《大观》《政和》改。

[2] 藋　敦煌本《集注》作"灌"，据《大观》《政和》改。

[3] 茺蔚子　敦煌本《集注》作"充尉子"，据《大观》《政和》改。

[4] 枫香　《大观》《政和》作"枫香脂"。

[5] 藜芦　敦煌本《集注》作"棃卢"，据《大观》《政和》改。下同。

伤寒

○麻黄　　葛根　　○杏人　　茈胡[1]　　前胡　　●大青　　●龙胆　　芍[2]药　　薰草

升麻　　●牡丹　　○虎掌　　○术　　防己　　●石膏　　牡蛎[3]　　贝齿[4]　　鳖甲

●犀角　　●零[5]羊角　　葱白　　○生姜　　●豉　　●溺[6]　　●芒消

【校注】

[1] 茈胡　《大观》《政和》作"柴胡"。下同。

[2] 芍　敦煌本《集注》作"勺"，据《大观》《政和》改。下同。

[3] 蛎　敦煌本《集注》作"厉"，据《大观》《政和》改。下同。

[4] 贝齿　《大观》《政和》作"贝母"。

[5] 羐　《大观》《政和》作"羚"。下同。

[6] 溺　《大观》《政和》作"人溺"。

大热

●寒水石[1]　●石膏　●黄芩　●蝭母[2]　●白鲜　●滑石　●玄参　●沙参　●苦参　茵陈　●鼠李皮[3]　●甘竹沥　●枝子[4]　●蛇莓[5]　●白颈蚯蚓[6]　●粪汁[7]　●大黄　●芒消

【校注】

[1] 寒水石　《大观》《政和》作"凝水石"。按，寒水石即凝水石。

[2] 蝭母　《大观》《政和》作"知母"。下同。

[3] 鼠李皮　《大观》《政和》作"鼠李根皮"。

[4] 枝子　《大观》《政和》作"栀子"。下同。

[5] 蛇莓　敦煌本《集注》作"虵莓"，据《大观》《政和》改。

[6] 白颈蚯蚓　敦煌本《集注》脱"蚯"字，据《大观》《政和》补。

[7] 粪汁　《大观》《政和》作"人粪汁"。下同。

劳复

鼠屎[1]　●豉　●竹沥　●粪汁

【校注】

[1] 屎　敦煌本《集注》作"矢"，据《大观》《政和》改。

温疟

●恒山[1]　蜀漆　鳖甲　牡蛎　○麻黄　●大青　●房[2]葵　猪苓　防己　●茵芋　○白头翁[3]　女青　○巴豆　●荛华[4]　白薇

【校注】

[1] 恒山　《大观》《政和》作"常山"。下同。

[2] **房**　《大观》《政和》作“防”。

[3] **翁**　敦煌本《集注》作“公”，据《大观》《政和》改。下同。

[4] **荛华**　《大观》《政和》作“芫花”。并引掌禹锡按：“唐、蜀本作荛花，今据《本经》荛花破积聚癥瘕，而芫花非的主，当作荛花。”今敦煌本《集注》作“荛华”，则掌禹锡所注正确。下同。

中恶

○**麝香**　**雄黄**　**丹沙**　**升麻**　○**干姜**　○**巴豆**　○**当归**　**芍药**　○**吴茱萸**

●**鬼箭**　**桃枭**[1]　**桃皮**　**乌鸡**[2]　○**蜈蚣**[3]

【校注】

[1] **枭**　敦煌本《集注》作“鸮”，据《大观》《政和》改。

[2] **乌鸡**　《大观》《政和》作“乌雌鸡血”。

[3] **蜈蚣**　《大观》《政和》脱此药。

霍乱

人参　○**术**　○**附子**　○桂心　○**干姜**　○**橘皮**

呕啘[1]　○**厚朴**　香薷　麢舌　○高凉姜[2]　○木瓜

转筋　○小蒜　○鸡舌香　楠材　蘊豆　○荳[3]蔻

【校注】

[1] **啘**　敦煌本《集注》作“啘”，据《大观》《政和》改。

[2] **高凉姜**　《大观》《政和》作“高良姜”。“高”，敦煌本《集注》作“膏”，据《大观》《政和》改。

[3] **荳**　《大观》《政和》作“豆”。

大腹水肿

●**大戟**　●**甘遂**　**泽漆**　●**葶苈**　●**荛华**　○**芫华**　○**巴豆**　**猪苓**　**防己**

○**桑根白皮**　**当陆**[1]　**泽兰**　**郁核**[2]　●**海藻**　●昆布　●**苦瓠**　●**瓜蒂**

小豆　●**鳢鱼**[3]　●鲤鱼　○**术**[4]　赤茯苓[5]　**大豆**

【校注】

[1] 当陆　《大观》《政和》作"商陆"。晋郭璞注《尔雅》云："《广雅》曰：马尾，商陆。《本草》云：别名蒻。今关西亦呼为蒻，江东呼为当陆。"《本经》《别录》皆无当陆药名。盖郭璞所见《本草》，久已亡矣。下同。

[2] 郁核　《政和》作"郁李人"，《大观》作"郁李仁"。

[3] 鳢鱼　《大观》《政和》作"蠡鱼"。

[4] 术　《大观》《政和》无。

[5] 赤茯苓　《大观》《政和》无。

肠澼下利

○赤白石脂[1]　龙骨　牡蛎　○干姜　●黄连　●黄芩　○当归　○附子　●禹余粮　●藜芦　●黄檗[2]　○云实　●枳实　●矾石　乌梅　石留[3]皮　胶　○艾[4]　○陟厘[5]　蜡

【校注】

[1] 赤白石脂　《大观》《政和》无"白"字。

[2] 黄檗　《大观》《政和》作"檗木"。下同。

[3] 留　《大观》《政和》作"榴"。

[4] 艾　《大观》《政和》作"熟艾"。

[5] 厘　敦煌本《集注》作"厘"，《大观》《政和》作"釐"。

大便不通

●牛胆　蜜煎[1]　●大黄　○巴豆　大麻子[2]

【校注】

[1] 蜜煎　《大观》《政和》作"石蜜"。

[2] 大麻子　《大观》《政和》作"麻子"。

小便淋沥[1]

●滑石　●冬葵子根[2]　●白茅根　●瞿麦　榆皮　●石蚕[3]　胡燕屎[4]　●蜥蜴　○衣中白鱼[5]　●葶苈　石韦　雄黄[6]　虎魄[7]　乱发

【校注】

[1] **沥** 《大观》《政和》脱。

[2] **冬葵子根** 《大观》《政和》作"冬葵子及根"。

[3] **蚕** 敦煌本《集注》作"蝅",据《大观》《政和》改。下同。

[4] **胡燕屎** 《大观》《政和》作"胡鷰屎"。"屎",敦煌本《集注》作"矢",据《大观》《政和》改。下同。

[5] **衣中白鱼** 《大观》《政和》脱"衣中白"3字。

[6] **雄黄** 《大观》《政和》作"蒲黄"。

[7] **虎魄** 《大观》《政和》作"琥珀"。下同。

小便利

牡蛎　龙骨　○鹿茸　桑螵蛸　●漏芦　●土瓜根　鸡肶胵　鸡肠[1]

【校注】

[1] **鸡肠** 《大观》《政和》作"鸡肠草"。

溺血

●戎盐　○鹿茸　龙骨　蒲黄　●干地黄

消渴

白石英　●石膏　茯神　麦门冬　●黄连　●栝楼[1]　●蜈母

●枸[2]杞根　小麦　●芹[3]竹叶　●土瓜根　生[4]葛根　●李根　●芦根

●菰根　茅根　冬瓜　●马乳　牛乳　●羊乳

【校注】

[1] **栝楼** 《大观》《政和》作"栝楼根"。

[2] **枸** 敦煌本《集注》作"猗",据《大观》《政和》改。

[3] **芹** 《大观》《政和》作"簜"。

[4] **生** 《大观》《政和》无。

黄疸[1]

茵陈　●枝子　●紫草　●白鲜

【校注】

[1] 疽　敦煌本《集注》作"疽"，据《大观》《政和》改。

上气咳[1]嗽

○麻黄　○杏人　白前[2]　○橘皮　○紫菀[3]　○款冬[4]　○五味[5]　○细辛　○蜀椒　半夏　○生姜　●干姜　桃人　○苏子[6]　夜干　○芫花根[7]　百部根

【校注】

[1] 咳　《大观》《政和》作"欬"。

[2] 白前　敦煌本《集注》倒置，据《大观》《政和》改。

[3] 菀　《大观》《政和》作"苑"。下同。

[4] 款冬　《大观》《政和》作"款冬花"。

[5] 五味　《大观》《政和》作"五味子"。下同。

[6] 苏子　《大观》《政和》作"紫苏子"。

[7] 根　《大观》《政和》无。

呕吐

○厚朴　○橘皮　人参　半夏　麦门冬　○白芷　○生姜　铅丹　鸡子　○薤白　●甘竹叶

痰[1]饮

●大黄　●甘遂　●芒消　茯苓　●荛华　茈胡　○芫华　前胡　○术　○细辛　○旋复华[2]　人参　○厚朴　●枳实　○橘皮　半夏　○生姜　●甘竹叶

【校注】

[1] 痰　敦煌本《集注》作"淡"，据《大观》《政和》改。

[2] 旋复华　《大观》《政和》作"旋复花"。

宿食

●大黄　○巴豆　●朴消　茈胡　○术　桔梗　○厚朴　○皂荚　○麴蘖[1]

○槟榔

【校注】

[1] **蒴藋** 《大观》《政和》作"蒴""藋"两条。

腹胀满

○麝香　甘草　人参　○术　○干姜　○厚朴　菴䕡子　●枳实　●桑[1]根白皮　○皂荚　大豆卷[2]　百合

【校注】

[1] **桑** 敦煌本《集注》作"桒",据《大观》《政和》改。唐代抄本,"桑"写作"桒"。下同。

[2] **大豆卷** 《大观》《政和》作"大豆黄卷"。

心腹冷痛

○当归　人参　芍药　桔梗　○干姜　○桂　○椒[1]　○吴茱萸　○附子○乌头　○术　甘草　○礜石

【校注】

[1] **椒** 《大观》《政和》作"蜀椒"。下同。

肠鸣

丹参　桔梗　●海藻

心下满急

茯苓　●枳实　半夏　●术　●生姜　百合

心烦

●石膏　●滑石　●杏人　●枝[1]子　茯苓　●蝱母　贝母　通草　●李根●甘竹汁　乌梅　●鸡子　●豉

43

【校注】

［1］**枝** 《大观》《政和》作"栀"。下同。

积聚癥瘕

●空青　●朴消　●芒消　●流黄　●胡粉[1]　●礜石[2]　●大黄　狼毒
●巴豆　●附子　●乌头　●苦参　菀华　茈胡　鳖甲　鳢甲[3]　●蜈蚣
赭槐[4]　●白马溺

【校注】

［1］**胡粉** 《大观》《政和》作"粉锡"。《政和》卷5"粉锡"条，陶隐居注云："粉锡即今化铅所作胡粉也。"下同。

［2］**礜石** 《大观》《政和》注云："一本作矾石"。又引禹锡按："矾石条并无主疗积聚癥瘕之文，一本作矾石者为非。"今敦煌本《集注》作"礜石"，则禹锡所注正确。

［3］**鳢甲** 《医心方》卷1引《新修》药物目作"鳢鱼甲"。《大观》《政和》作"鳢鱼"，并引掌禹锡按："（唐本、蜀本）蛇鱼甲，微温。无此鳢鱼一味，遍寻本草，并无鳢鱼，上已有蛇甲，此鳢鱼为文误，不当重出。"

［4］**赭槐** 《大观》《政和》作"赭魁"。疑"槐"为"魁"之讹。

鬼注、尸注

雄黄　朱沙[1]　金牙　○野葛　○马目毒公　○鬼臼[2]　女青　○徐长卿
虎骨　○狸骨　●鹳骨　獭肝　芫青[3]　●白盐[4]

【校注】

［1］**朱沙** 《大观》《政和》作"丹砂"。

［2］**鬼臼** 《大观》《政和》引掌禹锡按："《神农本草》鬼臼一名马目毒公，今此疗鬼疰、尸疰药，双出二名，据《本草》说为重，当删去一条。然详陶隐居注鬼臼条下，以鬼臼与马目毒公为二物及古方多有两用，今且并存之。"《政和》卷11"鬼臼"条有二药图：一图为舒州鬼臼，似独脚莲苗；一图为齐州鬼臼，似射干苗。苏颂注云："鬼臼，根肉皮须，并似射干，俗用皆是射干。"据《证类本草》所载，宋代本草中鬼臼，就有两种植物药图。这就提示鬼臼存在同名异物的情况。

［3］**芫青** 敦煌本《集注》作"元青"，据《大观》《政和》改。

［4］**白盐** 《大观》《政和》引掌禹锡按："《本经》言盐，有食盐、光明盐、绿盐、卤盐、大盐、戎盐六条，并无白盐之名。遍检诸盐，皆不主鬼疰、尸疰，惟食盐主杀鬼蛊邪疰。又陶隐居注戎

盐条下，述房中盐有九种，云白盐、食盐常食者，则白盐乃食盐之类。而食盐主杀鬼蛊邪疰，疑此白盐乃食盐耳。"

惊邪

雄黄　丹沙[1]　○紫石英[2]　茯苓　茯神　龙齿　●龙胆　●房葵

○马目毒公　升麻　○麝香　人参　沙参　桔梗　白薇　○远志　柏人[3]

●鬼箭　鬼督邮　○小草　卷柏　○紫菀　●零羊角　羖羊角　鳢甲[4]　丹

雄鸡

【校注】

[1] **丹沙**　《大观》《政和》作"丹砂"。

[2] **紫石英**　敦煌本《集注》作"紫菀"，据《大观》《政和》改。敦煌本《集注》"惊邪"主治药物重出紫菀，其中一个，应是紫石英之误。

[3] **柏人**　《大观》《政和》作"柏实"。

[4] **鳢甲**　《大观》《政和》作"蛇甲"。下同。

癫痫[1]

龙齿角　牛黄　房葵　牡丹　白敛　●莨菪子　●雷丸　铅丹　钓藤

僵蚕[2]　蛇床[3]　蛇蜕[4]　●蜣螂　●蚱蝉　白马目　○白狗血　○豚卵

牛猪　犬齿[5]

【校注】

[1] **癫痫**　敦煌本《集注》倒置，据《大观》《政和》改。

[2] **僵蚕**　敦煌本《集注》作"彊蚕"，据《大观》《政和》改。"僵"字上，《大观》《政和》有"白"字。

[3] **蛇床**　《大观》《政和》作"蛇床子"。

[4] **蛇蜕**　敦煌本《集注》作"虵蜕"，据《大观》《政和》改。

[5] **牛猪　犬齿**　敦煌本《集注》分为"牛猪""犬齿"二条，《大观》《政和》作"猪、牛、犬等齿"。"齿"字下，敦煌本《集注》重出"蜣螂"2字，据《大观》《政和》删。

喉痹痛

升麻　夜干　○杏人　○蒺藜[1]　○枣针[2]　○落石[3]　●芹[4]竹叶　百

合 ○莽草

【校注】

[1] 蒺藜 《大观》《政和》作"蒺藜子"。

[2] 枣针 《大观》《政和》作"棘针"。并引掌禹锡按："《本经》白棘一名棘针，不主喉痹痛。棘刺花条末云：又有枣针疗喉痹不通，此棘针当作枣针。"掌禹锡所论正确。

[3] 落石 《大观》《政和》作"络石"。下同。

[4] 芹 《大观》《政和》作"蕈"。

噎[1]

●零羊角 通草 ●青竹茹 头垢 芦根 舂杵糠[2] 牛饴[3]

【校注】

[1] 噎 《大观》《政和》作"噎病"。

[2] 舂杵糠 《大观》《政和》作"舂杵头细糠"。

[3] 饴 《大观》《政和》作"餳"。

鲠

○狸头骨 獭骨 鸬鹚骨

齿痛

○当归 独活 ○细辛 ○椒 ○芎䓖 ○附子 ○莽草 ●矾石 蛇床子

●生地黄 ●茛䓖子 鸡舌香 ●车下李根 马悬蹄 ○雄雀屎

口疮

●黄连 ●黄檗 升麻 ●大青 ●苦竹叶 蜜[1] ●酪苏[2] ●豉

【校注】

[1] 蜜 《大观》《政和》作"石蜜"。

[2] 苏 《大观》《政和》作"酥"。

吐唾血

●羊角[1]　白胶　●**戎盐**　柏叶　艾叶　●**生地黄**　○大蓟[2]　鸡苏[3]　蛴
螬　饴糖　伏龙肝　黄土

【校注】

[1] **羊角**　《大观》《政和》作"羚羊角"。

[2] **大蓟**　《大观》《政和》作"大小蓟"。

[3] **鸡苏**　《大观》《政和》作"水苏"，并作白字《本经》文。

鼻衄血

矾石　蒲黄　●**虾蟆蓝**[1]　○大蓟　鸡苏[2]　艾　竹茹[3]　烧[4]蝟皮　烧
发[5]　溺坈　**桑耳**

【校注】

[1] **虾蟆蓝**　《大观》《政和》引掌禹锡按："《本经》天名精一名虾蟆蓝。"

[2] **鸡苏**　《大观》《政和》引掌禹锡按："《本经》水苏一名鸡苏。"

[3] **茹**　《大观》《政和》作"茹"。

[4] **烧**　《大观》《政和》无。

[5] **烧发**　《大观》《政和》作"烧乱发"。

鼻齆[1]

通草　○细辛　○桂　○蕤[2]核　薰[3]草　○瓜蒂

【校注】

[1] **齆**　敦煌本《集注》作"瘫"，据《大观》《政和》改。

[2] **蕤**　敦煌本《集注》作"董"，据《大观》《政和》改。下同。

[3] **薰**　敦煌本《集注》作"董"，据《大观》《政和》改。

鼻息肉

●**藜芦**　●**矾石**　●**地胆**　通草　白狗胆

耳聋

●**慈**[1]**石**　○**菖蒲**　**葱涕**　雀脑　白鹅膏　○鲤鱼脑[2]

【校注】

[1] **慈**　《大观》《政和》作“磁”。

[2] **脑**　敦煌本《集注》作“脏”，据《大观》《政和》改。

目热痛[1]

●**黄连**　○**蕤核**　●**石胆**　●**空青**　●**曾青**　**决明子**　●**黄檗**　○**枝子**　○荠子　●苦竹叶[2]　鸡子白　●**鲤鱼胆**　●田中螺

【校注】

[1] **目热痛**　《大观》《政和》作“目赤热痛”。

[2] **叶**　此下，敦煌本《集注》衍“目肤翳”3字，据《大观》《政和》删。

目肤翳

秦皮　○**细辛**　●真朱[1]　**贝齿**[2]　石决明　○麝香　○毒公[3]　**伏翼**　青羊胆　**蛴螬汁**

【校注】

[1] **朱**　《大观》《政和》作“珠”。

[2] **贝齿**　《大观》《政和》作“贝子”。

[3] **毒公**　《大观》《政和》作“马目毒公”。

声音[1]哑

○**菖蒲**　○**钟乳**　○**孔公檗**[2]　○**皂荚**[3]　●苦竹叶　麻油

【校注】

[1] **音**　《大观》作“暗”，《政和》作“音”。

[2] **檗**　《大观》《政和》作“孽”。

[3] **皂荚** 《大观》《政和》作"皂角"。

面奸皰

菟丝子 ○麝香 熊脂 萎蕤[1] ○藁[2]本 ●木兰 ●枝子 ●紫草 冬[3]瓜子

【校注】

[1] **萎蕤** 《大观》《政和》作"女萎"。

[2] **藁** 敦煌本《集注》作"稁",据《大观》《政和》改。

[3] **冬** 《大观》《政和》作"白"。

发秃落

桑上寄生 ○秦椒 荆子[1] ●桑根白皮 ●桐叶 麻子人[2] 枣根 ○松叶 雁肪 马鬐膏 猪脂膏[3] 鸡肪[4]

【校注】

[1] **荆子** 《大观》《政和》引掌禹锡按："《本经》有蔓荆、牡荆,此只言荆子。据朱字合是蔓荆子及据唐本云:味苦、辛,故定知非牡荆子矣。"

[2] **人** 《大观》《政和》无。

[3] **猪脂膏** 《大观》《政和》作"猪膏"。

[4] **鸡肪** 《大观》《政和》引掌禹锡按："《药对》云:鸡肪,寒。"

灭瘢

鹰屎白 白僵蚕[1] ○衣中白鱼[2]

【校注】

[1] **白僵蚕** 敦煌本《集注》作"彊蚕",据《大观》《政和》改。

[2] **衣中白鱼** 《大观》《政和》作"衣鱼"。

金疮

●石胆 ○蔷薇[1] 地榆 艾叶 王不流[2]行 ○白头翁 ○钓[3]樟根

○石灰　狗头骨

【校注】

[1] 薇　敦煌本《集注》作"微"，据《大观》《政和》改。

[2] 流　《大观》《政和》作"留"。下同。

[3] 钓　敦煌本《集注》作"钩"，据《大观》《政和》改。

踒折

生鼠　生龟　●生地黄　乌雄鸡血　李核人　乌鸡[1]骨

【校注】

[1] 鸡　敦煌本《集注》在"鸡"旁衍"贼"字，据《大观》《政和》删。

瘀血

蒲黄　虎魄　○零羊角　牛膝　●大黄　●干地黄　●朴消　●紫参　桃人

●茅根　●䗪虫　虻虫　水蛭　●蜚蠊

火灼

柏皮[1]　**生胡麻**　●盐[2]　●豆酱　●井底泥　●黄芩　**牛膝**

【校注】

[1] 柏皮　《大观》《政和》作"柏白皮"。

[2] 盐　《大观》《政和》引掌禹锡按："食盐温，光明盐平，绿盐平，大盐寒，并无主火灼之文，不知此果何盐也？"

痈疽

落石　黄耆　白敛　○乌头[1]　乌喙　通草　败酱　白及　●大黄　半夏

玄参　蔷薇[2]　○鹿角　●虾蟆　土蜂房[3]　伏龙肝　●甘焦根

【校注】

[1] 乌头　《大观》《政和》无。

[2] 薇 《大观》《政和》作"蘼"。

[3] 房 《大观》《政和》作"子"。

恶疮

雄黄 雌黄 ●胡粉 ○流黄 ●矾石 ○石灰 ○松[1]脂 蛇床子 地榆
●水银 蛇衔 白敛 ●漏芦 ●菌茹 ●黄檗 ○占斯 藋菌 ○莽草
青葙[2] 白及 ●练实[3] 及己 ●狼跋 ●桐叶 虎骨 ●藜卢 ○狸骨
猪肚

【校注】

[1] 松 "松"旁，敦煌本《集注》衍"柏"字，据《大观》《政和》删。

[2] 葙 敦煌本《集注》作"相"，据《大观》《政和》改。下同。

[3] 练实 《大观》《政和》作"楝实"。

漆疮

●蟹 ○茱萸皮 苦芙 鸡子白 鼠查 秋米 ●井中苔萍 杉[1]材

【校注】

[1] 杉 敦煌本《集注》作"衫"，据《大观》《政和》改。

瘿瘤

小麦 ●海藻 ●昆布 文蛤 海蛤 半夏 贝母 通草 松萝 连翘 ○白
头翁

瘘[1]

雄黄 礜石 ●恒山 狼毒 ○侧子 连翘 王不流行 ●昆布 ○狸骨
●斑猫[2] ●地[3]胆

【校注】

[1] 瘘 《大观》《政和》作"瘘疮"。

[2] 斑猫 敦煌本《集注》作"班苗"，据《大观》《政和》改。

［3］**地**　敦煌本《集注》作"地"，据《大观》《政和》改。

痔[1]

●白桐叶　篇[2]蓄　蝟[3]皮　猪悬蹄

【校注】

［1］**痔**　《大观》《政和》作"五痔"。

［2］**篇**　《大观》《政和》作"萹"。

［3］**蝟**　《大观》《政和》卷1"五痔"病名下作"猬"，但《大观》《政和》卷21"虫鱼"中仍作"蝟"。"蝟"，《说文》从"虫"字旁，《玉篇》从"犬"字旁作"猬"。唐宋本草将蝟、鼠等小动物视为虫类，列在虫鱼类，故"蝟"字从"虫"字旁。明代李时珍《纲目》将蝟、鼠列在兽类，故"蝟"字改为"猬"，从"犬"字旁。

脱肛[1]

鳖头　卷柏　铁精　生铁　东壁土　●蜗牛

【校注】

［1］**肛**　敦煌本《集注》作"工"，据《大观》《政和》改。

蜃

青葙子　●苦参　●虺蛇胆[1]　复蛇胆　大枣[2]　○大蒜　●盐[3]

【校注】

［1］**虺蛇胆**　敦煌本《集注》作"䗪虺胆"，据《大观》《政和》改。

［2］**大枣**　《大观》《政和》无。

［3］**盐**　《大观》《政和》作"戎盐"。

蚘虫

薏苡根　藋菌　○干漆　练[1]根

【校注】

［1］**练**　《大观》《政和》作"楝"。

寸白

○槟榔　芜[1]荑　贯众　●狼牙　●雷丸　○茱萸根　青葙　○橘皮
●牡桂[2]　石榴根　○巴豆[3]

【校注】

[1] 芜　敦煌本《集注》作"无"，据《大观》《政和》改。

[2] 牡桂　《大观》《政和》作"榧子"。

[3] 巴豆　《大观》《政和》无。

虚劳男女[1]

丹沙　●空青　曾青[2]　○钟乳　○紫石[3]　○白石英　●慈石　龙骨　黄
耆　●干地黄　茯苓　茯神　天门冬　麦门冬　薯蓣　石斛　人参　沙参　玄
参　○五味　○苁容[4]　续断　●泽泻　牡蛎　●牡丹　芍药　○远志
○当归　○牡桂　○五加皮　●棘刺[5]　覆盆子　○巴戟天　牛膝　柏子[6]
桑螵蛸　石龙芮　石南草[7]　●桑根白皮　●地肤子　菟丝子　○干漆　蛇
床子　●车前子　枸杞[8]子　●枸杞根　大枣　麻子　胡麻

【校注】

[1] 男女　《大观》《政和》无。

[2] 曾青　《大观》《政和》无。

[3] 紫石　《大观》《政和》作"紫石英"。下同。

[4] 苁容　《大观》《政和》作"肉苁蓉"。"苁"，敦煌本《集注》作"纵"，据《大观》《政和》改。下同。

[5] 棘刺　《大观》《政和》作"白棘"。

[6] 柏子　《大观》《政和》作"柏实"。

[7] 草　《大观》《政和》无。

[8] 枸杞　敦煌本《集注》作"苟起"，据《大观》《政和》改。下同。

阴痿

○白石英　○阳起石　○巴戟天　○肉苁蓉　○五味　蛇床子　●地肤子　铁
精　白马茎

阴颓[1]

●海藻　铁精　○狸阴茎　狐阴[2]　蜘蛛　蒺藜　鼠阴

【校注】

[1] 颓　《大观》《政和》作"癀"。

[2] 狐阴　《大观》《政和》作"狐阴茎"。

囊湿

○五加皮　槐枝　●黄檗　○虎掌

泄[1]精

○韮[2]子　白龙骨　○鹿茸　牡蛎　桑螵蛸　●车前子叶　●泽泻　石榴皮
獐骨

【校注】

[1] 泄　《大观》《政和》作"洩"。

[2] 韮　《大观》《政和》作"韭"。

好眠

通草　●孔公蘖　马头骨　牡鼠目　荼茗

不得眠

酸枣[1]　榆叶

【校注】

[1] 酸枣　《大观》作"酸枣仁"，《政和》作"酸枣人"。

腰痛

杜仲　萆薢　狗脊　梅实　鳖甲　○五加皮

妇人崩中

●石胆　●禹余粮　○赤石脂　●代赭　牡蛎　龙骨　白僵蚕　○牛角䚡
乌贼鱼骨　蒲黄　●紫葳　●生干地黄　桑耳　●黄檗　●白茅根　艾叶　鲤
甲　鳖甲　马蹄甲[1]　白胶　丹雄鸡　阿胶　●鬼箭　○鹿茸　○大、小蓟
根　马通　伏龙肝

【校注】

[1] **马蹄甲**　《大观》《政和》作“马蹄”。

月闭

鼠妇　●䗪虫　虻虫　水蛭　蛴螬　桃核人[1]　○狸阴茎　●土瓜根
●牡丹　牛膝　○占斯　○虎杖　○阳起石　桃毛　○白垩[2]　铜镜鼻

【校注】

[1] **桃核人**　柯《大观》作“桃仁”，人卫本《政和》作“桃人”。
[2] **垩**　敦煌本《集注》作“恶朱点为热”，据《大观》《政和》改。

无子

○紫石　○钟乳　○阳起石　●紫葳[1]　卷柏　桑螵蛸　艾[2]　●秦皮

【校注】

[1] **葳**　《大观》《政和》作“葳”。下同。
[2] **艾**　《大观》《政和》作“艾叶”。

安胎

●紫葳　白胶　阿胶

堕胎

雄黄　●水银　●胡粉　飞生虫[1]　●溇疏　●大戟　雌黄　●巴豆

○野葛　●藜芦　●牡丹　牛膝　○桂　○皂荚　●蔄茹　○踯躅　●鬼箭
●槐子　薏苡根[2]　●瞿麦　○附子　○天雄　○乌头　○乌喙　○侧子
○蜈蚣　●地胆　●斑猫　芫青　亭长　水蛭　虻虫　●蟅虫　蛴螬　●蝼
蛄　蝟皮　●蜥蜴　蛇蜕　●朴消　蟹爪　●芒消

【校注】

[1] **飞生虫**　《大观》卷18、《政和》页393"鼺鼠"条，陶隐居注云："鼺是鼯鼠，一名飞生。"《本经》云："鼺鼠主堕胎"。据此，飞生虫即鼺鼠。

[2] **根**　《大观》《政和》无。

产难

●槐子　○桂　●滑石　贝母　蒺藜　○皂荚　酸浆[1]　●蚱蝉　●蝼姑
鼺[2]鼠　生鼠肝　○乌雄鸡肝[3]血　弓弦[4]　马衔

【校注】

[1] **浆**　敦煌本《集注》作"酱"，据《大观》《政和》改。

[2] **鼺**　《大观》《政和》作"鼺（力水、力佳二切）"。

[3] **肝**　《大观》《政和》作"冠"。

[4] **弓弦**　《大观》《政和》作"弓弩弦"。

产后病

●干地黄　●秦椒　败酱　泽兰　地榆　大豆

下乳汁

○钟乳　●漏芦　蛴螬　●栝楼子[1]　●土苽蒂[2]　猪狗四足

【校注】

[1] **子**　《大观》《政和》无。

[2] **蒂**　《大观》《政和》作"根"。

中蛊

桔梗　○鬼臼　○马目毒公[1]　●犀角　●斑猫　芫青　亭长[2]　○射罔[3]

鬼督邮　白襄荷　败鼓皮　●蓝子[4]

[1] **马目毒公**　敦煌本《集注》作"马目"与"毒公"两味药，《大观》《政和》作一味药。

[2] **亭长**　《大观》《政和》作"葛上亭长"。

[3] **閚**　敦煌本《集注》作"冈"，据《大观》《政和》改。

[4] **子**　《大观》《政和》作"实"。

解 毒[1]

蛇虺百虫毒，用[2]雄黄、巴豆、麝香[3]。

蜈蚣毒，用桑汁若[4]煮桑根汁。

蜘蛛毒[5]，用蓝青、盐[6]、麝[7]香。

蜂毒，用蜂房、蓝青[8]。

狗毒，用杏人、矾石[9]。

恶气部[10]毒百毒[11]，用犀角、零羊角、雄黄、麝香。

喉痹肿邪气恶毒入腹，用升麻[12]、夜干。

风肿毒肿，用五香[13]及紫檀[14]。

百病[15]药毒，用甘草，荠苨、大小豆汁、蓝汁及实[16]皆解之[17]。

射罔[18]毒，用蓝汁，大小豆汁、竹沥、大麻子汁、六畜血，贝齿屑、葍根屑、蚯蚓屑[19]、藕、菱[20]汁并解之[21]。

野葛毒，用鸡子粪汁[22]、葛根汁、甘草汁、鸭[23]头热血、温猪膏并解之[24]。若已死口噤者，以大竹筒[25]注两胁若[26]脐上，冷水内筒中[27]，暖辄易之，口须臾开，开即内药便活[28]。

【校注】

[1] **解毒**　《大观》《政和》作"解百药及金石等毒例"。

[2] **用**　《大观》《政和》脱"用"字。下同。

[3] **麝香**　此下，《大观》《政和》有"丹沙""干姜"二药。

[4] **若**　《大观》《政和》作"及"。

[5] **毒**　敦煌本《集注》脱，据《大观》《政和》补。

[6] **盐**　《大观》《政和》无。

[7] 麝　敦煌本《集注》作"射"，据《大观》《政和》改。

[8] 蓝青　《大观》《政和》作"蓝青汁"。

[9] 石　此下，《大观》《政和》有"韭根""人屎汁"二药。

[10] 郭　《大观》《政和》作"瘅"。

[11] 百毒　《大观》《政和》无。

[12] 升麻　此下，《大观》《政和》有"犀角"一药。

[13] 五香　《大观》《政和》作"沉香、木香、薰陆香、鸡舌香、麝香"。

[14] 紫檀　《大观》《政和》作"紫檀香"。

[15] 病　《大观》《政和》无。

[16] 实　《大观》《政和》作"蓝实"。

[17] 皆解之　《大观》《政和》无。

[18] 囷　敦煌本《集注》作"冈"，据《大观》《政和》改。

[19] 蚯蚓屑　《大观》《政和》作"蚯蚓屎"。"蚓"，敦煌本《集注》作"蚘"，据《大观》《政和》改。

[20] 荬　《大观》《政和》作"芰"。

[21] 并解之　《大观》《政和》脱此3字。

[22] 鸡子粪汁　《大观》《政和》作"鸡子清"。

[23] 鸭　敦煌本《集注》作"卵"，据《大观》《政和》改。

[24] 温猪膏并解之　《大观》《政和》作"猪膏"。

[25] 筒　此下，《大观》《政和》有"盛冷水"3字。

[26] 若　《大观》《政和》作"及"。

[27] 冷水内筒中　《大观》《政和》无。

[28] 便活　《大观》《政和》作"药入口便活矣，用荠苨汁解"。

斑猫、芫青毒，用[1]猪膏、大豆汁、戎盐、蓝汁及[2]盐汤煮猪膏及巴豆并解之[3]。

狼毒毒，用蓝汁[4]、白敛及盐汁及盐汤煮猪[5]、木占斯并解之。

踯躅毒，用支子[6]汁解之。

巴豆毒，用煮[7]黄连汁、大豆汁、生藿汁、菖蒲屑汁、煮寒水石汁并解之。

藜芦毒，用雄黄屑[8]煮葱白汁、温汤并解之。

雄黄毒，用防己解之。

甘遂毒，用大豆汁解之[9]。

蜀[10]椒毒，用葵子汁、煮[11]桂汁、豉汁、人溺及冷水，及飡土[12]、食蒜、鸡毛烧咽并解之[13]。

半夏毒，用生姜汁、煮干姜汁并解之。

礜石毒，用大豆汁、白膏[14]并解之。

【校注】

[1] 用 《大观》《政和》无。下同。

[2] 及 《大观》《政和》无。下同。

[3] 并解之 《大观》《政和》无。下同。

[4] 蓝汁 此上，《大观》《政和》有"杏人"一药。

[5] 及盐汤煮猪 《大观》《政和》脱此文。

[6] 蹢躅毒，用支子 "躅"，敦煌本《集注》作"嫋"，据《大观》《政和》改。"支"，《大观》《政和》作"栀"。下同。

[7] 煮 敦煌本《集注》作"之"，据《大观》《政和》改。

[8] 屑 《大观》《政和》无。

[9] 甘遂毒，用大豆汁解之 敦煌本《集注》脱，据《大观》《政和》补。

[10] 蜀 敦煌本《集注》作"四"，据《大观》《政和》改。

[11] 煮 《大观》《政和》无。

[12] 及滫土 《大观》《政和》作"土浆"。

[13] 鸡毛烧咽并解之 《大观》《政和》作"鸡毛烧，吸烟及水调服"。

[14] 白膏 《大观》《政和》作"白鹅膏"。

芫华毒，用防风、防己、甘草、桂汁并解之。

乌头、天雄、附子毒，用大豆汁、远志、防风、枣肌[1]、饴糖并解之。

大戟毒，用菖蒲汁解之。

桔梗毒，用粥[2]解之。

杏人毒，用蓝子汁解之。

诸菌毒，掘地作坎[3]，以水沃中搅令浊，俄顷饮之，名地浆也[4]。

防葵毒，用葵根汁[5]解之。

莨菪毒，用荠苨、甘草[6]、升麻[7]、犀角、蟹[8]并解之。

马刀毒，用清水解之。

野芋毒，用土浆，及[9]粪汁并解之。

鸡子毒，用淳酢[10]解之。

铁毒，用慈石解之。

【校注】

[1] **枣肌** 敦煌本《集注》作"枣饥"，据《大观》《政和》改。

[2] **粥** 《大观》《政和》作"白粥"。

[3] **坎** 《大观》《政和》作"坑"。

[4] **名地浆也** 《大观》《政和》作"名曰地浆"。

[5] **汁** 此下，《大观》《政和》注云："按，防葵《本经》无毒，试用亦无毒，今用葵根汁，应是解狼毒浮者尔。臣禹锡等谨按蜀本云：防葵，伤火者不可服，令人恍惚，故以解之。"

[6] **甘草** 《大观》《政和》作"甘草汁"。

[7] **升麻** 《大观》《政和》无。

[8] **蟹** 敦煌本《集注》作"解虫"，据《大观》《政和》改。"蟹"下，《大观》《政和》有"汁"字。

[9] **及** 《大观》《政和》作"人"。

[10] **淳酢** 《大观》作"淳醋"，《政和》作"淳醋"。

食金银毒，服水银数两即出，又[1]鸭血及[2]鸡子汁，又水淋鸡屎汁并解之[3]。

食诸肉马肝漏脯中毒，生韭汁、烧末猪骨[4]，又头垢、烧犬屎酒服之[5]，豉汁亦佳。

食诸鱼中毒，煮橘皮及生芦笋[6]根汁[7]、煮朴消汁、大黄汁、烧末鲛鱼皮并佳[8]。

食蟹中毒，捣[9]生苏汁[10]、煮干苏汁[11]及屑[12]、冬瓜汁并佳[13]。

食诸菜中[14]毒，以甘草、贝齿、粉[15]三种末，水和服之。小儿溺、乳汁服二升亦[16]佳。

饮食中毒烦满[17]，煮苦参[18]饮之，令吐出[19]。

食[20]石药中毒，白鸭屎解之[21]，人参亦佳[22]。

服药过剂闷乱者，吞鸡子黄，又蓝汁，又水和胡粉，又土浆[23]，又蘘荷汁，又粳米潘[24]汁，又豉汁，又干姜、黄连屑，又饴糖，又水和葛粉饮之[25]，皆良[26]。

【校注】

[1] **又** 《大观》《政和》无。下同。

[2] **及** 《大观》《政和》无。下同。

[3] **并解之** 《大观》《政和》无。

［4］烧末猪骨　《大观》《政和》作"韭根烧末，烧猪骨末"。

［5］之　《大观》《政和》无。

［6］笋　《大观》《政和》作"苇"。

［7］汁　此下，《大观》《政和》有"大豆汁、马鞭草汁"。

［8］并佳　《大观》《政和》无。

［9］捣　《大观》《政和》无。

［10］生苏汁　《大观》《政和》作"生藕汁"。

［11］煮干苏汁　《大观》《政和》作"煮干蒜汁"。

［12］及屑　《大观》《政和》无。

［13］并佳　《大观》《政和》作注云："一云生紫苏汁藕屑及干苏汁"。

［14］中　《大观》《政和》无。

［15］粉　《大观》《政和》作"胡粉"。"粉"下，《大观》有"右"字。

［16］亦　《大观》《政和》无。

［17］烦满　《大观》《政和》作"心烦满"。

［18］参　此下，《大观》《政和》有"汁"字。

［19］出　此下，《大观》《政和》有"即止"2字。

［20］食　《大观》《政和》作"服"。

［21］屎解之　《大观》《政和》作"屎汁"。

［22］亦佳　《大观》《政和》作"汁"。

［23］土浆　《大观》《政和》作"地浆"。

［24］潘　《大观》《政和》作"粉"。《说文》"潘"字条云："潘，淅米汁也。"

［25］又水和葛粉饮之　《大观》《政和》作"水和葛粉饮"。"葛"，敦煌本《集注》作"胡"，据《大观》《政和》改。

［26］皆良　《大观》《政和》无。

服药忌食[1]

有术，勿食桃、李及雀肉、胡蒜[2]、青鱼鲊[3]。

服药[4]有巴豆，勿食芦笋羹及猪肉[5]。

有半夏、菖蒲，勿食饴糖及羊肉。

有细辛，勿食生菜。

有甘草，勿食菘菜[6]。

有藜芦，勿食狸肉。

有牡丹，勿食生胡蒜[7]。

有当陆，勿食犬肉。

有恒山，勿食葱菜[8]。

有空青、朱沙，勿食生血物。

有茯苓，勿食诸酢物[9]。

服药，不可多食生胡蒜杂生菜。

服药[10]，不可多[11]食诸滑物果实菜。

服药，不可多食肥猪、犬肉[12]、肥[13]羹及鱼臊脍[14]。

服药，通忌见死[15]尸及产妇淹秽事。

【校注】

[1] **服药忌食** 《大观》《政和》作"服药食忌例"。

[2] **胡蒜** 《大观》《政和》作"胡荽、大蒜"。

[3] **鲊** 此下，《大观》《政和》有"等物"2字。

[4] **服药** 《大观》《政和》脱。

[5] **猪肉** 《大观》《政和》作"野猪肉"。

[6] **菜** 此下，《大观》《政和》引掌禹锡按："唐本并《伤寒论》《药对》又云：勿食海藻。"

[7] **胡蒜** 《大观》《政和》作"胡荽"。下同。

[8] **葱菜** 《大观》《政和》作"生葱、生菜"。

[9] **酢物** 《大观》《政和》作"醋物。有鳖甲勿食苋菜，有天门冬勿食鲤鱼"。

[10] **服药** 《大观》《政和》作"又"。

[11] **多** 《大观》《政和》无。

[12] **肉** 此下，《大观》《政和》有"油腻"2字。

[13] **肥** 敦煌本《集注》作"服"，据《大观》《政和》改。

[14] **鱼臊脍** 《大观》《政和》作"鱼脍鲤臊等物"。

[15] **死** 敦煌本《集注》讹为"无"，据《大观》《政和》改。

药[1]不宜入汤酒者

朱沙[2]　雌黄　云母　阳起石[3]　矾石[4]　流黄[5]　钟乳入酒　孔公孽入酒　礜石[6]　银屑　铜镜鼻　白垩　胡粉　铅丹　卤咸[7]　石灰[8]　藜灰

右[9]石类。

野葛　狼毒　毒公　鬼臼[10]　莽草　巴豆　蹄蹋入酒[11]　萹蓄入酒　皂荚[12]　藋菌　藜芦[13]　蒴茹　贯众[14]　芫黄　雷丸　狼牙　戟[15]尾　蕨

藜[16]　女菀　菓耳　紫葳[17]　薇衔[18]　白及　牡蒙　飞廉[19]　蛇衔　占斯

辛夷　石南草[20]　虎掌　练实[21]　虎杖入酒单渍[22]　蓄根[23]　羊桃[24]　麻勃

苦瓠　瓜蒂　陟釐　狼跋子[25]　云实　槐子[26]　地肤子　蛇床子[27]　青葙子

茺蔚子　蒜蒉[28]子　王不留行　菟丝子入酒

　　右[29]草木类。

蜂子　蜜蜡　白马茎　狗阴[30]　雀卵　鸡子　雄鹊　伏翼　鼠妇　樗鸡　萤

火　蠮螉[31]　僵蚕　蜈蚣[32]　蜥蜴　斑猫　芫青　亭长　地胆　虻虫　蜚廉

蝼蛄　马刀　赭魁　虾蟆　蜗牛　生鼠　生龟[33]　诸鸟兽[34]、虫鱼、膏、

髓[35]、胆血、屎、溺

　　右[36]虫兽类。

【校注】

［1］**药**　此上，《大观》《政和》有"凡"字。

［2］**朱沙**　《大观》《政和》作"朱砂，熟入汤"。

［3］**石**　此下，《大观》《政和》有"入酒"2字。

［4］**矾石**　"石"下，《大观》《政和》有"入酒"2字。

［5］**流黄**　《大观》《政和》作"石硫黄入酒"。

［6］**石**　此下，《大观》《政和》有"入酒"2字。

［7］**卤咸**　《大观》《政和》作"卤盐入酒"。"咸"，敦煌本《集注》作"醎"，据《大观》

《政和》改。下同。

［8］**灰**　此下，《大观》《政和》有"入酒"2字。

［9］**右**　此下，《大观》《政和》有"一十七种"4字。

［10］**白**　敦煌本《集注》作"旧"，据《大观》《政和》改。

［11］**踯躅入酒**　《大观》《政和》无"入酒"2字。

［12］**芫**　此下，《大观》《政和》有"入酒"2字。

［13］**藜芦**　敦煌本《集注》倒置，据文义改。

［14］**众**　此下，《大观》《政和》有"入酒"2字。

［15］**裁**　《大观》《政和》作"蔿"。

［16］**藜**　此下，《大观》《政和》有"入酒"2字。

［17］**葳**　此下，《大观》《政和》有"入酒"2字。

［18］**薇衔**　《大观》《政和》作"薇衔入酒"。

［19］**飞廉**　敦煌本《集注》作"蜚廉"，据《大观》《政和》改。

［20］**草**　《大观》《政和》作"入酒"。

［21］**练实**　《大观》《政和》作"枳实"。

［22］**渍**　《大观》《政和》作"浸"。

［23］**蕳根**　《大观》《政和》作"芦根"。

［24］**桃**　此下，《大观》《政和》有"入酒"2字。

［25］**狼跋子**　《大观》《政和》作"狼跋入酒"。"狼"，敦煌本《集注》作"跟"，据《大观》《政和》改。

［26］**子**　此下，《大观》《政和》有"入酒"二字。

［27］**蛇床子**　《大观》《政和》作"蛇床子入酒"。

［28］**蒵荬**　敦煌本《集注》作"析宾"，据《大观》《政和》改。

［29］**右**　此下，《大观》《政和》有"四十八种"4字。

［30］**狗阴**　《大观》《政和》作"狗阴茎"。

［31］**蟰蝓**　《大观》《政和》作"蟕蝓"。

［32］**蜈蚣**　敦煌本《集注》作"吴公"，据《大观》《政和》改。

［33］**龟**　此下，《大观》《政和》有"入酒"2字。

［34］**兽**　此下，《大观》《政和》有"入酒"2字。

［35］**髓**　《大观》《政和》作"骨髓"。

［36］**右**　此下，《大观》《政和》有"二十九种"4字。

　　寻万物之性，皆有离合，虎啸风生，龙吟云起，慈[1]石引针，虎魄拾芥，漆得蟹而散，麻得漆而踊[2]，桂得葱而软，树得桂而枯，戎盐累卵，獭胆分盃[3]。其[4]气爽有相关感，多如此类，其理不可得而思之[5]。至于诸药，尤能递为利害。先圣既明言其说[6]，何可不详而避之。世[7]人为方，皆多漏略。若旧方已有，此病亦应改除。假令而两种，当就其轻重[8]，择可除[9]而除之。伤寒赤散，吾恒不用藜芦。断下黄连丸，亦去其干姜而施之，殆[10]无不效。何急[11]强以相憎[12]，苟令共事乎？相反为害，深于相恶。相恶者，谓彼虽恶我，我无忿心，犹如牛黄恶龙骨，而龙骨[13]得牛黄更良，此有以相[14]制伏故也。相反者，则彼我交仇，必不宜合。今画家用雌黄、胡粉相近，便自黯妒。粉得黄则[15]黑，黄得粉亦变，此盖相反之征[16]。药理既昧，所以[17]人多轻之。今案方处治，恐不必卒能[18]寻究本草，更复抄出其事在此，览略看之，易可知验。而《本经》有直云茱萸、门冬者，无以辨其[19]山、吴、天、麦之异，咸宜各题其条。又[20]有乱误处，譬如海蛤之与鳢甲，畏恶正同。又诸芝使薯蓣，薯蓣复使紫芝。计无应如此，而[21]不知何者是非？亦宜[22]并记，当更[23]广检正之。又《神农本经》相使，止[24]各一种，兼以《药对[25]》参之，乃有两三，于事亦无嫌。其有云相得共治某病者，既非妨避之禁，不复疏出。

【校注】

[1] 慈 《大观》《政和》作"礠"。

[2] 踊 《大观》《政和》作"涌"。

[3] 戎盐累卵，獭胆分盃 敦煌本《集注》脱，据《大观》《政和》补。

[4] 其 敦煌本《集注》脱，据《大观》《政和》补。

[5] 之 敦煌本《集注》脱，据《大观》《政和》补。

[6] 明言其说 《大观》《政和》作"明有所说"。

[7] 世 《大观》《政和》作"时"。

[8] 假令而两种，当就其轻重 《大观》《政和》作"假如两种相当，就其轻重"。

[9] 可除 《大观》《政和》无。

[10] 殆 《大观》《政和》无。敦煌本《集注》讹为"台"，据文义改。

[11] 急 《大观》《政和》作"忽"。

[12] 憎 敦煌本《集注》作"增"，据《大观》《政和》改。

[13] 而龙骨 敦煌本《集注》重出此3字，据《大观》《政和》删。

[14] 相 《大观》《政和》无。

[15] 则 《大观》《政和》作"即"。

[16] 征 《大观》《政和》作"证也"。

[17] 以 此下，《大观》《政和》有"不效"2字。

[18] 恐不必卒能 《大观》《政和》作"必恐卒难"。

[19] 辨其 "辨"，敦煌本《集注》作"辩"，据《大观》《政和》改。"其"，《大观》《政和》无。

[20] 又 《政和》作"人"。

[21] 而 《大观》《政和》无。

[22] 宜 《大观》《政和》作"且"。

[23] 更 敦煌本《集注》作"检"，《大观》《政和》作"验"。

[24] 止 《大观》《政和》作"正"。

[25] 对 此下，敦煌本《集注》衍"人"字，据《大观》《政和》删。

玉石上品[1]

玉屑[2] 恶鹿角。

玉泉 畏款冬花。

丹沙[3] 恶慈[4]石，畏醎[5]水。

水银 恶慈石。

曾青 畏[6]菟丝子。

石胆 水英为之使，畏牡桂、菌桂、芫花、辛夷、白薇[7]。

云母　恶徐长卿[8]，泽泻为之使，反[9]流水，畏鲴[10]甲。

朴消　畏麦句姜。

消石　萤火为之使[11]，恶苦参、苦菜、畏女菀、粥[12]。

矾石　甘草为之使，恶牡蛎。

芒消　石韦为之使，畏[13]麦句姜。

滑石　石韦为之使，恶曾青。

紫石英　长石为之使，不欲鲴甲、黄连、麦句姜，畏扁青、附子。

赤石脂　恶大黄，畏芫花。

白石英　恶马目毒公。

黄石脂　曾青为之使，恶细辛，畏蜚蠊[14]。

太一禹[15]馀粮　杜仲为之使，畏贝母、菖蒲、铁落。

白石脂[16]　燕屎[17]为之使，恶松脂，畏黄芩。

【校注】

[1] **玉石上品**　原作"石上"，《大观》《政和》作"玉石上部"。今为便于检索、统一目录体例，改为"玉石上品"。

[2] **玉屑**　其下药物次序，《大观》《政和》与敦煌本《集注》不同。

[3] **沙**　《大观》《政和》作"砂"。

[4] **慈**　《大观》《政和》作"磁"。

[5] **醎**　《大观》《政和》作"咸"。

[6] **畏**　敦煌本《集注》残缺，据《千金方》《大观》《政和》补。《医心方》卷1"畏"作"恶"，检《大观》《政和》卷3"曾青"条末俱作"畏"。

[7] **薇**　孙本脱。

[8] **恶徐长卿**　《大观》《政和》《医心方》、孙本俱无。

[9] **反**　《千金方》《大观》《政和》、孙本作"及"。

[10] **鲴**　《大观》《政和》《千金方》、孙本作"蛇"。

[11] **萤火为之使**　《千金方》《大观》《政和》作"火为使"。《医心方》注云："《药辨诀》，术为之使"。

[12] **粥**　《千金方》《大观》《政和》《医心方》、孙本俱无"粥"字。《医心方》注云："《千金方》：畏牡桂、芫花"。检今本《千金方》，无此文。

[13] **畏**　《千金方》《大观》《政和》、孙本作"恶"。

[14] **蠊**　此下，《千金方》有"扁青、附子"。

[15] **禹**　《千金方》《大观》《政和》、孙本俱无。

[16] **白石脂**　孙本脱。

[17] **燕屎**　《医心方》作"鸡矢"。《千金方》《大观》《政和》作"燕粪"。

玉石中品[1]

钟乳[2] 蛇床为之使[3]，恶牡丹、玄石、牡蒙，畏紫石英[4]、蘘草。

殷孽 恶术、防己[5]。

孔公孽 木兰为之使，恶细辛。

慈[6]石 柴[7]胡为之使，恶牡丹、莽草，畏黄石脂，杀铁毒[8]。

凝水石 畏地榆，解巴[9]豆毒。

石膏 鸡子为之使，恶莽草、毒公。

阳[10]起石 桑螵蛸为之使，恶泽泻、菌桂、雷丸、蛇蜕皮，畏菟丝。

玄[11]石 恶松脂、柏子[12]、菌桂。

理石 滑石为之使，畏[13]麻黄。

【校注】

[1] **玉石中品** 原作"中"，《大观》《政和》作"玉石中部"。今为便于检索，统一目录体例，改为"玉石中品"。

[2] **钟乳** 《千金方》《大观》《政和》、孙本列在上品。《医心方》、敦煌本《集注》列在中品。

[3] **蛇床为之使** 《千金方》作"蛇床子、菟丝子为使"，《大观》《政和》、孙本作"蛇床子为使"。

[4] **英** 《医心方》、敦煌本《集注》脱，据《大观》《政和》补。

[5] **恶术、防己** 《千金方》《大观》《政和》、孙本作"恶防己，畏术"，《医心方》作"恶木防己"。"术"，敦煌本《集注》作"木"，据《千金方》《大观》《政和》改。

[6] **慈** 《大观》《政和》作"磁"。

[7] **柴** 孙本作"紫"。

[8] **杀铁毒** 《千金方》《大观》《政和》、孙本俱无。

[9] **巴** 敦煌本《集注》脱，据《大观》《政和》补。

[10] **阳** 孙本作"汤"。

[11] **玄** 孙本为避清康熙皇帝玄烨讳，作"元"。

[12] **柏子** 《大观》作"柏子仁"，《千金方》《政和》作"柏子人"，敦煌本《集注》、《医心方》作"柏子"。

[13] **畏** 孙本作"恶"。

玉石下品[1]

青琅玕 得水银良，畏乌鸡骨[2]，杀锡毒。

礜石 得火良，棘针为之使，恶毒公、虎掌、鹜屎[3]、细辛，畏水[4]。

方解石　恶巴豆。

代赭　畏天雄。

大盐　漏芦为之使。

特生礜石　火练之良[5]，畏水。

【校注】

[1] **玉石下品**　原作"下"，《大观》《政和》作"玉石下部"。今为便于检索、统一目录体例，改为"玉石下品"。

[2] **乌鸡骨**　《医心方》作"乌头"，《千金方》《大观》《政和》作"鸡骨"。

[3] **鹜屎**　《医心方》脱此2字。"屎"，敦煌本《集注》作"矢"，据《大观》《政和》改。

[4] **畏水**　《医心方》作"畏水蛭"。孙本脱"畏"字。

[5] **火练之良**　《千金方》《大观》《政和》、孙本作"得火良"。

草木上品[1]

六芝　薯蓣为之使，得发良，恶恒[2]山，畏扁青、茵陈蒿[3]。

茯苓、茯神　马间[4]为之使，恶白敛，畏牡蒙、地榆、雄黄、秦胶[5]、龟甲[6]。

柏子[7]　牡蛎、桂、茋子[8]为之使，恶[9]菊花、羊蹄、诸石[10]、面、麹[11]。

天门冬　垣[12]衣、地黄为之使，畏曾青、青耳[13]。

麦门冬　地[14]黄、车前为之使，恶款冬花[15]、苦瓠，畏[16]苦参、青蘘、青耳。

术　防风、地榆为之使。

女萎[17]　畏卤醎[18]。

干地黄　得麦门冬、清[19]酒良，恶贝母，畏芜荑。

【校注】

[1] **草木上品**　《大观》《政和》作"草药上部"。今为统一目录体例，改为"草木上品"。

[2] **恒**　《大观》《政和》、孙本作"常"。

[3] **蒿**　《千金方》《大观》、孙本脱。敦煌本《集注》、《政和》有"蒿"字。

[4] **间**　《千金方》作"蔄"，孙本作"閒"。掌禹锡注引蜀本作"蔄"。

[5] **胶**　《千金方》《大观》《政和》、孙本作"艽"。

[6] **甲**　敦煌本《集注》脱，据《千金方》《大观》《政和》《医心方》补。

［7］**柏子**　《千金方》作"柏子人"，《大观》《政和》、孙本作"柏实"，敦煌本《集注》、《医心方》作"柏子"。

［8］**牡蛎、桂、苽子**　《千金方》《大观》《政和》、孙本作"牡蛎、桂心、瓜子"。

［9］**恶**　《千金方》《大观》《政和》、孙本作"畏"。

［10］**诸石**　《医心方》作"消石"。

［11］**面、麹**　《医心方》脱此2字。"面"，敦煌本《集注》模糊不清，据《大观》《政和》补。

［12］**垣**　敦煌本《集注》作"恒"，据《大观》《政和》改。

［13］**青耳**　《千金方》《医心方》《大观》《政和》、孙本俱无。下同。

［14］**地**　敦煌本《集注》残缺，据《大观》《政和》补。

［15］**花**　《千金方》《医心方》《大观》《政和》、孙本俱无。

［16］**畏**　《医心方》脱。

［17］**女萎**　《千金方》《大观》《政和》作"女萎葳蕤"，孙本作"女萎葳蕤"。

［18］**畏卤咸**　孙本作"主畏卤茱咸"。

［19］**清**　敦煌本《集注》作"渍"，据《千金方》《医心方》《大观》《政和》改。

菖蒲　秦胶[1]、秦皮为之使，恶地胆、麻黄去节[2]。

远志　得茯苓、冬葵[3]、龙骨良，畏真珠、蜚蠊、藜芦、蛴螬[4]，杀天雄、附子毒。

泽泻　畏海蛤、文蛤。

薯蓣　紫芝为之使，恶甘遂。

菊花　术、苟[5]杞根、桑根白皮为之使。

甘草　术、干漆、苦参为之使，恶远志，反甘遂、大戟、芫花、海藻[6]。

人参　茯苓为之使，恶溲疏[7]，反藜芦。

石斛　陆英为之使，恶凝水石、巴豆，畏僵蚕、雷丸。

石龙芮[8]　大戟为之使，畏蛇蜕、茱萸[9]。

落石[10]　杜仲、牡丹为之使，恶铁落、菖蒲、贝母[11]。

【校注】

［1］**胶**　《千金方》《大观》《政和》《医心方》作"芃"。孙本作"花"。

［2］**去节**　《千金方》《医心方》《大观》《政和》、孙本俱无。

［3］**冬葵**　《千金方》《医心方》《大观》《政和》、孙本作"冬葵子"。

［4］**蛴螬**　《千金方》《医心方》《大观》《政和》、孙本作"蛴蛤"。《太平御览》卷993引《吴普本草》云："马刀，一名蛴蛤。"

［5］苟 《大观》《政和》作"枸"。

［6］海藻 敦煌本《集注》倒置，据《大观》《政和》改。

［7］溲疏 《医心方》作"搜疏"。

［8］石龙芮 《大观》《政和》列在中品。

［9］畏蛇蜕、茱萸 《千金方》作"畏蛇蜕皮、吴茱萸"，《大观》《政和》、孙本作"畏蛇蜕、吴茱萸"。

［10］落石 《千金方》《大观》《政和》、孙本作"络石"。

［11］恶铁落、菖蒲、贝母 《千金方》《大观》《政和》、孙本作"恶铁落，畏昌蒲、贝母"。

龙胆 贯众为之使，恶防葵、地黄。

牛膝 恶萤[1]火、龟甲[2]、陆英，畏白前[3]。

杜仲 畏蛇皮[4]、玄参。

干漆 半夏为之使，畏鸡子。

细辛 曾青、桑根白皮[5]为之使，反藜芦，恶狼毒、山茱萸、黄耆，畏滑石、消石。

独活 蠡实[6]为之使。

茈胡 半夏为之使，恶皂荚，畏[7]女菀、藜芦。

酸枣[8] 恶防己。

槐子 景[9]天为之使。

菴蔺子[10] 荆子、薏苡为之使[11]。

【校注】

［1］萤 《大观》《政和》作"荧"。

［2］甲 孙本脱。

［3］白前 《千金方》作"车前"。

［4］畏蛇皮 《千金方》《大观》《政和》、孙本作"恶蛇蜕"。

［5］桑根白皮 《医心方》作"桑根"，《千金方》《大观》《政和》作"枣根"，孙本作"东根"。

［6］实 孙本误作"石"。

［7］畏 《医心方》无。

［8］酸枣 《千金方》《政和》作"酸枣人"，《大观》、孙本作"酸枣仁"。

［9］景 此上，《千金方》有"天雄"2字。

［10］菴蔺子 《医心方》作"菴蔺"，《千金方》《大观》《政和》作"菴蔺子"。"蔺"，敦煌本《集注》作"芦"，据《大观》《政和》改。

[11] **薏苡为之使** 《千金方》作"薏苡人为使，恶细辛、干姜"。《大观》、孙本作"薏苡仁为使"，《政和》作"薏苡人为使"。

蛇床子　恶巴豆、牡丹、贝母。

菟丝子　宜丸不宜煮[1]，得酒良，薯蓣、松脂为之使，恶藋菌。

薪蓂子　得荆实[2]、细辛良，恶干姜、苦参。

蒺藜子[3]　乌头为之使。

茜根　畏鼠姑[4]。

天[5]名精　垣[6]衣为之使。

牡荆实　防风[7]为之使，恶石膏。

秦椒　恶栝楼、防葵，畏雌黄。

蔓荆实[8]　恶乌头、石膏。

辛夷　穹[9]穷为之使，恶五石脂，畏菖蒲[10]、黄连、石膏、黄环。

【校注】

[1] **宜丸不宜煮**　《千金方》《大观》《政和》《医心方》、孙本俱无。

[2] **实**　《千金方》《大观》《政和》、孙本作"子"，敦煌本《集注》、《医心方》作"实"。

[3] **子**　《医心方》无。

[4] **姑**　敦煌本《集注》作"始"，据《大观》《政和》改。

[5] **天**　敦煌本《集注》作"大"，据《千金方》《政和》改。

[6] **垣**　敦煌本《集注》作"恒"，据《千金方》《大观》《政和》改。

[7] **防风**　商务《政和》、孙本作"防己"。

[8] **实**　《千金方》《大观》《政和》、孙本作"子"。

[9] **穹**　《千金方》《大观》《政和》、孙本作"芎"。

[10] **畏菖蒲**　《千金方》《大观》《政和》、孙本作"畏菖蒲、蒲黄"，敦煌本《集注》、《医心方》无"蒲黄"2字。

草木中品[1]

当归　恶藺茹，畏菖蒲、海藻、牡蒙。

防风　恶[2]干姜、藜芦、白敛、芫花，杀附子毒。

秦艽[3]　菖蒲为之使。

黄耆　恶龟甲。

吴茱萸　蓼实为之使，恶丹参、消石、白垩[4]，畏紫石英。

黄芩　山茱萸、龙骨为之使，恶葱实，畏丹参[5]、牡丹、藜芦。

黄连[6]　黄芩、龙骨、理石[7]为之使，恶菊花、芫花、玄参、白鲜[8]，畏款冬[9]，胜乌头，解巴豆毒。

五味子[10]　苁蓉[11]为之使，恶萎蕤[12]，胜乌头。

决明子[13]　蓍[14]实为之使，恶大麻子。

芍[15]药　须丸[16]为之使，恶石斛、芒消，畏消石[17]、鳖甲、小蓟[18]，反藜芦[19]。

桔梗[20]　节皮[21]为之使，畏白及、龙眼、龙胆[22]。

【校注】

[1] **草木中品**　《大观》《政和》作"草药中部"。今为统一目录，改为"草木中品"。

[2] **恶**　《医心方》作"不欲"。

[3] **芫**　敦煌本《集注》作"利"，据《大观》《政和》改。

[4] **垩**　《医心方》作"恶"。

[5] **丹参**　《医心方》作"丹沙"，《千金方》《大观》《政和》、孙本作"丹砂"。敦煌本《集注》作"丹参"。

[6] **黄连**　《千金方》《大观》《政和》列在上品。敦煌本《集注》、《医心方》列在中品。

[7] **理石**　《医心方》无。

[8] **白鲜**　《千金方》《大观》《政和》、孙本作"白鲜皮"。

[9] **款冬**　《医心方》"黄连"条畏恶作"款冬花"，但"麦门冬"条畏恶作"款冬"，无"花"字。同是一本书，对同一药名的写法，前后互异。

[10] **五味子**　《千金方》《大观》《政和》、孙本作"五味子"，列在上品。敦煌本《集注》、《医心方》作"五味"，列在中品。

[11] **苁蓉**　敦煌本《集注》作"纵容"，据《大观》《政和》改。

[12] **蕤**　敦煌本《集注》作"蕤"，据《大观》《政和》改。

[13] **决明子**　《千金方》《大观》《政和》、孙本列在上品，敦煌本《集注》、《医心方》列在中品。

[14] **蓍**　《千金方》《医心方》、人卫本《政和》作"蓍"，敦煌本《集注》、《大观》作"著"。

[15] **芍**　敦煌本《集注》作"勺"，据《大观》《政和》改。

[16] **须丸**　敦煌本《集注》作"须须丸"，据《医心方》《大观》《政和》改。《千金方》作"雷丸"。按，须丸是代赭的异名。

[17] **消石**　孙本脱"消"字。

[18] **小蓟**　《医心方》作"山蓟"。"蓟"，敦煌本《集注》作"荕"，据《千金方》《大观》《政和》改。

[19] **藜芦** "芦"字下，《医心方》有"恶葵菜"3字。

[20] **桔梗** 《千金方》《大观》《政和》、孙本列在下品，敦煌本《集注》、《医心方》列在中品。

[21] **节皮** 《医心方》作"秦皮"。

[22] **龙眼、龙胆** 孙本作"反龙胆、龙眼"，误。

穹穷[1]　白芷为之使[2]，恶黄连。

藁本　恶䕡茹。

麻黄　厚朴为之使，恶辛夷、石韦。

葛根　杀野葛[3]、巴豆、百药毒。

前胡　半夏为之使，恶皂荚，畏藜芦。

贝母　厚朴、白薇为之使，恶桃花，畏秦芁[4]、礜[5]石、莽草，反乌头。

括楼根　枸杞为之使，恶干姜，畏牛膝、干漆，反乌头。

丹参　畏醎水，反藜芦。

厚朴　干姜为之使，恶泽泻、寒水石、消石。

玄参　恶黄耆、干姜、大枣、山茱萸，反藜芦。

沙参　恶防己，反藜芦。

苦参　玄参为之使，恶贝母、漏芦、菟丝子，反藜芦。

续断　地黄为之使，恶雷丸。

山茱萸　蓼实为之使，恶桔梗、防风、防己。

桑根白皮　续断、桂[6]、麻子为之使。

【校注】

[1] **穹穷**　《千金方》《大观》《政和》、孙本作"芎藭"，并列在上品。敦煌本《集注》、《医心方》列在中品。

[2] **使**　此下，《医心方》有"得细辛、牡蛎良"6字。

[3] **杀野葛**　敦煌本《集注》作"煞冶葛"，据《千金方》《大观》《政和》改。

[4] **芁**　敦煌本《集注》作"椒"，据《医心方》《千金方》《大观》《政和》改。

[5] **礜**　《大观》作"矾"，《千金方》《政和》作"礜"。

[6] **桂**　敦煌本《集注》此字不清，据《医心方》补。《千金方》《大观》《政和》作"桂心"。

狗脊　萆薢[1]为之使，恶败酱。

萆薢　薏苡为之使，畏葵根、大黄、茈胡、牡蛎、前胡。

石韦　杏[2]人为之使，得菖蒲良。

瞿麦　蘘草、牡丹为之使，恶桑[3]螵蛸。

秦皮　大戟为之使，恶茱萸[4]。

白芷　当归为之使，恶旋复花。

杜若　得辛夷、细辛良，恶茈胡、前胡。

黄檗[5]　恶干漆[6]。

白薇　恶黄耆[7]、干姜、干漆、大枣、山茱萸。

支[8]子　解踯躅毒。

紫菀　款冬为之使，恶天雄、瞿麦、雷丸、远志，畏茵陈[9]。

白鲜[10]　恶桑[11]螵蛸、桔梗、茯苓、萆薢[12]。

薇衔　得秦皮良。

井水蓝[13]　杀巴豆、野葛诸毒[14]。

海藻　反甘草。

干姜　秦椒为之使，恶黄芩[15]、天鼠屎[16]，杀半夏、莨菪毒。

【校注】

[1]　**薢**　敦煌本《集注》作"解"，据《大观》《政和》改。下同。

[2]　**杏**　此上，《千金方》《大观》《政和》、孙本有"滑石"2字。敦煌本《集注》、《医心方》无"滑石"2字。

[3]　**桑**　敦煌本《集注》作"桼"，据《千金方》改。《大观》《政和》、孙本脱"桑"字；敦煌本《集注》、《千金方》《医心方》有"桑"字。下同。

[4]　**茱萸**　《千金方》作"吴茱萸"，敦煌本《集注》、《医心方》《大观》《政和》、孙本俱作"茱萸"。下同。茱萸，即吴茱萸。

[5]　**黄檗**　《医心方》脱"黄"字，《大观》《政和》、孙本作"檗木"，敦煌本《集注》、《千金方》作"黄檗"。

[6]　**恶干漆**　敦煌本《集注》原残缺，据《大观》《政和》《千金方》补。

[7]　**耆**　此下，《千金方》《大观》《政和》、孙本有"大黄、大戟"4字。敦煌本《集注》、《医心方》无此4字。

[8]　**支**　《医心方》作"枝"，《千金方》《大观》《政和》作"栀"。

[9]　**畏茵陈**　《医心方》作"畏茵陈蒿"。"畏"，敦煌本《集注》脱，据《千金方》《大观》《政和》补。

[10]　**白鲜**　《千金方》《大观》《政和》、孙本作"白鲜皮"。"鲜"，敦煌本《集注》作"解"，

据《大观》《政和》改。

　[11]　**桑**　《医心方》《大观》《政和》、孙本脱"桑"字，敦煌本《集注》、《千金方》有"桑"字。

　[12]　**草薢**　敦煌本《集注》作"卑解"，据《大观》《政和》改。

　[13]　**井水蓝**　《千金方》《医心方》脱此条。《大观》卷9、《政和》页238"井中苔及萍"条文附录此条。

　[14]　**杀巴豆、野葛诸毒**　《大观》《政和》作"杀野葛、巴豆诸毒"。"野"，敦煌本《集注》作"治"，据《大观》《政和》改。

　[15]　**恶黄芩**　《千金方》《医心方》《大观》《政和》、孙本俱作"恶黄连、黄芩"。

　[16]　**屎**　敦煌本《集注》作"矢"，据《大观》《政和》改。

草木下品[1]

大黄　黄芩为之使，无所畏[2]。

蜀椒　杏人为之使，畏橐吾[3]。

巴[4]豆　芫花为之使，恶蘘草[5]，畏大黄、黄连、藜芦[6]。

甘遂　瓜蒂为之使，恶远志，反甘草。

葶苈　榆皮为之使，得酒良，恶僵蚕、石龙芮。

大戟　反甘草。

泽漆　小豆为之使，恶薯蓣。

芫花[7]　决明[8]为之使，反甘草。

钩吻　半夏为之使，恶黄芩。

狼毒　大豆为之使，恶麦句姜，畏天名精[9]。

鬼臼　畏垣衣[10]。

天雄　远志为之使，恶腐婢。

乌头、乌喙　莽草为之使，反半夏[11]、栝楼、贝母、白敛、白及，恶藜芦。

附子　地胆为之使，恶蜈蚣，畏防风、甘草、黄耆、人参、乌韭、大豆。

【校注】

　[1]　**草木下品**　《大观》《政和》作"草药下部"。今为统一目录，改为"草木下品"。

　[2]　**无所畏**　《千金方》《大观》《政和》、孙本脱此文。"无所"，敦煌本《集注》倒置，据文义改。"畏"字下，《医心方》有"得芍药、黄芩、牡蛎、细辛、茯苓、消石、紫石、桃人良"18字。

　[3]　**橐吾**　《医心方》同，《千金方》《大观》《政和》、孙本作"款冬"。

　[4]　**巴**　敦煌本《集注》此字残缺，据《大观》《政和》补。

　[5]　**蘘草**　《千金方》作"襄草"。

[6] **芦** 其下，《千金方》《大观》《政和》、孙本有"杀斑猫毒"4 字，敦煌本《集注》、《医心方》无此 4 字。

[7] **花** 《医心方》作"华"。

[8] **决明** 《医心方》作"决明子"。

[9] **畏天名精** 《千金方》《大观》《政和》《医心方》、孙本俱无此文。"畏"，敦煌本《集注》作"是"，据文理、药理改。

[10] **畏垣衣** "畏"，敦煌本《集注》作"鬼"，据《大观》《政和》改。孙本脱"垣"字。

[11] **半夏** 敦煌本《集注》脱，据《千金方》《医心方》《大观》《政和》补。

皂荚　青葙子[1]为之使，恶麦门冬，畏空青、人参、苦参。

蜀漆　栝楼为之使，恶贯众。

半夏　射干为之使，恶皂荚，畏雄黄、生姜、干姜[2]、秦皮、龟甲，反乌头。

款冬[3]　杏人为之使，得紫菀良，恶皂荚、消石、玄参[4]，畏贝母[5]、辛夷、麻黄、黄芩、黄连、黄耆[6]、青葙。

牡丹　畏菟丝子。

防己　殷孽为之使，恶细辛，畏草薢，杀雄黄毒。

黄环　鸢尾为之使，恶茯苓[7]。

巴戟天[8]　覆盆[9]为之使，恶朝生、雷丸、丹参。

石南草[10]　五加皮[11]为之使。

女菀　畏卤咸。

地榆　得发良，恶麦门冬[12]。

五加皮[13]　远志为之使，畏蛇皮、玄参。

泽兰　防己为之使。

紫参　畏辛夷。

雚菌　得酒良，畏鸡子[14]。

【校注】

[1] **青葙子** 《千金方》《医心方》作"柏子"，《大观》《政和》、孙本作"柏实"，敦煌本《集注》作"青葙子"。

[2] **干姜** 《医心方》无。

[3] **款冬** 《千金方》《大观》《政和》、孙本作"款冬花"，并列在中品。敦煌本《集注》、《医心方》作"款冬"，列在下品。

［4］ **玄参** 《医心方》无。

［5］ **贝母** 《医心方》无。

［6］ **黄耆** 敦煌本《集注》脱，据《千金方》《医心方》《大观》《政和》补。

［7］ **苓** 此下，《千金方》、孙本有"防己"2字。

［8］ **巴戟天** 《千金方》《大观》《政和》、孙本列在上品，敦煌本《集注》、《医心方》列在下品。

［9］ **覆盆** 《千金方》《大观》《政和》、孙本作"覆盆子"。"盆"，《医心方》作"瓫"。

［10］ **草** 《千金方》《大观》《政和》、孙本俱无。

［11］ **五加皮** 敦煌本《集注》作"五茄"，据《千金方》《大观》《政和》改。下同。

［12］ **得发良，恶麦门冬** 敦煌本《集注》残缺，据《大观》《政和》补。

［13］ **五加皮** 《千金方》《大观》《政和》、孙本列在上品。敦煌本《集注》、《医心方》作"五茄"，列在下品。

［14］ **得酒良，畏鸡子** 敦煌本《集注》残缺，据《大观》《政和》补。

雷丸　荔实、厚朴为之使，恶葛根[1]。

贯[2]众　藋菌为之使。

狼牙　芜荑为之使[3]，恶地榆、枣肌[4]。

藜芦　黄连为之使，反细辛、芍药、五参，恶大黄[5]。

蔺茹[6]　甘草为之使，恶麦门冬。

白敛　代赭为之使，反乌头[7]。

白及[8]　紫石英[9]为之使，恶理石、杏核人、李子[10]。

占斯　解狼毒毒。

蜚蠊[11]　得乌头良[12]，恶麻黄。

淫羊藿[13]　薯蓣为之使。

虎[14]掌　蜀漆为之使，恶[15]莽草。

栾花[16]　决明为之使。

蓳草[17]　矾石为之使[18]。

荩草[19]　畏鼠妇[20]。

恒山　畏玉札[21]。

夏枯草　土瓜为之使。

戈共[22]　畏玉札、蜚蠊。

溲疏　漏芦为之使[23]。

77

【校注】

[1] **雷丸 荔实、厚朴为之使，恶葛根** 敦煌本《集注》残缺，据《医心方》《大观》《政和》补。

[2] **贯** 敦煌本《集注》残缺，据《大观》《政和》补。

[3] **为之使** 敦煌本《集注》残缺，据《医心方》补。

[4] **恶地榆、枣肌** 敦煌本《集注》脱"恶""肌"2字，据《医心方》补。"地榆、枣肌"，《大观》《政和》作"枣肌、地榆"，《千金方》作"秦芃、地榆"。

[5] **藜芦……大黄** 敦煌本《集注》残缺，据《医心方》《千金方》《大观》《政和》补。

[6] **茹** 《医心方》作"茹"。

[7] **代赭为之使，反乌头** 敦煌本《集注》残缺，据《千金方》《医心方》《大观》《政和》补。

[8] **白及** 敦煌本《集注》残缺，据《千金方》《大观》《政和》补。

[9] **紫石英** 敦煌本《集注》残缺，据《千金方》《大观》《政和》补。《医心方》脱"英"字。

[10] **杏核人、李子** 《千金方》《医心方》《政和》作"李核人、杏人"，《大观》作"李核仁、杏仁"。

[11] **蜚蠊** 《千金方》《大观》《政和》、孙本作"飞廉"，列在上品，敦煌本《集注》、《医心方》作"蜚蠊"，列在下品。二者畏恶全同。

[12] **良** 敦煌本《集注》脱，据《千金方》《医心方》《大观》《政和》补。

[13] **淫羊藿** 敦煌本《集注》脱，据《医心方》《大观》《政和》补。《千金方》作"仙灵脾"。

[14] **虎** 敦煌本《集注》残缺，据《千金方》《医心方》补。

[15] **恶** 《千金方》《大观》《政和》、孙本作"畏"。

[16] **花** 《千金方》《医心方》《大观》《政和》、孙本作"华"。

[17] **草草** 《千金方》《大观》《政和》无此条，《医心方》有此条。

[18] **矾石为之使** 敦煌本《集注》脱，据《医心方》补。"矾"，《医心方》作"焚"。

[19] **茱草** 敦煌本《集注》空缺，据《千金方》《大观》《政和》补。

[20] **畏鼠妇** 敦煌本《集注》空缺，据《千金方》《大观》《政和》补。"妇"，《医心方》作"姑"。

[21] **札** 《大观》《政和》作"扎"。

[22] **戈共** 《医心方》《大观》《政和》"有名未用药"作"弋共"，敦煌本《集注》作"戈共"，《千金方》《大观》《政和》"七情畏恶药"及孙本无此条。

[23] **漏芦为之使** 敦煌本《集注》残缺，据《医心方》补。《千金方》《大观》《政和》无"之"字。

虫兽上品[1]

龙骨 得人参、牛黄良[2]，畏石膏。

龙角[3] 畏干漆、蜀椒[4]、理石。

牛黄 人参为之使，恶龙骨、地黄、龙胆、蜚蠊，畏牛膝[5]。

蠮蜜[6] 恶芫花、齐蛤[7]。

蜂子 畏黄芩、芍[8]药、牡蛎[9]。

白胶　得火良，畏大黄[10]。

阿胶　得火良，恶大黄[11]。

牡蛎[12]　贝母为之使，得甘草、牛膝、远志、蛇床[13]良，恶麻黄、茱萸[14]、辛夷。

【校注】

[1]　**虫兽上品**　原作"虫上"，今为统一目录，改为"虫兽上品"。

[2]　**龙骨　得人参、牛黄良**　敦煌本《集注》残缺，据《医心方》《千金方》《大观》《政和》补。

[3]　**龙角**　《医心方》作"龙齿角"。

[4]　**椒**　敦煌本《集注》残缺，据《千金方》《大观》《政和》补。

[5]　**牛黄　人参为之使，恶龙骨、地黄、龙胆、蜚蠊，畏牛膝**　敦煌本《集注》残缺，据傅本《新修》、罗本《新修》、《千金方》《大观》《政和》补。"蜚蠊"，《医心方》作"飞廉"。

[6]　**蠰蜜**　《千金方》《大观》《政和》作"蜜蜡"，敦煌本《集注》、《医心方》作"蠰蜜"，森本作"蜡蜜"。

[7]　**齐蛤**　《医心方》作"文蛤"。"蛤"，敦煌本《集注》作"合"，据《千金方》《大观》《政和》改。

[8]　**芍**　敦煌本《集注》作"勺"，据《千金方》《大观》《政和》改。

[9]　**蛎**　敦煌本《集注》作"厉"，据《千金方》《大观》《政和》改。

[10]　**得火良，畏大黄**　敦煌本《集注》脱，据《千金方》《医心方》《大观》《政和》补。

[11]　**阿胶　得火良，恶大黄**　敦煌本《集注》残缺，据《医心方》补。"恶"，《千金方》《大观》《政和》作"畏"。

[12]　**蛎**　敦煌本《集注》作"骊"，据《医心方》《千金方》《大观》《政和》改。

[13]　**蛇床**　敦煌本《集注》作"地舌"，据《千金方》《大观》《政和》改。《医心方》脱"蛇床"2字。

[14]　**茱萸**　《千金方》《大观》《政和》作"吴茱萸"，敦煌本《集注》、《医心方》作"茱萸"。

虫兽中品[1]

羖羊角[2]　菟丝子为之使。

犀角　松脂为之使，恶蘿菌、雷丸。

鹿茸　麻勃为之使。

鹿角　杜仲为之使。

伏翼　苋实、云实为之使。

蝟皮　得酒良，畏桔梗、麦门冬。

蜥蜴　恶流黄、斑猫、芜菁。

露蜂房[3]　恶干姜、丹参、黄芩、芍[4]药、牡蛎[5]。

桑[6]螵蛸　得龙骨治泄精[7]，畏旋复花。

蜚虫　畏皂荚、昌蒲。

蛴螬　蜚蠊[8]为之使，恶附子。

海蛤　蜀漆为之使，畏狗胆、甘遂、芫花。

龟甲　恶沙参、蜚蠊[9]。

鳖甲　恶矾[10]石。

鲤甲[11]　蜀漆为之使，畏狗胆、甘遂、芫花。

乌贼鱼骨　恶白蔹、白及。

蟹　杀莨菪毒[12]。

白马茎　得火良[13]。

【校注】

［1］**虫兽中品**　原作"虫中"，今为统一目录，改作"虫兽中品"。

［2］**羖羊角**　《医心方》作"零羊角、羖羊角"。

［3］**露蜂房**　敦煌本《集注》、《医心方》作"蜂房"，据《千金方》《大观》《政和》、孙本改。

［4］**芍**　敦煌本《集注》作"勺"，据《千金方》《大观》《政和》改。

［5］**蛎**　敦煌本《集注》作"厉"，据《千金方》《大观》《政和》改。

［6］**桑**　敦煌本《集注》作"桒"，据《千金方》《大观》《政和》改。

［7］**得龙骨治泄精**　《千金方》《大观》《政和》、孙本脱此文。"治"，《医心方》作"疗"。

［8］**蜚蠊**　《千金方》作"蜚虫"，《大观》《政和》、孙本作"蜚蠊"，敦煌本《集注》、《医心方》作"蜚虻"。

［9］**蠊**　敦煌本《集注》作"廉"，据《千金方》《大观》《政和》改。

［10］**矾**　敦煌本《集注》作"樊"，据《千金方》《大观》《政和》改。

［11］**鲤甲**　《千金方》《大观》《政和》、孙本作"鮀鱼甲"，敦煌本《集注》、《医心方》作"鲤甲"。

［12］**杀莨菪毒**　"杀"，敦煌本《集注》作"煞"，据《千金方》《大观》《政和》改。"菪"，敦煌本《集注》作"蓎"，据《千金方》《医心方》《大观》《政和》改。

［13］**白马茎　得火良**　《千金方》《医心方》《大观》《政和》、孙本无。

虫兽下品[1]

麋脂　畏大黄[2]。

蛇蜕　畏慈石及酒，火熬之良[3]。

蜣螂　畏羊角、石膏。

地胆[4]　恶甘草。

马刀　得水良。

天鼠屎[5]　恶白薇、白薇。

斑猫　马刀[6]为之使，畏巴豆、丹参[7]、空青，恶肤青、通草[8]。

【校注】

[1] **虫兽下品**　原作"虫下"，今为统一目录，改作"虫兽下品"。

[2] **黄**　此下，《千金方》有"恶甘草"。

[3] **火熬之良**　《千金方》《医心方》无。"火"，敦煌本《集注》作"少"，据《大观》《政和》"蛇蜕"条白字《本经》文改。

[4] **地胆**　《医心方》作"虵胆"，《千金方》《大观》《政和》作"地胆"。

[5] **屎**　敦煌本《集注》作"矢"，据《大观》《政和》改。《千金方》作"粪"，《医心方》作"矢"。"屎"，唐代抄本多作"矢"。

[6] **马刀**　敦煌本《集注》倒置，据《千金方》《大观》《政和》改。

[7] **巴豆、丹参**　《医心方》作"巴丹"，脱"豆""参"2字。"参"，敦煌本《集注》脱，据《千金方》《大观》《政和》补。

[8] **恶肤青、通草**　《医心方》脱此5字，《千金方》《大观》《政和》、孙本脱"通草"2字。

果上

大枣[1]　杀[2]乌头毒。

【校注】

[1] **枣**　敦煌本《集注》作"枣"，据《千金方》《大观》《政和》改。

[2] **杀**　敦煌本《集注》作"煞"，据《千金方》《大观》《政和》改。下同。

果下

杏核[1]　得火良，恶黄耆、黄芩、葛根、胡粉，畏蘘草，解锡毒[2]。

【校注】

[1] **杏核**　《千金方》《政和》作"杏人"，《大观》作"杏仁"。下同。

[2] **胡粉，畏蘘草，解锡毒**　《医心方》作"解锡胡粉，畏蘘草"，《大观》《政和》、孙本作"解锡胡粉毒，畏蘘草"，《千金方》作"解锡胡粉毒，畏荠草"。"畏"，敦煌本《集注》脱，据《医心方》《大观》《政和》补。

菜上

冬葵子　黄芩为之使。

葵根　解蜀椒毒[1]。

【校注】

[1] **葵根　解蜀椒毒**　《千金方》《医心方》《大观》《政和》无。

米食上

麻蕡、麻子[1]　畏牡蛎[2]、白薇，恶茯[3]苓。

【校注】

[1] **麻蕡、麻子**　敦煌本《集注》残缺，据《千金方》《医心方》《大观》《政和》补。

[2] **蛎**　敦煌本《集注》作"厉"，据《千金方》《大观》《政和》改。下同。

[3] **茯**　敦煌本《集注》作"伏"，据《千金方》《大观》《政和》改。

米食中

大豆黄卷[1]　恶五参、龙胆，得前胡、乌喙、杏人、牡蛎良，杀乌头毒。

大麦　食蜜[2]为之使。

豉　杀六畜胎子毒[3]。

右一百四十一[4]种，有相制、使，其余皆无。

【校注】

[1] **大豆黄卷**　《千金方》《医心方》《大观》《政和》作"大豆及黄卷"。

[2] **食蜜**　《大观》《政和》脱"食"字。

[3] **豉　杀六畜胎子毒**　《医心方》无此文，《千金方》作"酱，杀药毒、火毒"。

[4] **一百四十一**　据敦煌本《集注》，实录为"二百〇一"。

立冬之日，菊[1]、卷柏先生时，为阳起石、桑螵蛸，凡十物使。主二百草为之长。

立春之日，木兰、夜干先生，为茈胡、半夏使。主头痛四十五节。

立夏之日，蜚蠊先生，为人参、茯苓使。主腹中七节，保神守中。

立至[2]之日，豕首、茱萸先生，为牡蛎、乌喙使。主四支[3]三十二节。

立秋之日，白芷、防风先生，为细辛、蜀椒使。主[4]胸背廿四节。

右此五条，出《药对》中，义旨渊深，非[5]世所究，虽莫可遵用，而是主统领[6]之本，故亦载之也[7]。

【校注】

[1] 菊　敦煌本《集注》作"鞠"，据《大观》《政和》改。

[2] 立至　《大观》《政和》作"夏至"。

[3] 支　《大观》作"肢"，《政和》作"胑"。

[4] 主　敦煌本《集注》脱，据《大观》《政和》补。

[5] 非　敦煌本《集注》作"所"，据《大观》《政和》改。

[6] 领　《大观》《政和》无。

[7] 也　《大观》《政和》无。

玉石三品　卷第二

1 玉屑	2 玉泉	3 丹沙
4 **水银**	5 **空青**	6 **曾青**
7 **白青**	8 **扁青**	9 **石胆**
10 **云母**	11 **朴消**	12 **消石**
13 **矾石**	14 芒消	15 **滑石**
16 **紫石英**	17 **白石英**	
18 **青石、 赤石、 黄石、 白石、 黑石脂等**		
19 **太一禹馀粮**	20 **禹馀粮**	21 金屑
22 银屑	23 **雄黄**	24 **雌黄**
25 **石钟乳**	26 **殷孽**	27 **孔公孽**
28 石脑	29 **石硫黄**	30 **磁石**
31 **凝水石**	32 **石膏**	33 **阳起石**
34 玄石	35 **理石**	36 **长石**
37 绿青	38 **铁落**	39 **铁**
40 生铁	41 钢铁	42 **铁精**
43 **铅丹**	44 **青琅玕**	45 **肤青**
46 **礜石**	47 方解石	48 苍石
49 土阴孽	50 **代赭**	51 **卤咸**
52 **戎盐**	53 **大盐**	54 特生礜石
55 **白垩**	56 **粉锡**	57 **锡铜镜鼻**
58 铜弩牙	59 金牙	60 **石灰**
61 **冬灰**	62 锻灶灰	63 伏龙肝
64 东壁土	65 半天河	66 地浆

上 品

1 玉屑

味甘，平，无毒。主除胃中热、喘息、烦满，止渴，屑如麻豆服之。久服轻身长年。生蓝田，采无时。恶鹿角。

此云玉屑，亦是以玉为屑，非应别一种物也。《仙经》服毂玉，有捣如米粒，乃以苦酒辈[1]，消令如泥，亦有合为浆者。凡服玉，皆不得用已成器物，及塚中玉璞也。好玉出蓝田，及南阳徐善亭部界中，日南、卢容水中，外国于阗、疏勒诸处皆善。《仙方》名玉为玄真，洁白如猪膏，叩之鸣者，是真也。其比类甚多相似，宜精别之。所以燕石入笥[2]，卞氏长号也。（《新修》页3，《大观》卷3，《政和》页81）

【校注】
[1] 辈 《纲目》作"浸"。
[2] 笥 玄《大观》作"筒"。

2 玉泉

味甘，平，无毒。主治[1]五[2]脏百病，柔[3]筋强骨，安魂魄[4]，长肌肉，益气[5]，利血脉[6]，治妇人带下十二病，除气癃，明耳目[7]。**久服耐寒暑，不饥渴，不老神仙[8]**，轻身长年。**人临死服五斤，死[9]三年色不变。一名玉札[10]。生蓝田山谷。采无时[11]**。畏款冬花。

蓝田在长安东南，旧出美玉，此当是玉之精华，白[12]者质色明澈，可消之为水，故名玉泉。今人无复的识者，惟通呼为玉尔[13]。张华又云：服玉用蓝田毂玉白色者，此物平常服之，则应神仙。有人临死服五斤，死经三年，其色不变。古来发塚见尸如生者，其身腹内外，无不大有金玉。汉制，王公葬，皆用珠襦玉匣，是使不朽故也。炼服之法，亦应依《仙经》服玉法，水屑随宜，虽曰性平，而服玉者亦多乃[14]发热，如寒食散状。金玉既天地重宝，不比余石，若未深解节度，勿轻用之。(《新修》页3，《大观》卷3，《政和》页82)

【校注】

[1] 治 《新修》《大观》《政和》脱，据吐鲁番出土《集注》残简补。下同。

[2] 五 《御览》无。

[3] 柔 森本考异云：《顿医钞》作"和"。

[4] 魄 《御览》无。

[5] 益气 《御览》无。

[6] 利血脉 《纲目》《食货典》注为《本经》文，并移此文于"久服耐寒暑"之前。

[7] 目 《品汇》脱。

[8] 久服……神仙 柯《大观》、玄《大观》、《大全》皆作墨字《别录》文。"耐"，《御览》作"能忍"。《御览》引"耐"多作"能"，"能""耐"古本草通用。

[9] 死 《纲目》脱。森本考异云：《顿医钞》无"死"字。

[10] 札 《御览》卷988作"澧"，卷805作"醴"；森本考异注"《顿医钞》作'礼'"。《初学记》作"桃"；孙本、顾本、问本、周本、姜本作"朼"；《新修》《纲目》、森本作"札"，从《新修》为正。

[11] 生蓝田山谷。采无时 柯《大观》无。

[12] 白 《纲目》无。

[13] 惟通呼为玉尔 《纲目》作"通一为玉尔"。

[14] 乃 柯《大观》、玄《大观》无。

3 丹沙

味甘，微寒，无毒。 主治身体五脏百病，**养精神，安魂魄，益气，明目，**通血脉，止烦满，消渴，益精神，悦泽人面，**杀精魅**[1]**邪恶鬼**[2]，除中恶、腹痛、毒气、疥瘘诸疮。**久服通神明不老，轻身神仙。能化为汞，**作末名真朱，光色如云母，可析者良。**生符陵山谷，** 采无时[3]。恶慈石，畏咸水。

案此化为汞及名真朱者，即是今朱沙也。世医皆别取武都仇池雄黄夹[4]雌黄者，名为丹沙。方家亦往往俱用，此为谬矣。符陵是涪州，接巴郡南，今无复采者。乃出武陵、西川诸蛮夷中，皆通属巴[5]地，故谓之巴沙。《仙经》亦用越沙，即出广州临漳者，此二处并好，惟须光明莹澈[6]为佳。如云母片者，谓云母沙。如樗蒲[7]子、紫石英形者，谓马齿沙，亦好。如大小豆及大块圆滑者，谓豆沙。细末碎者，谓末沙。此二种粗，不入药用，但可画用尔。采沙皆凿坎入数丈许。虽同出一郡县，亦有好恶。地有水井，胜火井也。鍊饵之法，备载《仙方》，最为长生之宝。(《新修》

页4,《大观》卷3,《政和》页79)

【校注】

[1] **精魅** 森本考异云：《顿医钞》无。

[2] **邪恶鬼** "邪",《新修》作"耶",据《证类》改。"鬼",森本作"气"。

[3] **生符陵山谷,采无时** 《本草经疏》无。

[4] **夹** 柯《大观》作"挟"。

[5] **巴** 玄《大观》作"巳"。

[6] **惟须光明莹澈** "惟",玄《大观》作"帷"。"澈",武本《新修》作"微"。

[7] **蒲** 柯《大观》、玄《大观》作"蒱"。

4 水银

味辛,寒,有毒。 主治疥瘙[1]**,痂疡,白秃,杀皮肤中虫**[2]**虱,堕胎, 除
热。以傅男子阴,阴消无气。杀金、银、铜、锡毒,镕化还复为丹。久服神仙, 不
死。**一名汞。 生符陵平土,出于丹砂。 畏慈石。

今水银有生熟。此云生符陵平土者,是出朱沙腹中,亦别出沙地,皆青白色,最胜。出于丹沙
者,是今烧麁末朱沙所得,色小白浊,不及生者。甚[3]能消金、银,使[4]成泥,人以镀物是也。
还复为丹,事出《仙经》。酒和日曝,服之长生。烧时飞著釜上灰,名汞粉,世呼为水银灰,最能去
虱。(《新修》页40,《大观》卷4,《政和》页107)

【校注】

[1] **疥瘙** 玄《大观》、人卫本《政和》、《大全》《图经衍义》《本草经疏》、孙本、问本、周
本、狩本作"疥瘘",成化《政和》、万历《政和》、商务《政和》、《品汇》《纲目》、王本、姜本、
黄本作"疥瘘",《新修》、森本作"疥瘙",从《新修》为正。

[2] **虫** 《证类》《图经衍义》《纲目》《本草经疏》皆脱。

[3] **甚** 《新修》作"其",据《证类》改。

[4] **使** 《新修》作"便",据《证类》改。

5 空青

味甘、酸[1]**,寒、大寒,无毒。主治青**[2]**盲、耳聋,明目,利九窍,通血脉,
养精神,益肝气**[3]**,治目赤痛,去肤翳,止泪出,利水道,下乳汁,通关节,破坚
积。久服轻身,延年**[4]**不老**[5]**,令人不忘,志高、神仙。能化铜、 铁、 铅、 锡
作金**[6]**。生益州山谷**[7]**及越嶲山有铜处。铜精熏则生空青,其腹中空。三月中旬

采，亦无时。

越嶲属益州。今出铜官者，色最鲜深，出始兴者弗如，益州诸郡无复有，恐久不采之故也。凉州西平郡有空青山，亦甚多。今空青俱[8]圆实如铁珠，无空复者，皆凿土石中取之。又以合丹成，则化铅为金矣。诸石药中，惟此最贵。医方乃稀用之，而多充画也，殊为可惜。（《新修》页6，《大观》卷3，《政和》页90）

【校注】

[1] 酸　《纲目》、姜本注为《本经》文。

[2] 䀮　孙本作"䀮"。《说文解字注》："䀮，目病生翳也"。

[3] 益肝气　《纲目》注为《本经》文。

[4] 年　问本、黄本作"季"。"年""季"，古本草通用。

[5] 不老　《御览》无。

[6] 能化铜、铁、铅、锡作金　《图经衍义》脱此文；《御览》《艺文类聚》脱"铁""锡"2字。

[7] 生益州山谷　《艺文类聚》移此文于"久服"之前。狩本、顾本无此文。

[8] 俱　人卫本《政和》作"但"，《大观》作"俱"，从《大观》为正。

6　曾青[1]

味酸，小寒，无毒。主治目痛，止泪出，风痹，利关节，通九窍，破癥坚、积聚，养肝胆，除寒热，杀白虫，治头风、脑中寒，止烦渴，补不足，盛阴气。久服轻身不老。能化金、铜[2]**。生蜀中山谷及越嶲**[3]，采无时。畏[4]菟丝子。

此说与空青同山，疗体亦相似。今铜官更无曾青，惟出始兴。形累累如黄连相缀，色理小[5]类空青，甚难得而贵，《仙经》少用之。化金之法，事同空青[6]。（《新修》页8，《大观》卷3，《政和》页91）

【校注】

[1] 曾青　人卫本《政和》"曾青"条刻为墨字《别录》文，无白字《本经》标记。

[2] 能化金、铜　《纲目》注为《别录》文，其他各本注为《本经》文。

[3] 生蜀中山谷及越嶲　《御览》作"生蜀郡名山，其山有铜者，曾青出其阳，青者铜之精"。"山谷"，《艺文类聚》作"益州"。

[4] 畏　《医心方》作"恶"。

[5] 小　《纲目》作"相"。

[6] 化金之法，事同空青　《纲目》作"化金之事，法同空青"。

7　白青

味甘、酸、咸[1]**，平，无毒。主明目，利九窍，耳聋，心下邪**[2]**气，令人**

吐，杀诸毒、三虫。久服通神明，轻身，延年不老[3]。可消为铜剑，辟五兵。生[4]豫章山谷。采无时。

此医方不复用，市人亦[5]无卖者，惟《仙经》三十六水方中时有须处。铜剑之法，具在九元子术中。（《新修》页9，《大观》卷3，《政和》页94）

【校注】

[1] 酸、咸　《图经衍义》作"咸、酸"。

[2] 邪　《新修》作"耶"，据《证类》改。

[3] 延年不老　《纲目》脱此4字，《御览》脱"不老"2字。

[4] 生　《御览》作"出"。

[5] 人亦　《纲目》无。

8　扁青

味甘，平，无毒。主治目痛，明目，折跌[1]痈肿，金创[2]不瘳，破积聚，解毒气[3]，利精神，去寒热风痹，及丈夫茎中百病，益精。久服轻身，不老。生朱崖山谷、武都、朱提。采无时。

《仙经》世方都无用者。朱崖郡先属交州，在南海中，晋代省之，朱提郡今属宁州。（《新修》页10，《大观》卷3，《政和》页96）

【校注】

[1] 跌　玄《大观》、成化《政和》、万历《政和》、商务《政和》作"跌"。

[2] 创　《千金翼》《证类》《纲目》《品汇》、顾本、狩本、徐本作"疮"；《新修》、孙本、问本、黄本、周本作"创"。"疮""创"古本草通用。

[3] 解毒气　《御览》卷988作"辟毒"。

9　石胆

味酸、辛，寒，有毒。主明目，目痛，金创[1]，诸痫痉[2]，女子阴蚀痛，石淋，寒热，崩中下血，诸邪[3]毒气，令人有子，散癥积，咳逆上气，及鼠瘘恶疮。鍊饵服之不老[4]，久服增寿神仙[5]。能化铁为铜，成[6]金银。一名毕石，一名黑石[7]，一名碁[8]石，一名铜勒。生羌道山谷，羌里句[9]青山。二月庚子、辛丑日采[10]。水英为之使，畏牡[11]桂、菌桂、芫[12]花、辛夷、白薇。

《仙经》有用此处，世方甚少，此药殆绝。今人时有采者，其色青绿，状如瑠璃而有白文，易破折。梁州、信都无复有，世用乃以青色矾石当之，殊无仿佛。《仙经》一名立制石。(《新修》页11，《大观》卷3，《政和》页89)

【校注】

[1] 创 《新修》、森本、问本作"创"，其他各本皆作"疮"。

[2] 痉 卢本作"痓"。

[3] 邪 《新修》作"耶"，据《千金翼》《证类》改。

[4] 鍊饵服之不老 《御览》移此文于"成金银"之后。"服"，《御览》作"食"。

[5] 久服增寿神仙 玄《大观》、柯《大观》、《大全》刻为墨字《别录》文，人卫本《政和》、商务《政和》、成化《政和》、万历《政和》、森本、顾本、孙本皆注为《本经》文，从人卫本《政和》为正。

[6] 成 其上，《御览》有"合"字。

[7] 黑石 "黑"，《和名》作"墨"。

[8] 碁 《和名》作"棋"，《新修》《大观》《政和》作"碁"，从《新修》为正。

[9] 句 《新修》作"勾"，据《千金翼》《证类》改。

[10] 生羌道……辛丑日采 《纲目》改作"生秦州羌道山谷大石间，或羌里句青山，二月庚子、辛丑日采。其为石也，青色多白文，易破，状似空青。能化铁为铜，合成金银"。该文中"其为……空青"15字，《新修》《千金翼》《证类》俱无，但《御览》卷987"石胆"条引《本草经》有。

[11] 牡 其下，《图经衍义》衍"丹"字。

[12] 芜 成化《政和》、商务《政和》作"羌"。

10　云母

味甘，平，无毒。主治身皮[1]死肌，中风寒热，如在车船[2]上，除邪[3]气，安五脏，益子精，明目，下气，坚肌，续绝，补中，疗五劳七伤，虚损少气，止痢。**久服轻身，延年**，悦泽不老，耐寒暑，志高神仙。**一名云珠**，色多赤。**一名云华**，五色具。**一名云英**，色多青。**一名云液**，色多白。**一名云砂**，色青黄[4]。 **一名磷**[5]**石**，色正白。**生太山山谷**，齐、庐山，及琅琊北定山石间。二月采。泽泻为之使，畏鮀[6]甲，反[7]流水，恶徐长卿[8]。

案，《仙经》云母乃有八种：向日视之，色青白多黑者名云母，色黄白多青名云英，色青黄多赤名云珠，如冰露乍黄乍白名云砂，黄白晶晶[9]名云液，皎然纯白明澈名磷石，此六种并好服，而各有时月；其黯黯纯黑，有文斑斑如铁者，名云胆，色杂黑而强肥者名地涿，此二种并不可服。鍊之有法，惟宜精细；不尔，入腹大害人。今虚劳家丸散用之，并只捣筛，殊为末允。琅琊在彭城东北，青州亦有。今江东惟用庐山者为胜，以沙上养之，岁月生长。今鍊之用矾石则柔烂，亦便是相畏之效。百草上露，乃胜东流水，亦用五月茅屋溜水。(《新修》页13，《大观》卷3，《政和》页80)

【校注】

[1] **皮** 《纲目》作"痹"。

[2] **车船** 《本经疏证》作"舟车"。

[3] **邪** 《新修》作"耶",据《千金翼》《证类》改。

[4] **色青黄** 《和名》作"色多黄"。

[5] **磷** 姜本作"璘"。

[6] **蝉** 《证类》《本经疏证》作"蛇"。

[7] **反** 《新修》《证类》作"及",《纲目》作"东"。

[8] **恶徐长卿** 《新修》脱。

[9] **皛(xiǎo)** 皎洁光明。《集韵》:"明也"。

11 朴消

味苦[1]**、辛,寒、大寒,无毒。主治百病,除寒热邪**[2]**气,逐六腑积聚,结固留**[3]**癖**,胃中食饮热结,破留血,闭绝,停痰[4]痞满,推陈致新。能化七十二种石。鍊饵服之,轻身,神仙。鍊之白如银,能寒能热,能滑能涩,能辛能苦[5],能咸能酸,入地千岁[6]不变,色青白者佳,黄者伤人,赤者杀人。一名消石朴。**生益州山谷有咸水之阳**[7]。采无时。畏麦句姜。

今出益州北部汶山郡西川、蚕陵二县界,生山崖上,色多青白,亦杂黑斑。世人择取白软者,以当消石用之,当烧令汁沸出,状如矾石也。《仙经》惟云消石能化他石。今此亦云能化石,疑必相似,可试之。(《新修》页16,《大观》卷3,《政和》页87)

【校注】

[1] **苦** 《纲目》注为《别录》文,其他各本注为《本经》文。

[2] **邪** 《新修》作"耶",据《千金翼》《证类》改。

[3] **固留** 《御览》无。

[4] **痰** 《新修》作"淡",据《千金翼》《证类》改。

[5] **能苦** 《纲目》无。

[6] **岁** 《纲目》作"年"。

[7] **生益州……之阳** 《御览》作"生山谷之阴,有咸苦之水,状如芒消而麤"。

12 消石

味苦[1]**、辛,寒、大寒,无毒。主治五脏积热,胃胀闭**[2]**,涤去蓄结饮食,推陈致新,除邪**[3]**气**,治五脏十二经脉中百二十疾,暴伤寒,腹中大热,止烦满、消渴，利小便，及瘘蚀疮。**鍊之如膏，久服轻身。**天地至神之物，能化成十二种石[4]。**一名芒消**[5]。**生益州山谷**及武都、陇西、西羌。采无时。萤火[6]为之使，恶苦参、苦菜，畏女菀。

治病亦与朴消相似。《仙经》多用此消化诸石，今无正识别此者。顷来寻访，犹云与朴消同山，所以朴消名消石朴也，如此则非一种物。先时[7]有人得一种物，其色理与朴消大同小异，㖡㖡如握盐[8]雪不冰，强烧之，紫青烟起，仍成灰，不停沸如朴消，云是真消石也。此又云一名芒消，今芒消乃是练朴消作之。与后皇甫说同，并未得核研其验，须试效，当更证记[9]尔。化消石法，在三十六水方中。陇西属[10]秦州，在长安西羌中。今宕昌以北[11]诸山有咸土处皆有之。（《新修》页18，《大观》卷3，《政和》页85）

【校注】

[1] **苦** 其上，《御览》有"酸"字。

[2] **胀闭** "胀"，孙本、问本、周本、黄本作"张"，《新修》《证类》《千金翼》《品汇》《本草经疏》《本草经解》、森本、狩本、顾本作"胀"。从《新修》《千金翼》为正。"闭"，《图经衍义》作"閒"，《新修》作"閒"，据《千金翼》《证类》改。

[3] **邪** 《新修》作"耶"，据《千金翼》《证类》改。

[4] **能化成十二种石** "成"，《纲目》《本经逢原》《品汇》作"七"。《本经逢原》据此文，认为"消石"条与"朴消"条的主治文相互错简。

[5] **一名芒消** 人卫本《政和》、商务《政和》、《大全》、孙本、顾本不取此4字为《本经》文，柯《大观》、玄《大观》、森本注为《本经》文。按，《证类》"消石"条"唐本注云……《本经》一名芒消"；同书"芒消"条陶隐居注云"《神农本经》……消石名芒消"。据此，"一名芒消"应为《本经》文。

[6] **萤火** 《新修》《证类》《纲目》皆作"火"，无"萤"字，《医心方》作"萤火"，从《集注》为正。

[7] **先时** 《纲目》脱此2字，玄《大观》作"先特"。

[8] **盐** 《新修》原脱，据《证类》补。

[9] **记** 《新修》作"起"，据《证类》改。

[10] **属** 《政和》作"蜀"。

[11] **北** 《新修》、人卫本《政和》作"此"，据柯《大观》改。

13 矾[1]石

味酸[2]，**寒，无毒。主治寒热，泄痢，白沃，阴蚀，恶疮**[3]，**目痛，坚骨齿**[4]，**除固热在骨髓，去鼻中息肉。鍊饵服之**[5]，**轻身，不老增年**[6]。岐伯云：久服伤人骨。能使铁为铜。**一名羽碈**[7]，二名羽泽。**生河西山谷**，及陇西武都、石门。采无时。甘草为之使，恶牡[8]蛎。

今出益州北部西川，从河西来。色青白，生者名马齿矾。已练成绝白，蜀人又[9]以当消石名白矾。其黄黑者名鸡屎矾，不入药，惟堪镀作以合熟[10]铜。投苦酒中，涂铁皆作铜色。外虽铜色，内质不变。《仙经》单饵之，丹方亦用。世中合药，皆先火熬令沸燥，以治齿痛，多即坏齿，是伤骨之证，而云坚骨齿，诚为疑也。（《新修》页22，《大观》卷3，《政和》页84）

【校注】

［1］ **矾** 《新修》《和名》《医心方》、森本作"焚"，孙本据郭璞注《山海经》引作"涅"。据《千金翼》《御览》《证类》作"矾"。

［2］ **酸** 其上，《御览》有"咸"字。

［3］ **疮** 孙本作"创"。

［4］ **坚骨齿** 《御览》作"坚骨"，孙本作"坚筋骨齿"。

［5］ **服之** 《御览》作"久服"。

［6］ **年** 问本、黄本作"季"，《御览》无。

［7］ **硬** 狩本、《和名》作"涅"。

［8］ **牡** 成化《政和》、商务《政和》作"壮"。

［9］ **又** 玄《大观》无。

［10］ **熟** 《新修》作"热"，据《证类》改。

14 芒消

味辛、苦，大寒。主治五脏积聚，久热、胃闭，除邪[1]气，破留血，腹中痰实结搏[2]，通经脉，利大小便及月水，破五淋，推陈致新。生于朴消。石韦为之使，畏[3]麦句姜。

案，《神农本经》无芒消，只有消石，名芒消尔。后《名医》别载此说，其治与消石正同，疑此即是消石。旧出宁州，黄白粒大，味极辛、苦。顷来宁州道断都绝。今医家多用煮练作者，色全白，粒细，而味不甚烈。此云生于朴消，则作者亦好。又皇甫士安解散消石大凡说云：无朴消可用消石，生山之阴，盐之胆也。取石脾与消石，以水煮之，一斛得三斗，正白如雪，以水投中即消，故名消石。其味苦，无毒。主消渴热中，止烦满[4]，三月采于赤山。朴消者，亦生山之阴，有盐咸苦之水，则朴消生于其阳。其味苦无毒，其色黄白，主治热、腹[5]中饱胀，养胃消谷，去邪气，亦得水而消，其疗与消石小异。按如此说，是取芒消合煮，更成为真消石，但不知石脾复是何物？本草乃有石脾、石肺，人无识者，皇甫既是安定人，又明医药，或当详。练之以朴消作芒消者，但以暖汤淋朴消，取汁清澄煮之减半，出着木盆中，经宿即成，状如白英石，皆六道也，作之忌杂人临视。今益州人复鍊矾石作消石，绝柔白，而味犹是矾石尔。孔氏解散方又云：熬鍊消石令沸定汁尽。如此，消石犹是有汁也。今仙家须之，能化他石，乃用于理第一。（《新修》页20，《大观》卷3，《政和》页86）

【校注】

[1] 邪 《新修》作"耶",据《千金翼》《证类》改。

[2] 痰实结搏 "痰",《新修》作"淡",据《千金翼》《证类》改。"实",《本草经疏》作"食"。"搏",柯《大观》、玄《大观》、《图经衍义》作"博"。

[3] 畏 《新修》《证类》作"恶"。

[4] 满 玄《大观》作"蒲"。

[5] 腹 《新修》、商务《政和》作"肠",据《证类》改。

15 滑石

味甘,寒[1]、大寒,无毒。**主治身热,泄澼,女子乳难,癃闭,利小便,荡胃中积聚寒热,益精气**,通九窍六腑津液,去留结,止渴,令人利中。**久服轻身,耐饥,长年。**一名液石,一名共石,一名脱石,一名番石。**生赭**[2]**阳山谷,**及太山之阴,或掖北白山,或卷山[3]。采无时。石韦为之使,恶曾[4]青。

滑石色正白,《仙经》用之以为泥。又有冷石,小青黄,性并冷利,亦能熨油污衣物。今出湘州、始安郡诸处。初取软如泥,久渐坚强,人多以作冢中明器物,并散热人用之,不正入方药。赭[5]阳县先属南阳,汉哀帝置,明《本经》所注郡县,必是后汉时也。掖县属青州东莱,卷县属司州荥阳。(《新修》页23,《大观》卷3,《政和》页88)

【校注】

[1] 味甘,寒 《本草经解》作"气寒,味甘,无毒"。"甘",《御览》作"苦"。

[2] 赭 《御览》作"棘"。

[3] 或掖北白山,或卷山 两个"或"字,《新修》作"惑",据《千金翼》《证类》改。

[4] 曾 玄《大观》作"会"。

[5] 赭 《新修》作"诸",据《证类》改。

16 紫石英[1]

味甘、辛,温[2],无毒[3]。**主治心腹咳**[4]**逆邪**[5]**气,补不足,女子风寒在子宫,绝孕十年**[6]无子,治上气心腹痛,寒热邪气结气,补心气不足,定惊悸,安魂魄,填下膲,止消渴,除胃中久寒,散痈肿,令人悦泽。**久服温中,轻身延年。生太山山谷。**采无时。长石为之使[7],得茯苓、人参、芍药共治心中结气;得天雄、昌蒲共治霍乱。畏扁青、附子,不欲鳠[8]甲、黄连、麦句姜。

今第一用太山石,色重澈,下有根。次出雹零山,亦好。又有南城石,无根。又有青绵石,色亦重黑,不明澈。又有林邑石,腹里必有一物如眼。吴兴石四面才有紫色,无光泽。会稽诸暨石,形色如石榴子。先时并杂用，今丸散家采择，惟太山最胜，余处者，可作丸酒饵。《仙经》不正用，而为世方所重也。（《新修》页25，《大观》卷3，《政和》页92）

【校注】

[1] **英** 《真本千金方》无。

[2] **味甘、辛，温** 《本草经解》作"气温，味甘"。

[3] **无毒** 《本草经解》注为《本经》文。

[4] **咳** 《御览》作"呕"。

[5] **邪** 《新修》作"耶"，据《证类》改。

[6] **年** 问本、黄本作"季"。

[7] **使** 成化《政和》、商务《政和》作"便"。

[8] **不欲鲤** 《证类》《图经衍义》《本经疏证》作"鲩"。

17　白石英

味甘、辛[1]**，微温，无毒。主治消渴，阴痿不足，咳**[2]**逆，胸膈间久寒**[3]**，益气，除风湿痹**[4]，治肺痿，下气，利小便，补五脏，通日月光。**久服轻身长年，耐寒热。生华阴山谷**，及太山，大如指，长二三寸，六面如削，白澈**[5]有光。其黄端白棱名黄石英，赤端名赤石英，青端名青石英，黑端名黑石英[6]。二月采，亦无时。恶马目毒公。

今医家用新安所出，极细长白澈者；寿阳八公山多大者，不正用之。《仙经》大小并有用，惟须精白无瑕杂者。如此说，则大者为佳。其四色英，今不复用。（《新修》页28，《大观》卷3，《政和》页92）

【校注】

[1] **甘、辛** 玄《大观》作"四三"。

[2] **咳** 《御览》作"呕"。

[3] **胸膈间久寒** 《御览》脱"胸"字；并移此文于"除风湿痹"之下。"间"，孙本、问本、周本、黄本均作"閒"。

[4] **除风湿痹** 《御览》脱"风"字。玄《大观》作"除二山痹"。

[5] **澈** 《图经衍义》作"微"。

[6] **其黄端白棱名黄石英，赤端名赤石英，青端名青石英，黑端名黑石英** 《御览》作"黄石英，形如白石英，黄色如金在端者是。赤石英，形如白石英，赤端，故赤泽有光，味苦，补心气。青石英，形如白石英，青端赤后者是。黑石英，形如白石英，黑泽有光"。

18 青石、赤石、黄石、白石、黑石脂等

味甘，平。主治黄疸，泄痢[1]，肠澼[2]脓血，阴蚀，下血赤白，邪气，痈肿，疽痔，恶疮[3]，头疡，疥瘙。久服补髓，益气，肥健，不饥，轻身，延年。五石脂各随五色补五脏。生南山之阳山谷[4]中。

青石脂　味酸，平，无毒。主养肝胆气，明目，治黄疸，泄痢，肠澼，女子带下百病，及疽痔，恶疮。久服补髓，益气，不饥，延年。生齐区山及海崖。采无时。

赤石脂　味甘、酸、辛，大温，无毒。主养心气，明目，益精，治腹痛，泄澼，下痢赤白，小便利，及痈疽疮痔，女子崩中漏下，产难，胞衣不出[5]。久服补髓，好颜色，益智，不饥，轻身，延年。生济南、射阳及太山之阴。采无时。恶大黄，畏芫花。

黄石脂　味苦，平，无毒。主养脾气，安五脏，调中，大人小儿泄痢，肠澼，下脓血，去白虫，除黄疸，痈疽虫。久服轻身，延年。生嵩山，色如莺雏。采无时。曾青为之使，恶细辛，畏蜚蠊。

白石脂　味甘、酸，平，无毒。主治养肺气，厚肠，补骨髓，治五脏惊悸不足，心下烦，止腹痛，下水，小肠澼热溏，便脓血，女子崩中漏下，赤白沃，排痈疽疮痔。久服安心，不饥，轻身，长年。生太山之阴。采无时。得厚朴并米汁饮，止便脓。燕屎[6]为之使，恶松脂，畏黄芩。

黑石脂　味咸，平，无毒。主治养肾气，强阴，主阴蚀疮，止肠澼泄痢，治口疮、咽痛。久服益气，不饥，延年。一名石涅，一名石墨。出颍[7]川阳城。采无时。

此五石脂如《本经》，治体亦相似。《别录》各条，所以具载，今世用赤石、白石二脂尔。《仙经》亦用白石脂，以涂丹釜。好者出吴郡，犹与赤石脂同源。赤石脂多赤而色好，惟可断下，不入五石散用。好者亦出武陵、建平、义阳。今五石散皆用义阳者，出郢县界东八十里，状如豚脑，色鲜红可爱，随采随[8]复而生，不能断痢，而不用之。余三色脂有，而无正用，黑石脂乃可画用尔。

（《新修》页28、30、31，《大观》卷3，《政和》页93、94）

【校注】

[1] **痢** 《新修》作"利"，据《千金翼》《大观》《政和》改。

[2] **澼** 孙本作"癣"。下同。

[3] **疮** 问本、周本、黄本作"创"。

[4] **生南山之阳山谷** "生""山谷"3字《大观》《政和》作墨字《别录》文。

[5] **出** 《本草经疏》作"下"。

[6] **燕屎** 万历《政和》、《本经疏证》作"鹰屎"，《千金翼》作"燕粪"，《医心方》作"鸡屎"。

[7] **颖** 《新修》、万历《政和》、商务《政和》作"类"。

[8] **随** 人卫本《政和》脱。

19 太一禹[1]馀粮

味甘，平，无毒。主治咳逆上气，癥瘕，血闭，漏下，除邪气[2]，肢节不利[3]，大饱绝力身重。久服耐[4]寒暑，不饥，轻身，飞行千里，神仙。一名石脑。生太山山谷。九月采。杜仲为之使，畏贝母、昌蒲、铁落。

今人惟总呼为太一禹馀粮，自专是禹馀粮尔，无复识太一者，然治体亦相似，《仙经》多用之，四镇丸亦总名太一禹馀粮。（《新修》页33，《大观》卷3，《政和》页91）

【校注】

[1] **禹** 《新修》《千金翼》《本草和名》《证类》、孙本、顾本皆脱。森本皆有"禹"字。从《本草经集注》为正。

[2] **除邪气** "除"，孙本、问本作"余"。"邪"，《新修》作"耶"，据《千金翼》《证类》改。《御览》脱"气"字。《大全》注"邪气"2字为《别录》文。

[3] **肢节不利** 《纲目》注为《本经》文。

[4] **耐** 《御览》作"能忍"。

20 禹馀粮

味甘，寒、平，无毒。主治咳逆，寒热，烦满，下利[1]赤白，血闭，癥瘕，大[2]热，治小腹痛结烦疼。炼饵服之，不饥，轻身，延年[3]。一名白余粮。生东海池泽，及山岛中[4]或[5]池泽中。

今多出东阳，形如鹅鸭卵，外有壳重叠，中有黄细末如蒲黄，无沙者为佳。近年茅山凿地大得之，极精好。乃有紫华靡靡。《仙经》服食用之。南人又呼平泽中有一种藤，叶如菝葜，根作块有节，似菝葜而色赤，根形似署预，谓为禹馀粮。言昔禹行山乏食，采此以充粮，而弃其余，此云白余粮也，生池泽复有仿佛。或疑今石者，即是太一也。张华云：池多蓼者，必有馀粮，今庐江闲便是也。适有人于铜官采空青于石坎，大得黄赤色石，极似今之馀粮，而色过赤好，疑此是太一也。彼人呼为雌黄，试涂物，正如雄黄色尔。（《新修》页34，《大观》卷3，《政和》页91）

【校注】

[1] **利**　《新修》脱，据《御览》补。森本、莫本同。

[2] **大**　《千金翼》作"太"。

[3] **炼饵服之，不饥，轻身，延年**　《御览》作"久服轻身"。

[4] **及山岛中**　孙本注为《本经》文，其他各本注为《别录》文。

[5] **或**　《新修》作"惑"，据《千金翼》《证类》改。

中　品

21　金屑

味辛，平，有毒。主镇精神，坚骨髓，通利五脏，除邪毒气[1]，服之神仙。生益州[2]，采无时。

金之所生，处处皆有，梁、益、宁三州及建、晋多有[3]，出水沙中，作屑，谓之生金。辟恶而有毒，不炼服之杀人。建、晋[4]亦有金沙，出石中，烧熔鼓铸为碢[5]，虽[6]被火亦未熟，犹须更炼。又[7]高丽、扶南及西域外国成器，金皆[8]炼熟可服。《仙经》以醯[9]、蜜及猪肪、牡[10]荆、酒辈炼饵柔软，服之神仙。亦以合水银作丹沙[11]外，医方都无用，当是犹虑其毒害[12]故也。《仙方》名金为太真[13]。（《新修》页38，《大观》卷4，《政和》页109）

【校注】

[1] **除邪毒气**　《食货典》作"邪气"。"邪"，《新修》作"耶"，据《千金翼》《证类》改。

[2] **州**　武本《新修》作"翔"。

[3] **有**　《新修》脱，据《千金翼》《证类》补。

[4] **建、晋**　《证类》作"建安、晋平"。

[5] **烧熔鼓铸为碢**　傅本《新修》、罗本《新修》、武本《新修》作"烧皷下之为饼"，据《证类》改。

[6] **虽**　《新修》作"裈"，据《证类》改。

[7] **又**　《证类》《图经衍义》皆脱。

[8] **金皆**　《证类》《图经衍义》俱无"金"字。"皆"，《新修》作"阶"，据《证类》改。

[9] **醋** 人卫本《政和》、《大观》作"醯"，商务《政和》作"醯"。

[10] **壮** 傅本《新修》作"狂"，罗本《新修》作"狅"，武本《新修》作"杜"，据《证类》改。

[11] **沙** 《新修》脱，据《证类》补。

[12] **犹虑其毒害** "其"，《新修》作"某"，据《证类》改。此5字，《证类》作"虑其有毒"。

[13] **《仙方》名金为太真** "太真"，傅本《新修》作"大正"，武本《新修》作"大真之"，罗本《新修》作"大真"，《本草和名》《证类》作"太真"。

22 银屑

味辛，平，有毒。主治安五脏，定心神，止惊悸，除邪[1]气，久服轻身，长年。生永昌。采无时。

银[2]所出处，亦与金同，但皆是生石中耳[3]。炼饵法亦相似。今医方合[4]镇心丸用之，不可正服[5]尔。为屑当以水银磨令[6]消也。永昌本属益州。今[7]属宁州，绝远不复宾附[8]。《仙经》又有服炼[9]法，此当无正主治，故不为《本草》所载。古者[10]名金为[11]黄金，银为白金，铜为赤金[12]。今铜[13]有生熟，炼[14]熟者柔赤，而本草并无用。今铜青及大钱[15]皆入方用，并是生铜，应在下品之例也。（《新修》页39，《大观》卷4，《政和》页110）

【校注】

[1] **邪** 《新修》作"耶"，据《千金翼》《证类》改。

[2] **银** 其下，《大观》《政和》有"之"字。

[3] **但皆是生石中耳** 《新修》脱"生"字，据《证类》补。

[4] **合** 商务《政和》作"土"。

[5] **服** 傅本《新修》、罗本《新修》、武本《新修》皆脱，据《证类》补。

[6] **磨令** 《证类》作"研令"，《新修》作"磨金"，武本《新修》作"磨令"，从武本《新修》为正。

[7] **今** 《新修》作"令"，据《证类》改。

[8] **绝远不复宾附** 《新修》、武本《新修》有此文，其他各本无。

[9] **炼** 《新修》作"珠"，据《证类》改。

[10] **古者** 《新修》作"右旧"，据《证类》改。

[11] **为** 《新修》作"乌"，据《证类》改。

[12] **银为白金，铜为赤金** 《新修》作"银为白银，铜为赤铜"，据《证类》改。

[13] **铜** 《新修》作"银"，据《证类》改。

[14] **炼** 《新修》作"陈"，据《证类》改。

[15] **钱** 《新修》作"铜铁"，据《证类》改。

23　雄黄

味苦、甘，平，寒[1]**、大温，有毒。主治寒热，鼠瘘，恶疮**[2]**，疽**[3]**，痔，死肌。**治疥虫，䘌疮，目[4]痛，鼻中息肉，及绝筋，破骨，百节中大风，积聚，癖气，中恶，腹痛，鬼疰，**杀精物，恶鬼，邪气，百虫，毒肿**[5]**，胜五兵，**杀诸蛇虺毒，解藜芦毒[6]，悦泽人面。**炼食之**[7]**，轻身，神仙。**饵服之，皆飞入人脑[8]中，胜鬼神，延年益寿，保中不饥。得铜可作金。**一名黄食**[9]**石。生武都山谷、**敦煌山[10]之阳。采无时[11]。

炼服雄黄[12]法，皆在《仙经》中，以铜为金，亦出《黄白术》中。晋末已[13]来，氐羌中纷扰[14]，此物绝不复通，人间时有三五两，其价如金。合丸皆用石门、始兴[15]石黄之好者尔。始以齐初梁州[16]互市[17]微有所得，将至都下[18]，余[19]最先见于使人陈典签处[20]，捡获见十余片[21]，伊辈不识此物是何等，见有挟雌黄，或谓是[22]丹沙，吾示语并更[23]属觅，于是渐渐而来[24]，好者作鸡冠色，不臭而坚实。若黯[25]黑及虚软者不好也。武都、氐羌是为仇池。宕昌亦有，与仇池正同而小劣。敦煌在凉州西数千里，所出者未尝得来，江东不知，当复云何？此药最要，无所不入也。（《新修》页41，《大观》卷4，《政和》页101）

【校注】

[1]　**寒**　森本、顾本、卢本、王本、莫本不录"寒"字为《本经》文。

[2]　**疮**　孙本、问本、周本、黄本作"创"。

[3]　**疽**　傅本《新修》、罗本《新修》、武本《新修》作"疸"，据《千金翼》《证类》改。

[4]　**目**　玄《大观》、《大全》、成化《政和》、商务《政和》作"自"，其他各本皆作"目"。

[5]　**毒肿**　《证类》《品汇》《纲目》《本草经疏》《本经疏证》、孙本、顾本皆无"肿"字，使"毒"字从属上句；傅本《新修》、罗本《新修》、武本《新修》、森本有"肿"字，使"毒"字从属本句。

[6]　**解藜芦毒**　《品汇》脱。

[7]　**之**　其下，《品汇》衍"者"字。

[8]　**脑**　傅本《新修》、罗本《新修》、武本《新修》作"𦟝"，据《千金翼》《证类》改。

[9]　**食**　卢本、顾本、姜本作"金"。

[10]　**山**　《本经疏证》脱。

[11]　**时**　傅本《新修》、罗本《新修》作"特"，据《证类》改。

[12]　**雄黄**　《证类》《纲目》脱此2字。

[13]　**已**　傅本《新修》、罗本《新修》脱，据《证类》补。

[14]　**扰**　傅本《新修》、罗本《新修》作"绞"，据《证类》改。

[15]　**石门、始兴**　傅本《新修》、罗本《新修》作"天门始与"，据《证类》改。

[16] **梁州** 《新修》作"梁州"，《证类》作"凉州"。

[17] **互市** 《新修》作"平市"，据《证类》改。

[18] **将至都下** 《新修》作"将下至都"，据《证类》改。

[19] **余** 《新修》作"人未"，据《证类》改。

[20] **使人陈典签处** "人""签"，《新修》作"至""藏"，据《证类》改。

[21] **片** 《新修》作"斤"，据《证类》改。

[22] **或谓是** 《新修》作"惑谓"，据《证类》改。

[23] **吾示语并更** 《证类》作"示吾吾乃示语并又"。

[24] **来** 《新修》作"不"，据《证类》改。

[25] **黯** 《新修》作"点"，据《证类》改。

24　雌黄[1]

味辛、甘，平，大寒，有毒。主治恶疮[2]，头秃，痂疥，杀毒虫虱，身痒，邪[3]气，诸毒。蚀[4]鼻中息肉，下部䘌疮，身面[5]白驳，散皮肤死肌，及恍惚邪气，杀蜂蛇毒。**鍊之。久服轻身，增年不老，**令人脑[6]满。生武都山谷，与雄黄同山生。其阴山有金，金精熏则生雌黄。采无时。

今雌黄出武都仇池者，谓为武都仇池黄，色小赤。出[7]扶南林邑者，谓昆仑黄，色如金，而似云母甲错，画[8]家所重。依此言，既有雌雄之名，又同山之阴阳，于合药便当以武都为胜，用之既稀，又贱于昆仑。《仙经》无单服法[9]，唯以合丹沙[10]、雄黄共飞炼为丹耳。金精是[11]雌黄，铜精是[12]空青，而服[13]空青反胜于雌黄，其意难了也。（《新修》页43，《大观》卷4，《政和》页103）

【校注】

[1] **黄** 其下，《御览》有"石金"2字。

[2] **疮** 孙本作"创"。

[3] **邪** 《新修》作"耶"，据《证类》改。

[4] **蚀** 森本注为《本经》文。

[5] **面** 《千金翼》作"而"。

[6] **令人脑** 傅本《新修》、罗本《新修》作"金人腮"，据武本《新修》、《千金翼》《证类》改。

[7] **出** 《证类》脱。

[8] **画** 《新修》作"尽"，据《证类》改。

[9] **法** 傅本《新修》、罗本《新修》脱，据《证类》补。

[10] **沙** 《新修》脱，据《证类》补。

[11] **是** 《新修》脱，据《证类》补。

[12] **是** 《新修》脱，据《证类》补。

[13] **而服** 《新修》倒置,据《证类》改。

25 石[1]钟乳

味甘,温,无毒。主治咳逆上气,明目,益精[2],安五脏,通百节,利九窍,下乳汁,益气,补虚损,治脚弱疼冷,下焦伤[3]竭,**强阴。久服延年益寿,好颜色,不老,令人有子。**不鍊服之,令人淋。一名公[4]乳,一名芦石,一名夏石。**生少室山谷**及太山,采无时。蛇床为之使,恶牡丹、玄石、牡蒙,畏紫石英、蘘草。

第一出始兴,而江陵及东境名山石洞,亦皆有之。惟通中轻薄如鹅翎管,碎之如爪甲,中无雁齿,光明者为善。长挺乃有一二尺者。色黄,以苦酒洗刷则白。《仙经》用之少,而世方所重,亦甚贵。(《新修》页15,《大观》卷3,《政和》页83)

【校注】

[1] **石** 《真本千金方》《医心方》无。

[2] **明目,益精** 《御览》移此文于"咳逆"之前。

[3] **伤** 《千金翼》作"肠"。

[4] **公** 其上,《御览》衍"留"字。

26 殷孽

味辛,温,无毒。主治烂伤,瘀血,泄痢,寒热,鼠瘘,癥瘕[1],结气。脚冷疼弱。一名姜石,钟乳根也。**生赵国山谷,**又梁山及南海,采无时。恶术、防己[2]。

赵国属冀州,此即今人所呼孔公孽[3],大如牛羊角,长一二尺左右,亦出始兴[4]。(《新修》页44,《大观》卷4,《政和》页113)

【校注】

[1] **瘕** 《新修》脱,据《证类》补。

[2] **恶术、防己** 《证类》作"恶防己,畏术",《新修》作"恶木防己"。

[3] **赵国属冀州,此即今人所呼孔公孽** 《新修》作"赵国属鱼公孽",据《证类》改。

[4] **兴** 《新修》作"与",据《证类》改。

27 孔公孽

味辛,温,无毒。主治伤食不化,邪结气[1],恶疮[2],疽,瘘痔,利九窍,下乳汁。治男子阴疮,女子阴蚀,及伤[3]食病,恒欲眠睡。一名通石,殷孽根也,青黄色。**生梁山山谷**。木兰为之使，恶细辛。

梁山属冯翊郡，此即今[4]钟乳床也，亦出始兴，皆大块折[5]破之。凡钟乳之类，三种同一体，从石室上汁溜积久盘结者，为钟乳床，即此孔公蘖也。其次长小[6]龙嵸者，为殷蘖，今人呼为孔公蘖。殷蘖复溜，轻好者为钟乳。虽同一类，而疗[7]体为异，贵贱悬[8]殊。此二蘖不堪丸散，人[9]皆捣末酒渍饮之，治[10]脚弱。其前诸治，恐宜水煮为汤[11]也。案今三种同根，而所生各异[12]处，当是随其土地为胜尔[13]。（《新修》页45，《大观》卷4，《政和》页113）

【校注】

[1] **主治伤食不化，邪结气**　《御览》作"食化气"3字。"邪"，《新修》作"耶"，据《证类》改。

[2] **疮**　孙本、问本、周本、黄本作"创"。

[3] **伤**　《新修》脱，据《证类》补。

[4] **今**　《新修》作"令"，据《证类》改。

[5] **折**　《证类》作"打"。

[6] **其次长小**　《证类》作"其次以小"。

[7] **疗**　《新修》作"疮"，据《证类》改。

[8] **悬**　《证类》作"相"。

[9] **人**　《新修》作"又"，据《证类》改。

[10] **治**　其上，《证类》衍"甚"字，傅本《新修》、罗本《新修》、武本《新修》皆无"甚"字。

[11] **为汤**　《新修》作"一为阳"，据《证类》改。

[12] **异**　《证类》《纲目》脱。

[13] **尔**　《新修》作"合耳"，据《证类》改。

28　石脑

味甘，温，无毒。主治风寒虚损，腰脚疼痹，安五脏，益[1]气。一名石饴饼。生名山土石中，采无时。

此石亦钟乳之类，形如曾青而白色黑斑，软脆[2]易破，今茅山东及西平山并有，凿土堪[3]取之。世方不见用，《仙经》有刘君导仙散用之。又《真诰[4]》云[5]：李憨[6]采服，治风痹虚损，而得长生也。（《新修》页46，《大观》卷4，《政和》页115）

【校注】

[1] **益**　《新修》脱，据《千金翼》《证类》补。

[2] **脆**　《证类》脱。

[3] **堪**　《证类》作"龛"。

［4］语 《新修》作"诸"，据《证类》改。

［5］云 《证类》作"曰"。

［6］悤 《证类》作"整"。

29 石[1]硫黄

味酸，温、大热[2]**，有毒。主治妇人阴蚀，疽**[3]**，痔，恶血，坚筋骨，除头秃**，治心腹积聚[4]，邪气冷癖在胁，咳逆上气，脚冷疼弱无力，及鼻衄，恶疮，下部蠹疮，止[5]血，杀疥虫。**能化金、银、铜**[6]**、铁奇物。生东海牧羊山谷中**[7]**，及太山、河西山，矾石液也**[8]。

东海郡属北徐州，而箕[9]山亦有。今第一出扶[10]南林邑，色如鹅子初出壳，名[11]昆仑黄。次出外国，从蜀中来，色深而煌煌。世方用之治脚弱及瘤冷甚良。《仙经[12]》颇用之。所化奇物，并是《黄白术》及合[13]丹法。此云矾石液，今南方则无矾石，恐不必尔[14]。（《新修》页47，《大观》卷4，《政和》页102）

【校注】

［1］石 《真本千金方》《医心方》无。

［2］温、大热 《御览》脱"温"字。"大"，玄《大观》、成化《政和》、万历《政和》、商务《政和》作"太"。

［3］疽 《新修》作"痈"，据《证类》改。

［4］坚筋骨，除头秃，治心腹积聚 《新修》脱"骨""除""治"3字，据《证类》补。"积"，傅本《新修》、罗本《新修》、武本《新修》作"稍"，据《证类》改。

［5］止 《新修》作"心"，据《千金翼》《证类》改。

［6］银、铜 《新修》倒置，据《千金翼》《证类》改。

［7］牧羊山谷中 "羊"，《新修》作"阳"，据《千金翼》《证类》改。《御览》、森本无"山"字。

［8］太山、河西山，矾石液也 《新修》作"大山及河西，矾石也液"，据《千金翼》《证类》改。

［9］北徐州，而箕 "北""箕"，《新修》作"此""下"，据《证类》改。

［10］扶 傅本《新修》、罗本《新修》、武本《新修》作"快"，据《证类》改。

［11］初出壳，名 "出""名"，《新修》作"生""石"，据《证类》改。

［12］经 《新修》作"姓"，据《证类》改。

［13］合 《新修》作"今"，据《证类》改。

［14］恐不必尔 《新修》作"次不女尔已"，据《证类》改。

30 磁石

味辛，咸，寒，无毒。主治周痹风湿，肢节中[1]**痛，不可持物，洗洗酸**

痟[2]，**除大热，烦满及耳聋。**养肾脏，强骨气，益精，除烦，通关节，消痈肿，鼠瘘，颈核喉[3]痛，小儿惊痫，炼水饮之。亦令人[4]有子。**一名玄**[5]**石**，一名处石。**生大**[6]**山川谷**及慈山山阴，有铁处[7]则生其阳，采无时。柴胡为之使，杀铁毒[8]，恶牡丹、莽草，畏[9]黄石脂。

今南方亦有，其[10]好者，能悬吸针，虚连三、四、五[11]为佳，杀铁物[12]毒，消金。仙经、丹方、黄白术中[13]多用也。(《新修》页53，《大观》卷4，《政和》页111)

【校注】

[1] **中** 卢本作"肿"。

[2] **痟** 《大全》、万历《政和》、《本草经疏》、顾本、徐本作"消"，傅本《新修》、罗本《新修》、武本《新修》、《千金翼》、玄《大观》、柯《大观》、成化《政和》、商务《政和》、人卫本《政和》、《品汇》《本经续疏》作"痟"，从《新修》为正。按，《周礼·天官疾医》注："痟，酸削也"。

[3] **喉** 傅本《新修》、罗本《新修》作"唯"，据《千金翼》《证类》改。

[4] **亦令人** 《本经续疏》脱"亦"字。"人"，傅本《新修》、罗本《新修》脱，据《千金翼》《证类》补。

[5] **玄** 孙本、问本、周本、黄本作"元"，此乃避清康熙皇帝玄烨讳，改"玄"为"元"。

[6] **大** 《证类》《图经衍义》《本经续疏》作"太"，傅本《新修》、罗本《新修》、武本《新修》作"大"，从《新修》为正。

[7] **处** 《新修》作"者"，据《千金翼》《证类》改。

[8] **杀铁毒** 《千金方》无。

[9] **畏** 成化《政和》、万历《政和》、商务《政和》作"是"。

[10] **其** 《证类》无。

[11] **五** 《证类》脱。

[12] **物** 《证类》脱。

[13] **中** 傅本《新修》、罗本《新修》脱，据《证类》补。

31 凝水石

味辛、甘，寒、大寒，无毒。主治身热，腹中积聚邪[1]**气，皮中如火烧烂**[2]**，烦满，水**[3]**饮之。**除时气热盛，五脏伏热，胃中热，烦满，口渴[4]，水肿，少腹痹[5]。**久服**[6]**不饥。一名白水**[7]**石**，一名寒水石，一名凌水石，色如云母，可折[8]者良，盐之精也。**生常山山谷**，又中水县[9]及邯郸。解巴豆毒，畏地榆。

常山即恒山[10]，属并州。中水县属河[11]间郡。邯郸即是[12]赵郡，并属冀州城[13]。此处地皆咸卤，故云盐精，而碎之亦似朴消也。此石末置水中，夏月能为冰[14]者佳。(《新修》页50，《大观》卷4，《政和》页112)

【校注】

[1] **积聚邪** "积""邪"，傅本《新修》、罗本《新修》、武本《新修》作"精""耶"，据《千金翼》《证类》改。

[2] **皮中如火烧烂** 《御览》无此6字。"烂"，《证类》《图经衍义》《纲目》《品汇》、孙本、顾本、《本草经疏》《本经疏证》皆脱，《新修》、森本有之。

[3] **水** 《御览》无。

[4] **口渴** 《证类》《纲目》、武本《新修》、《图经衍义》《品汇》《本草经疏》《本经疏证》作"止渴"，《新修》作"口渴"，从《新修》为正。

[5] **少腹痹** 《本经疏证》作"小便痹"。"少"，《证类》《图经衍义》《品汇》《纲目》《本草经疏》作"小"，《新修》、武本《新修》作"少"。

[6] **久服** 《御览》无。

[7] **白水** 《新修》、武本《新修》作"泉"，据《本草和名》《千金翼》《证类》改。

[8] **折** 《证类》《千金翼》《图经衍义》《本经疏证》作"析"，《新修》《纲目》作"折"。

[9] **县** 《新修》作"悬"，据《千金翼》《证类》改。

[10] **即恒山** 《证类》无。

[11] **河** 《新修》作"何"，据《证类》改。

[12] **邯郸即是** 《新修》脱"邯"字，据《证类》补。又《证类》脱"是"字。

[13] **并属冀州城** 《纲目》无此文。"属"，《新修》脱，据《证类》补。

[14] **冰** 傅本《新修》、罗本《新修》作"水"，据武本《新修》、《证类》改。

32 石膏

味辛、甘，微寒、大寒，无毒。主治中风寒热，心下逆气[1]**惊喘，口干舌**[2]**焦，不能息，腹中**[3]**坚痛，除邪鬼，产乳，金疮。**除时气，头痛，身热，三膲大热，皮肤热[4]，肠胃中膈热[5]，解肌发汗，止消渴，烦逆，腹胀，暴气喘息，咽热，亦可作浴[6]汤。一名细石，细理白泽者良，黄者令人淋。**生齐山山谷**及齐庐山、鲁蒙山，采无时。鸡子为之使，恶莽草、毒公[7]。

二郡之山，即青州、徐州也。今出钱塘县狱[8]地中，雨后时时自出[9]，取之皆方[10]如棋子，白澈最佳[11]。比难得，皆用灵隐山者[12]。彭城者亦好。近道多有而大块[13]，用之不及彼土[14]。《仙经》不须此。（《新修》页51，《大观》卷4，《政和》页108）

【校注】

[1] **气** 《御览》无。

[2] **舌** 孙本、问文、周本作"苦"，《御览》无。

[3] **中** 《新修》脱，据《千金翼》《证类》补。

[4] **皮肤热** 《新修》脱此3字，据《千金翼》《证类》补。

［5］**膈热**　《证类》《图经衍义》《本草经疏》《本经疏证》作“膈气”，《纲目》作“结气”。

［6］**浴**　《新修》作“洛”，据《千金翼》《证类》改。

［7］**毒公**　《证类》《纲目》《本经疏证》作“马目毒公”，《本草经集注》《新修》《千金翼》《医心方》作“毒公”，从《本草经集注》为正。

［8］**狱**　《证类》作“皆在”，《新修》作“狱”。

［9］**时时自出**　《新修》脱，据《证类》补。

［10］**皆方**　《证类》脱“方”字。

［11］**住**　《新修》作“住”，据《证类》改。

［12］**比难得，皆用灵隐山者**　《证类》无。

［13］**块**　傅本《新修》、罗本《新修》作“愧”，据武本《新修》、《证类》改。

［14］**土**　傅本《新修》作“主”，据武本《新修》、罗本《新修》、《证类》改。

33　阳起石

味咸[1]**，微温**，无毒。**主治崩中漏下，破子脏**[2]**中血，癥瘕**[3]**结气，寒热，腹痛，无子，阴阳痿不合**[4]**，补不足。治**[5]男子茎头寒，阴下湿痒，去臭汗[6]，消水肿。久服不饥，令[7]人有子。**一名白石**，一名石生[8]，一名羊起石，云母[9]根也。**生**齐山**山谷**及琅琊或[10]云山、阳起山，采无时。桑螵蛸为之使，恶泽泻、菌桂、雷丸、蛇蜕皮，畏菟丝子[11]。

此所出即与云母同，而甚似云母，但厚实耳[12]。今用乃出益州，与矾石同处，色小黄黑即矾石。云母根未知何者是[13]？世用乃希。《仙经》亦服之。（《新修》页48，《大观》卷4，《政和》页112）

【校注】

［1］**咸**　《御览》作“酸”。

［2］**崩中漏下，破子脏**　“中”字下，《御览》有“补足内挛”4字。《御览》移“漏下”2字置“腹痛”之下。“破子”，《御览》无。

［3］**癥瘕**　“瘕”，《新修》作“瘦”，据《千金翼》《证类》改。《御览》无“癥瘕”2字。

［4］**阴阳痿不合**　《证类》《品汇》《本草经疏》《本经疏证》、孙本、顾本作“阴痿不起”，《御览》作“阴阳不合”，《新修》、森本作“阴阳痿不合”，从《新修》为正。

［5］**治**　《新修》脱，据《千金翼》《证类》补。

［6］**汗**　《新修》作“汁”，据《千金翼》《证类》改。

［7］**令**　傅本《新修》、罗本《新修》作“全”，据武本《新修》、《证类》改。

［8］**石生**　《新修》脱“石”字，据《千金翼》《证类》补。

［9］**母**　傅本《新修》、罗本《新修》、武本《新修》误作“舟”，据《千金翼》《证类》改。

［10］**或**　傅本《新修》、罗本《新修》作“惑”，据《证类》改。

[11] **菌桂、雷丸……菟丝子** "菌""雷""丝"，傅本《新修》、罗本《新修》作"兰""雪""熊"，据《证类》改。

[12] **而甚似云母，但厚实耳** "甚""厚"，《新修》作"是""原"，据《证类》改。"实"，《纲目》作"异"。

[13] **是** 傅本《新修》、罗本《新修》脱，据《证类》补。

34 玄石

味咸，温，无毒。主治大人小儿惊痫，女子绝孕，少腹寒[1]痛，少精，身重。服之令人有子。一名玄水石，一名处石。生太山之阳[2]，山阴有铜。铜者雌，玄石[3]者雄。恶松脂、柏子[4]、菌桂。

《本经》磁石，一名玄石。《别录》各一种[5]。今案其一名处石，名既同，治体又相似，而寒温[6]铜铁及畏恶有异。世中既不复用，无识其形者，不知与磁石相类否[7]？（《新修》页54，《大观》卷4，《政和》页112）

【校注】

[1] **寒** 《证类》《图经衍义》《品汇》作"冷"。

[2] **生太山之阳** 傅本《新修》、罗本《新修》作"生山阳"，据《千金翼》《证类》改。

[3] **玄石** 《大观》《千金翼》、商务《政和》作"玄"，人卫本《政和》作"黑"。

[4] **柏子** 玄《大观》、《图经衍义》作"柏实"，《大全》作"相实"。

[5] **《别录》各一种** 傅本《新修》、罗本《新修》作"别银各种"，据《证类》改。

[6] **名既同，治体又相似，而寒温** 傅本《新修》、罗本《新修》作"既同瘤疗，软体又相似，而寒湿"，武本《新修》作"既同瘤体，又相似，而寒湿"，据《证类》改。

[7] **否** 傅本《新修》、罗本《新修》作"不"，据《证类》改。

35 理石

味辛[1]、甘，寒、大寒，无毒。**主治身热，利胃，解烦，益精，明目，破积聚，去三虫**[2]。除荣卫中去[3]来大热，结热，解烦毒，止消渴，及中风痿痹。一**名立制石，一名肌石，如石膏，顺理而细。生汉中山谷及**[4]卢山，采无时[5]。滑[6]石为之使，畏[7]麻黄。

汉中属梁州，卢山属青州。今出宁州。世用亦希，《仙经》时须，亦呼为长理石。石胆一名立制石，今此又名立制，疑必相乱类[8]。（《新修》页55，《大观》卷4，《政和》页116）

【校注】

[1] **辛** 姜本作"甘"。

[2] **去三虫** 傅本《新修》、罗本《新修》脱"三"字，据《千金翼》《证类》补。"去"，《纲目》作"杀"。

[3] **去** 傅本《新修》、罗本《新修》脱，据《千金翼》《证类》补。

[4] **及** 傅本《新修》、罗本《新修》脱，据《千金翼》《证类》补。

[5] **时** 其下，傅本《新修》、罗本《新修》衍"及"字，据《千金翼》《证类》删。

[6] **滑** 傅本《新修》、罗本《新修》作"消"，《本草经集注》《千金方》《证类》作"滑"，从《集注》等为正。

[7] **畏** 《大观》《大全》《政和》《品汇》作"恶"。

[8] **乱类** 傅本《新修》、罗本《新修》作"礼类"，据商务《政和》改。人卫本《政和》、《大观》脱"乱"字。

36　长石

味辛、苦，寒[1]，无毒。**主治身热**，胃中结气，**四肢寒厥，利小便，通血脉，明目，去**[2] **翳眇，去**[3] **三虫，杀蛊**[4] **毒**。止消渴，下气，除胁肋肺间邪气。**久服不饥**。一名方石，一名土石，一名直石。理如马齿，方而润泽，玉[5] 色。**生长子山谷及太山**[6]**、临淄，采无时**。

长子县属上党郡，临淄县属青州。世方及《仙经》并无用此者也。（《新修》页56，《大观》卷4，《政和》页117）

【校注】

[1] **苦，寒** 姜本录"苦"字为《本经》文。《御览》无"寒"字。

[2] **去** 傅本《新修》、罗本《新修》作"目"，据《千金翼》《证类》改。

[3] **去** 《千金翼》《证类》《图经衍义》《品汇》作"下"。

[4] **蛊** 《图经衍义》作"虫"。

[5] **玉** 傅本《新修》、罗本《新修》作"王"，据武本《新修》、《千金翼》《证类》改。

[6] **山** 其下，傅本《新修》、罗本《新修》有"及"字，据《千金翼》《证类》删。

37　绿青

味酸，寒，无毒。主益气，治鼽[1]鼻，止泄痢。生山之阴穴中，色青白。

此即用画[2]绿色者，亦出空青中，相带挟。今画工呼为碧青，而呼空青作绿青，正反矣。（《新修》页8，《大观》卷3，《政和》页95）

【校注】

[1] **鞦** 玄《大观》、《图经衍义》《品汇》皆注"音求"。

[2] **𤉡** 《新修》作"𤊾"，据《证类》改。下同。

38 铁落

味辛、甘，平，无毒。主治风热，恶疮，疡疽疮痂，疥气在皮肤中。除胸膈中热[1]气余[2]，食不下，心[3]烦，去黑子。一名铁液，可以染皂。**生牧羊平泽**及祊城，或析城[4]，采无时。（《新修》页57，《大观》卷4，《政和》页115）

【校注】

[1] **热** 傅本《新修》、罗本《新修》脱，据《千金翼》《证类》补。

[2] **余** 傅本《新修》、罗本《新修》有"余"字，《千金翼》《证类》无。

[3] **心** 《证类》《图经衍义》《品汇》《本经续疏》作"止"。

[4] **或析城** 傅本《新修》、罗本《新修》脱，据《千金翼》《证类》补。

39 铁

主治坚肌耐[1]痛。（《新修》页58，《大观》卷4，《政和》页115）

【校注】

[1] **耐** 傅本《新修》、罗本《新修》作"能"，据《千金翼》《证类》改。

40 生铁

微寒。主治下部及脱肛。（《新修》页58，《大观》卷4，《政和》页115）

41 钢铁

味甘，平[1]，无毒。主治金疮，烦满热中，胸膈中气塞[2]，食不化。一名跳铁。（《新修》页58，《大观》卷4，《政和》页115）

【校注】

[1] **平** 《千金翼》《证类》无。

[2] **中气塞** 《证类》脱"中"字。"塞"，傅本《新修》、罗本《新修》、《图经衍义》作

"寒"，据《千金翼》《证类》改。

42　铁精

平，微温[1]。**主明目**[2]，**化铜**。治惊悸，定心气，小儿风痫，除癞[3]，脱肛。

铁落，是染皂铁浆。生铁，是不被镰、枪、釜之类。钢铁，是杂炼生镰，作刀、鈬[4]者。铁精，出锻灶中，如尘[5]紫色，轻者为佳，亦以摩莹铜器用也。（《新修》页58，《大观》卷4，《政和》页114）

【校注】

[1]　**平，微温**　傅本《新修》、罗本《新修》脱"平"字，据《千金翼》《证类》补。姜本录"微温"2字为《本经》文。

[2]　**明目**　森本考异云："《长生疗养方》作目明"。

[3]　**除癞**　《千金翼》《证类》作"阴癞"，傅本《新修》、罗本《新修》作"除癞"。《正字通》云："癞为癞之讹字"。癞，通"癫"。《黄帝内经太素·经脉之一》云："丈夫癞疝，妇人少腹肿，腰痛。"

[4]　**生镰，作刀、鈬**　"镰"，《证类》作"鏫"。"鈬"，《证类》作"镰"。

[5]　**尘**　傅本《新修》、罗本《新修》脱，据《证类》补。

43　铅丹

味辛，微寒。主治咳[1]逆，胃反，惊痫，癫[2]疾，除热，下气。止小便利[3]，除毒热脐挛，金疮溢血[4]。**炼化还成九光**[5]。**久服通神明**[6]。**生蜀郡平泽**[7]。一名铅华，生于铅。

即今熬铅所作黄丹画用者，世方亦稀用[8]，唯《仙经》涂丹釜所须此[9]。云化成九光者，当为九光丹以为釜耳，无别变炼法。（《新修》页75，《大观》卷5，《政和》页126）

【校注】

[1]　**咳**　孙本、问本作"土"，《千金翼》《证类》《品汇》、顾本作"吐"，傅本《新修》、罗本《新修》、森本作"咳"，以《新修》为正。

[2]　**癫**　《图经衍义》无。

[3]　**便利**　"便"，傅本《新修》、罗本《新修》作"使"，据武本《新修》、《千金翼》《证类》改。

[4]　**溢血**　《纲目》作"血溢"。

　[5] **九光**　"九"，傅本《新修》、罗本《新修》、《千金翼》作"丸"，据本条陶隐居注、武本《新修》、《证类》改。"光"，黄本作"元"，误。

　[6] **神明**　《御览》作"神仙"。

　[7] **生蜀郡平泽**　《千金翼》《证类》《本经疏证》此文列在"生于铅"之下。

　[8] **用**　傅本《新修》、罗本《新修》脱，据《证类》补。

　[9] **涂丹釜所须此**　"涂"，傅本《新修》、罗本《新修》脱，据《证类》补。"此"，《证类》无。

下　品

44　青琅玕

味辛，平，无毒。主治身痒，火疮，痈伤[1]，白秃，**疥瘙，死肌**。浸淫在皮肤中。煮炼服之，起阴气，可化为丹。**一名石珠**，一名青珠。**生蜀郡**[2]**平泽**。采无时。杀锡毒，得水银良，畏乌鸡骨[3]。

　　此即《蜀都赋》所称[4]青珠、黄环者也。黄环乃是草，苟取名类，而种族为乖。琅玕也是昆山上[5]树名，又《九真经》中太[6]丹名也。此石今亦无用，唯以治手足逆胪耳[7]。化丹之事，未的见其术。（《新修》页66，《大观》卷5，《政和》页132）

【校注】

　[1] **火疮，痈伤**　"火"，傅本《新修》、罗本《新修》作"大"，据武本《新修》、《千金翼》《证类》改。"疮"，孙本、问本、黄本作"创"。"伤"，卢本、姜本、莫本作"疡"。

　[2] **一名石珠，一名青珠。生蜀郡**　"石珠"，《御览》作"珠圭"。《纲目》注"石珠"为《别录》文，脱漏"青珠"出处标记。"生"字上，《食货典》衍"石阑干"3字。

　[3] **畏乌鸡骨**　傅本《新修》、罗本《新修》、《千金翼》《证类》脱"乌"字，《本草经集注》有"乌"字。《医心方》误作"畏乌头"。

　[4] **所称**　傅本《新修》、罗本《新修》作"浒"，据《证类》改。

　[5] **上**　傅本《新修》、罗本《新修》作"土玉"，据《证类》改。

　[6] **太**　《证类》作"大"。

　[7] **逆胪耳**　《诸病源候论》"手足逆胪候"曰："手足爪甲际皮剥起，谓之逆胪。""耳"，《证类》无。

45　肤青[1]

味辛、咸，平[2]**，无毒。主治蛊毒，毒蛇**[3]**、菜肉诸毒，恶疮**。不可久服，令人瘦[4]。一名推青[5]，一名推石。**生益州川谷。**

世方及《仙经》并无用此者，亦相与不复识之[6]。（《新修》页57，《大观》卷4，《政和》页117）

【校注】

［1］ **青** 《御览》作"精"。

［2］ **平** 人卫本《政和》作墨字《别录》文，其他各本注为《本经》文。

［3］ **毒蛇** 《千金翼》《证类》作"及蛇"，傅本《新修》、罗本《新修》作"毒蛇"。

［4］ **瘘** 《纲目》作"瘘"。

［5］ **一名推青** "推"字下，傅本《新修》、罗本《新修》衍"推"字，据《千金翼》《证类》删。人卫本《政和》注此4字为《本经》文，其他各本注为《别录》文。

［6］ **之** 《证类》无。

46　礜石

味辛、甘，大热[1]，生温、熟寒[2]，有毒。**主治寒热，鼠瘘，蚀疮，死肌，风痹，腹中坚癖，邪气，除热**[3]。明目，下气，除膈中热，止消渴，益肝气，破积聚，痼冷腹痛，去鼻中息肉。久服令人筋挛。火炼百日，服一刀圭。不炼服，则杀人[4]及百兽。**一名青分石，一名立制石，一名固羊石，一名白礜石，一名大**[5]**白石，一名泽乳，一名食盐。生汉中**[6]**山谷**及少室，采无时。得火良，棘[7]针为之使，恶毒公、鹜屎[8]、虎掌、细辛，畏水也。

今蜀[9]汉亦有，而好者出南康南野溪，及彭[10]城界中、洛阳城南堑[11]，常[12]取少室。生礜石内水中，令水不冰，如此则生亦大热。今以黄土泥苞[13]，炭火烧之，一日[14]一夕则解碎，可用，治冷结为良。丹方及黄白术皆[15]多用此，善能柔金[16]。又湘东新宁县及零[17]陵皆有白礜石。（《新修》页67，《大观》卷5，《政和》页124）

【校注】

［1］ **味辛、甘，大热** 傅本《新修》、罗本《新修》脱"味"字，据《千金翼》《证类》补。"甘"，《图经衍义》作"目"。"大热"，《御览》无。

［2］ **寒** 《证类》《图经衍义》作"热"。

［3］ **癖，邪气，除热** 柯《大观》、玄《大观》、《大全》、森本、狩本注为《本经》文；成化《政和》、万历《政和》、商务《政和》、人卫本《政和》注为《别录》文；孙本、问本、黄本、周本不取此5字为《本经》文，本书从《大观》为正。"癖"，傅本《新修》、罗本《新修》脱，据《千金翼》《证类》补。"热"字后，《御览》有"气"字。

［4］ **服一刀圭。不炼服，则杀人** 傅本《新修》、罗本《新修》作"服刀圭，杀人"，据《千金翼》《证类》改。

[5] **大**　《千金翼》、成化《政和》、万历《政和》、商务《政和》、人卫本《政和》、《图经衍义》作"太"，傅本《新修》、罗本《新修》、玄《大观》、柯《大观》作"大"，从《新修》为正。

[6] **一名食盐。生汉中**　"盐"，傅本《新修》、罗本《新修》作"监"，据《千金翼》《证类》改。"生"，孙本作"出"。"中"字下，《御览》衍"气"字。

[7] **棘**　傅本《新修》、罗本《新修》作"枣"（"棘"字异体字），《千金方》《证类》作"棘"。

[8] **毒公、鹜屎**　"毒公"，《证类》、傅本《新修》、罗本《新修》、《千金方》作"毒公"，从《新修》为正。"鹜"，傅本《新修》、罗本《新修》作"惊"，据《证类》改。

[9] **蜀**　商务《政和》作"属"。

[10] **彭**　傅本《新修》、罗本《新修》作"敊"，据《证类》改。

[11] **蜇**　傅本《新修》、罗本《新修》字迹残缺，据《证类》补。

[12] **常**　傅本《新修》作"担"，罗本《新修》作"坦"，据《证类》改。

[13] **今以黄土泥苞**　傅本《新修》作"今人黄主堲芑"，据《证类》改。

[14] **一日**　傅本《新修》作"百"，据《证类》改。

[15] **丹方及黄白术皆**　"术"，傅本《新修》、罗本《新修》脱，据《证类》补。《证类》脱"皆"字。

[16] **善能柔金**　《证类》脱"善"字，并移此文置"皆有白礜石"之下。

[17] **湘东新宁县及零**　"县"，《证类》无此字。"零"，傅本《新修》、罗本《新修》作"票"，据《证类》改。

47　方解石

味苦、辛，大寒[1]，无毒。主治胸中留热、结气，黄疸，通血脉，去蛊毒。一名黄石。生方山，采无时。恶巴豆。

案，《本经》长石一名方石，治体亦相似，疑是此也。（《新修》页70，《大观》卷5，《政和》页135）

【校注】

[1] **寒**　傅本《新修》、罗本《新修》作"温"，据《千金翼》《证类》改。

48　苍石

味甘，平[1]，有毒。主治寒热，下气，瘘蚀，杀飞禽鼠[2]。生西城[3]，采无时。

世中不复用。莫识其状。（《新修》页70，《大观》卷5，《政和》页136）

【校注】

[1] **平** 其下，傅本《新修》、罗本《新修》衍"无毒"2字，据《千金翼》《证类》删。

[2] **飞禽鼠** 《千金翼》《证类》脱"飞"字。"鼠"，《千金翼》《证类》作"兽"。

[3] **西城** 《千金翼》作"西域"。"西域"，后汉末置，在今陕西安康。《新修》"苍石"条注云："西城在汉川金州"。金州为隋置，唐因之，即今陕西安康。《千金翼》改"西城"为"西域"，误。

49 土阴孽

味咸，无毒。主治妇人阴蚀，大热，干痂。生高山崖上之阴，色白如脂，采无时。

此犹似钟乳、孔[1]公孽之类，故亦有孽名，但在崖上耳，今时有之，但不复采用耳。（《新修》页71，《大观》卷5，《政和》页134）

【校注】

[1] **孔** 傅本《新修》、罗本《新修》脱，据《证类》补。

50 代赭[1]

味苦、甘[2]，寒，无毒。**主治鬼疰，贼风，蛊毒，杀精物恶鬼，腹中毒邪**[3] **气，女子赤沃漏下。**带下百病，产难，胞衣不出，堕胎，养血气，除五脏血脉中热、血痹、血瘀，大人小儿惊气入腹，及阴痿不起。**一名须丸**出姑幕者名须丸，出代郡者名代赭。一名血师。**生齐国山谷**，赤红青色，如鸡冠有泽，染爪[4]甲不渝者良，采无时。畏天雄。

旧说云是代郡城门下土。江东久[5]绝，顷魏国所献，犹是彼[6]间赤土耳，非复真物，此于世用乃疏，而为丹[7]方之要，并与戎盐、卤咸皆是急须。（《新修》页71，《大观》卷5，《政和》页128）

【校注】

[1] **赭** 其下，《本经疏证》、顾本有"石"字。

[2] **甘** 傅本《新修》、罗本《新修》脱，据《千金翼》《证类》补。人卫本《政和》注"甘"字为《本经》文，其他各本注为《别录》文。

[3] **腹中毒邪** "腹"，《本草经解》作"肠"。"邪"，傅本《新修》、罗本《新修》作"耶"，据《千金翼》《证类》改。

[4] **爪** 《本经疏证》作"指"。

[5] **久** 傅本《新修》、罗本《新修》作"之"，据武本《新修》、《证类》改。

[6] **彼** 傅本《新修》、罗本《新修》作"后"，据武本《新修》、《证类》改。

[7] **丹** 《证类》作"仙"。

51 卤咸[1]

味苦、咸，寒[2]**，无毒。主治大热，消渴**[3]**，狂烦，除邪及吐下蛊毒**[4]**，柔肌肤**[5]。去五脏肠[6]胃留热，结气，心下坚，食已呕逆，喘满，明目，目痛。**生河东盐池**[7]。

云是煎盐釜下凝淬[8]。（《新修》页72，《大观》卷5，《政和》页130）

【校注】

[1] **咸** 孙本、《御览》《北堂书钞》作"盐"。其下，《永乐大典》卷9762引《太平御览》有"一名寒石"4字。

[2] **味苦、咸，寒** 《大观》注"苦""寒"为《本经》文，注"咸"为《别录》文。"咸"，人卫本《政和》注为《本经》文，其他各本注为《别录》文。

[3] **渴** 其下，《永乐大典》卷9762有"肠胃结热"4字。

[4] **除邪及吐下蛊毒** "邪"，傅本《新修》、罗本《新修》作"耶"，据武本《新修》、《千金翼》《证类》改。"吐"，傅本《新修》、罗本《新修》、武本《新修》、森本有之，其他各本皆无此字。"蛊毒"，《北堂书钞》作"毒虫"。

[5] **肤** 其下，《御览》有"一名寒石"4字。

[6] **肠** 傅本《新修》、罗本《新修》作"腹"，据《千金翼》《证类》改。

[7] **盐池** 森本、孙本作"池泽"，傅本《新修》、罗本《新修》、武本《新修》、《千金翼》《证类》作"盐池"。

[8] **淬** 傅本《新修》、罗本《新修》作"泽"，据《证类》改。

52 戎盐

主明目，目痛[1]**，益气，坚肌骨**[2]**，去毒虫**[3]。味咸，寒，无毒[4]。治心腹痛，溺血，吐血，齿舌血出。一名胡盐。生胡盐山，及西羌北[5]地，及酒泉福禄城东南角。北海青，南海赤[6]。十月采。

今世中不复见卤咸，唯魏国所献虏盐[7]，即是河东大[8]盐，形[9]如结冰圆强，味咸、苦，夏月小润液。虏中盐[10]乃有九种：白盐、食盐[11]，常食者；黑盐，治腹胀气满；胡盐，治耳聋目[12]痛；柔盐，治马脊疮[13]；又有赤盐、駮盐、臭盐、马齿盐[14]四种，并不入食。马齿即大盐，黑盐疑是卤咸，柔盐疑是戎盐[15]，而此戎盐又名胡盐，兼治眼痛[16]，二三相乱。今戎盐虏中甚有，从凉州来，芮芮河南使及北[17]部胡客从敦煌来，亦得之，自是稀少尔。其形作块片，或如鸡鸭卵，或如菱米，色紫白，味不甚咸，口尝气臭[18]，正如腤鸡子臭者言是真[19]。又河南盐池泥中，自有[20]凝盐如石片，打破皆[21]方，青黑色，善治马脊疮，又疑此或是。盐虽多种，而戎盐、卤咸最为要用。又巴东朐䏰县北岸[22]大有盐井，盐水自凝生粥子盐，方一二寸，中央突张如伞形，亦有方如石膏、博碁者。李云戎盐味苦臭，是海潮水浇山石，经久盐凝著石取之。北海者青，南海者紫赤。又云卤咸即是人煮盐釜底凝强盐滓，如此二说并未详[23]。（《新修》页73，《大观》卷5，《政和》页129）

【校注】

[1] **主明目，目痛** "主"，其上，王本有"味咸，寒"3字，并注为《本经》文。"目痛"，《御览》、《永乐大典》卷9762无。

[2] **坚肌骨** 《永乐大典》卷9762无"骨"字。"坚"，傅本《新修》、罗本《新修》、狩本作"盐"，柯《大观》、玄《大观》、《大全》作"紧"，《千金翼》、人卫本《政和》、成化《政和》、万历《政和》、商务《政和》、《永乐大典》卷9762、孙本、森本作"坚"，从《千金翼》为正。

[3] **虫** 傅本《新修》、罗本《新修》、《御览》作"虫"，其他各本皆作"蛊"。

[4] **味咸，寒，无毒** 《证类》《本草经疏》《本经疏证》移此文置"主明目"之前。

[5] **北** 傅本《新修》、罗本《新修》作"此"，玄《大观》作"比"，据《千金翼》《证类》改。

[6] **福禄城东南角。北海青，南海赤** 傅本《新修》、罗本《新修》作"禄福城东南海赤"，据《千金翼》《证类》改。

[7] **所献房盐** 傅本《新修》、罗本《新修》作"献处盐"，据《证类》改。

[8] **大** 傅本《新修》、罗本《新修》脱，据《证类》补。

[9] **形** 《新修》作"刑"，据《证类》改。

[10] **房中盐** 傅本《新修》、罗本《新修》作"处中盐"，据《证类》改。

[11] **盐** 傅本《新修》、罗本《新修》脱，据《证类》补。

[12] **目** 傅本《新修》、罗本《新修》脱，据《证类》补。

[13] **疮** 傅本《新修》、罗本《新修》作"疗"，据《证类》改。

[14] **駮盐、 臭盐、 马齿盐** "駮"，《纲目》作"驳"。"臭盐、马齿盐"，傅本《新修》、罗本《新修》作"臭马齿"，据《证类》改。

[15] **戎盐** 傅本《新修》、罗本《新修》重出"戎盐"，据《证类》删。

[16] **兼治眼痛** "兼治"，《证类》作"并主"。"痛"，傅本《新修》、罗本《新修》作"疗"，据《证类》改。

[17] **北** "北"，傅本《新修》、罗本《新修》作"此"，据《证类》改。

[18] **臭** 傅本《新修》、罗本《新修》作"息"，据《证类》改。

[19] **是真** 《证类》脱。

[20] **有** 柯《大观》作"然"。

[21] **皆** 柯《大观》作"四"。

[22] **北岸** 商务《政和》作"比岸"。

[23] **又巴东……未详** 傅本《新修》、罗本《新修》脱，据《证类》补。

53　大盐[1]

令人吐。生[2]邯郸及河东**池泽**[3]。味甘、咸，寒，无毒。主治肠胃结热，喘逆，吐胸中病[4]。漏芦为之使。（《新修》页73，《大观》卷5，《政和》页130）

【校注】

[1] **大盐**　本条，《永乐大典》卷9762引《太平御览》作"大盐，一名盐精，令人吐，主肠胃结热"。《千金翼》《证类》作"大盐，味甘、咸，寒，无毒。主治肠胃结热，喘逆，胸中病，令人吐。生邯郸及河东池泽"。

[2] **生**　森本录此字为《本经》文。

[3] **池泽**　森本录此2字为《本经》文。

[4] **主治肠胃结热，喘逆，吐胸中病**　《食货典》注为《本经》文，其他各本注为《别录》文。"吐"，傅本《新修》、罗本《新修》有此字，其他各本无。

54　特生礜石

味甘，温，有毒。主明目，利[1]耳，腹内绝寒，破坚[2]结及鼠瘘，杀百虫恶兽。久服延年。一名苍礜石，一名礜石[3]，一名鼠毒。生西城，采无时[4]。火炼之良，畏水。

旧云鹳巢中者最佳，鹳恒[5]入水冷，故取以壅卵令热。今不可得。唯用出汉中者，其外形紫赤色，内白如霜，中央有臼，形状如齿者佳。《大散方》云[6]：出荆州新城郡防陵县，练[7]白色为好。用之亦先以[8]黄土包烧之一日，亦可内斧孔[9]中烧之，合玉壶诸丸多[10]用此。《仙经》不云特[11]生，则止是前白礜石耳。（《新修》页68，《大观》卷5，《政和》页134）

【校注】

[1] **利**　傅本《新修》、罗本《新修》脱，据《千金翼》《证类》补。

[2] **坚**　傅本《新修》、罗本《新修》脱，据《千金翼》《证类》补。

[3] **一名礜石**　《证类》无此4字。"礜"，《纲目》作"苍"。

[4] **生西城，采无时**　"西城"，傅本《新修》、罗本《新修》作"血城"，据《千金翼》《证类》改。"城"，人卫本《政和》作"域"。"采无时"，傅本《新修》、罗本《新修》脱，据《千金翼》《证类》补。

[5] **恒**　傅本《新修》、罗本《新修》作"垣"，《证类》作"常"，据武本《新修》改。

[6] **云**　此下，《证类》衍"又"字。

[7] **练**　《证类》作"缥"。

[8] **先以**　傅本《新修》、罗本《新修》作"光"，据《证类》改。

[9] **孔** 傅本《新修》、罗本《新修》作"空"，据《证类》改。

[10] **多** 《证类》脱。

[11] **特** 傅本《新修》、罗本《新修》作"时"，据《证类》改。

55 白垩[1]

味苦、辛，温，无毒。主治女子寒热，癥瘕，月[2]**闭，积聚，阴肿痛，漏下，无子**[3]**。止**[4]**泄痢。不可久服，伤**[5]**五脏，令人羸瘦。一名白善**[6]**。生邯郸**[7]**山谷，采无时。**

此即今画用者[8]，甚多而贱，世方亦希，《仙经》不须也。（《新修》页75，《大观》卷5，《政和》页132）

【校注】

[1] **垩** 《新修》作"恶"，据《千金翼》《证类》改。

[2] **月** 孙本作"目"。

[3] **阴肿痛，漏下，无子** 《政和》《品汇》注为《别录》文，孙本、顾本亦不取此文为《本经》文，《大观》《大全》、森本、狩本注为《本经》文，从《大观》为正。

[4] **止** 《千金翼》《证类》无。

[5] **伤** 《新修》作"復"，据《千金翼》《证类》改。

[6] **善** 其下，《御览》有"土"字。

[7] **邯郸** 《新修》作"邪郸"，据《千金翼》《证类》改。

[8] **此即今画用者** "今"，《新修》作"令"，据《证类》改。

56 粉锡

味辛，寒，无毒。主治伏尸，毒螫，杀三虫。去鳖瘕[1]**，治恶疮，堕**[2]**胎，止小便利。一名解**[3]**锡。**

即今化铅所作胡粉也。其有金色者[4]，治尸虫弥良[5]，而谓之粉锡，事与经乖。（《新修》页76，《大观》卷5，《政和》页127）

【校注】

[1] **瘕** 傅本《新修》、罗本《新修》作"瘦"，据《千金翼》《证类》改。

[2] **堕** 傅本《新修》、罗本《新修》作"随"，据《千金翼》《证类》改。

[3] **解** 《御览》作"鲜"。

[4] **者** 傅本《新修》、罗本《新修》脱，据《证类》补。

[5] **弥良** 傅本《新修》、罗本《新修》作"称即"，据《证类》改。

57　锡铜镜鼻[1]

主治女子血闭，癥瘕，伏肠[2]，绝孕，及伏尸邪气。生桂阳[3]山谷。

此物与胡粉异类，而今共条。当以其非正成具[4]一药，故以附见锡品中也。古无纯以铜[5]作镜者，皆用锡[6]杂之。《别录》用铜镜鼻，即是今破古铜镜鼻尔，用之当烧令赤内酒中饮之[7]。若置醋[8]中出入百过，亦[9]可捣也。铅与锡，《本经》云生桂阳[10]。今[11]乃出临贺，临贺[12]犹是分桂阳所置。铅与锡虽相似，而入用大异。（《新修》页76，《大观》卷5，《政和》页128）

【校注】

[1]　**锡铜镜鼻**　傅本《新修》、罗本《新修》、武本《新修》作"锡镜铜鼻"，据《千金翼》《证类》改。森本、狩本无"铜"字。

[2]　**癥瘕，伏肠**　傅本《新修》、罗本《新修》作"瘦伏腹"，据《千金翼》《证类》改。

[3]　**生桂阳**　《大观》、玄《大观》、《大全》《政和》《证类》注为《别录》文。孙本、顾本、森本皆不取此3字为《本经》文。按，"生桂阳"3字应为《别录》文，非《本经》文。但《新修》《大观》《政和》《证类》、玄《大观》、《大全》在"锡铜镜鼻"条的注文中，引陶隐居注云"《本经》云生桂阳"。按，陶氏所云，"生桂阳"3字又非《别录》文，二说不同，今并注之。

[4]　**当以其非正成具**　"正"，《证类》作"止"。"具"，《证类》无。

[5]　**纯以铜**　"纯"，《新修》作"绝"，据《证类》改。"铜"，傅本《新修》、罗本《新修》作"锡"，据《证类》改。

[6]　**锡**　傅本《新修》作"铜"，据《证类》改。

[7]　**烧令赤内酒中饮之**　"令"，傅本《新修》、罗本《新修》作"今"，据《证类》改。

[8]　**醋**　傅本《新修》、罗本《新修》作"锰"，据《证类》改。

[9]　**亦**　傅本《新修》、罗本《新修》作"赤"，据《证类》改。

[10]　**铅与锡，《本经》云生桂阳**　傅本《新修》、罗本《新修》作"锡及锡，《本经》云蜀郡桂阳"，据《证类》改。

[11]　**今**　其下，《证类》衍"则"字。

[12]　**临贺**　傅本《新修》、罗本《新修》作"临临贺贺"，据《证类》改。

58　铜弩牙[1]

主治妇人产难，血闭，月水不通，阴阳隔塞[2]。

此即今人所用射者耳，取烧赤内酒中[3]，饮汁，亦以添之[4]，得古者弥胜，制镂多巧也[5]。（《新修》页77，《大观》卷5，《政和》页133）

【校注】

[1] **牙** 傅本《新修》、罗本《新修》作"可"，据《千金翼》《证类》改。

[2] **塞** 傅本《新修》、罗本《新修》作"寒"，据《千金翼》《证类》改。

[3] **烧赤内酒中** 傅本《新修》、罗本《新修》脱"赤""中"，据《证类》补。

[4] **亦以添之** 《证类》无。

[5] **制镂多巧也** 《证类》无。

59 金牙

味咸，无毒。主治鬼疰[1]、毒蛊、诸疰。生蜀郡，如金色者良。

今出蜀汉，似麁金，而大小方皆如碁子[2]。又有铜牙亦相似，但外色黑，内色小浅，不入药用。金牙唯以合酒、散及五疰丸，余方不甚须此也。(《新修》页77，《大观》卷5，《政和》页133)

【校注】

[1] **疰** 傅本《新修》、罗本《新修》脱，据《千金翼》《证类》补。

[2] **而大小方皆如碁子** 《证类》作"大如碁子"。

60 石灰[1]

味辛，温。主治疽疡，疥瘙，热气，恶疮，癞[2]疾，死肌，堕眉，杀[3]痔虫，去黑子息肉。治髓骨疽。一名恶灰，一名希灰。生中山川[4]谷。

中山属代郡。今近山生石，青白色，作灶烧竟，以[5]水沃之，则[6]热蒸而解末矣[7]。性至烈，人以度酒饮之，则腹痛下痢，治金疮[8]亦甚良。世名石垩。古今多以构塚[9]，用捍水而辟虫。故古塚中水，以洗诸恶疮[10]，皆即差也。(《新修》页78，《大观》卷5，《政和》页123)

【校注】

[1] **石灰** 傅本《新修》、罗本《新修》、《千金翼》《证类》列入下品。

[2] **癞** 《大全》、姜本作"痛"。

[3] **杀** 傅本《新修》、罗本《新修》脱，据《证类》补。

[4] **川** 孙本作"山"。

[5] **以** 傅本《新修》、罗本《新修》脱，据《证类》补。

[6] **则** 《证类》作"即"。

[7] **末矣** 傅本《新修》、罗本《新修》作"未矣"，据《证类》改。

[8] **疮** 傅本《新修》、罗本《新修》作"疗"，据《证类》改。

[9] **多以构塚** 傅本《新修》、罗本《新修》脱"多"字，据《证类》补。"塚"，傅本《新修》、罗本《新修》作"家"，据《证类》改。

[10] **故古塚中水，以洗诸恶疮** "故"，傅本《新修》、罗本《新修》脱，据《证类》补。"塚"，傅本《新修》、罗本《新修》作"冢"，据《证类》改。《证类》脱"以""恶"2字。

61　冬灰

味[1]辛，微温。主治黑子，去疣，息肉，疽[2]蚀，疥瘙。一名藜灰。生方谷[3]川泽。

此即今浣衣黄灰耳，烧诸蒿藜积聚炼作之，性烈[4]，又荻灰尤烈。欲消黑痣疣赘，取此三种灰水和[5]蒸以点之即去，不可广用[6]，烂人皮肉。（《新修》页79，《大观》卷5，《政和》页132）

【校注】

[1] **味**　傅本《新修》、罗本《新修》脱，据《千金翼》《证类》补。

[2] **疽**　玄《大观》作"疽"，其他各本作"疽"。

[3] **方谷**　姜本录此2字为《本经》文。

[4] **性烈**　《证类》作"性亦烈"。

[5] **水和**　《证类》倒置。

[6] **用**　傅本《新修》、罗本《新修》作"则"，据《证类》改。

62　锻灶灰

主治癥瘕坚积，去邪恶气。

此即今锻铁灶中灰尔，兼得铁力[1]。以治暴癥水[2]有效。二车丸用之。（《新修》页79，《大观》卷5，《政和》页134）

【校注】

[1] **灶中灰尔，兼得铁力**　傅本《新修》脱前7字，根据武本《新修》、罗本《新修》、《证类》补。

[2] **水**　《证类》作"大"。

63　伏龙肝

味辛，微温。主治妇人崩中，吐下[1]血，止咳逆，止血，消痈肿毒气。

此灶中对釜月下黄土也，取捣筛合葫涂[2]痈甚效。以灶有神，故号为伏龙肝，并亦迁隐其名耳。今人又用广州盐城屑，以治漏血瘀血，亦是近月之土，兼得[3]火烧之义也。（《新修》页79，《大观》卷5，《政和》页122）

【校注】

[1] **下** 《证类》脱。

[2] **葫涂** 傅本《新修》、罗本《新修》作"朋途主",据《证类》改。

[3] **近月之土,兼得** "月",傅本《新修》、罗本《新修》作"日",《证类》作"耳",《纲目》作"月",似以"月"字义长。按,"月"指釜底而言。"兼",《纲目》作"益"。"得",傅本《新修》、罗本《新修》脱,据《证类》补。

64 东壁土

主治下部䘌[1]疮,脱肛。

此屋之东壁上[2]土耳,当取东壁[3]之东边,谓恒先见日光[4],刮取用之。亦治小儿[5]风脐,又可除油污衣书[6],胜石灰、滑石。(《新修》页80,《大观》卷5,《政和》页127)

【校注】

[1] **䘌** 《千金翼》《证类》脱此字。其下,傅本《新修》、罗本《新修》衍"字有"2字,据《千金翼》《证类》删。

[2] **上** 傅本《新修》、罗本《新修》脱,据《证类》补。

[3] **壁** 傅本《新修》、罗本《新修》作"檗",据《证类》改。

[4] **恒先见日光** "恒",《证类》作"常"。"光",傅本《新修》、罗本《新修》作"先乱",据《证类》改。

[5] **儿** 傅本《新修》、罗本《新修》作"叟",据《证类》改。

[6] **污衣书** 傅本《新修》、罗本《新修》作"湾",据《证类》改。又《证类》脱"书"字。

65 半天河

微寒。主治鬼疰,狂,邪气,恶毒[1]。

此竹篱头水也,及空树中水皆可饮,并洗诸疮用之。(《大观》卷5,《政和》页131)

【校注】

[1] **毒** 其下,《千金翼》衍"洗诸疮用之"。按,此文是陶隐居注。

66 地浆

寒。主解中毒烦闷。

此掘地作坎,以水沃其中,搅令浊,俄顷取之,以解中诸毒[1]。山中有毒菌,人不识,煮食之,无不死。又枫树菌,食之令人笑不止,惟饮土浆皆差,余药不能救矣。(《大观》卷5,《政和》

页 131）

【校注】

[1] **此掘地作坎……以解中诸毒**　《纲目》作"此掘黄土地作坎，深三尺，以新汲水沃入，搅浊，少顷取清用之，故曰地浆，亦曰土浆"。

草木上品　卷第二

67 青芝	68 赤芝	69 黄芝
70 白芝	71 黑芝	72 紫芝
73 赤箭	74 龙眼	75 猪苓
76 茯苓	77 虎魄	78 松脂
79 柏实	80 天门冬	81 麦门冬
82 术	83 女萎、萎蕤	84 黄精
85 干地黄	86 菖蒲	87 远志
88 泽泻	89 薯蓣	90 菊花
91 甘草	92 人参	93 石斛
94 石龙芮	95 石龙蒭	96 络石
97 千岁蘽汁	98 木香	99 龙胆
100 牛膝为君	101 卷柏	102 菌桂
103 牡桂	104 桂	105 杜仲
106 干漆	107 细辛	108 独活
109 升麻	110 茈胡为君	111 防葵
112 薯实	113 楮实	114 酸枣
115 槐实	116 枸杞	117 苏合
118 橘柚	119 菴䕡子	120 薏苡人
121 车前子	122 蛇床子	123 菟丝子
124 菥蓂子	125 茺蔚子	126 地肤子
127 青蘘	128 忍冬	129 蒺藜子
130 肉苁蓉	131 白英	132 白蒿
133 茵陈蒿	134 漏芦	135 茜根
136 旋花	137 蓝实	138 景天
139 天名精	140 王不留行	141 蒲黄
142 香蒲	143 兰草	144 蘼芜
145 云实	146 徐长卿	147 姑活
148 屈草	149 翘根	150 牡荆实
151 秦椒	152 蔓荆实	153 女贞实
154 桑上寄生	155 蕤核	

156 沉香、薰陆香、鸡舌香、藿香、詹糖香、枫香

| 157 辛夷 | 158 榆皮 | |

67　青芝

味酸，平。主明目[1]，补肝气，安精魂，仁恕。久食轻身[2]，不老延年[3]，神仙[4]。一名龙芝[5]。生太山[6]。（《大观》卷6，《政和》页168）

【校注】

[1]　目　万历《政和》作"日"。

[2]　久食轻身　《御览》作"食之身轻"。

[3]　延年　《御览》无。

[4]　仙　其下，《图经衍义》有"不忘，强志"4字。

[5]　一名龙芝　《纲目》注为《别录》文，其他各本皆注为《本经》文。

[6]　山　其下，《御览》有"亦生五岳地上"6字；森本加"山谷"2字。

68　赤芝

味苦，平。主治胸中[1]结，益心气，补中，增智慧[2]，不忘。久食[3]轻身，不老延年[4]，神仙[5]。一名丹芝。生霍山。

南岳本是衡山，汉武帝始以小霍山代之，非正[6]也。此则应生衡山也。（《大观》卷6，《政和》页168）

【校注】

[1]　中　《千金翼》作"腹"。

[2]　智慧　成化《政和》、万历《政和》、商务《政和》、《品汇》《图考》、孙本、黄本、顾本俱倒置，柯《大观》、玄《大观》、《大全》、人卫本《政和》、森本、狩本作"智慧"，从《大观》为正。

[3] **久食** 《御览》作"食之"。

[4] **年** 黄本、问本作"季"。

[5] **神仙** 《御览》作"为神仙"。

[6] **正** 商务《政和》作"山"。

69 黄芝

味甘，平。主治心腹五邪，益脾气，安神，忠信[1]和乐。久食轻身，不老延年，神仙。一名金芝。生嵩[2]山。(《大观》卷6，《政和》页168)

【校注】

[1] **信** 顾本作"和"。

[2] **嵩** 其下，《御览》有"高"字。

70 白芝

味辛，平。主治咳逆上气，益肺气，通利口鼻，强志意，勇悍，安魄。久食轻身，不老延年，神仙。一名玉芝。生华山[1]。(《大观》卷6，《政和》页168)

【校注】

[1] **山** 其下，森本加"山谷"2字。

71 黑芝

味咸，平。主治癃，利水道，益肾气，通九窍，聪察。久食轻身，不老延年，神仙。一名玄[1]芝。生恒[2]山。(《大观》卷6，《政和》页168)

【校注】

[1] **玄** 孙本、问本、黄本作"元"，为避清代康熙皇帝玄烨讳，改"玄"为"元"。

[2] **恒** 《千金翼》《证类》，此因讳"恒"，故改为"常"。

72 紫芝

味甘，温。主治耳聋，利关节，保神，益精气[1]，坚筋骨，好颜色。久服轻身，不老延年[2]，神仙[3]。一名木芝。生高夏山谷。六芝皆无毒，六月、八月采。

署预为之使，得发良，得麻子人[4]、白瓜子、牡桂共益人，恶恒山，畏扁青、茵陈蒿。

案，郡县无高夏名，恐是山名尔。此六芝皆仙草之类，世所稀见，族种甚多，形色瑰异，并载《芝草图》中。今世所用紫芝，此是朽树木株上所生，状如木檽，名为紫芝，盖止治痔，而不宜以合诸补丸药也。凡得芝草，便正尔食之，无余节度，故皆不云服法也。（《大观》卷6，《政和》页168）

【校注】

[1] **气**　顾本无。

[2] **年**　问本、黄本作"季"。

[3] **神仙**　《证类》脱，据《御览》补。

[4] **人**　成化《政和》、万历《政和》、商务《政和》俱作"仁"。凡植物种子内的核仁，明成化年间翻刻的《政和本草》皆作"仁"；而人卫本《政和》皆作"人"。

73　赤箭[1]

味辛，温。主杀鬼精物，蛊毒[2]**，恶气，消痈肿，下肢满疝**[3]**，下血。久服益气力，长阴肥健，轻身增年**[4]**。一名离母，一名鬼督邮。生陈仓川**[5]**谷、雍州及太山少室。三月、四月、八月采根，曝干。**

陈仓属雍州扶风郡。案此草亦是芝类。云茎赤如箭杆，叶生其端。根如人足，又云如芋，有十二子为卫。有风不动，无风自摇。如此，亦非世所见，而徐长卿亦名鬼督邮。又复有鬼箭，茎有羽，其[6]治并相似，而益人[7]乖异，恐并非此赤箭。（《大观》卷6，《政和》页166）

【校注】

[1] **赤箭**　《御览》作"鬼督邮"。

[2] **蛊毒**　森本作"治蛊毒"，《御览》作"治虫毒"。

[3] **疝**　《图考》作"寒疝"。

[4] **轻身增年**　《御览》脱"增年"2字，并移"轻身"在"久服"之后。

[5] **川**　黄本作"山"。

[6] **其**　《图考》作"主"。

[7] **人**　《图考》作"大"。

74　龙眼[1]

味甘，平，无毒。主治[2]**五脏邪气，安志厌食，除虫去毒**[3]**。久服强魂魄**[4]**，聪察**[5]**，轻身，不老**[6]**，通神明。一名益智。其大者似槟榔。生南海山谷。**

广州别有龙眼，似荔枝而小，非益智，恐彼人别名，今者为益智耳[7]，食之并利人。（《新修》页124，《大观》卷13，《政和》页330）

【校注】

[1] **龙眼** 《草木典》将"龙眼"条全文注为《别录》文。

[2] **治** 《证类》《品汇》《图考长编》无。

[3] **除虫去毒** 《本草经解》作"除蛊毒，去三虫"，玄《大观》、《图考长编》作"除蛊去毒"。

[4] **魄** 《证类》《本草经疏》无。

[5] **察** 《证类》《本经续疏》作"明"，傅本《新修》、罗本《新修》、森本作"察"。

[6] **老** 傅本《新修》、罗本《新修》脱，据《证类》补。

[7] **耳** 傅本《新修》作"日"，罗本《新修》作"且"，据《证类》改。

75 猪苓[1]

味甘、苦[2]，平，无毒。主治痎疟，解毒，辟蛊疰不祥[3]，利水道。久服轻身，耐[4]老。一名猳猪屎。生衡山山谷，及济阴冤胊。二月、八月采，阴[5]干。

今湘州、衡山无有，此道不通，皆从宁州来。旧云[6]是枫树苓，其皮至黑[7]，作块似猪屎，故以名之，肉白而实者佳。用之削去黑皮乃秤之，比年殊难得耳[8]。（《新修》页126，《大观》卷13，《政和》页328）

【校注】

[1] **猪苓** 《御览》作"腊零"。

[2] **苦** 《大观》《大全》注为《别录》文，人卫本《政和》作白字《本经》文。

[3] **辟蛊疰不祥** 《证类》《品汇》《本草经疏》《本经疏证》无"辟"字。"疰不祥"，傅本《新修》、罗本《新修》作"不注样"，据《千金翼》《证类》改。

[4] **耐** 傅本《新修》、罗本《新修》作"能"，据《千金翼》《证类》改。

[5] **阴** 傅本《新修》、罗本《新修》脱，据《证类》补。

[6] **今湘州、衡山……旧云** 《证类》无。

[7] **至黑** 《证类》作"去黑"。

[8] **比年殊难得耳** 《证类》无。

76 茯苓

味甘，平，无毒。主治胸胁逆气[1]，忧恚，惊邪恐悸[2]，心下结痛，寒热，烦满，咳逆，止[3]口焦舌干，利小便。止消渴好唾[4]，大腹淋沥，膈中痰[5]水，水肿淋结，开胸腑，调脏气，伐[6]肾邪，长阴，益气力，保神守中[7]。**久服安魂**

魄[8]，养神，不饥，延年[9]。**一名茯菟**[10]。其有抱[11]根者，名茯神。茯神，味甘[12]，平。主辟不祥，治风眩、风虚，五劳、七伤[13]，口干，止惊悸，多恚怒，善忘，开心益智，安魂魄，养精神。**生**太山**山谷**大松下。二月、八月采，阴干。马间为之使。案，药名无马间，或是马茎，声相近故也[14]。得甘草、防风、芍药、紫石英[15]、麦门冬共治五脏。恶白敛。畏牡[16]蒙、地榆、雄黄、秦胶、龟甲。

今出郁州，彼土人乃故斫松作之，形多小，虚赤不佳。自然成者，大如三四升[17]器，外皮黑细皱，内坚白，形如鸟兽龟鳖者，良。又复时燥则不水[18]。作丸散者，皆先煮之两三沸，乃切，曝干。白色者补，赤色者利，世用甚多。《仙经》服食，亦为至要。云其通神而致灵[19]，和魂而练魄，明[20]窍而益肌，厚肠而开心，调营而理胃[21]，上品仙药也。善能断谷不肌。为药无朽蛀。吾[22]尝掘地得昔人所埋一块，计应卅许年，而色理无异，明其贞全不朽矣。其有衔松根对度者，为[23]茯神，是其次茯苓后结一块也。仙方唯云茯苓，而无[24]茯神。为治既同，用之亦应无嫌。

（《新修》页87，《大观》卷12，《政和》页296）

【校注】

[1] **胸胁逆气** 狩本脱"胸胁"2字。"逆气"，《御览》作"疝气"。

[2] **忧恚，惊邪恐悸** 《御览》作"夏恚惊恐"。

[3] **止** 《证类》《本草经疏》《本经疏证》《品汇》《图考长编》无。傅本《新修》、罗本《新修》、森本有"止"字。

[4] **唾** 《政和》《大全》《本草经疏》《本经疏证》《图考长编》《草木典》作"睡"。

[5] **痰** 《新修》作"淡"，据《千金翼》《证类》改。

[6] **伐** 《本草经疏》作"代"。

[7] **守中** 《草木典》作"气"。

[8] **魄** 《证类》《品汇》《本草经疏》《图考长编》均脱，傅本《新修》、罗本《新修》、森本有"魄"字。

[9] **年** 黄本、问本作"季"。

[10] **一名茯菟** 《大观》《大全》注为《别录》文。

[11] **抱** 傅本《新修》、罗本《新修》脱，据《千金翼》《证类》补。

[12] **味甘** 《证类》无。

[13] **七伤** 《证类》《品汇》《图考长编》《本草经疏》无。

[14] **案，药名无马间，或是马茎，声相近故也** 《证类》移此文在"今出郁州"之上。

[15] **英** 武本《新修》无。

[16] **牡** 万历《政和》作"杜"。

[17] **四升** 傅本《新修》、罗本《新修》作"日斗"，据《证类》改。

[18] **又复时燥则不水** 《证类》无。

[19] **灵** 傅本《新修》、罗本《新修》作"露"，据《证类》改。

[20] **明** 《图考长编》作"利"。

[21] **调营而理胃** "而"，傅本《新修》、罗本《新修》脱，据《证类》补。"胃"，《纲目》《图考长编》作"卫"。

[22] **吾** 《证类》无。

[23] **计应卅许年……对度者，为** 傅本《新修》、罗本《新修》脱，据《证类》补。

[24] **无** 傅本《新修》、罗本《新修》脱，据《证类》补。

77 虎魄

味甘[1]，平，无毒。主安五脏，定魂魄，杀精魅邪鬼，消瘀血，通五淋。生永昌。

旧说云是松脂沦入地，千年所化，今烧之亦作松气。世有虎魄中有一蜂，形色如生。《博物志》又云烧蜂巢[2]所作，恐非实。此或当蜂为松脂所粘，因坠地沦没耳。有煮鳖鸡子及青鱼枕作者[3]，并非真，唯以拾[4]芥为验。世中多带之辟恶。刮屑服，治瘀血至验。《仙经》无正用，惟曲晨[5]丹所须，以赤者为胜。今并从外国来，而出[6]茯苓处永无有。不知出[7]虎魄处，复有茯苓以否？（《新修》页88，《大观》卷12，《政和》页297）

【校注】

[1] **甘** 《本经续疏》作"苦"。

[2] **巢** 《证类》作"窠"。

[3] **有煮鳖鸡子及青鱼枕作者** 《御览》引《神农本草经》曰："取鸡卵鳖黄白浑杂者，熟煮及尚软，随意刻作物，以苦酒渍数宿，既坚，内着朽中，佳者，乱真矣。"按，此文是陶弘景《本草经集注》的注文。此处《御览》所言《神农本草经》似指《本草经集注》而言。

[4] **拾** 傅本《新修》、罗本《新修》作"扮"，据《证类》改。

[5] **晨** 傅本《新修》、罗本《新修》作"农"，据《证类》改。

[6] **出** 傅本《新修》、罗本《新修》脱，据《证类》补。

[7] **出** 傅本《新修》、罗本《新修》脱，据《证类》补。

78 松脂

味苦、甘，温，无毒。主治痈[1]**疽，恶疮，头疡，白秃，疥**[2]**瘙，风气，安五**[3]**脏，除热。**胃中伏热，咽干，消渴，及风痹死肌。炼之令白[4]。其赤者主恶风[5]痹。**久服轻身，不老**[6]**延年**[7]。一名松膏，一名松肪。生大[8]山山谷。六月采。松实，味苦，无毒，温[9]。主风痹，寒气，虚羸少气[10]，补不足。九月采，阴干。松叶，味苦，温。主风湿痹，疮气[11]，生毛发，安五脏，守中，不饥、延年。松节，温。主百节久风、风虚，脚痹、疼痛。松[12]根白皮，主辟谷不饥。

采鍊松脂法[13]，并在服食方中[14]，以桑灰汁若酒煮辄[15]，内寒水中数十过，白滑则可用。其有自流出者，乃胜于凿树及煮[16]膏也。其实不可多得，唯叶止[17]是断谷所宜尔。细切如粟，以水及面饮服之。亦有阴干捣为屑，丸服者。人患恶病，服此无不差。比[18]来苦脚弱人，酿松节酒，亦皆愈。松柏皆有脂润，又凌冬不凋，理为佳物，但人多轻忽近易之耳。（《新修》页90，《大观》卷12，《政和》页291）

【校注】

[1] **痛**　《证类》《本草经疏》、孙本无。傅本《新修》、罗本《新修》、森本、卢本、顾本、姜本、莫本俱有"痛"字。

[2] **疼**　傅本《新修》、罗本《新修》作"疼"，据《证类》改。

[3] **五**　傅本《新修》、罗本《新修》脱，据《证类》补。下同。

[4] **之令白**　《品汇》作"令白服之"。

[5] **风**　《证类》《本草经疏》《品汇》《图考长编》均无。

[6] **不老**　《初学记》《艺文类聚》无。

[7] **年**　黄本、问本作"季"。

[8] **大**　《证类》作"太"。

[9] **无毒，温**　《证类》作"温，无毒"。

[10] **气**　《品汇》作"力"。

[11] **痹，疮气**　《证类》《品汇》《图考长编》无"痹""气"2字。

[12] **松**　傅本《新修》、罗本《新修》脱，据《证类》补。

[13] **法**　此字，傅本《新修》、罗本《新修》脱，据《证类》补。

[14] **中**　此字，傅本《新修》、罗本《新修》脱，据《证类》补。

[15] **若酒煮辄**　《证类》《图考长编》作"或酒煮软接"。

[16] **煮**　其下，《证类》有"用"字。

[17] **止**　《图考长编》作"正"。

[18] **比**　傅本《新修》、罗本《新修》、武本《新修》作"此"，据《证类》改。

79　柏实[1]

味甘，平，无毒。主治惊悸，安五脏，益气，除风湿痹[2]。治恍惚、虚损[3]，呼吸历节，腰中重痛，益血，止汗[4]。**久服令人润**[5]**泽美色，耳目聪明，不饥，不老，轻身，延年**[6]。**生太山山谷。**柏叶尤良。柏叶，味[7]苦，微温，无毒。主治吐血、衄血，痢血[8]，崩中，赤白，轻身益气，令人耐风寒[9]，去[10]湿痹，止饥[11]。四时各依方面采，阴干[12]。柏[13]白皮，主火灼，烂疮，长毛发。牡蛎、桂[14]、瓜子为之使，恶菊华[15]、羊蹄、诸石及麹[16]。

柏叶、实亦为服食所重，錬[17]饵别有法。柏处处有，当以太山为佳，并忌取塚墓土也。虽四时俱有，而秋夏为好。其脂亦入用。此云恶麹，人有以酿酒无妨，恐酒米相和，异单用也。(《新修》页 92，《大观》卷 12，《政和》页 295)

【校注】

[1] **实** 《医心方》作"子"。

[2] **除风湿痹** 孙本无"风"字，《本草经解》无"痹"字。

[3] **治恍惚、虚损** 成化《政和》、万历《政和》、商务《政和》作白字《本经》文。其他各本作《别录》文。

[4] **汗** 傅本《新修》、罗本《新修》作"汁"，据《千金翼》《证类》改。

[5] **润** 孙本、问本、黄本、周本作"悦"。

[6] **年** 黄本、问本作"季"。

[7] **味** 傅本《新修》、罗本《新修》脱，据《证类》补。

[8] **痫血** 傅本《新修》、罗本《新修》脱，据《证类》补。

[9] **令人耐风寒** "令"，傅本《新修》、罗本《新修》作"金"，据武本《新修》、《证类》改。"风寒"，《证类》作"寒暑"。

[10] **去** 《新修》作"不"，据《证类》改。

[11] **止饥** 商务《政和》作"止肌"，《草木典》《本草经疏》《图考长编》作"生肌"。

[12] **阴干** 傅本《新修》、罗本《新修》倒置，据《证类》改。

[13] **柏** 《草木典》《图考长编》作"根"。

[14] **牡蛎、桂** "蛎"字下，《证类》有"及"字。"桂"，《千金方》作"桂心"。

[15] **恶菊华** "恶"，《千金方》《证类》《本经疏证》作"畏"。"华"，《证类》作"花"。

[16] **石及麹** "石"，玄《大观》误作"右"。"麹"，《证类》作"面麹"。

[17] **錬** 《证类》作"服"。

80 天门冬

味苦、甘，平、大寒，无毒。主治诸暴风湿偏痹，强骨髓，杀三虫，去伏尸。保定肺气，去寒热，养肌肤，益气力[1]**，利小便，冷而能补。久服轻身，益气，延年，不饥**[2]**。一名颠勒。生奉高山谷。**二月、三月、七月、八月采根，曝干。垣衣、地黄为之使，畏曾青。

奉高，太山下县名也。今处处有，以高地大根味甘者为好。张华《博物志》[3]云：天门冬逆捋[4]有逆刺。若叶滑者名绤休[5]，一名颠棘。可以浣缣，素白如絾[6]。今越[7]人名为浣草。擘其根，温汤中挼之，以浣衣胜灰。此非门冬相似尔。案如此说，今人所采，皆是有刺者，本名颠勒，亦麁相似，以浣垢衣则净。《桐君药录》又云：叶有刺，蔓生，五月花白，十月实黑，根连数十枚。如此殊相乱，而不复更有门冬，恐门冬自一种，不即是浣草耶？又有百部，根亦相类，但苗异尔。门冬蒸剥去皮,食之甚甘美,止饥。虽曝干,犹脂润,难捣。必须薄切,曝于日中,或火烘之也。世人呼苗为棘刺,煮作饮乃宜人,而终非真棘刺尔。服天门冬,禁食鲤鱼。(《大观》卷6,《政和》页147)

【校注】

[1] **益气力** 《草木典》无。

[2] **不饥** "饥",玄《大观》作"饱"。《本草经解》注"不饥"为《本经》文。

[3] **张华《博物志》** 今本《博物志》未见以下引文。《纲目》引文和《证类》不同。

[4] **捋** 商务《政和》作"将"。

[5] **休** 商务《政和》作"体",《御览》、人卫本《政和》、柯《大观》、玄《大观》作"休"。《证类》援引苏颂《本草图经》亦作"休"。

[6] **缄(yuè)** 《急就篇》注:"缄,纻布也。"

[7] **今越** 各版本《证类》均作"金城",但《证类》援引苏颂《本草图经》作"今越"。

81 麦门冬

味甘,平、微寒,无毒。**主治心腹结气,伤**[1]**中,伤饱**[2]**,胃络脉绝**[3]**,羸瘦,短气**[4]。身重,目黄,心下支满,虚劳客热,口干燥渴,止呕吐,愈痿蹷,强阴益精,消谷调中,保神,定肺气,安五脏,令人肥健,美颜色,有子。**久服轻身,不老,不饥**[5]。秦名羊[6]韭,齐名爱韭,楚名马[7]韭,越名羊蓍[8],一名禹葭,一名禹余粮。叶如韭,冬夏长生。**生**函谷**川谷**及堤坂肥土石间久废处。二月、三月[9]、八月、十月采,阴干。地黄、车前为之使,恶款冬、苦瓠,畏苦参、青蘘。

函谷,即秦关。而门冬异于羊韭之名矣。处处有,以四月采,冬月作实如青珠,根似穬,故谓门冬,以肥大者为好。用之汤泽抽去心,不尔令人烦,断谷家为要。二门冬润时并重,既燥即轻,一斤减四五两尔。(《大观》卷6,《政和》页156)

【校注】

[1] **伤** 人卫本《政和》作"肠",其他各本皆作"伤"。

[2] **伤饱** 《御览》无此2字。森本考异云:《顿医钞》脱"饱"字。

[3] **胃络脉绝** 《御览》脱"络"字。"脉",《本经疏证》作"血"。

[4] **羸瘦,短气** 《御览》无。

[5] **久服轻身,不老,不饥** 《本经疏证》注为《别录》文,其他各本注为《本经》文。"不老,不饥",《御览》作"不饥,不老"。"饥",顾本作"肌"。

[6] **羊** 《草木典》作"乌"。

[7] **马** 《和名》作"乌"。

[8] **越名羊蓍** "蓍",《草木典》作"韭",《御览》作"荠"。《图考长编》脱此文。

[9] 三月 《草木典》脱此文。

82 术

味苦、甘，温，无毒。主治风寒湿痹，死肌，痉，疸[1]，止汗，除热，消食。主大风在身面，风眩头痛，目泪出，消痰水，逐皮间风水结肿，除心下急满，及[2]霍乱、吐下不止，利腰脐间血，益津液，暖胃，消谷，嗜食。**作煎饵。久服轻身，延年，不饥。**一名山蓟[3]，一名山姜，一名山连。**生郑山山谷、汉中、南郑。二月、三月、八月、九月采根，曝干。防风、地榆为之使。

郑山，即[4]南郑也。今处处有。以蒋山、白山、茅山者为胜。十一月、十二月、正月、二月采好，多脂膏而甘。《仙经》云：亦能除恶气，弭灾疹。丸散煎饵并有法。其苗又可作饮，甚香美，去水。术乃有两种：白术叶大有毛而作桠，根甜而少膏，可作丸散用；赤术叶细无桠，根小苦而多膏，可作煎用。昔刘涓子捋[5]取其精而丸之，名守中金丸，可以长生。东境术大而无气烈，不任用。今市人卖者，皆以米粉涂令白，非自然，用时宜刮去之。（《大观》卷6，《政和》页151）

【校注】

[1] **痉** 玄《大观》作"疽"，人卫本《政和》、森本、孙本、顾本俱作"疸"。

[2] **及** 《草木典》无。

[3] **久服轻身，延年，不饥。一名山蓟** 《艺文类聚》卷81引《本草经》曰："术，一名山蓟，久服不饥，轻身，延年，生郑山。""延年"，问木、黄本作"延季"。"山蓟"，《和名》作"山荆"，森本考异云"《香要钞》作山蓟"。

[4] **即** 《图考长编》无。

[5] **捋** 《图考长编》作"援"。

83 女萎、萎蕤

味甘[1]，平，无毒。主治中风暴热，不能动摇，跌[2]筋结肉，诸不足。心腹结气，虚热、湿毒，腰痛，茎中寒，及目痛，眦烂，泪出。**久服去面黑䵟[3]，好颜色，润泽，轻身，不[4]老。**一名荧，一名地节，一名玉竹，一名马薰。**生太山山[5]谷及丘陵。立春后采，阴干。畏卤咸。

案《本经》有女萎无萎蕤。《别录》无女萎有萎蕤，而为用正[6]同。疑女萎即萎蕤也[7]，惟名异尔。今处处有，其根似黄精而小异。服食家亦用之。今市人别用一种物，根形状如续断茎，味至苦，乃言是女青根，出荆州。今治下痢方，多用女萎，而此[8]无止泄之说，疑必非也。萎蕤又主[9]理诸石，人服石不调和者，煮汁饮之。（《大观》卷6，《政和》页154）

【校注】

[1] **甘** 《御览》作"辛"。

[2] **跌** 孙本、问本、黄本作"趺"。

[3] **肝** 《千金翼》作"酐"，孙本、问本、黄本作"肝"。

[4] **不** 《御览》作"能"。

[5] **山** 《御览》、森本作"川"。

[6] **正** 柯《大观》脱"正"字。

[7] **疑女萎即萎蕤也** 柯《大观》作"如此女萎即应是萎蕤也"，并移此文在"惟名异尔"之后。

[8] **此** 《图考长编》作"北"。

[9] **主** 柯《大观》作"主能"。

84　黄精

味甘，平，无毒。主补中益气，除风湿，安五脏。久服轻身，延年，不饥[1]。一名重楼，一名菟竹，一名鸡格，一名救穷，一名鹿竹。生山谷，二月采根[2]，阴干。

今处处有。二月始生。一枝多叶，叶状似竹而短，根似萎蕤。萎蕤根如荻根及昌蒲，概节而平直；黄精根如鬼臼[3]、黄连，大节而不平。虽燥，并柔软有脂润[4]。世方无用此，而为《仙经》所贵。根、叶、华、实皆可饵服，酒散随宜，具在断谷方中。黄精叶乃与钩吻相似，惟茎不紫、花不黄为异，而人多惑之。其类乃殊，遂致死生之反，亦为奇事。（《大观》卷6，《政和》页142）

【校注】

[1] **饥** 其下，《本经疏证》衍"黄帝曰，太阳之草，名曰黄精，饵之可以长生"。按，此文出于张华《博物志》。

[2] **生山谷，二月采根** 《图经衍义》作"一名萎蕤，一名仙人余粮，一名垂珠，一名马箭，一名白及。生山谷，今南北皆有之，以嵩山、茅山者为佳，二月、三月采"。按，此文原出于苏颂《本草图经》。

[3] **白** 商务《政和》作"白"。

[4] **柔软有脂润** 《图考长编》脱"润"字。

85　干[1]地黄

味甘、苦，寒，无毒。主治折跌[2]，**绝筋，伤中**[3]，**逐血痹，填骨髓，长肌肉。作汤除寒热，积聚，除痹。**主男子五劳七伤，女子伤中，胞漏，下血，破恶血，溺血，利大小肠，去胃中宿食，饱力断绝，补五脏内伤不足，通血脉，益气力，利耳目。**生者尤**[4]**良**。生[5]地黄，大寒。主妇人崩中血不止，及产后血上薄心闷绝，伤身胎动下血，胎不落；堕坠，踠折，瘀血，留血，衄鼻[6]，吐血，皆捣饮之。**久服轻身，不老。一名地髓**[7]，一名苄，一名芑。**生咸阳川泽**黄土地者佳。二月、八月采根，阴干。得麦门冬、清酒良，恶贝母，畏芜荑。

咸阳即长安也。生渭城者乃有子实[8]，实如小麦。淮南七精散用之。中间以彭城干地黄最好，次历阳，今用江宁板桥者为胜。作干者有法，捣汁和蒸，殊用工意；而此直云阴干，色味乃不相似，更恐以蒸作为失乎？大贵时乃取牛膝、萎蕤作之，人不能别。《仙经》亦服食，要用其华[9]；又善生根，亦主耳暴聋、重听。干者粘湿，作丸散用，须烈日曝之，既燥则斤两大减，一斤才得十两散耳，用之宜加量也。(《大观》卷6，《政和》页149)

【校注】

[1] 干 《御览》无。

[2] 踠 孙本、问本作"跌"。

[3] 中 《图考长编》无。

[4] 尤 《本草经疏》作"犹"。

[5] 生 玄《大观》作"主"。

[6] 衄鼻 《本草经疏》作"鼻衄"。

[7] 髓 《本经疏证》作"随"。

[8] 子实 柯《大观》倒置。

[9] 华 柯《大观》作"叶"。

86　菖蒲[1]

味辛，温，无毒。主治风寒湿痹，咳逆上气，开心孔，补五脏，通九窍，明耳目，出音声[2]。主耳聋，痈疮，温肠胃，止小便利[3]，四肢湿痹，不得屈伸，小儿温疟，身积热不解，可作浴汤。**久服轻身**，聪耳明目[4]，**不忘，不迷惑**[5]，**延年**[6]，益心智，高志不老[7]。**一名昌阳。生**[8]**上洛池泽及蜀郡严道**。一寸九节者良。露根不可用[9]。五月、十二月采根，阴干。秦皮、秦艽为之使，恶地胆、麻黄。

上洛郡属梁州，严道县在蜀郡。今乃处处有，生石碛上。概节为好。在下湿地，大根者名昌阳，止主风湿，不堪服食。此药甚去虫并蚤虱，而今都不言之。真昌蒲叶有脊，一如剑刃[10]，四月、五月亦作小釐华也。东间溪侧又有名溪荪者，根形气色极似石上菖蒲，而叶正如蒲，无脊。世人多呼此为石上菖蒲者，谬矣。此止主咳逆，亦断蚤虱尔，不入服御用。《诗》咏"多云兰荪"，正谓此也。(《大观》卷6，《政和》页143)

【校注】

[1] **菖蒲** 成化《政和》、万历《政和》、商务《政和》、《大全》诸本，对本条文字出自《本经》《别录》均无标记。

[2] **音声** 孙本倒置。

[3] **主耳聋，痈疮，温肠胃，止小便利** 《草木典》《本草经解》注为《本经》文。

[4] **聪耳明目** 《千金翼》《大观》《本经续疏》同，《政和》脱"明"字，《图考长编》作"聪明耳目"，《草木典》脱此4字。

[5] **总** 孙本、问本、黄本作"或"。

[6] **年** 问本、黄本作"季"。

[7] **益心智，高志不老** 《草木典》《本草经解》注为《本经》文。

[8] **生** 其上，《御览》有"生石上"3字。

[9] **用** 其下，《图经衍义》有"一名尧韭，今处处有之，生石碛上"。按，此文部分属于陶隐居注，误入正文。

[10] **刃** 《图考长编》作"刀"。

87 远志[1]

味苦，温，无毒。主治咳逆伤中，补不足，除邪气，利九窍，益智慧[2]，耳目聪明，不忘，强志，倍力。利丈夫，定心气，止惊悸，益精，去心下膈气，皮[3]肤中热，面目黄。久服轻身，不老[4]，好颜色，延年。叶名小草[5]，主益精，补阴气，止虚损，梦泄。一名棘菀[6]，一名葽绕[7]，一名细草。生太山及宛朐川[8]谷。四月采根、叶，阴干。得茯苓、冬葵子、龙骨良，杀天雄、附子毒，畏真珠、藜芦、蜚蠊、齐蛤。

案药名无齐蛤，恐是百合。宛朐[9]县属兖州济阴郡，今犹从彭城北兰陵来。用之打[10]去心取皮，今用一斤正[11]得三两皮尔，市者加量之。小草状似麻黄而青。远志亦入仙方药用。（《大观》卷6，《政和》页163）

【校注】

[1] **志** 其下，《大全》有"为君"2字。

[2] **智慧** 森本考异云：《香药钞》《药种钞》《长生疗养方》作"慧智"，《千金翼》作"智惠"。

[3] **皮** 其上，《草木典》衍"除"字。

[4] **老** 《御览》作"志"。

[5] **叶名小草** "叶"，《纲目》、姜本作"苗"。"小"，森本考异云：《顿医钞》作"少"。

[6] **菀** 《本草和名》《千金翼》作"苑"。

[7] **绕** 《本经续疏》作"尧"。

[8] **川** 黄本作"山"。

[9] **宛朐** 商务《政和》作"冤句"。

[10] **打** 商务《政和》、《图考长编》作"可"。

[11] **正** 《大观》《图考长编》作"止"。

88 泽泻

味甘、咸，寒，无毒。主治风寒湿痹，乳难，消水[1]，**养五脏，益气力，肥健**。补虚损五劳，除五脏痞满[2]，起阴气，止泄精、消渴、淋沥，逐膀胱三焦停水。**久服耳目聪明，不饥，延年**[3]，**轻身，面生光，能**[4]**行水上**。扁鹊云：多服病人眼。一名水泻，一名及泻，一名芒芋，一名鹄泻。**生汝南池泽**。五月、六月[5]、八月采根，阴干。畏海蛤、文蛤。叶，味咸，无毒。主大风，乳汁不出，产难，强阴气。久服轻身。五月采。实，味甘，无毒。主风痹，消渴，益肾气，强阴，补不足，除邪湿。久服面生光，令人无子。九月采。

汝南郡属豫州。今近道亦有，不堪用。惟用汉中、南郑、青代[6]，形大而长，尾间必有两歧为好。此物易朽蠹，常须密藏之。叶狭长，丛生诸浅水中。《仙经》服食断谷皆用之。亦云身轻，能步行水上。（《大观》卷6，《政和》页162）

【校注】

[1] **乳难，消水** "乳"，商务《政和》作"孔"。"消水"，《本草经解》移"消水"在"肥健"之下。

[2] **除五脏痞满** 《草木典》脱"除"字。《图考长编》脱"满"字。

[3] **年** 黄本、问本作"季"。

[4] **能** 森本考异云：《香字钞》作"步"。

[5] **五月、六月** 《图考长编》作"五六月"；成化《政和》、万历《政和》、《大全》《本经疏证》作"五月"，脱"六月"2字。

[6] **青代** 人卫本《政和》作"青戈"，商务《政和》、《图考长编》作"青代"。

89 薯蓣[1]

味甘，温、平，无毒。主治伤中，补[2]**虚羸，除寒热邪气**[3]，**补中，益气力，长肌肉**[4]。主头面游风，风头目眩[5]，下气，止腰痛，补[6]虚劳羸瘦，充五脏，除[7]烦热，强阴[8]。**久服耳目聪明，轻身，不饥，延年**。一名山芋，秦楚名玉延，郑越名土薯。**生嵩山山谷**[9]。二月、八月采根，曝干。紫芝为之使，恶甘遂。

今近道处处有[10]，东山、南江皆多掘取食之以充粮。南康间最大而美，服食亦用之。（《大观》卷6，《政和》页160）

【校注】

[1] **薯蓣** 《品汇》《草木典》作"山药"。寇宗奭《本草衍义》"山药"条云："上一字犯英庙讳，下一字曰蓣，唐代宗名豫，故改下一字为药，今人遂呼为山药。"所谓"英庙讳"，即遇北宋英宗赵曙之"曙"字，都改用别的字。"唐代宗名豫"即唐朝代宗李豫，凡遇"豫"字亦改用别的字。

[2] **补** 《御览》无。

[3] **除寒热邪气** 《御览》作"除邪气寒热"，并移在"长肌肉"之下。

[4] **肉** 其下，《艺文类聚》有"除邪气"3字。

[5] **风头目眩** "风头"，《大观》、成化《政和》、万历《政和》、商务《政和》、《品汇》《本经疏证》俱倒置，《医心方》卷30、《千金翼》、人卫本《政和》作"风头"，从《千金翼》为正。"目眩"，《医心方》卷30作"目眩"，其他各本作"眼眩"。

[6] **补** 《草木典》作"治"。

[7] **除** 《品汇》无。

[8] **强阴** 《品汇》无。《草木典》《本草经解》注为《本经》文。

[9] **谷** 《艺文类聚》无。

[10] **有** 其下，《大观》《图考长编》有"之"字。

90 菊花[1]

味苦、甘，平，无毒。主治风头头眩[2]，肿痛，目欲脱，泪出，皮肤死肌，恶风，湿痹。治腰痛去来陶陶，除胸中烦热，安肠胃，利五脉，调四肢。**久服利血气，轻身，耐老，延年。一名节华[3]。**一名日精，一名女节[4]，一名女华，一名女茎[5]，一名更生，一名周盈，一名傅延年，一名阴成[6]。**生**雍州**川泽及田野。**正月采根，三月采叶，五月采茎，九月采花，十一月采实，皆阴干。术[7]、枸杞根，桑根白皮为之使。

菊有两种：一种茎紫气香而味甘，叶可作羹食者，为真；一种青茎而大，作蒿艾气。味苦不堪食者，名苦薏，非真。其华[8]正相似，唯以甘、苦别之尔。南阳郦县最多，今近道处处有，取种之便得。又有白菊[9]，茎叶都相似，唯花白，五月取。亦主风眩，能令头不白。《仙经》以菊为妙用，但难多得，宜常服之尔。（《大观》卷6，《政和》页144）

【校注】

[1] **花** 孙本作"华"。

[2] **风头头眩** 《本草经解》、顾本作"诸风头眩"，《大观》《大全》《千金翼》、《医心方》卷30作"风头头眩"，人卫本《政和》作"风头眩"。

[3] **华** 万历《政和》、成化《政和》、商务《政和》、《大全》、柯《大观》、《图经衍义》《本草经疏》作"花"。

[4] **节** 《本草和名》作"郎"。

[5]　茎　《本草和名》作"莖"。

[6]　**一名傅延年，一名阴成**　《御览》作"一名傅公，一名延年，一名阴威"。

[7]　术　万历《政和》、成化《政和》、商务《政和》、《本经疏证》作"水"。

[8]　华　商务《政和》、《纲目》《图考长编》作"叶"。

[9]　**白菊**　《御览》引《本草经》曰："菊有筋菊，有白菊、黄菊……一名白花，一名朱嬴，一名女菊。其菊有两种：一种紫茎气香，而味甘美，叶可作羹，为真菊；一种青茎而大，作蒿艾气，味苦不堪食名苦薏，非真菊也。"按，此文部分是陶弘景《本草经集注》的注文。

91　甘草[1]

味甘，平，无毒。主治五脏六腑寒热邪气，坚筋骨，长肌肉，倍力，金疮尰[2]，**解毒**。温中下气，烦满短气，伤脏咳嗽，止渴，通经脉，利血气[3]，解百药毒，为九土之精，安和[4]七十二种石，一千二百种草。**久服轻身，延年**[5]。一名密甘，一名美草，一名蜜草，一名蕗草[6]。**生河西川谷**积沙山及上郡。二月、八月除日采根，曝干，十日成。术、干漆、苦参为之使，恶远志，反大戟、芫花、甘遂、海藻四物。

河西、上郡不复通市。今出蜀汉中，悉从汶山诸夷中来。赤皮、断理，看之坚实者，是抱罕草，最佳。抱罕，羌地名。亦有火炙干者，理多虚疏。又有如鲤鱼肠者，被刀破，不复好。青州间亦有，不如。又有紫甘草，细而实，乏[7]时可用。此草最为众药之主，经方少不用者，犹如香中有沉香也。国老即帝师之称，虽非君，为君所宗，是以能安和草石而解诸毒也。（《大观》卷6，《政和》页148）

【校注】

[1]　草　周本、问本作"艸"。"草"字下，《证类》有"国老"2字。

[2]　**金疮尰**　"金"，莫本作"销"。"疮"，孙本、森本作"创"。"尰"，《本经疏证》作"肿"。

[3]　**血气**　《本经疏证》倒置。

[4]　和　《本草经疏》作"利"。

[5]　年　黄本、问本作"季"。

[6]　草　《本草和名》无。

[7]　乏　商务《政和》作"之"。

92　人参

味甘，微寒、微温，无毒。主补五脏，安精神，定魂魄，止惊悸，除邪气[1]，**明目，开心益智**，治肠胃中冷，心腹[2]鼓痛，胸胁逆满，霍乱吐逆，调中，止消渴，通血脉，破[3]坚积，令人不忘。**久服轻身，延年**[4]。**一名人衔**[5]，**一名鬼盖**，一名神草，一名人微，一名土精，一名血参。如人形者有神。**生上党山谷及辽东**。二月、四月、八月上旬采根，竹刀刮，曝干，无令见风。茯苓为之使，恶溲疏，反藜芦[6]。

上党郡在冀州西南。今魏国所献即是，形长而黄，状如防风，多润实而甘。世用不入服乃重百济者，形细而坚白，气味薄于上党。次用高丽，高丽即是辽东。形大而虚软，不及百济。百济今臣属高丽，高丽所献，兼有两种，止应择取之尔。实用并不及上党者，其为药切要，亦与甘草同功，而易蛀蚛[7]。唯内器中密封头，可经年不坏。人参生一茎直上，四、五叶[8]相对生，花紫色。高丽人作人参赞曰：三桠五叶，背阳向阴。欲来求我，椵[9]树相寻。椵树叶似桐甚大，阴广，则多生阴地，采作甚有法。今近山亦有，但作之不好。（《大观》卷6，《政和》页145）

【校注】

[1] **安精神，定魂魄，止惊悸，除邪气** 《御览》作"安定精神魂魄，除邪止惊"。

[2] **腹** 成化《政和》、万历《政和》、商务《政和》、《大全》作"痛"。

[3] **破** 《草木典》作"补"。

[4] **年** 黄本、问本作"季"。

[5] **衔** 《本草和名》作"衘"。森本考异云："《顿医钞》作'术'"。

[6] **芦** 其下，商务《政和》、《图经衍义》《大全》有"又云马蔺为使，恶卤咸"。

[7] **而易蛀蚛** 《大观》作"易奇中"。

[8] **叶** 《纲目》、商务《政和》脱。

[9] **椵** 《证类》作"椵"，并谓"椵，音贾"。按，《宣室志》云："翁谓赵生曰：吾段氏子，家于山西大木下。生寻其迹，果有椵树蕃茂。发其下，得人参，甚肖翁形。"据此，则"椵"当作"椵"。

93 石斛

味甘，平，无毒。主治伤中，除痹，下气，补五脏虚劳羸瘦，强阴。益精[1]，补内绝不足，平胃气，长肌肉，逐皮肤邪热痱气，脚膝疼冷痹弱。**久服厚肠胃，轻身，延年**[2]，定志除惊。**一名林兰，一名禁生，一名杜兰，一名石蓫。生六安山谷水旁石上**。七月、八月采茎，阴干。陆英为之使。恶凝[3]水石、巴豆，畏僵蚕、雷丸。

今用石斛，出始兴。生石上，细实，桑灰汤沃之，色如金，形似蚱蜢髀者为佳。近道亦有，次宣城间[4]。生栎树上者，名木斛。其茎形长大而色浅。六安属庐江，今始安亦出木斛，至虚长，不入丸散，惟可为酒渍煮汤用尔。世方最以补虚，治脚膝。（《大观》卷6，《政和》页164）

【校注】

[1] **益精** 《草木典》《本草经解》注为《本经》文。

[2] **久服厚肠胃，轻身，延年** 《御览》无"厚""轻身，延年"5字。"年"，黄本、同本作"季"。《草木典》注"轻身，延年"为《别录》文。

[3] **凝** 玄《大观》作"疑"。

[4] **次宣城间** 《图考长编》作"次于宣城"。

94 石龙芮[1]

味苦，平[2]，无毒。主治风寒湿痹，心腹邪气，利关节，止烦满。平肾胃气，补阴气不足，失精，茎冷。**久服轻身，明目，不老，**令人皮肤光泽，有子。**一名鲁果能，一名地椹[3]，**一名石熊[4]，一名彭根，一名天豆。**生太山川泽石边。**五月五日采子，二月、八月采皮，阴干。大戟为之使，畏蛇蜕、吴茱萸。

今出近道，子形粗，似蛇床子而扁，非真好者，人言是蓄[5]菜子尔。东山石上所生，其叶芮芮短小[6]，其子状如葶苈，黄色而味小辛，此乃实是也。（《大观》卷8，《政和》页208）

【校注】

[1] **芮** 《本草和名》《医心方》《和名类聚钞》作"芮"。

[2] **味苦，平** 森本考异云："《顿医钞》作'小辛、苦'"。

[3] **一名鲁果能，一名地椹** 《御览》作"地椹，一名石龙芮，一名食果能"。

[4] **石熊** 《证类》作"石能"，据《本草和名》改。

[5] **蓄** 《图考长编》作"蓄"。"蓄"即羊蹄，见《证类》卷11"羊蹄"条。

[6] **小** 商务《政和》作"少"。

95 石龙刍[1]

味苦，微寒、微温，无毒。主治心腹邪气，小便不利，淋闭，风湿，鬼疰，恶毒。补内虚不足，治痞满，身无润泽，出汗，除茎中热痛，杀鬼疰恶毒气[2]。**久服补虚羸，轻身，耳目聪明，延年[3]。一名龙须，一名草[4]续断，一名龙珠[5]，**一名龙华，一名悬莞，一名草毒。九节多味者，良。**生梁州山谷湿地。**五月、七月采茎，曝干。

茎青细相连，实赤。今出近道水石处，似东阳龙须以作席者，但多节尔。（《大观》卷7，《政和》页190）

【校注】

[1] 莒　《本草和名》作"蒀"，《永乐大典》卷2406"石龙蒀"条作"蒀"。

[2] 杀鬼疰恶毒气　《草木典》无。

[3] 年　黄本、问本作"季"。

[4] 草　《御览》《本草和名》无。

[5] 一名龙珠　《大观》《大全》《本经续疏》注为《别录》文。森本不录此4字为《本经》文。人卫本《政和》、成化《政和》、万历《政和》、商务《政和》、《图考长编》、孙本、问本、周本、顾本、黄本俱作《本经》文。从《大观》等为正。

96　络石[1]

味苦，温、微寒，无毒。主治风热，死肌，痈伤[2]，口干，舌焦，痈肿不消，喉舌肿不通[3]，水浆不下。 大惊入腹，除邪气，养肾，主腰髋痛，坚筋骨，利关节。**久服轻身，明目，润泽，好颜色，不老延年[4]，** 通神。**一名石鲮[5]，** 一名石蹉，一名略石，一名明石，一名领石，一名悬石。**生太山川谷，** 或石山之阴，或高山岩石上，或生人间。正月采[6]。杜仲、牡丹为之使，恶铁落，畏贝母、菖蒲。

不识此药，仙世方法都无用者，或云是石类。既云或生人间，则非石，犹如石斛等，系石以为名尔。（《大观》卷7，《政和》页176）

【校注】

[1] 络石　《医心方》《本草和名》《御览》、森本作"落石"。玄《大观》脱"络"字。

[2] 伤　卢本、莫本作"痈"。

[3] 喉舌肿不通　《大观》《政和》注"喉舌肿"为白字《本经》文，"不通"作墨字《别录》文。从文义上看，"不通"2字不能单独成句，必从属于"喉舌肿"，则"不通"2字应为《本经》文。《品汇》注此5字为《本经》文。姜本作"喉舌肿闭"，注为《本经》文。《图考长编》作"主喘息不通"，注为《别录》文。从《品汇》为正。

[4] 久服轻身，明目，润泽，好颜色，不老延年　《草木典》注为《别录》文。

[5] 石鲮　《御览》作"鲮石"。

[6] 或生人间。正月采　"人"，《大观》作"木"。"间"字下，《图考长编》衍"墙屋上"3字。"正"，《草木典》作"五"。

97　千岁蔂汁

味甘，平，无毒。主补五脏，益气，续筋骨，长肌肉，去诸痹。久服轻身不饥，耐老，通神明。一名蔂芜。生太山川谷。

作藤生，树如葡萄，叶如鬼桃，蔓延木上，汁白。今世人方药都不复识用此[1]，《仙经》数处

须之，而远近道俗，咸不识此，非甚是异物，正[2]是未研访寻识之尔。(《大观》卷7，《政和》页187)

【校注】

[1] **此** 《图考长编》作"而"。

[2] **正** 《图考长编》作"止"。

98 木香[1]

味辛，温[2]，无毒。**主治邪气，辟毒疫温鬼，强志，主淋露**。治气劣，肌中偏寒，主气不足，消毒，杀鬼精物，温疟，蛊毒，行药之精[3]。**久服不梦寤魇寐**[4]，轻身致神仙。一名蜜香[5]。**生永昌山谷**。

此即青木香也。永昌不复贡，今皆从外国舶上来，乃云大秦国。以治毒肿，消恶气，有验。今皆用合香，不入药用。惟制蛀虫丸用之，常能煮以沐浴，大佳尔。(《大观》卷6，《政和》页160)

【校注】

[1] **木香** 《图考长编》作"青木香"。

[2] **温** 人卫本《政和》、《图考长编》注为《别录》文。孙本不取"温"字为《本经》文。柯《大观》注云："据《御览》当作白字"。卢本、顾本、森本、姜本、莫本俱录"温"字为《本经》文。

[3] **治气劣……行药之精** 《草木典》作"消毒，杀鬼精物，温疟，蛊毒，气劣，气不足，肌中偏寒，引药之精"。"劣"，玄《大观》作"少"。"行"，《草木典》《图考长编》作"引"。

[4] **寐** 森本考异云："《香药钞》作'寤'"。

[5] **蜜香** 《御览》作"木蜜香"。

99 龙胆[1]

味苦[2]，寒[3]、大寒，无毒。**主治骨间**[4]**寒热，惊痫**[5]**，邪气，续绝伤，定五脏，杀蛊**[6]**毒**。除胃中伏热，时气[7]温热，热泄下痢，去肠中小虫[8]，益肝胆气，止惊惕。**久服益智，不忘，轻身，耐老**[9]。**一名陵游**[10]。**生齐朐山谷及宛**朐，二月、八月、十一月[11]、十二月采根，阴干。贯众为之使，恶防葵、地黄。

今出近道，吴兴为胜。状似牛膝，味甚苦，故以胆为名。(《大观》卷6，《政和》页163)

【校注】

[1] **龙胆** 本条正文，商务《政和》全作墨字，无《本经》《别录》等标记。又《证类》将"龙胆"列入上品。

［2］苦 其上，莫本有"甘"字。

［3］寒 《大全》、成化《政和》、万历《政和》、商务《政和》、《本草经疏》《图考长编》、顾本作"涩"，《千金翼》《大观》、人卫本《政和》、《本经疏证》、森本、狩本作"寒"，从《千金翼》为正。

［4］间 孙本、问本、黄本、周本作"闲"。

［5］痛 《图经衍义》作"耀"。

［6］蛊 王本作"虫"。

［7］气 《图经衍义》作"节"。

［8］虫 《千金翼》《图考长编》作"蛊"，《大观》、人卫本《政和》、商务《政和》、《品汇》作"虫"。

［9］久服益智，不忘，轻身，耐老 《草木典》注为《别录》文。

［10］陵游 《本草和名》作"凌淤"。

［11］十一月 《本经续疏》无。

100 牛膝为君

味苦、酸，平[1]**，无毒。主治寒**[2]**湿痿痹，四肢拘挛，膝痛不可屈伸**[3]**，逐血气，伤热火烂，堕胎。**治伤中少气，男子阴消，老人失溺，补中续绝，填骨髓，除脑中痛及腰脊痛，妇人月水不通，血结，益精，利阴气，止发白[4]。**久服轻身耐**[5]**老。一名百倍。生**河内**川谷**及临朐。二月、八月、十月采根，阴干。恶萤火、陆[6]英、龟甲，畏白[7]前。

今出近道蔡州者，最长[8]大柔润，其茎有节，似牛膝，故以为名也。乃云有雌雄，雄者茎紫色而节大为胜尔[9]。（《大观》卷6，《政和》页152）

【校注】

［1］酸，平 "酸"，成化《政和》、万历《政和》、商务《政和》、《图考长编》注为《本经》文，人卫本《政和》注为《别录》文。"平"，《大观》、森本注为《本经》文，人卫本《政和》、商务《政和》、《图考长编》注为《别录》文。又"平"，《御览》作"辛"。

［2］寒 其上，《御览》有"伤"字。

［3］伸 顾本脱。

［4］填骨髓……止发白 《草木典》作"益精，利阴气，填骨髓，止发白，除脑中痛及腰脊痛，妇人月水不通，血结"。

［5］耐 《御览》作"能"。

［6］陆 《图经衍义》作"阴"。

［7］白 《千金方》卷1"序例"作"车"。

［8］长 人卫本《政和》作"良"，商务《政和》作"长"。

[9] **乃云有雌雄，雄者茎紫色而节大为胜尔** 《图考长编》作"乃云有雌雄者，茎紫色而节大为胜尔"。

101 卷[1]柏

味辛、甘，温[2]、平、微寒，无毒。**主治五脏邪气，女子阴中寒热痛，癥瘕，血闭，绝[3]子。**止咳逆，治脱肛，散淋结，头中风眩，痿躄，强阴益精。**久服轻身，和颜色，令人好容体[4]。**一名万岁，一名豹足，一名求股，一名交时。生常山山谷石间。五月、七月采，阴干。

今出近道，从生石土上，细叶似柏，卷屈状如鸡足，青黄色。用之，去下近石有沙土处[5]。（《大观》卷6，《政和》页168）

【校注】

[1] **卷** 《图经衍义》作"睠"。

[2] **温** 《草木典》注为《别录》文。"温"字下，森本有"生山谷"3字。

[3] **绝** 《品汇》无。

[4] **令人好容体** "体"，成化《政和》、万历《政和》、商务《政和》、《本草经疏》《本经续疏》《图考长编》作"颜"，《大观》、人卫本《政和》作"体"，从《大观》为正。《品汇》无此5字。

[5] **石有沙土处** 《图考长编》作"土石有沙土处"。

102 菌桂

味辛，温，无毒。**主治百疾[1]，养精神，和颜色，为诸药先聘通使。久服轻身，不老，面生光华媚好，常如童子。**生交阯、桂林山谷岩崖间[2]。无骨，正圆如竹，**生桂林山谷。**立秋采。

交阯属[3]交州，桂林属广州，而《蜀都赋》云菌桂临崖。今世中不见正圆[4]如竹者，惟嫩[5]枝破卷成圆，犹依桂用，恐[6]非真菌桂也。《仙经》乃有用菌桂，云三重者良，则判[7]非今桂矣，必当别是一物，应更研访。（《新修》页93，《大观》卷12，《政和》页290）

【校注】

[1] **疾** 《证类》《本经疏证》《图考长编》、孙本、顾本作"病"，傅本《新修》、罗本《新修》、森本俱作"疾"。从《新修》为正。

[2] **桂林山谷岩崖间** 傅本《新修》、罗本《新修》作"山谷桂枝间，生桂林山谷"，据《证类》改。

[3] **阯属** 傅本《新修》、罗本《新修》作"征马"，据《证类》改。

[4] **圆** 傅本《新修》、罗本《新修》作"同"，据《证类》改。

[5] **嫩** 傅本《新修》、罗本《新修》作"㯂"，据《证类》改。

[6] **恐** 《证类》无。

[7] **判** 《证类》作"明"。

103　牡桂

味辛，温，无毒。主治上气咳逆，结气，喉痹，吐吸[1]。心痛，胁风，胁痛，温筋通脉，止烦出汗，**利关节，补中益气。久服通神，轻身，不老。生南海山谷。**

南海郡即是广州。今世用牡桂，状似桂而扁广殊薄，皮色黄，脂肉甚少，气如木兰，味亦类桂，不知当是别树，为复[2]犹是桂生，有老宿者尔，亦所未究。（《新修》页94，《大观》卷12，《政和》页290）

【校注】

[1] **吸** 森本考异云："《香药钞》作'呕'"。

[2] **复** 傅本《新修》、罗本《新修》脱，据《证类》补。

104　桂

味甘、辛[1]，大热，有毒[2]。主温中，利肝肺气，心腹寒热，冷疾，霍乱转筋，头痛，腰痛，出汗，止烦，止唾，咳嗽，鼻衄，能堕胎，坚骨节[3]，通血脉，理疏不足，宣导百药，无所畏。久服神仙，不老。生桂阳。二月、七[4]、八月、十月采皮，阴干。得人参、麦门冬、甘草、大黄、黄芩[5]调中益气，得柴胡、紫石英[6]、干地黄治吐逆。

案，《本经》唯有菌桂、牡桂，而无此桂[7]，用体大同小异，今世用便有三种，以[8]半卷多脂者单名桂，入药最多，所用悉与前[9]说相应。《仙经》乃并有三种[10]桂，常服食，以葱涕合和云母蒸化为[11]水者，正是此种尔。今出广州湛惠为[12]好，湘州、始兴、桂阳县即是小桂，亦有，而不如广州者，交州、桂州者形段[13]小，多脂肉，亦好。《经》云："桂叶如柏叶，泽黑，皮黄心赤。"齐武帝时，湘州送桂树，以植芳林苑中，今东山有山桂[14]皮，气㽞相类，而叶乖[15]异，亦能凌冬，恐或是牡桂，诗[16]人多呼丹桂，正谓皮赤尔。北[17]方今重此，每食辄须之[18]。盖《礼》所云姜桂以为芬芳也。（《新修》页96，《大观》卷12，《政和》页289）

【校注】

[1] **甘、辛** 《本草经疏》倒置。

［2］**有毒**　《证类》《本草经疏》《图考长编》作"有小毒"。

［3］**能堕胎，坚骨节**　《草木典》作"堕胎，温中，坚筋骨"。

［4］**七**　《证类》无。

［5］**苓**　玄《大观》作"岭"。

［6］**英**　《新修》脱，据《大观》《政和》补。

［7］**菌桂、牡桂，而无此桂**　《证类》《图考长编》作"菌、牡二桂"。

［8］**以**　《图考长编》作"心"。

［9］**前**　傅本《新修》、罗本《新修》脱，据《证类》补。

［10］**种**　《证类》无。

［11］**为**　傅本《新修》、罗本《新修》脱，据《证类》补。

［12］**湛恚为**　《证类》无。

［13］**段**　傅本《新修》、罗本《新修》作"疑"，据《证类》改。

［14］**山桂**　《证类》作"桂"。

［15］**乖**　傅本《新修》、罗本《新修》作"永"，据《证类》改。《图考长编》作"华"。

［16］**诗**　《大观》《政和》作"时"。

［17］**北**　傅本《新修》、罗本《新修》作"此"，据《证类》、武本《新修》改。

［18］**之**　《新修》脱，据《证类》补。

105　杜仲

　　味辛、甘，平、温，无毒。主治腰脊[1]**痛，补中**[2]**，益精气**[3]**，坚筋骨，强志，除**[4]**阴下痒湿，小便余沥。**脚中酸疼痛[5]，不欲践地。**久服轻身，耐**[6]**老。一名思仙，一名思仲，一名木绵。生上虞山谷，**又上党及[7]汉中。二月、五月、六月、九月[8]采皮，阴干[9]。畏[10]蛇蜕皮、玄参。

　　上虞在豫州，虞、虢之虞，非会稽上虞县也。今用出建平、宜都者[11]，状如厚朴，折之多白丝为佳。用之薄削去上甲[12]皮横理，切令丝断也。（《新修》页98，《大观》卷12，《政和》页305）

【校注】

［1］**腰脊**　"腰"，孙本、黄本、问本作"要"。"脊"，《图考长编》、姜本、《本草经解》作"膝"。

［2］**中**　王本作"虚"。

［3］**精气**　王本倒置。

［4］**除**　傅本《新修》、罗本《新修》脱，据《证类》补。

［5］**痛**　《证类》无。

［6］**耐**　傅本《新修》、罗本《新修》作"能"，《证类》作"耐"。

［7］**又上党及**　《证类》作"及上党"。

[8] 九月 《图经衍义》脱。

[9] 阴干 《证类》《图考长编》《本经续疏》脱。

[10] 畏 《证类》作"恶"。

[11] 者 傅本《新修》、罗本《新修》作"朴者状厚者",据《证类》改。

[12] 甲 《证类》无。

106 干漆

味辛,温,无毒[1]、**有毒。主治绝伤,补中,续筋骨,填髓脑,安五脏,五缓六急,风寒湿**[2]**痹。**治咳嗽,消瘀血,痞结[3],腰痛,女子疝瘕,利小肠,去蛔虫。**生漆:去长虫。久服轻身,耐**[4]**老。生汉中川**[5]**谷。**夏至后采,干之。半夏为[6]之使,畏鸡子,今又忌油脂。

今梁州漆最胜,益州亦有,广州漆性急易燥。其诸处漆桶上盖里,自然有干者,状如蜂房,孔孔隔者为佳。生漆毒烈,人以鸡子白[7]和服之,去虫。犹有齧[8]肠胃者,畏漆人乃致死。外气亦能使身肉[9]疮肿,自别有治法。仙方用蟹消之为水,炼服长生。(《新修》页99,《大观》卷12,《政和》页301)

【校注】

[1] 无毒 徐本、顾本、卢本均脱。王本、莫本均不取此2字为《本经》文。

[2] 湿 傅本《新修》、罗本《新修》作"温",据《证类》改。

[3] 治咳嗽,消瘀血,痞结 傅本《新修》、罗本《新修》作"咳嗽,消疼血,痞满",据《证类》改。

[4] 耐 傅本《新修》、罗本《新修》作"能",据《证类》改。

[5] 川 《图考长编》作"山"。

[6] 为 《图经衍义》作"如"。

[7] 白 《证类》无。

[8] 齧 傅本《新修》、罗本《新修》为"切齿",据《证类》改。

[9] 身肉 傅本《新修》、罗本《新修》作"宇",据《证类》改。

107 细辛

味辛,温,无毒。主治咳逆[1],**头痛,脑动,百节拘挛,风湿痹痛,死肌。**温中,下气,破痰,利水道,开胸中[2],除喉痹,齆鼻[3],风痫、癫疾[4],下乳结,汗[5]不出,血不行,安五脏,益肝胆,通精气。**久服明目,利九窍,轻身,长年**[6]。一名小[7]辛。生华阴山谷。二月[8]、八月采根,阴干。曾青、桑[9]根为之使，得当归、芍药、白芷、芎䓖、牡丹、藁本、甘草共治妇人，得决明、鲤鱼胆、青羊肝共治目痛。恶狼毒、山茱萸、黄耆，畏消石、滑石，反[10]藜芦。

今用东阳临海者，形段乃好，而辛烈不及华阴、高丽者。用之去其头节。人患口臭者，含之多效，最能除痰明目也。（《大观》卷6，《政和》页164）

【校注】

[1] **逆** 其下，《本草经解》有"上气"2字。

[2] **中** 其下，《草木典》《图考长编》有"滞结"2字。

[3] **除喉痹，齆鼻** "喉"，《图经衍义》脱此字。"鼻"字下，《草木典》衍"不闻香臭"4字。

[4] **癫疾** 《本草经疏》脱。

[5] **汗** 《千金翼》作"汁"。

[6] **年** 黄本、问本作"季"。

[7] **小** 《御览》作"少"。

[8] **月** 其下，《图经衍义》衍"及"字。

[9] **桑** 《千金方》《大观》《大全》《政和》作"枣"，《医心方》《本草经集注》作"桑"。

[10] **反** 《本经疏证》作"及"。

108 独活

味苦、甘[1]**，平、微温，无毒。主治风寒所击，金疮**[2]**止痛，贲豚，痫痓**[3]**，女子疝瘕。**治诸贼风，百节痛风无久新者。**久服轻身，耐老。一名羌活，一名羌青，一名护羌使者，一名胡王使者，一名独摇草。**此草[4]得风不摇，无风自动[5]。**生雍州**[6]**川谷**，或陇西南安。二月、八月采根，曝干。豚实为之使。

药名无豚实，恐是蠡实。此州郡县并是羌活[7]。羌活形细而多节，软润，气息极猛烈。出益州北部、西川为独活，色微白，形虚大，为用亦相似，而小不如。其一茎直上，不为风摇，故名独活。至易蛀，宜密器藏之。（《大观》卷6，《政和》页157）

【校注】

[1] **甘** 成化《政和》、万历《政和》、商务《政和》、《图考长编》《本经疏证》注为《本经》文，人卫本《政和》、《大观》《大全》、孙本注为《别录》文。

[2] **疮** 森本作"创"。

[3] **贲豚，痫痓** "贲"，《纲目》《本草经解》作"奔"。"痓"，《本草经解》、森本作"痉"。

[4] **此草** 《图考长编》脱。

[5] **动** 《图考长编》作"摇动"。

[6] **雍州**　《御览》作"益州"。

[7] **活**　《证类》作"活",《纲目》作"地"。"地"字义长。

109　升麻[1]

味甘、苦,平[2]、微寒,无毒。**主解**[3]**百毒。杀百精**[4]**老物殃鬼,辟温疫**[5]**,瘴气,邪气,蛊毒**[6]。入口皆吐出,中恶腹痛,时气毒疬,头痛寒热,风肿诸毒,喉痛口疮。**久服不夭,轻身长年**[7]。**一名周麻**[8]。**生益州**山谷。二月、八月采根,日干。

旧出宁州者第一,形细而黑,极坚实,顷无复有[9]。今惟出益州,好者细削,皮青绿色,谓之鸡骨升麻。北部间亦有,形又虚大,黄色。建平间亦有,形大味薄,不堪用。人言是落新妇根,不必尔。其形自相似,气色非也。落新妇亦解毒,取[10]叶挼作小儿浴汤,主惊忤。(《大观》卷6,《政和》页158)

【校注】

[1] **升麻**　本条全文,《大观》《政和》《品汇》《图考长编》注为《别录》文;顾本不录"升麻"为《本经》文,《纲目》《草木典》《本草经解》注为《本经》文。《御览》引《本草经》曰:"升麻,一名周升麻,味甘、辛。生山谷。主辟百毒,杀百老殃鬼,辟温疾、障稚毒蛊,久服不矢('矢',疑'天'之误),生益州。"本书从《御览》所引者为《本经》文,《御览》未引者为《别录》文。

[2] **平**　孙本作"辛"。

[3] **解**　《御览》作"辟"。

[4] **精**　孙本脱。

[5] **疫**　孙本、《御览》作"疾"。

[6] **瘴气,邪气,蛊毒**　孙本作"障邪毒蛊",森本作"障邪蛊毒",《御览》作"障稚蛊毒"。《本经疏证》对"瘴气"注为《本经》文,"邪气,蛊毒"4字注为《别录》文。

[7] **轻身长年**　森本、《本经疏证》注为《本经》文。《御览》无。

[8] **一名周麻**　《御览》作"一名周升麻"。

[9] **顷无复有**　《纲目》无。"顷",商务《政和》作"顿"。

[10] **取**　《大观》作"收"。

110　茈胡为君[1]

味苦,平、微寒,无毒。**主治心腹,去肠胃中结气**[2]**,饮食积聚,寒热邪气,推陈致新。**除伤寒心下烦热,诸痰热结实,胸中邪逆[3],五脏间游气,大肠停积水胀,及湿痹拘挛,亦可作浴汤。**久服轻身,明目,益精。一名地薰,一名山菜,一**

名茹草叶[4]，一[5]名芸蒿，辛香可食。**生洪农川谷及宛朐。二月、八月采根，曝干。**得茯苓、桔梗、大黄、石膏、麻子人、甘草、桂，以水一斗煮取四升，入消石三方寸匕，治伤寒，寒热头痛，心下烦满[6]。半夏为之使，恶皂荚，畏女菀、藜芦。

今出近道，状如前胡而强。《博物志》云：芸蒿叶似邪蒿，春秋有白蒻，长四五寸，香美可食，长安及河内并有之。此苗胡治伤寒第用[7]。（《大观》卷6，《政和》页155）

【校注】

[1] **为君** 《千金翼》刻成大字，不作注文。

[2] **去肠胃中结气** "去"，《御览》作"祛"，顾本、森本、狩本、《本草经解》无。《御览》无"中"字。"结气"，《本经疏证》作"积气"。

[3] **逆** 《草木典》作"气"。

[4] **一名茹草叶** 《本草和名》作"一名茹草叶"，其他各本作"一名茹草"，"叶"字从属下文。

[5] **一** 玄《大观》无。

[6] **得茯苓……心下烦满** 《图经衍义》脱此文。

[7] **用** 《图考长编》脱。

111 防[1]葵

味辛、甘、苦，寒，无毒。主治疝瘕，肠泄，膀胱热结，溺不下，咳逆，温疟[2]，癫痫，惊邪狂走。治五脏虚气，小腹支满，胪胀，口干，除肾邪，强志。**久服坚骨髓，益气，轻身。**中火者不可服，令人恍惚见鬼。**一名梨盖，**一名房慈，一名爵离，一名农果，一名利茹，一名方盖。**生临淄川谷，及嵩高、太山、少室。三月三日采根，曝干。**

北信断，今用建平间者，云本与狼毒同根，犹如三建，今其形亦相似，但置水中不沉尔，而狼毒陈久亦不能[3]沉矣。（《大观》卷6，《政和》页155）

【校注】

[1] **防** 《本草和名》《御览》《医心方》、孙本作"房"。

[2] **温疟** 姜本作"湿痹"。

[3] **能** 《图考长编》脱。

112 菁实[1]

味苦、酸，平，无毒。主益[2]气，充肌肤，明目，聪慧，先知，久服[3]不饥，

不老，轻身。生少室山谷。八月、九月采实，日干。(《大观》卷6，《政和》页167)

【校注】

[1] **葽实** "葽"，《医心方》、森本作"葍"。《草木典》脱"实"字。

[2] **益** 其上，森本有"阴痿水肿"4字。

[3] **服** 顾本作"肌"，误。

113 楮实[1]

味甘，寒，无毒。主治阴痿，水肿，益气，充肌肤，明目[2]。久服不饥，不老轻身。生少室山[3]，一名谷实[4]，所在有之。八月、九月采实，日干，四十日成[5]。叶，味甘，无毒。主治小儿身热，食不生肌，可作浴汤。又主治恶疮生肉。树[6]皮，主逐水，利小便。茎，主瘾疹痒，单煮洗浴[7]。其皮间[8]白汁治癣。

此即今谷树子[9]也，《仙方》采捣取汁和丹用，亦干服，使人通神见鬼。南人呼谷纸，亦为楮纸，作褚音[10]。武陵人作谷皮衣，又甚[11]坚好尔也。(《大观》卷12，《政和》页300)

【校注】

[1] **楮实** 傅本《新修》、罗本《新修》作"柠实"，据《证类》改。"楮实"条，《新修》列在木部。《新修》在"葽实"条注云："陶误用楮实为之，其楮实移在木部也。"

[2] **味甘，寒，无毒。主治阴痿，水肿，益气，充肌肤，明目** 《大观》《本经续疏》注为《本经》文，其他各本注为《别录》文，各辑本《本草经》亦不录此文为《本经》文。又"充肌肤"，《草木典》脱"肤"字。

[3] **益气……生少室山** 傅本《新修》、罗本《新修》脱，据《千金翼》《证类》补。

[4] **一名谷实** 《大观》《本经续疏》注为《本经》文，其他各本注为《别录》文，各辑本《本草经》亦不录此文为《本经》文。

[5] **四十日成** 傅本《新修》、罗本《新修》脱，据《千金翼》《证类》补。

[6] **树** 《千金翼》无。

[7] **单煮洗浴** 《纲目》《草木典》作"煮汤洗浴"。

[8] **间** 傅本《新修》、罗本《新修》脱，据《证类》补。

[9] **子** 《证类》无。

[10] **作褚音** 《证类》无。

[11] **甚** 傅本《新修》、罗本《新本》作"其"，据《证类》改。

114 酸枣[1]

味酸，平，无毒。主治心腹寒热，邪结气[2]，四肢酸疼[3]湿痹。烦心不得眠，脐上下痛，血转、久泄，虚汗，烦[4]渴。补中，益肝气，坚筋大[5]骨，助阴气，令[6]人肥健。**久服安五[7]脏，轻身，延年[8]**。生河东**川泽**。八月采实，阴干，卅[9]日成。恶防己。

今出东山间，云即是山枣树子，子似武昌枣，而味极酸，东人乃噉[10]之以醒睡，与此治不得眠，正反矣。(《新修》页115，《大观》卷12，《政和》页298)

【校注】

[1] **酸枣** 《医心方》作"酸棗"，卢本作"酸枣仁"。

[2] **气** 其下，《千金翼》《证类》《品汇》《图考长编》《本草经疏》《本经疏证》、孙本、顾本有"聚"字，《新修》、森本无"聚"字，从《新修》为正。

[3] **痹** 《本草经解》作"痛"。

[4] **虚汗，烦** 傅本《新修》、罗本《新修》脱"虚""烦"2字，据《证类》补。

[5] **大** 《证类》无。

[6] **令** 《图经衍义》作"今"。"令"字上，《本草经疏》衍"能"字。

[7] **五** 傅本《新修》、罗本《新修》脱，据《证类》补。

[8] **年** 黄本、问本作"季"。

[9] **阴干，卅** 傅本《新修》、罗本《新修》脱"干"字，据《证类》补。"卅"，《证类》作"四十"。

[10] **乃噉** 《证类》脱"乃"字。"噉"，《证类》作"啖"，傅本《新修》、罗本《新修》作"噉"。

115　槐实[1]

味苦、酸、咸，寒[2]，无毒。**主治五内邪气热，止涎唾，补绝[3]伤，治[4]五痔，火疮[5]，妇人乳瘕，子脏急痛[6]**。以[7]七月七日取之，捣取汁，铜器盛之，日煎，令可作丸[8]，大如鼠屎，内窍中，三易乃愈[9]。又堕胎。久服明目，益气，头不白[10]，延年。枝主洗疮及阴囊下湿痒。皮主烂疮。根主喉痹寒热。生河南**平泽**。可作神烛。景天为之使。

槐子以多连[11]者为好，十月上[12]巳日采之。新盆盛，合泥百日，皮烂为水，核如大豆。服之，令令人[13]脑满，发不白而长生。今[14]处处有。此云七月取其子未坚，故捣绞取汁。(《新修》页116，《大观》卷12，《政和》页292)

【校注】

[1] **实** 《真本千金方》《医心方》作"子"。

[2] **寒** 卢本、莫本作"平"。

[3] **绝** 《图经衍义》作"五"。

［4］**治** 人卫本《政和》无"治"字。

［5］**疮** 孙本、问本、黄本作"创"。

［6］**于脏急痛** 《品汇》注为《别录》文。

［7］**以** 其上，《图考长编》有"五痔疮漏"。

［8］**丸** 傅本《新修》、罗本《新修》作"九"，据《证类》改。

［9］**三易乃愈** 傅本《新修》、罗本《新修》作"三著愈"，据《证类》改。《图考长编》作"日三易乃愈"。

［10］**白** 傅本《新修》、罗本《新修》作"日"，据《证类》改。

［11］**以多连** 《证类》作"以相连多"。

［12］**上** 《证类》无。

［13］**今令人** 《证类》作"令"。

［14］**今** 傅本《新修》、罗本《新修》脱，据《证类》补。

116　枸杞

　　味苦，寒，根大寒，子微寒，无毒。主治五内邪气，热中，消渴，周[1]**痹。**风湿[2]，下胸胁气，客热[3]，头痛，补内伤，大劳、嘘吸，坚筋骨[4]，强阴，利大小肠。**久服**[5]**坚筋骨，轻身，耐**[6]**老，耐寒暑**[7]**。一名杞**[8]**根，一名地骨，一名枸忌**[9]**，一名地辅**[10]**，一名羊乳，一名却暑**[11]**，一名仙人杖，一名西王母杖。生常山平泽，及诸丘陵阪岸上**[12]**。冬采根，春夏采叶，秋采茎**[13]**、实，阴干**[14]**。**

　　今出堂邑，而[15]石头烽火楼下最多。其叶可作羹，味小苦。世谚云：去家千里，勿食萝摩、枸杞，此言其补益精气，强盛阴道也。萝摩，一名苦丸，叶厚大作藤生，摘有白乳[16]汁，人家多种之，可生噉，亦蒸煮食也。枸杞根、实，为服食家用，其说乃[17]甚美，仙人之杖，远自[18]有旨乎也。（《新修》页119，《大观》卷12，《政和》页293）

【校注】

［1］**周** 万历《政和》作"风"。

［2］**风湿** 《本草经解》《本经续疏》《草木典》注为《本经》文。

［3］**客热** "客"，玄《大观》作"容"。"热"，《草木典》作"寒"。

［4］**坚筋骨** 《本草经解》《本经续疏》《草木典》注为《本经》文。

［5］**久服** 《御览》作"服之"。

［6］**耐** 《御览》、森本作"耐"，《证类》《品汇》《图考长编》《本草经疏》《本经续疏》、孙本作"不"。

［7］**耐寒暑** 《本草经解》注为《本经》文。

［8］**杞** 森本考异云："《香药钞》作'枸'"。

[9] **一名枸忌** 《御览》无。

[10] **辅** 姜本作"节"。

[11] **暑** 《图考长编》作"老"。

[12] **上** 《证类》无。

[13] **茎** 傅本《新修》、罗本《新修》脱，据《证类》补。

[14] **阴干** 《草木典》无。

[15] **堂邑，而** 傅本《新修》、罗本《新修》脱，据《证类》补。

[16] **摘有白乳** "摘"字下，《证类》有"之"字。傅本《新修》、罗本《新修》脱"乳"字，据《证类》补。

[17] **乃** 《证类》无。

[18] **自** 《证类》无。

117 苏合[1]

味甘，温，无毒。主治辟恶，杀鬼精物，温疟，蛊毒，痫痓，去三虫，除邪，不梦忤魇脒[2]，通神明[3]。久服轻身长年。生中台川谷。

世传云是狮子屎，外国说不尔，今皆从西域来。真者难别，亦不复入药，唯供合好香尔。（《新修》页120，《大观》卷12，《政和》页310）

【校注】

[1] **苏合** 《千金翼》《证类》作"苏合香"。

[2] **不梦忤魇脒** 《证类》作"令人无梦魇"。

[3] **通神明** 《证类》在"久服"之下。

118 橘柚[1]

味辛[2]**，温，无毒。主治胸中瘕热逆**[3]**气，利水谷**，下气，止呕咳，除膀胱留热，下[4]停水，五淋，利小便，主脾[5]不能消谷，气冲[6]胸中吐逆，霍乱，止泄，去寸白。**久服去臭**[7]**，下气，通神**[8]**，轻身**[9]长年。**一名橘皮。生**南山川**谷**[10]，生江南。十月采。

此是说其皮功尔，以东橘为好，西江亦有而不如。其[11]皮小冷。治气乃言欲胜东[12]橘，北[13]人亦用之，以[14]陈者为良。其肉味甘、酸，食之多痰[15]，恐非益人[16]也。今此虽用皮，既是果类，所以犹宜相从。柚子皮乃可食[17]，而不复入药用，此亦应[18]下气。（《新修》页121，《大观》卷23，《政和》页461）

【校注】

[1] **橘柚** 《本草经疏》作"橘柚皮"。

[2] **辛** 姜本作"苦、辛"。

[3] **瘕热逆** "瘕",《医心方》卷30作"癥瘕"。"逆",傅本《新修》、罗本《新修》脱,据《证类》补。

[4] **下** 《医心方》卷30、《证类》《品汇》《本草经疏》《本经疏证》无。

[5] **脾** 《大观》作"痹"。

[6] **冲** 傅本《新修》、罗本《新修》作"充",据《证类》改。

[7] **去臭** 《千金方·食治》作"去口臭"。

[8] **下气,通神** 《千金翼》作"气通神明"。

[9] **轻身** 《千金翼》无。

[10] **生南山川谷** 《千金翼》作"生于南山川谷及"。

[11] **其** 《新修》作"甘",据《证类》改。

[12] **欲胜东** 《证类》无"欲""东"2字。

[13] **北** 傅本《新修》、罗本《新修》作"此",据《证类》改。

[14] **以** 其上,《证类》有"并"字。

[15] **淡** 傅本《新修》、罗本《新修》作"淡",据《证类》改。

[16] **人** 《证类》无。

[17] **食** 《证类》作"服"。

[18] **亦应** 《证类》倒置。

119 菴蕳子[1]

味苦,微寒、微温,无毒。主治五脏瘀血,腹中水气,胪胀[2]**留热,风寒湿痹,身体诸**[3]**痛。**治心下坚,膈中寒热,周痹,妇人月水不通,消食,明目。**久服轻身,延年**[4]**不老,驱**[5]**骋食之神仙。生雍州川**[6]**谷,亦生上党及道边。十月采实,阴干。荆实、薏苡为之使。**

状如蒿艾之类,近道处处有。《仙经》亦时用之,人家种此辟蛇也。(《大观》卷6,《政和》页167)

【校注】

[1] **菴蕳子** "蕳",《医心方》作"芦"。《御览》无"子"字。

[2] **胪胀** "胪",万历《政和》作"肿"。"胀",孙本、问本、黄本、周本作"张"。

[3] **诸** 《图考长编》作"俱"。

[4] **年** 黄本、问本作"季"。《御览》无。

[5] **驱** 《千金翼》作"驱"。

[6] **川** 《御览》作"山"。

120　薏苡人[1]

味甘，微寒[2]，无毒。**主治筋急**[3]**拘挛，不可屈伸，风湿痹**[4]，下气。除筋骨邪气不仁，利肠胃，消水肿，令人能食。**久服轻身益气**[5]。**其根**[6]：**下三**[7]**虫。一名解蠡，一名屋菼，一名起**[8]**实，一名赣。**生真定**平泽及田野。八月采实，采根无时。

真定县属常山郡。近道处处有，多生人家。交趾者子最大，彼土呼为薝珠。马援大取将还，人谗以为真珠也。实重累者为良。用之取中人，今小儿病蚘虫，取根煮汁糜食之甚香，而去蛔虫大效。（《大观》卷6，《政和》页161）

【校注】

[1] **人**　《医心方》、森本作"子"，《大观》、孙本、顾本、黄本作"仁"，人卫本《政和》、《永乐大典》卷3000作"人"。

[2] **微寒**　《千金方·食治》作"温"。

[3] **急**　《千金方·食治》无。

[4] **风湿痹**　"风"上，《千金方·食治》《图考长编》、莫本、姜本、《本草经解》《本经疏证》有"久"字。"痹"，玄《大观》作"瘅"。

[5] **气**　《千金方·食治》作"力"。

[6] **其根**　《千金方·食治》作"其生根"。

[7] **三**　《图经衍义》作"二"，误。

[8] **起**　《图考长编》作"芑"。

121　车前子[1]

味甘、咸，寒，无毒[2]。**主治气癃，止痛，利水道小便，除湿痹。**男子伤中，女子淋沥，不欲食，养肺，强阴，益精，令人有子，明目，治赤痛。**久服轻身，耐老。**叶及根，味甘、寒。主金疮，止血，衄鼻，瘀血，血瘕，下血，小便赤，止烦，下气，除小虫。**一名当道，一名芣苢，一名虾蟆衣，一名牛遗**[3]，**一名胜舄**[4]。**生真定**[5]**平泽丘陵阪道中。五月五日采，阴干。

人家及路边甚多，其叶捣取汁服，治泄精甚验。子性冷利，《仙经》亦服饵之，令人身轻，能跳越岸谷[6]，不[7]老而长生也。《韩诗》乃言芣苢是木，似李，食其实，宜子孙，此为谬矣。（《大观》卷6，《政和》页159）

【校注】

[1] **子** 《御览》作"实"。

[2] **无毒** 商务《政和》、孙本、黄本、《图考长编》注为《本经》文，《大观》、人卫本《政和》、《本经续疏》注为《别录》文。从《大观》为正。

[3] **牛遗** "牛"，《大全》作"生"。"遗"，《御览》作"舌"。

[4] **乌** 《本经续疏》作"留"。

[5] **真定** 《本经续疏》作"正定"。

[6] **崖谷** 《大观》《图考长编》无。

[7] **不** 其上，《大观》《图考长编》有"面容"2 字。

122　蛇床子

味苦[1]、辛、甘[2]，平，无毒。**主治妇人阴中肿痛[3]，男子阴痿湿痒，除痹气，利关节，癫痫，恶疮[4]**。温中下气，令妇人子脏热，男子阴强。**久服轻身，好颜色，令人有子。一名蛇粟[5]，一名蛇米**，一名虺床[6]，一名思益，一名绳毒，一名枣棘，一名墙蘼。**生临淄川谷及田野**。五月采实。阴干。恶牡丹、巴豆、贝母。

近道田野墟落间甚多。花、叶正似蘼芜。（《大观》卷 7，《政和》页 186）

【校注】

[1] **苦** 《本经疏证》无。

[2] **辛、甘** 《大观》《大全》注为《本经》文。

[3] **妇人阴中肿痛** 《纲目》在"湿痒"之下。

[4] **主治妇人……恶疮** 此部分文字，《大全》注为《别录》文。"癫""疮"，孙本、问本、周本、黄本作"瘨""创"。

[5] **一名蛇粟** 《大观》、森本、狩本注为《本经》文，商务《政和》、人卫本《政和》注为《别录》文。

[6] **床** 万历《政和》、《本经疏证》作"状"。

123　菟丝子[1]

味辛、甘，平，无毒。**主续绝伤，补不足，益气力，肥健[2]**。汁：去面䵟[3]。养肌，强阴，坚筋骨，主[4]茎中寒，精自出，溺有余沥，口苦，燥渴，寒血为积。**久服明目，轻身，延年[5]。一名生菟芦**，一名菟缕，一名蓎蒙，一名玉女，一名赤网[6]，一名菟䕡。**生朝鲜川泽[7]**田野，蔓延草木之上，色黄而细为赤网，色浅而大为菟䕡[8]。九月采实，曝干。得酒良，署预、松脂为之使，恶𤓰菌，宜丸不宜煮。

田野墟落中甚多，皆浮生蓝、纻麻、蒿上。旧言下有茯苓，上生菟丝，今不[9]必尔。其茎挼以浴小儿，治热痱招。其实，先须酒渍之一宿，《仙经》世方并以为补药。(《大观》卷6，《政和》页151)

【校注】

[1] **菟丝子** 《医心方》作"菟系子"。

[2] **健** 《本草经解》、顾本、姜本作"健人"。

[3] **肝** 孙本作"肝"。森本考异云："《长生疗养方》作'点'"。

[4] **主** 《千金翼》作"生"。

[5] **久服明目，轻身，延年** 《草木典》注为《别录》文。

[6] **网** 成化《政和》、万历《政和》、商务《政和》、《图考长编》作"纲"，《大观》、人卫本《政和》、《本经续疏》作"网"。从《大观》为正。

[7] **川泽** 《御览》、森本作"山谷"。

[8] **景** 其下，《草木典》有"功用并同"4字。

[9] **不** 《图考长编》作"未"。

124 菥蓂子[1]

味辛，微温，无毒。主明目，目痛，泪出，除痹，补五脏，益精光。治心腹腰痛。**久服轻身，不老。一名蕺菥，一名大蕺，一名马辛，一名大荠。生咸阳川[2]泽及道旁。**四月、五月采，曝干。得荆实、细辛良，恶干姜、苦参。

今处处有之，人乃[3]言是大荠子，世用[4]甚稀。(《大观》卷6，《政和》页167)

【校注】

[1] **菥蓂子** "菥"，《医心方》作"菥"。《本草和名》无"子"字。

[2] **川** 《图考长编》作"山"。

[3] **乃** 商务《政和》作"方"。

[4] **世用** "世"，《图考长编》作"方"。"用"，《大观》作"方"。

125 茺蔚子

味辛、甘，微温、微寒，无毒。主明目，益精，除水气。治血逆大热，头痛，心烦。**久服轻身。茎：主治瘾疹痒，可作浴汤。一名益母[1]，一名益明，一名大札，一名贞蔚。生海滨池泽，**五月采。

今处处有。叶如荏，方茎，子形细长三棱。方用亦稀。(《大观》卷6，《政和》页153)

【校注】

[1] **一名益母** 《图考长编》无此文。"母"字下，《本草经疏》有"草"字。

126 地肤子[1]

味苦，寒，无毒。主治膀胱热，利小便，补中，益精气。去皮肤中热气，散恶疮疝瘕，强阴。**久服耳目聪明，轻身，耐老，使人润泽[2]。一名地葵[3]，一名地麦[4]。生荆州平泽及田野。**八月、十月采实，阴干。

今田野间亦多，皆[5]取茎苗为扫帚。子微细，入补丸散用，《仙经》不甚须[6]。（《大观》卷7，《政和》页187）

【校注】

[1] **子** 《本草和名》无。
[2] **使人润泽** 《草木典》在"去皮肤中热气"之后。
[3] **葵** 《御览》作"蔡"。
[4] **一名地麦** 《御览》作"一名地脉，一名地华"；玄《大观》、《本经续疏》作"一名地裂"。
[5] **皆** 《图考长编》作"俗"。
[6] **须** 《大观》、商务《政和》、《图考长编》作"用"。

127 青蘘

味甘，寒[1]，无毒。主治五脏邪气，风寒湿痹，益气，补脑髓[2]，坚[3]筋骨。久服耳目聪明，不饥[4]，不老，增寿。巨[5]胜苗也。生中原川谷。

胡麻叶。甚肥滑，亦可以沐头，但不知云何服之。仙方并无用此法，正当阴干，捣为丸散耳。既服其实，故不复假苗。五符巨胜丸方亦云：叶名青蘘。本生大宛，度来千年尔。（《新修》页289，《大观》卷24，《政和》页482）

【校注】

[1] **寒** 《本经续疏》作"苦"。
[2] **髓** 《品汇》作"体"。
[3] **坚** 傅本《新修》、罗本《新修》脱，据《千金翼》《证类》补。
[4] **不饥** 森本考异云："《谷类钞》无此文"。
[5] **巨** 傅本《新修》、罗本《新修》作"臣"，据《千金翼》《证类》改。

128 忍冬

味甘，温，无毒。主治寒热身肿。久服轻身，长年益寿。十二月采，阴干[1]。

今处处皆有，似藤生，凌[2]冬不凋，故名忍冬。人惟取煮汁以酿酒，补虚治风。《仙经》少用。此既长年益寿，甚可常采服。凡易得之草，而人多不肯为之。更求难得者，是贵远贱近，庸人之情乎?(《大观》卷7，《政和》页186)

【校注】

[1] **十二月采，阴干** 《本草经疏》无。

[2] **凌** 《大观》作"更"。

129 蒺藜子

味苦、辛，**温、微寒，无毒。主治恶血，破癥结**[1]**积聚，喉痹，乳难。**身体风痒，头痛，咳逆，伤肺，肺痿，止烦，下气。小儿头疮，痈肿，阴痨，可作摩粉。其叶，主风痒，可煮以浴。**久服长肌肉，明目，轻身。一名旁通，一名屈人，一名止行，一名豺羽**[2]**，一名升推**[3]**，一名即**[4]**蒺，一名茨。生冯翊平泽或道旁。**七月、八月采实，曝干。乌头为之使。

多生道上，而叶布地，子有刺，状如菱而小。长安最饶，人行多著木屐，以布敌路[5]，亦呼蒺藜。《易》云：据于蒺藜，言其凶伤。《诗》云：墙有茨，不可扫也。以刺梗秽也。方用甚稀尔。(《大观》卷7，《政和》页177)

【校注】

[1] **破癥结** 《图考长编》作"破癥瘕结"。

[2] **豺羽** 卢本、姜本作"休羽"。

[3] **推** 《御览》作"雅"。"推"字下，《御览》有"一名水香"。

[4] **即** 《大全》、成化《政和》、万历《政和》、商务《政和》作"蒺"。

[5] **路** 《图考长编》作"地"。

130 肉苁蓉[1]

味甘、酸、咸，**微温，无毒。主治五劳七伤，补中，除茎中寒热痛**[2]**，养五脏，强阴，益精气，多子，治妇人癥瘕**[3]**，除膀胱邪气，腰痛，止**[4]**痢。久服轻身。**生河西山谷及代郡雁门。五月五日采，阴干。

代郡雁门属并州，多马处便有，言是野马精落地所生。生时似肉，以作羊肉羹，补虚乏极佳，亦可生啖。芮芮河南间[5]至多。今第一出陇西，形扁广，柔润，多花而味甘。次出北国者，形短[6]而少花。巴东、建平间亦有，而不如也。(《大观》卷7，《政和》页179)

【校注】

[1] **苁蓉** 《医心方》《本草和名》、森本作"纵容"，孙本、问本、黄本、周本作"松容"。

[2] **痛** 《御览》无。

[3] **痕** 《永乐大典》卷540"肉苁蓉"条无。

[4] **止** 万历《政和》误作"上"。

[5] **间** 《永乐大典》卷540"肉苁蓉"条作"涧"。

[6] **短** 《图考长编》作"似"。

131 白英[1]

味甘，寒，无毒。主治寒热，八疸[2]，消渴，补中益气。久服轻身，延年[3]。一名谷[4]菜，一名白草。生益州山谷。春采叶，夏采茎，秋采花，冬采根。

诸方药不用。此乃有薪菜，生水中，人蒸食之。此乃生山谷，当非是。又有白草，叶作羹饮，甚治劳，而不用根、华[5]。益州乃有苦菜，土人专食之，皆充健无病，疑或是此。（《大观》卷6，《政和》页165）

【校注】

[1] **白英** 《本草和名》《医心方》、森本作"白莫"。古抄本"英""莫"形近易误，日本抄本多作"白莫"，中国本草文献多作"白英"。《御览》作"燊菜"。又本条全文，成化《政和》、万历《政和》、商务《政和》、《品汇》均无《本经》《别录》标记。

[2] **疸** 人卫本《政和》作"疽"，《千金翼》《大观》、商务《政和》、森本、顾本作"疸"。

[3] **年** 黄本、问本作"季"。

[4] **谷** 《御览》作"燊"。

[5] **华** 《图考长编》无。

132 白蒿

味甘[1]，平，无毒。主治五脏邪气[2]，风寒湿痹，补中益气，长毛发令黑[3]，治心悬[4]，少食常饥。久服轻身，耳目聪明，不老。生中山川泽。二月采[5]。

蒿类甚多，而世中不闻呼白蒿者，方药家既不用，皆无复识之，所主治既殊佳[6]，应更加研访。服食七禽散云：白兔食之，仙。与前菴䕡子同法尔。（《大观》卷6，《政和》页166）

【校注】

[1] **甘** 《千金方·食治》作"苦"。

[2] **邪气** 《千金方·食治》无此2字。

[3] **令黑** 《千金方·食治》作"久食不死，白兔食之仙"。

[4] **悬** 孙本、问本、黄本、周本作"县"。

[5] **生中山川泽。二月采** 《千金翼》无此文；人卫本《政和》、商务《政和》作小字注文；柯《大观》、玄《大观》、《图经衍义》作大字正文。

[6] **佳** 《图考长编》作"自"。

133　茵陈蒿[1]

味苦，平[2]、微寒，无毒。主治风湿寒热邪气，热[3]结黄疸。 通身发黄，小便不利，除头热，去伏瘕。**久服轻身，益气，耐[4]老，面白悦长年[5]。** 白兔[6]食之，仙。生太山及丘陵坡[7]岸上。五月及立秋采，阴干。

今处处有，似蓬蒿而叶紧细。茎，冬不死，春又生。惟入治黄疸用。《仙经》云：白蒿，白兔食之，仙。而今茵陈乃云此，恐是误尔。（《大观》卷7，《政和》页188）

【校注】

[1] **茵陈蒿** 《御览》作"因尘"，无"蒿"字。

[2] **平** 《御览》无。

[3] **热** 《御览》无。

[4] **耐** 《御览》作"能"。

[5] **面白悦长年** 《本草经解》注为《本经》文。

[6] **兔** 《图经衍义》作"免"，误。

[7] **坡** 《千金翼》《大观》《图考长编》作"岅"。

134　漏芦

味苦、咸[1]，寒、大寒，无毒。主治皮肤热[2]，恶疮[3]，疽痔，湿痹，下乳汁。 止遗溺，热气疮痒如麻豆，可作浴汤。**久服轻身，益气，耳目聪明，不老延年[4]。** 一名野兰。生乔山山谷。八月采根，阴干。

乔山应是黄帝所葬处，乃在上郡。今出近道亦有，治诸瘘疥，此久服甚益人，而服食方罕用之。今市人皆取苗用之。世中取根，名鹿骊根，苦酒摩，以治疮疥。（《大观》卷7，《政和》页181）

【校注】

[1] **咸** 《政和》《图考长编》、孙本注为《本经》文，《大观》《本经续疏》注为《别录》文；森本、狩本、姜本、顾本不取"咸"字为《本经》文。

［2］**热**　其下，姜本有"毒"字。

［3］**疮**　孙本、问本、黄本、周本作"创"。

［4］**年**　黄本、问本作"季"。

135　茜根

味苦，寒，无毒。主治寒湿风痹，黄疸[1]，补中。止血，内崩，下血，膀胱不足，踒跌，蛊毒。久服益精气，轻身。可以染绛。一名地血，一名茹藘，一名茅蒐，一名蒨。**生乔山川谷。**二月、三月采根，暴干。畏鼠姑。

此则今染绛茜草也。东间诸处乃有而少，不如西多。今世道经方不甚服用。此当以其为治少而丰贱故也。《诗》云：茹藘在坂者是。（《大观》卷7，《政和》页184）

【校注】

［1］**疸**　孙本、问本、森本作"疽"。

136　旋花[1]

味甘，温，无毒。主益气，去面䵟黑色，媚好[2]。其根：味辛[3]，主治腹中寒热邪气，利小便。久服不饥，轻身[4]。一名筋根花[5]，一名金沸，一名美草。**生豫州平泽。**五月采，阴干。

东人呼为山姜，南人呼为美草，根似杜若，亦似高良姜。腹中冷痛，煮服甚效；作丸散服之，辟谷止饥。近有人从南还，遂用此术与人断谷，皆得半年百日不饥不瘦，但志浅嗜深，不能久服尔。其叶似姜，花赤色，殊[6]辛美，子状如豆蔻。此旋花之名，即是其花也，今山东甚多。（《大观》卷7，《政和》页185）

【校注】

［1］**花**　孙本、问本、周本、黄本作"华"。

［2］**媚好**　《御览》作"令人色悦泽"。

［3］**其根：味辛**　《御览》作"根"，无"其""味辛"3字。

［4］**利小便。久服不饥，轻身**　《草木典》注为《别录》文。"身"字下，以陈藏器《本草拾遗》文"续筋骨，合金疮"为《别录》文。

［5］**筋根花**　《御览》作"蔺根"，《本草和名》作"苭根"，《纲目》作"苭根"，孙本作"筋根华"。

［6］**殊**　《大观》作"味"。

137 蓝实

味苦，寒，无毒。主解诸毒，杀蛊蚑疰鬼螫毒。久服头不白，轻身。其叶汁，杀百药毒，解狼[1]毒、射罔毒。其茎叶，可以染青。**生河内平泽。**

此即今染缲碧所用者。至解毒，人卒不能得生蓝汁，乃浣[2]缲布汁以解之，亦善。以汁涂五心又止烦闷。尖叶者为胜，甚治蜂螫毒。（《大观》卷7，《政和》页173）

【校注】

[1] 狼 《大观》作"很"，误。

[2] 浣 商务《政和》、《图考长编》作"渍"。

138 景天

味苦、酸[1]，平，无毒。主治大热，火疮[2]，身热烦，邪恶气。诸蛊毒，痂疕，寒热风痹，诸不足。**花[3]：主治女人漏下赤白，轻身，明目[4]。**久服通神不老[5]。**一名戒火，一名火母[6]，一名救火，一名据火，一名慎火[7]。生太山川谷。**四月四日、七月七日采，阴干。

今人皆盆盛养之于屋上，云以辟火。叶可治金疮，止血，以洗浴小儿，去烦热惊气[8]。广州城外有一树，云大三四围，呼为[9]慎火树。江东者，甚细小。方用亦稀。其花入服食。众药之名，此最为丽。（《大观》卷7，《政和》页187）

【校注】

[1] 酸 《大观》《大全》作白字《本经》文，人卫本《政和》作墨字《别录》文。

[2] 疮 孙本、问本、黄本、周本作"创"。

[3] 花 孙本、问本、黄本、周本作"华"。

[4] 轻身，明目 《御览》作"明目，轻身"。

[5] 久服通神不老 《草木典》无。

[6] 火母 《御览》作"水母"。

[7] 一名慎火 《御览》无此文。

[8] 气 《大观》作"风"。

[9] 呼为 商务《政和》作"子为"，误。

139 天名精

味甘，寒，无毒。主治瘀血，血瘕欲死，下血，止血，利小便，除小虫，去

痹，除胸中结热，止烦渴[1]。逐水，大吐下。**久服轻身，耐老。一名麦句**[2]姜，一名蝦蟇蓝，一名豕首，一名天门精，一名玉[3]门精，一名彘颅，一名蟾蜍兰，一名觐，**生平原川泽**。五月采。垣衣为之使。

此即今人呼为豨莶，亦名豨首。夏月捣汁服之，以除热病。味至苦，而云甘，恐或非是。（《大观》卷7，《政和》页182）

【校注】

[1] **除小虫，去痹，除胸中结热，止烦渴** 成化《政和》、万历《政和》、商务《政和》、《图考长编》注为《别录》文，《大观》、人卫本《政和》、《品汇》、森本注为《本经》文，从《大观》为正。"渴"，人卫本《政和》作墨字《别录》文。

[2] **句** 姜本作"勾"。

[3] **玉** 《图经衍义》作"工"，误。

140 王不留行

味苦、甘，平[1]，无毒。**主治金疮，止血，逐痛，出刺，除风痹内寒**[2]。止心烦，鼻衄，痈疽，恶疮，瘘乳，妇人难产[3]。**久服轻身，耐老增寿**[4]。**生太山山谷**。二月、八月采。

今处处有。人言是蓼子，亦不尔。叶似酸浆，子似松子。而多入痈瘘方用之。（《大观》卷7，《政和》页191）

【校注】

[1] **平** 孙本、森本、顾本、卢本据《御览》注为《本经》文，《大观》、商务《政和》、人卫本《政和》作墨字《别录》文，从《大观》为正。

[2] **寒** 《本经疏证》作"塞"。"塞"字义长，因王不留行有活血化瘀功能。

[3] **难产** 《千金翼》倒置。

[4] **耐老增寿** 《御览》作"能老"。自"主治金疮"至"耐老增寿"，《草木典》注为《别录》文。

141 蒲黄

味甘，平，无毒。**主治心腹膀胱寒热，利小便，止血，消瘀血。久服轻身，益气力，延年**[1]，**神仙**。**生河东池泽**。四月采。

此即蒲釐花上黄粉也，伺其有，便拂取之，甚治血，《仙经》亦用此。（《大观》卷7，《政和》页180）

【校注】

［1］**年** 问本、黄本作"季"。

142 香蒲[1]

味甘，平，无毒。主治五脏心下邪气，口中烂臭，坚齿，明目，聪耳。久服轻身，耐[2]老。一名睢[3]，一名醮。生南海池泽。

方药不复用，世人无采，彼土人亦不复识者。江南贡菁茅，一名香茅，以供宗庙缩酒。或云是薰草，又云是燕麦，此蒲亦相类尔。（《大观》卷7，《政和》页180）

【校注】

［1］**蒲** 《医心方》作"蒱"。

［2］**耐** 《御览》作"能"。

［3］**一名睢** 《御览》作"一名睢蒲"。《图考长编》"香蒲"条，在《本经》栏下录此3字，在《别录》栏下亦录此3字。

143 兰草[1]

味辛，平，无毒。主利水道，杀蛊毒，辟不祥。除胸中痰癖。久服益气，轻身，不老，通神明。一名水香。生大[2]吴池泽。四月、五月采。

方药世人并不复识用。大吴即应是吴国尔，太[3]伯所居，故呼大吴。今东间[4]有煎泽草名[5]兰香，亦或是此也，生湿地。李云：是今人所种，似都梁香草。（《大观》卷7，《政和》页186）

【校注】

［1］**兰草** 《御览》倒置。

［2］**大** 《草木典》作"太"。下同。

［3］**太** 《大观》作"大"。

［4］**间** 《图考长编》作"门"。

［5］**名** 《本草和名》作"一名"。

144 蘼芜

味辛，温，无毒。主治咳逆，定惊气，辟邪恶，除蛊毒鬼疰，去三虫[1]。久服通神。主身中老风，头中久风，风眩。一名薇芜，一名茳[2]蓠，芎䓖苗也。生雍州川泽及宛朐[3]。四月、五月采叶，暴干。

今出历阳，处处亦有，人家多种之，叶似蛇床而香。骚人借以为譬，方药用甚稀。(《大观》卷7，《政和》页175)

【校注】

[1] **虫** 成化《政和》、万历《政和》、商务《政和》作"蛊"，《大观》、人卫本《政和》作"虫"，从《大观》为正。

[2] **茝** 商务《政和》作"茫"，《大观》作"苙"。

[3] **宛朐** 商务《政和》作"冤句"。

145 云实

味辛、苦，温[1]**，无毒。主治泄痢肠澼**[2]**，杀虫**[3]**蛊毒，去邪恶结气，止痛，除寒**[4]**热。消渴。花**[5]**：主见鬼精物，多食令人狂走。杀精物，下水，烧之致鬼。久服轻身，通神明，益寿**[6]**。一名员实，一名云英，一名天豆。生河间川谷。十月采，暴干。**

今处处有，子细如蓁荙子而小黑，其实亦类莨菪。烧之致鬼，未见其法术。(《大观》卷7，《政和》页190)

【校注】

[1] **温** 卢本、莫本作"平"。

[2] **肠澼** 《御览》作"胀癖"。

[3] **虫** 《千金翼》作"蛊"。

[4] **寒** 孙本无。

[5] **花** 孙本作"华"。

[6] **益寿** 《品汇》注为《本经》文。

146 徐长卿

味辛，温，无毒。主治鬼物百精，蛊毒，疫疾[1]**，邪恶气，温疟**[2]**。久服强悍，轻身，益气，延年。一名鬼督邮。生太山山谷及陇西，三月采。**

鬼督邮之名甚多。今世用徐长卿者，其根正如细辛，小短扁扁[3]尔，气亦相似。今狗脊散用鬼督邮，当取其强悍宜腰脚，所以知是徐长卿，而非鬼箭、赤箭。(《大观》卷7，《政和》页190)

【校注】

[1] **疫疾** 《御览》倒置。

[2] **疟** 《御览》作"鬼",成化《政和》、商务《政和》作"瘖"。

[3] **扁扁** 《大观》作"扁"。

147 姑活

味甘,温,无毒。主治大风邪气,湿痹寒痛。久服轻身,益寿耐[1]老。一名冬葵子。生河东川泽[2]。

方药亦无用[3]此者,乃有固活丸,即是野[4]葛一名尔。此又名冬葵子,非葵菜之冬葵子,治体乖[5]异。(《新修》页360,《大观》卷30,《政和》页545)

【校注】

[1] **耐** 傅本《新修》、罗本《新修》作"能",据《千金翼》《证类》改。

[2] **川泽** 《千金翼》《证类》《纲目》无。

[3] **亦无用** 傅本《新修》、罗本《新修》作"赤用无",据《证类》改。

[4] **野** 傅本《新修》、罗本《新修》作"冶",据《证类》改。

[5] **乖** 傅本《新修》、罗本《新修》作"未",据《证类》改。

148 屈草[1]

味苦,微寒,无毒[2]。主治胸胁下痛,邪气,肠间寒热[3],阴痹。久服轻身,益气耐老[4]。生汉中川泽。五月采。

方药不复用,世无识者也。(《新修》页365,《大观》卷30,《政和》页546)

【校注】

[1] **屈草** 《御览》作"屈草实根"。

[2] **微寒,无毒** 《大观》、人卫本《政和》、商务《政和》作墨字《别录》文,孙本不取此4字为《本经》文,森本、顾本、姜本取"微寒"2字为《本经》文,从《大观》为正。

[3] **肠间寒热** 《御览》作"腹间寒"。

[4] **益气耐老** 《御览》作"补益能老"。

149 翘根[1]

味甘,寒、平[2],有小毒。主治下热气,益阴精,令人面悦好,明目。久服轻身,耐[3]老。以作蒸饮酒病人。生嵩高平泽。二月、八月采。

方药不复用,世无识者也。(《新修》页363,《大观》卷30,《政和》页546)

【校注】

[1] **翘根** 本条，《纲目》并在"连翘"条下。

[2] **味甘，寒、平** "甘"，《御览》作"苦"。"平"，森本、顾本、王本不取"平"字为《本经》文。

[3] **耐** 傅本《新修》、罗本《新修》作"能"，据《证类》《千金翼》改。

150 牡荆实

味苦，温，无毒。主治除骨间寒[1]热，通利胃气，止咳逆[2]，下气。生河间南阳宛句山谷，或平寿、都乡高堤[3]岸上，牡荆生田野[4]。八月、九月采实，阴干。得术[5]、柏实、青葙共治头风，防风[6]为之使，恶石膏。

河间、宛句、平寿并在北，南阳在西，论蔓荆，即应是今作杖棰之荆，而复非见。其子殊细，正如小麻子，色青黄。荆子实小大如[7]此也。牡荆子乃[8]出北方，如乌豆大，正圆黑，仙术多用牡荆，今人都无识之者。李当之《药录》乃注溲[9]疏下云：溲[10]疏一名阳栌[11]，一名牡荆，一名空疏。皮白，中空，时有节。子似枸杞子，赤色，味甘、苦，冬月熟，世乃[12]无识者。当此实是真，非人篱垣[13]阳栌也。案如此说，溲疏主治与牡荆都不同，其形类乖异，恐乖实理。而仙方用牡荆，云能通神见鬼，非唯其实，乃枝叶并好。又云有[14]荆树，必枝枝[15]相对，此是牡荆，有不对者，即非[16]牡荆。既为父[17]，则不应有子。如此，并莫详虚实，须更博访，乃详之尔。

(《新修》页102，《大观》卷12，《政和》页302)

【校注】

[1] **寒** 傅本《新修》、罗本《新修》脱，据《证类》补。

[2] **逆** 傅本《新修》、罗本《新修》脱，据《证类》补。

[3] **堤** 《证类》《图考长编》无。

[4] **牡荆生田野** 《证类》《图考长编》作"及田野中"。

[5] **术** 傅本《新修》、罗本《新修》作"木"，据《证类》改。

[6] **风** 《草木典》作"己"。

[7] **如** 傅本《新修》、罗本《新修》脱，据《证类》补。

[8] **乃** 《证类》作"及"。

[9] **溲** 傅本《新修》、罗本《新修》作"搜"，据《证类》改。

[10] **溲** 傅本《新修》、罗本《新修》脱，据《证类》补。

[11] **栌** 《新修》作"胪"，据《大观》《政和》改。下同。

[12] **乃** 《证类》作"仍"。

[13] **垣** 傅本《新修》、罗本《新修》作"域"，据《证类》改。

[14] **云有** 傅本《新修》、罗本《新修》倒置，据《证类》改。

[15] **枝枝** 《证类》作"枝叶"。

[16] **非**　傅本《新修》、罗本《新修》作"是"，据《证类》改。

[17] **父**　《证类》作"牡"。

151　秦椒

味辛，温，生温熟寒，有毒。主治风邪气，温中，除寒痹，坚齿，长[1]**发，明目。**治喉痹，吐逆，疝瘕，去老血，产后余[2]疾，腹[3]痛，出汗，利五脏。**久服轻身，好颜**[4]**色，耐**[5]**老，增年，通神。生太山川谷及秦岭上，或琅琊。八月、九月采实。恶栝**[6]**楼、防葵，畏雌黄。**

今从西来，形似椒而大，色黄黑，味亦颇有椒气，或呼为大椒。又云：即今樗树子[7]，而樗子是楮[8]椒，恐谬[9]。（《新修》页135，《大观》卷13，《政和》页326）

【校注】

[1] **长**　《证类》《品汇》《图考长编》、孙本无此字。傅本《新修》、罗本《新修》有"长"字。

[2] **余**　傅本《新修》、罗本《新修》作"除"，据《证类》改。

[3] **腹**　玄《大观》作"肿"。

[4] **颜**　傅本《新修》、罗本《新修》脱，据《千金翼》《证类》补。

[5] **耐**　傅本《新修》、罗本《新修》作"能"，据《千金翼》《证类》改。

[6] **栝**　玄《大观》作"括"。

[7] **子**　《证类》无。

[8] **楮**　《证类》作"猪"。

[9] **谬**　《图考长编》作"误"。

152　蔓荆实

味苦、辛，微寒，平、温，无毒。主治筋骨间寒热，湿[1]**痹，拘挛，明目，坚齿，利九窍，去**[2]**白虫、长虫**[3]。主风头痛，脑鸣，目泪出。益气，**久服轻身，耐**[4]**老。令人光泽，脂致**[5]，长须发[6]。**小荆实亦等**[7]。**生益州**[8]。**恶乌头、石膏。**

小荆即应是牡荆，牡荆子大于蔓荆子而反呼为小荆，恐或以树形为言。复不知蔓荆树若高大尔。（《新修》页100，《大观》卷12，《政和》页303）

【校注】

[1] **湿**　孙本脱。

[2] **去**　《大全》作"云"，误。

　　[3] **虫**　傅本《新修》、罗本《新修》脱，据《证类》补。

　　[4] **耐**　傅本《新修》、罗本《新修》作"能"，据《千金翼》《证类》改。《图考长编》、孙本亦作"耐"。

　　[5] **令人光泽，脂缄**　"光"，傅本《新修》、罗本《新修》作"蕙"，《千金翼》作"润"，据《证类》改。"脂缄"，《千金翼》作"颜色"。

　　[6] **长须发**　《证类》《品汇》《图考长编》《本经续疏》无。

　　[7] **小荆实亦等**　《品汇》注为《别录》文。《图考长编》无此文。

　　[8] **生益州**　《证类》《品汇》《图考长编》《本经续疏》无。

153　女贞实[1]

　　味苦、甘，平，无毒。主治补中，安五[2]脏，养精神，除百疾[3]。久服肥健，轻身，不老。生武陵川[4]谷。立冬[5]采。

　　叶茂[6]盛，凌冬不凋，皮青[7]肉白，与秦皮为表里，其树以[8]冬生而可爱，诸处时有。《仙经》亦服食之，世方不复用，市人亦无识之者。（《新修》页104，《大观》卷12，《政和》页306）

【校注】

　　[1] **实**　《本草和名》《医心方》无。

　　[2] **五**　傅本《新修》、罗本《新修》脱，据《千金翼》《证类》补。

　　[3] **疾**　《纲目》、姜本、莫本作"病"。

　　[4] **川**　孙本、问本、周本、黄本作"山"。

　　[5] **冬**　傅本《新修》、罗本《新修》作"夏"，据《千金翼》《证类》改。女贞在冬月成熟，则于立冬时采较合理。

　　[6] **茂**　傅本《新修》、罗本《新修》作"茷"，据《证类》改。

　　[7] **青**　傅本《新修》、罗本《新修》脱，据《证类》补。

　　[8] **以**　傅本《新修》、罗本《新修》作"似"，据《证类》改。

154　桑上寄生

　　味苦、甘，平，无毒。主治腰痛，小儿背强，痈肿，安胎，充肌肤，坚发齿，长须眉。主金创[1]，去痹，女子崩中，内伤不足，产后余疾，下乳汁。其实[2]：明目，轻身，通神。一名寄屑，一名寓木，一名宛童[3]，一名茑[4]，生弘农川谷桑树[5]上。三月三日采茎、叶[6]，阴干。

　　桑上者，名桑上寄生尔。诗人云：施于松上。方家亦有用杨上、枫上者，则各随其树名之，形类犹是一般[7]，但根津所因处为异。法[8]生树枝间，寄根在枝[9]节之内，叶圆青赤，厚泽易折，傍自生枝节。冬夏生，四月华[10]白，五月实赤，大如小豆。今处处皆有，以出彭城为胜。世人呼皆[11]为续断用之。

案《本经》续断别在中品[12]药，所主治不同，岂只[13]是一物，市[14]人使混乱[15]无复能甄[16]识之者。服食方云[17]是桑檽，与此说又为[18]不同尔。（《新修》页104，《大观》卷12，《政和》页304）

【校注】

[1] 创　《证类》《品汇》《图考长编》作"疮"。

[2] 实　其下，《本草经疏》、徐本、莫本有"主"字。

[3] 一名宛童　人卫本《政和》、元大德《大观》、成化《政和》、商务《政和》作白字《本经》文，森本、孙本、问本、周本、顾本、黄本、狩本、《纲目》取为《本经》文。柯《大观》、玄《大观》、《大全》《图考长编》《本经续疏》注为《别录》文。从人卫本《政和》为正。

[4] 茑　傅本《新修》、罗本《新修》作"葛"，据《千金翼》《本草和名》《证类》改。

[5] 树　《千金翼》脱。

[6] 叶　《本经续疏》无。

[7] 般　傅本《新修》、罗本《新修》脱，据《证类》补。

[8] 法　《图考长编》作"注"。

[9] 枝　《证类》作"皮"。

[10] 华　《证类》《图考长编》作"花"。

[11] 人呼皆　《证类》《图考长编》脱"人""皆"2字。

[12] 在中品　《新修》脱"在"字，据《证类》补。"中品"，《证类》《纲目》作"上品"。

[13] 只　《新修》作"客"，据《证类》改。

[14] 市　《新修》作"布"，据《证类》改。

[15] 使混乱　《证类》作"混杂"。

[16] 甄　《证类》脱。

[17] 云　《证类》脱。

[18] 为　《证类》脱。

155　蕤核

味甘，温、微寒，无毒。主治心腹邪结气[1]**，明目，目痛赤伤**[2]**泪出。**治目肿眥烂[3]，鼽鼻[4]，破心下结淡[5]痞气。**久服轻身，益气**[6]**，不肌。**生函谷川谷及巴西。七月采实[7]。

今从北方来，云出彭城间，形如乌豆大，圆而扁，有文理，状似胡桃桃核[8]，今人皆合壳用为分两，此乃应破取人秒[9]之。医方唯以治眼，《仙经》以合守中丸也。（《新修》页106，《大观》卷12，《政和》页306）

【校注】

[1] 邪结气　《纲目》、卢本、姜本作"邪热结气"；孙本、问本、周本、黄本作"邪气"。

［2］**目痛赤伤** 《千金翼》《证类》《品汇》《图考长编》《本草经疏》作"目赤痛伤"。傅本《新修》、罗本《新修》、森本作"目痛赤伤"，《御览》脱"目"字。从《新修》为正。

［3］**目肿眥烂** 《纲目》《草木典》注为《本经》文。

［4］**齆鼻** 《纲目》《草木典》在"痞气"之后。"齆"，《新修》作"齎"，据《千金翼》《证类》改。

［5］**淡** 《证类》作"痰"。

［6］**益气** 《本草经疏》作"耐老"。

［7］**七月采实** 《证类》无。

［8］**似胡桃桃核** 傅本《新修》、罗本《新修》作"形胡桃"，据《证类》改。

［9］**秤** 傅本《新修》、罗本《新修》作"禅"，据《证类》改。

156 沉香、薫陆香、鸡舌香、藿香、詹糖香、枫香[1]

并微温。悉治风水毒肿，去恶气。薫陆、詹糖去伏尸。鸡舌、藿香治霍乱、心痛。枫香治风瘾疹痒毒。

此六种香[2]皆合香家要用，不正复[3]入药，唯治恶核毒肿，道方颇有用处。詹糖出晋安岭州。上真淳泽[4]者难得，多以其皮及柘[5]虫屎杂之，唯轻[6]者为佳，其余无甚真伪[7]，而有精麁尔。外国用波津香明目。白檀消风肿。其青木香别在上品[8]。（《新修》页108，《大观》卷12，《政和》页307）

【校注】

［1］**沉香……枫香** 《证类》分作6条述之。

［2］**六种香** 《证类》无。

［3］**复** 《证类》无。

［4］**泽** 《证类》无。

［5］**柘** 《证类》作"蠹"。

［6］**轻** 《证类》作"软"。

［7］**其余无甚真伪** 《证类》作"余香无真伪"。

［8］**外国用波津香……别在上品** 《证类》脱。

157 辛夷

味辛[1]，温，无毒。主治五脏身体寒风[2]，风头[3]脑痛，面黚。温中，解肌，利九窍，通鼻塞[4]涕出。治面肿引[5]齿痛，眩冒[6]，身洋洋[7]如在车船之上者。生须发，去白虫。**久服下气，轻身，明目，增年耐老[8]。**可作膏药，用之去中[9]心及外毛，毛射人肺，令人咳。一名辛矧[10]一名侯[11]桃，一名房木。生汉中川谷。九月采实，暴干。芎䓖为之使，恶五石脂，畏昌蒲、蒲黄[12]、黄连、石膏、黄环。

今出丹阳近道，形如桃子，小时气辛香，即《离骚》所呼辛夷者也。（《新修》页111，《大观》卷12，《政和》页303）

【校注】

[1] **辛** 《图考长编》脱。

[2] **风** 《证类》作"热"，傅本《新修》、罗本《新修》、森本、《医心方》卷30俱作"风"。

[3] **风头** 《纲目》《图考长编》倒置。

[4] **塞** 傅本《新修》、罗本《新修》作"寒"，据《证类》改。

[5] **引** 傅本《新修》、罗本《新修》作"弘"，据《证类》改。

[6] **冒** 傅本《新修》、罗本《新修》作"胃"，据《证类》改。

[7] **洋洋** 《证类》《品汇》《图考长编》《本草经疏》《本经续疏》作"兀兀"。

[8] **增年耐老** "年"，黄本、问本作"季"。"耐"，傅本《新修》、罗本《新修》作"能"，据《千金翼》《证类》改。《纲目》《品汇》《图考长编》亦作"耐"。

[9] **中** 《证类》无。

[10] **翅** 《御览》作"引"，《图考长编》作"雉"。

[11] **侯** 傅本《新修》、罗本《新修》作"喉"，据《千金翼》《证类》改。

[12] **蒲黄** 傅本《新修》、罗本《新修》脱，据《证类》补。

158 榆皮

味甘，平，无毒。主治大小便不通，利水道，除邪气，肠胃邪热气，消肿。性滑利。**久服轻身，不饥，其实尤良。**治小儿头疮疕[1]。华：主小[2]儿痫，小便不利，伤热。**一名零榆。生**颍川**山谷**。二月采皮，取白暴干。八月采实，并勿令中湿，湿则[3]伤人。

此即今榆树尔，剥取皮，刮除上赤皮[4]，亦可临时用之。性至滑利，初生叶[5]，人以作糜羹辈[6]，令人睡眠[7]。稽公所谓：榆，令人眠[8]也。断谷乃屑其皮，并檀皮服之，即所谓不饥者也[9]。（《新修》页114，《大观》卷12，《政和》页298）

【校注】

[1] **疕** 《千金翼》卷3、《证类》作"痂疕"，傅本《新修》、罗本《新修》、《医心方》卷30作"疕"，俱无"痂"字。

[2] **华：主小** "华"，《大全》《本经续疏》作"花"。《本经续疏》脱"小"字。

[3] **湿则** 《本经续疏》作"中湿"。

[4] **皮** 傅本《新修》、罗本《新修》脱，据《证类》补。

［5］ **叶** 《纲目》《图考长编》作"荚仁"，《证类》作"荚"。

［6］ **辈** 《证类》无。

［7］ **令人睡眠** "令"，傅本《新修》、罗本《新修》作"今"，据《证类》改。"睡眠"，《证类》作"多睡"。

［8］ **眠** 《大观》《政和》作"瞑"，傅本《新修》、罗本《新修》作"眠"。从《新修》为正。

［9］ **所谓不饥者也** 《证类》作"令人不饥"。

草木中品　卷第四

159	当归	160	防风	161	秦艽
162	黄耆	163	吴茱萸	164	黄芩
165	黄连	166	五味子	167	决明子
168	芍药	169	桔梗	170	芎䓖
171	藁本	172	麻黄	173	葛根
174	前胡	175	知母	176	大青
177	贝母	178	栝楼根	179	丹参
180	厚朴	181	竹叶	182	玄参
183	沙参	184	苦参	185	续断
186	枳实	187	山茱萸	188	桑根白皮
189	松萝	190	白棘	191	棘刺花
192	狗脊	193	萆薢	194	菝葜
195	石韦	196	通草	197	瞿麦
198	败酱	199	秦皮	200	白芷
201	杜衡	202	杜若	203	蘖木
204	木兰	205	白薇	206	枲耳实
207	茅根	208	百合	209	酸浆
210	淫羊藿	211	蠡实	212	枝子
213	槟榔	214	合欢	215	卫矛
216	紫葳	217	芜荑	218	紫草
219	紫菀	220	白鲜	221	白兔藿
222	营实	223	薇衔	224	井中苔及萍
225	王孙	226	爵床	227	白前
228	百部根	229	王瓜	230	荠苨
231	高良姜	232	马先蒿	233	蜀羊泉
234	积雪草	235	恶实	236	莎草根
237	大、小蓟根	238	垣衣	239	艾叶
240	牡蒿	241	假苏	242	水萍
243	海藻	244	昆布	245	荭草
246	陟厘	247	薰草	248	干姜
249	五色符				

159　当归

味甘、辛，温、大温，无毒。主治咳[1]**逆上气，温疟寒热洗洗**[2]**在皮肤中，妇人漏下、绝子，诸恶疮**[3]**疡，金疮，煮**[4]**饮之。**温中止痛，除客血内塞，中风痉，汗不出，湿痹，中恶，客气虚冷，补五脏，生肌肉。**一名干归。生陇西川谷。**二月、八月采根，阴干。恶䕡[5]茹，畏[6]昌蒲、海藻、牡蒙。

今陇西叨[7]阳、黑水当归，多肉少枝气香，名马尾当归，稍难[8]得。西川北部当归，多根枝而细[9]。历阳所出，色白而气味薄[10]，不相似，呼为[11]草当归，阙少时乃用之。方家有云真当归，正谓[12]此，有好恶故也。世用甚多，道方时须尔。（《大观》卷8，《政和》页199）

【校注】

[1] 咳　《御览》无。

[2] 洗洗　《大全》《大观》、成化《政和》、万历《政和》、商务《政和》、孙本仅一"洗"字。

[3] 疮　孙本、黄本、问本、周本作"创"。

[4] 煮　其下，姜本、《本草经解》有"汁"字。森本考异引《弘决外典钞》亦有"汁"字。

[5] 䕡　玄《大观》作"蔄"，《图经衍义》作"简"，误。

[6] 畏　玄《大观》误作"田氏"。

[7] 叨　《大观》《图经衍义》作"四"。疑"叨"即"洮"之讹。"洮阳"，在今甘肃临潭。

[8] 难　《大观》作"艰"。

[9] 细　《大观》作"小"。

[10] 薄　《大观》作"短"。

[11] 为　《大观》作"曰"。

[12] 谓　《大观》作"言"。

160 防风

味甘、辛，温，无毒[1]。**主治大风，头眩痛，恶风，风邪，目盲无所见，风行周身，骨节疼痹**[2]**，烦满**[3]。胁痛胁[4]风，头面去来，四肢挛急，字乳金疮内痉[5]。**久服轻身**。叶：主中风热汗出。**一名铜芸**[6]，一名茴草[7]，一名百枝，一名屏风，一名蕳[8]根，一名百蜚。**生沙苑川泽**及邯郸、琅琊、上蔡。二月、十月采根，暴干。得泽泻、藁本治风，得当归、芍药、阳起石、禹余粮治妇人子脏风，杀附子毒，恶[9]干姜、藜芦、白敛、芫花。

郡县无名沙苑。今第一出彭城、兰陵，即近琅琊者。郁州互市亦得之。次出襄阳、义阳县界，亦可用，即近上蔡者。唯实而脂润，头节坚如蚯蚓头者为好。世用治风最要，道方时用。（《大观》卷7，《政和》页179）

【校注】

[1] **无毒**　孙本注为《本经》文。

[2] **痹**　《御览》、姜本、《本草经解》、徐本作"痛"。

[3] **烦满**　《草木典》注为《别录》文。《本草经解》脱此2字。

[4] **胁**　《纲目》《草木典》无。

[5] **痉**　《图经衍义》作"茎"，误。

[6] **一名铜芸**　《本经疏证》注为《别录》文。

[7] **茴草**　《本草和名》作"因草"。

[8] **蕳**　《图经衍义》作"简"，误。

[9] **恶**　《医心方》作"不欲"。

161 秦艽[1]

味苦、辛，平、微温，无毒。主治寒热邪气，寒湿风痹，肢[2]**节痛，下水，利小便**。治风无问久新[3]，通身挛急。**生飞乌山谷**。二月、八月采根，暴干。昌蒲为之使。

飞乌或是地名，今出甘松、龙洞、蚕陵，长大黄白色为佳。根皆作罗文相交，中多衔土，用之熟破除去。方家多作秦胶字，与独活治风常用，道家不须尔。（《大观》卷8，《政和》页203）

【校注】

[1] **艽**　《千金翼》作"胶"。

[2] **肢**　《图经衍义》作"枝"，误。

[3] **久新**　《图经衍义》倒置。

162　黄耆

味甘，微温，无毒[1]。**主治痈疽，久败疮**[2]，**排脓止痛，大风癞疾，五痔鼠瘘，补虚，小儿百病**。妇人子脏风邪气，逐五脏间恶血，补丈夫虚损，五劳羸瘦，止渴，腹痛泄利，益气，利阴气。生白水者冷，补。其茎、叶治渴及筋挛，痈肿，疽疮。**一名戴糁，一名戴椹**，一名独椹，一名芝[3]草，一名蜀脂，一名百本。**生蜀郡山谷**、白水、汉中。二月、十月采，阴干。恶龟甲。

第一出陇西、洮[4]阳，色黄白甜美，今亦难得。次用黑水宕昌者，色白肌肤麁，新者，亦甘温补；又有蚕陵、白水者，色理胜蜀中者而冷补；又有赤色者，可作膏贴用，消痈肿，世方多用，道家不须。(《大观》卷7，《政和》页178)

【校注】

[1] **无毒**　《纲目》注为《本经》文。

[2] **疮**　孙本、问本、周本、黄本作"创"。

[3] **芝**　《本草和名》作"艾"，《本经疏证》作"芰"。

[4] **洮**　《政和》作"叨"。

163　吴[1]茱萸

味辛，温、大热，有小毒。主温中下气，止痛，咳逆，寒热，除湿血痹，逐风邪，开腠理。去淡[2]冷，腹内绞痛，诸冷实[3]不消，中恶，心腹痛，逆气，利五脏。**根：杀三虫**[4]。根白皮：杀蛲虫，治[5]喉痹咳逆，止泄注[6]，食不消，女子经产余血。治白癣。**一名藙。生上谷川谷**[7]及宛朐。九月九日采，阴干。蓼[8]实为之使，恶丹参、消石、白垩[9]，畏紫石英。

此即今食茱萸[10]。《礼记》亦[11]名藙，而世中呼为藙[12]子，当是不识藙字，藙字似藙字，仍以相传。其根南行、东行者为胜。道家去三尸方亦用之。(《新修》页131，《大观》卷13，《政和》页318)

【校注】

[1] **吴**　《御览》、姜本无。

[2] **淡**　《证类》作"痰"。

[3] **实**　《品汇》《图考长编》作"食"。

［4］ **杀三虫** "杀"，《御览》作"去"。"虫"字下，《御览》有"久服轻身"4字。

［5］ **治** 《新修》作"疗"，据《千金翼》《证类》改。

［6］ **注** 《大观》作"泄"。

［7］ **谷川谷** 成化《政和》、商务《政和》作"谷川"，《大全》作"谷用"。"川"，孙本作"山"。

［8］ **蓡** 万历《政和》、《本经疏证》作"参"。

［9］ **石、白垩** 《大全》作"五句恶"，误。

［10］ **此即今食茱萸** 《证类》无此文。

［11］ **亦** 《证类》无。

［12］ **薂** 《新修》作"莜"，据《证类》改。

164　黄芩

味苦，平、大寒，无毒。主治诸热，黄疸[1]，**肠澼泄痢，逐水，下血闭**[2]，**恶疮，疽**[3]**蚀，火伤。**治痰热，胃中热，小腹绞痛[4]，消谷，利小肠，女子血闭、淋露、下血，小儿腹痛。**一名腐肠**[5]，一名空肠，一名内虚，一名黄文[6]，一名经芩，一名妒妇。其子：主肠澼脓血。**生秭**[7]归川谷及冤句。三月三日采根，阴干。得厚朴、黄连止腹痛。得五味子、牡蒙、牡蛎，令人有子。得黄耆、白敛、赤小豆治鼠瘘。山茱萸、龙骨为之使，恶葱实，畏丹参[8]、牡丹、藜芦。

秭归属建平郡。今第一出彭城，郁州亦有之。圆者名子芩为胜。破者名宿芩，其腹中皆烂，故名腐肠，惟取深色坚实者为好。世方多用，道家不须。（《大观》卷8，《政和》页207）

【校注】

［1］ **诸热，黄疸** "热"，《图经衍义》作"疾"。"疸"，玄《大观》作"疸"。

［2］ **逐水，下血闭** "逐"，《图经衍义》作"月"。"闭"，森本考异云："《长生疗养方》脱此字。"

［3］ **疽** 《图考长编》作"疸"。

［4］ **绞痛** 《图经衍义》作"涩痛"。

［5］ **肠** 《本草和名》、森本作"腹"。

［6］ **文** 《本草和名》作"久"。

［7］ **秭** 《千金翼》作"秭"。

［8］ **参** 《证类》作"沙"，《集注》作"参"。从《集注》为正。

165　黄连

味苦，寒、微寒，无[1]**毒。主治热气，目痛，眥伤泪**[2]**出，明目，肠澼，腹痛，下痢，妇人阴中肿痛。**五脏冷热，久下泄澼脓血，止消[3]渴，大惊，除水，利骨，调胃，厚肠，益胆，治口疮。**久服令人不忘。一名王连。生**巫阳**川谷**及蜀郡太山[4]。二月、八月采。黄芩、龙骨、理石[5]为之使，恶菊花、芫花、玄参、白鲜，畏款冬，胜乌头，解巴豆毒。

巫阳在建平。今西间者色浅而虚，不及东阳、新安诸县最胜。临海诸县者不佳。用之当布裹挼去毛，令如连珠。世方多治下痢及渴，道方服食长生。（《大观》卷7，《政和》页175）

【校注】

[1] **无** 《图经衍义》作"供"，误。

[2] **泪** 人卫本《政和》、商务《政和》、成化《政和》作"泣"；《图经衍义》作"此"；《千金翼》《本草经疏》《本草经解》、徐本作"泪"。从《千金翼》为正。

[3] **消** 《图经衍义》作"烦"。

[4] **山** 其下，《草木典》有"之阳"2字。

[5] **理石** 《医心方》无。

166 五味子[1]

味酸，温，无毒。主益气，咳逆上气，劳伤羸瘦，补不足，强阴，益男子精。养五脏，除热，生阴中肌。一名会及[2]，一名玄[3]及。**生**齐山**山谷**及代郡。八月采实，阴干。苁蓉为之使，恶葳蕤，胜乌头。

今第一出高丽，多肉而酸、甜，次出青州、冀州，味过酸，其核并似猪肾。又有建平者，少肉，核形不相似，味苦，亦良。此药多膏润[4]，烈日暴之，乃可捣筛。道方亦须用。（《大观》卷7，《政和》页185）

【校注】

[1] **子** 《医心方》《本草和名》、森本、《和名类聚钞》无。

[2] **会及** 《御览》卷990"五味子"条引《本经》有此文。但《证类》作墨字《别录》文。

[3] **玄** 《图考长编》《草木典》作"元"，此因避清康熙皇帝玄烨讳而改。

[4] **润** 《图考长编》作"味"。

167 决明子[1]

味咸、苦、甘，平、微寒，无毒。主治青盲，目淫[2]**肤，赤白膜，眼赤痛**[3]**泪出。治唇口青。久服益精**[4]**光，轻身。生**龙门**川泽，石决明生豫章。十月十日采，阴干百日。著实为之使，恶大麻子。

龙门乃在长安北。今处处有。叶如茳芒[5]，子形似马蹄，呼为马蹄决明。用之当捣碎。又别有

草决明[6]，是萋蒿子，在下品中也。（《大观》卷7，《政和》页183）

【校注】

[1] **子** 《医心方》《本草和名》无。

[2] **盲，目淫** "盲"，玄《大观》作"音"。"淫"，万历《政和》作"涩"。

[3] **赤痛** "赤"，玄《大观》作"土"。《纲目》、姜本无"痛"字。

[4] **精** 《图经衍义》作"绩"，误。

[5] **芒** 《大观》作"芏"，人卫本《政和》引陈藏器文亦作"芏"。其他各本作"芒"。

[6] **草决明** 《御览》引《本草经》曰："草决明，理目珠精"。

168 芍药

味苦、酸，平[1]**、微寒，有小毒。主治邪气腹痛，除血痹，破坚积，寒热，疝**[2]**瘕，止痛，利小便，益气。**通顺血脉，缓中，散恶血，逐贼血，去水气，利膀胱大小肠，消痈肿，时行寒热，中恶，腹痛，腰痛。一名白术[3]，一名余容，一名犁食，一名解仓[4]，一名铤[5]。**生中岳**[6]**川谷及丘陵。**二月、八月采根，暴干。须[7]丸为之使，恶石斛、芒消，畏消石、鳖甲、小[8]蓟，反藜芦。

今出白山、蒋山、茅山最好，白而长大，余处亦有而多赤，赤者小利。世方以止痛，乃不减当归。道家亦服食之，又煮石用之。（《大观》卷8，《政和》页201）

【校注】

[1] **平** 《御览》作"辛"。《大观》《本经疏证》注为《本经》文，人卫本《政和》、商务《政和》、《图考长编》注为《别录》文。从《大观》为正。

[2] **疝** 《御览》无。

[3] **术** 成化《政和》、商务《政和》、人卫本《政和》、《大观》作"木"。《千金翼》卷2、万历《政和》、《图经衍义》《图考长编》、《太平御览》卷990引《吴普本草》《本经疏证》作"术"。从《千金翼》为正。

[4] **仓** 《本草和名》作"食"。

[5] **铤** 《图考长编》作"铤"。

[6] **岳** 《图经衍义》作"嶽"。

[7] **须** 《千金方》《本经疏证》作"雷"。

[8] **小** 《医心方》作"山"。

169 桔梗

味辛、苦，微温，有小毒。主治胸胁[1]**痛如刀刺，腹满，肠鸣幽幽**[2]**，惊恐**

悸气[3]。利五脏肠胃，补血气，除寒热风痹，温中消[4]谷，治喉咽痛，下蛊毒。一名利如，一名房图，一名白药，一名梗草[5]，一名荠苨[6]。**生嵩高山谷及冤句**。二、八[7]月采根，暴干。节皮为之使。得牡蛎、远志治恚怒，得消石、石膏治伤寒。畏白及、龙眼[8]、龙胆。

近道处处有，叶名隐忍。二三月生，可煮食之。桔梗治蛊毒甚验。世方用此，乃名荠苨。今别有荠苨，能解药毒，所谓乱人参者便是，非此桔梗，而叶甚相似。但荠苨叶下光明、滑泽、无毛为异，叶生又不如人参相对者尔。（《大观》卷10，《政和》页249）

【校注】

［1］**胁** 《品汇》作"膈"。

［2］**幽幽** 《御览》无。

［3］**惊恐悸气** 《御览》作"惊悸"。

［4］**消** 玄《大观》脱。

［5］**梗草** 《本草和名》作"便草"。

［6］**荠苨** 《纲目》注为《本经》文。

［7］**八** 《大观》《纲目》《草木典》脱。

［8］**龙眼** 《图考长编》作"猪肉"。

170　芎䓖

味辛，温，无毒。主治中风入脑头[1]痛，寒痹，筋[2]挛缓急，金疮[3]，妇人血闭无子。除脑中冷动，面上游风去来，目泪出，多涕唾，忽忽如醉，诸寒冷气，心腹坚痛，中恶，卒急肿痛，胁风痛[4]，温中内寒。一名胡䓖，一名香果。其叶名蘼芜。**生武功川谷、斜谷西岭。**三月、四月采根，暴干。得细辛治金疮止痛，得牡蛎治头风[5]吐逆，白芷为之使，恶[6]黄连。

今惟出历阳，节大茎细，状如马衔，谓之马衔芎䓖。蜀中亦有而细，人患齿根血出者，含之多差。苗名蘼芜，亦入药，别在下说。世方多用，道家时须尔。胡居士云：武功去长安二百里，正长安西，与扶风、狄道相近。斜谷是长安西岭下，去长安一百八十里，山连接七百里。（《大观》卷7，《政和》页174）

【校注】

［1］**脑头** 《御览》倒置。

［2］**筋** 森本脱。

［3］**疮** 孙本、问本、黄本、周本作"创"。

［4］**胁风痛**　《图考长编》无。

［5］**头风**　《大观》倒置。

［6］**恶**　《纲目》《草木典》作"畏"。

171　藁本

味辛、苦，温、微温、微寒，无毒。主治妇人疝瘕，阴中寒肿痛，腹中急，除风头痛，长肌肤，悦[1]**颜色。**辟雾露润[2]泽，治风邪軃曳，金疮，可作沐药面脂。实主风流四肢。**一名鬼卿，一名地新，**一名微茎。**生崇山山谷。**正月、二月采根[3]，暴干，三十日成。恶䕡茹。

世中皆用芎䓖根须，其形气乃相类。而《桐君药录》说芎䓖苗似藁本，论说花、实皆不同，所生处又异。今东山别有藁本，形气甚相似，惟长大尔。（《大观》卷8，《政和》页212）

【校注】

［1］**悦**　孙本、问本、周本作"说"。

［2］**润**　《图经衍义》作"阔"，误。

［3］**根**　《千金翼》作"干"。

172　麻黄

味苦，温、微温，无毒。主治中风伤寒头痛，温疟[1]**，发表出汗，去邪热**[2]**气，止咳逆上气，除寒热，破癥**[3]**坚积聚。**五脏邪气缓急，风胁痛，字乳余疾，止好唾，通腠理，疏伤寒头疼[4]，解肌，泄邪恶气，消赤黑斑毒。不可多服，令人虚。**一名卑相，一名龙沙，**一名卑盐。**生晋地及河东川谷**[5]。立秋采茎，阴干令青。厚朴为之使，恶辛夷、石韦。

今出青州、彭城、荥阳、中牟者为胜，色青而多沫。蜀中亦有，不好。用之折除节，节止汗故也。先煮一两沸，去上沫，沫令人烦。其根亦止汗。夏月杂粉用之。世用治伤寒，解肌第一。（《大观》卷8，《政和》页199）

【校注】

［1］**疟**　《大全》作"瘖"。

［2］**邪热**　《御览》倒置。

［3］**癥**　《御览》无。

［4］**疏伤寒头疼**　《纲目》《草木典》脱此文。"疼"，《图考长编》作"痛"。

［5］**生晋地及河东川谷**　"川谷"，《证类》脱此2字，据《御览》补。另，森本有此文。

173 葛根

味甘[1]**，平，无毒。主治消渴，身大热，呕吐，诸痹**[2]**，起阴气，解诸**[3] **毒。**治伤寒中风头痛，解肌发表出汗，开腠理，治金疮，止痛[4]，胁风痛。生根汁，大寒，治消渴[5]，伤寒壮热。**葛谷：主治下痢十岁已上。**白葛，烧以粉疮，止痛断血[6]。叶：主金疮，止血。花：主消酒[7]。**一名鸡齐根，一名鹿藿，一名黄斤。生汶山川谷。**五月采根，暴干。杀野葛、巴豆、百药毒。

即今之葛根，人皆蒸食之。当取入土深大者，破而日干之。生者捣取汁饮之，解温病发热。其花并小豆花干末，服方寸匕，饮酒不知醉。南康、庐陵间最胜，多肉而少筋，甘美。但为药用之，不及此间尔。五月五日日中时，取葛根为屑，治金疮断血为要药，亦治疟及疮，至良。（《大观》卷8，《政和》页196）

【校注】

[1] **甘** 其下，《纲目》、姜本有"辛"字。
[2] **痹** 《图经衍义》作"痒"。
[3] **诸** 《御览》无。
[4] **痛** 《纲目》《草木典》无。
[5] **消渴** 《图经衍义》作"烦渴"。
[6] **白葛，烧以粉疮，止痛断血** 《证类》脱，《纲目》亦脱，据《千金翼》补。
[7] **酒** 《本经疏证》作"渴"。

174 前胡

味苦，微寒，无毒。主治痰满，胸胁中痞[1]，心腹结气，风头痛，去痰实[2]，下气。治伤寒寒[3]热，推陈致新，明目益精。二月、八月采根，暴干。半夏为之使，恶皂荚，畏藜芦。

前胡似茈胡而柔软，为治殆欲同。而《本经》上品有茈胡而无此。晚来医乃用之，亦有畏恶，明畏恶非尽出《本经》也。此近道皆有，生下湿地，出吴兴者为胜。（《大观》卷8，《政和》页210）

【校注】

[1] **痞** 《大观》作"疣"，误。
[2] **实** 《纲目》《草木典》无。
[3] **寒寒** 《品汇》仅1个"寒"字。

175 知母

味苦，寒，无毒。主治消渴，热中，除邪气，肢体浮肿，下水，补不足，益气。治伤寒久疟烦热，胁下邪气，膈中恶[1]，及风汗内疸[2]。多服令人泄。**一名蚔母，一名连母，一名野蓼[3]，一名地参，一名水参，一名水浚[4]，一名货母，**一名蜠母，一名女雷，一名女理，一名儿草，一名鹿列，一名韭逢，一名儿踵草，一名东[5]根，一名水须，一名沈燔。一名薪，一名昌支。**生河内川谷。**二月、八月采根，暴干。

今出彭城。形似昌蒲而柔润，叶至难死，掘出随生，须枯燥乃止。甚治热结，亦主疟热烦也。（《大观》卷8，《政和》页205）

【校注】

[1] 恶 其下，《图考长编》有"心"字。

[2] 疸 《草木典》作"疽"。

[3] 野蓼 《纲目》注为《别录》文。

[4] 浚 万历《政和》、《本经疏证》作"浮"。

[5] 东 《本草和名》作"两木"。

176 大青

味苦，大寒，无毒。主治时气头痛，大热口疮。三月[1]、四月采茎，阴干。

治伤寒方多用此，《本经》又无。今出东境及近道，长尺许，紫茎。除时行热毒，为良。（《大观》卷8，《政和》页214）

【校注】

[1] 月 《证类》《纲目》皆脱，据《千金翼》补。

177 贝母

味辛、苦，平、微寒，无毒[1]。主治伤寒烦热，淋沥邪气，疝瘕，喉痹，乳难，金疮，风痉。治腹中结实，心下满，洗洗恶风寒，目眩项直，咳嗽上气，止烦热渴，出汗，安五脏，利骨髓。**一名空草[2]，**一名药实，一名苦花[3]，一名苦菜，一名商草，一名勒[4]母。生晋地。十月采根，暴干。厚朴、白薇为之使，恶桃花，畏秦椒[5]、礜石、莽草，反[6]乌头。

今出近道。形似聚贝子，故名贝母。断谷服之不饥。（《大观》卷8，《政和》页205）

【校注】

［1］**无毒**　成化《政和》、万历《政和》、商务《政和》、《本经疏证》注为《本经》文，《大观》《大全》、人卫本《政和》、孙本注为《别录》文，从《大观》为正。

［2］**空草**　《纲目》注为《别录》文。

［3］**花**　《本草和名》作"华"。

［4］**勒**　《证类》《纲目》《图考长编》作"勤"，《本草和名》《千金翼》《图经衍义》作"勒"，从《本草和名》为正。

［5］**椒**　《证类》作"芃"。

［6］**反**　《草木典》作"及"。

178　栝楼根[1]

味苦，寒，无毒。主治消渴，身热，烦满，大热，补虚，安中，续绝伤[2]。 除肠胃中痼热，八疸[3]身面黄，唇干口燥，短气，通月水，止小便利[4]。**一名地楼**，一名果赢，一名天瓜，一名泽姑。实，名黄瓜，主胸痹，悦泽人面。茎叶，治中热伤暑。**生弘农川谷及山阴地。** 入土[5]深者良。生卤地者有毒。二月、八月采根，曝干，三十日成。枸杞为之使，恶干姜，畏牛膝、干漆，反乌头。

出近道，藤生，状如土瓜，而叶有叉。《毛诗》云：果赢之实，亦施于宇。其实今以杂作手膏，用根，入土六七尺，大二三围者，服食亦用之。（《大观》卷8，《政和》页197）

【校注】

［1］**根**　《医心方》《本草和名》《御览》、森本、《千金方·食治》无。

［2］**续绝伤**　《本经疏证》作"绝续伤"。

［3］**疸**　《图经衍义》作"疽"。

［4］**通月水，止小便利**　《纲目》《草木典》作"止小便利，通月水"。

［5］**入土**　"入"字上，《纲目》《草木典》有"根"字。"土"，商务《政和》作"上"，误。

179　丹参

味苦，微寒，无毒。主治心腹邪气，肠鸣幽幽如走水，寒热，积聚，破癥[1]除瘕，止烦满，益气。 养[2]血，去心腹痼[3]疾结气，腰脊强，脚痹，除风邪留热。久服利人。**一名郄[4]蝉草**，一名赤参，一名木羊乳。**生桐柏山[5]、川谷**及太山。五月采根，暴干。畏咸水，反藜芦。

此桐柏山，是淮水源所出之山，在义阳，非江东临海之桐柏也。今近道处处有，茎方有毛，紫花，时人呼为逐马。酒渍饮之，治风痹。道家时有用处，时人服之多眼赤，故应性热，今云微寒，恐为谬矣。（《大观》卷7，《政和》页183）

【校注】

[1] **癥** 《图经衍义》作"瘕"，误。

[2] **莽** 《图经衍义》作"春"，误。

[3] **去心腹痛** "去"，《本经续疏》作"主"。"痛"，《草木典》误作"痛"。

[4] **郏** 森本、问本、黄本、周本作"邻"。

[5] **山** 《纲目》《草木典》无。

180 厚朴

味苦，温、大温[1]**，无毒。主治中风，伤寒，头痛，寒**[2]**热，惊悸**[3]**，气**[4]**血痹，死肌，去三**[5]**虫。**温中，益气，消痰[6]下气，治霍乱及腹痛，胀满，胃中冷逆，胸中呕逆[7]不止，泄痢，淋露，除惊，去留热，止[8]烦满，厚肠胃。一名厚皮，一名赤朴。其树名榛[9]，其子名逐杨[10]。治鼠瘘，明目，益气。生交阯、宛句[11]。三月、九月[12]、十月[13]采皮，阴干。干姜为之使，恶泽泻、寒水石、消石。

今出建平、宜都，极厚、肉紫色为好，壳薄而白者不如。用之削去上甲错皮[14]。世方多用，道家不须也。（《新修》页125，《大观》卷13，《政和》页324）

【校注】

[1] **大温** 傅本《新修》、罗本《新修》脱，据《千金翼》《证类》补。

[2] **头痛，寒** 《御览》无。

[3] **悸** 傅本《新修》、罗本《新修》脱，据《千金翼》《证类》补。

[4] **气** 《本草经解》无。

[5] **三** 《御览》无。

[6] **痰** 傅本《新修》、罗本《新修》作"淡"，据《千金翼》《证类》改。

[7] **逆** 《证类》无。

[8] **止** 《证类》《纲目》《图考长编》作"心"。

[9] **榛** 《本草和名》作"梂"。

[10] **杨** 《证类》《图考长编》作"析"。

[11] **交阯、宛句** 《御览》作"山谷，生文山"。

[12] **三月、九月** 《证类》《图考长编》《本经疏证》作"三九"。

[13] **十月** 《图经衍义》脱。

[14] **削去上甲错皮** "削去",傅本《新修》、罗本《新修》作"失",据《证类》改。《图考长编》作"削去土中麂皮"。

181 竹叶

芹[1]竹叶　**味苦**[2]，**平、大寒，无毒。主**[3]**治咳逆上气，溢筋急**[4]**，恶疡，杀小虫。除烦热，风痓**[5]**，喉痹，呕逆**[6]。**根：作汤，益气，止渴，补虚，下**[7]**气，消毒。汁：主治风痓，痹**[8]。**实：通神明，轻身，益气。**生益州。

淡竹叶　味辛，平、大寒。主胸中痰[9]热，咳逆上气。其[10]沥：大寒。治暴中风，风[11]痹，胸中大热，止烦闷。其[12]皮茹：微寒，治[13]呕哕，温气，寒热，吐血，崩中，溢筋。

苦竹叶及沥　治口疮，目痛，明目[14]，通[15]利九窍[16]。

竹笋　味甘，无毒。主治消渴，利水道，益气，可久食。干笋烧服，治五痔血[17]。

竹类甚多，此前一条云是篁[18]竹，次[19]用淡苦尔。又一种薄壳者，名甘竹叶，最胜。又有实中竹、笙竹，又有笛竹[20]，并以笋为佳，于药[21]无用。凡取[22]竹沥，惟用淡[23]竹耳。竹实出蓝田，江东乃有花而无实，故凤鸟不至[24]。而顷来斑斑有实，实状如小麦，堪可为饭。（《新修》页127，《大观》卷13，《政和》页316）

【校注】

[1] **芹** 《千金翼》《证类》《品汇》《本经疏证》作"篁"。

[2] **苦** 傅本《新修》、罗本《新修》作"辛"，据《千金翼》《证类》改。又森本、孙本、问本、周本、黄本、顾本俱作"苦"。

[3] **主** 其下，《本草经疏》有"胸中痰热"4字。

[4] **急** 傅本《新修》、罗本《新修》脱，据《证类》补。

[5] **痓** 《纲目》《证类》作"痉"。

[6] **逆** 《证类》《本经疏证》《纲目》作"吐"。

[7] **下** 傅本《新修》、罗本《新修》脱，据《证类》补。

[8] **痹** 《千金翼》《证类》《纲目》无。

[9] **痰** 《新修》作"淡"，据《千金翼》《证类》改。

[10] **其** 《证类》无。

[11] **风** 傅本《新修》、罗本《新修》脱，据《证类》补。

[12] **其** 《证类》无。

［13］治　《证类》作"主"。

［14］目痛，明目　傅本《新修》、罗本《新修》作"明眼痛"，据《证类》改。

［15］通　《证类》《纲目》无。

［16］苦竹叶……利九窍　《千金翼》脱此文。

［17］干笋烧服，治五痔血　《证类》无此文。

［18］筀　《证类》作"篁"。

［19］次　傅本《新修》、罗本《新修》作"吹"，据《证类》改。

［20］筀竹，又有筲竹　"筀"，《证类》作"篁"。"筀竹"下，傅本《新修》、罗本《新修》有"又有筲竹"，《证类》无此4字。

［21］药　傅本《新修》、罗本《新修》作"叶"，据《证类》改。

［22］取　傅本《新修》、罗本《新修》脱，据《证类》补。

［23］淡　其下，《证类》有"苦篁"2字。

［24］故凤鸟不至　《证类》无。

182　玄[1]参

味苦，咸，微寒，无毒。主治腹中寒热积聚，女子产乳余疾，补肾气，令人目明[2]。治暴中风伤寒，身热支满，狂邪忽忽不知人，温疟洒洒，血瘕，下寒血，除胸中气，下水，止烦渴，散颈下核，痈肿，心腹痛，坚癥，定五脏。久服补虚，明[3]目，强阴，益精。一名重台，一名玄台，一名鹿肠[4]，一名正马，一名咸，一名端。生河间川谷及冤句。三月、四月采根，暴干。恶黄耆、干姜、大枣、山茱萸，反藜芦。

今出近道，处处有。茎似人参而长大。根甚黑，亦微香，道家时用，亦以[5]合香。(《大观》卷8，《政和》页203)

【校注】

［1］玄　《本经续疏》《草木典》、孙本、问本、黄本、周本、《图考长编》作"元"，此因避清康熙皇帝玄烨讳而改。下同。

［2］目明　《纲目》、姜本倒置。

［3］明　其上，《图考长编》衍"令人"2字。

［4］一名玄台，一名鹿肠　《纲目》注为《吴普本草》文。

［5］以　《图考长编》作"有"。

183　沙参

味苦，微寒，无毒。主治血积[1]，惊气，除寒热，补中，益肺气。治胃[2]痹，心腹痛，结热邪气，头痛，皮间邪热，安五脏，补中。**久服利人**[3]。**一名知母**，一名苦心，一名志取，一名虎须，一名白参，一名识美，一名**文**[4]希。**生河内川谷及宛朐**[5]般阳续山。二月、八月采根，暴干。恶防己，反藜芦。

今出近道，丛生，叶似枸杞，根白实者佳。此沙参并人参、玄参、丹参、苦参[6]是为五参，其形不尽相类，而主治颇同，故皆有参名。又有紫参，正名牡蒙，在中品。（《大观》卷7，《政和》页189）

【校注】

[1] **积** 《本草经解》、卢本、姜本、莫本俱作"结"。

[2] **胃** 《本草经疏》《本经续疏》作"胸"。

[3] **久服利人** 《纲目》《草木典》注为《别录》文。

[4] **文** 《本草和名》作"久"。

[5] **宛朐** 商务《政和》、《纲目》《图考长编》作"冤句"。

[6] **玄参、丹参、苦参** 《证类》《图考长编》无。

184 苦参

味苦，寒，无毒。主治心腹结气，癥瘕，积聚，黄胆[1]，**溺有余沥，逐水，除痈肿，补中，明目，止泪。**养肝胆气，安五脏，定志，益精，利九窍，除伏热，肠澼，止渴，醒酒，小便黄赤，治恶疮[2]，下部蟨疮[3]，平胃气，令人嗜食轻身[4]。**一名水槐，一名苦薏**，一名地槐，一名菟槐，一名骄[5]槐，一名白茎，一名虎麻，一名岑[6]茎，一名禄白[7]，一名陵郎。**生汝南山谷及田野**。三月、八月、十月采根，暴干。玄参为之使，恶贝母、漏芦、菟丝[8]，反藜芦。

今出近道，处处有。叶极似槐树，故有槐名。花黄，子作荚。根味至苦恶。病人酒渍饮之，多差。患疥者，一两服，亦除，盖能杀虫。（《大观》卷8，《政和》页198）

【校注】

[1] **胆** 《图经衍义》作"疸"。

[2] **治恶疮** 《图考长编》作"疮恶"。

[3] **疮** 《证类》无，《千金翼》有"疮"字。

[4] **平胃气，令人嗜食轻身** 《纲目》《草木典》在"安五脏"之后。

[5] **骄** 《千金翼》作"桥"。

[6] **岑** 《品汇》《纲目》作"苓"，《千金翼》作"禄"。

[7] **禄白** "禄"，《纲目》作"绿"。"白"，《大全》作"日"。

[8] 丝 玄《大观》作"终"，误。

185 续断

味苦、辛，微温，无毒。主治伤寒[1]**，补不足，金疮，痈伤**[2]**，折跌，续筋骨，妇人乳难。**崩[3]中漏血，金疮血内漏，止痛，生肌肉，及踠伤，恶血，腰痛，关节缓急。**久服益气**[4]**力。一名龙豆，一名属折，一名接骨，一名南草，一名槐**[5]**。生常山山谷。**七月、八月采，阴干。地黄为之使，恶雷丸。

案《桐君药录》云：续断生蔓延，叶细，茎如荏，大根本，黄白有汁，七月、八月采根。今皆用茎叶，节节断，皮黄皱，状如鸡脚者，又呼为桑上寄生，恐皆非真。时人又有接骨树，高丈余许，叶似蒴藋，皮主治金疮，有此接骨名，疑或是。而广州又有一藤名续断，一名诺藤，断其茎，器承其汁饮之，治虚损绝伤，用沐头，又长发。折枝插地即生，恐此又相类。李云是虎蓟，与此大乖，而虎蓟亦自治血尔。（《大观》卷7，《政和》页181）

【校注】

[1] 寒 《本草经疏》《本草经解》《图考长编》作"中"。

[2] 疮，痈伤 "疮"，孙本、问本、周本、黄本、王本作"创"。"伤"，《纲目》、姜本、卢本、《本草经解》《图考长编》作"疡"。

[3] 崩 其上，《纲目》《草木典》有"妇人"2字。

[4] 气 《御览》无。

[5] 一名槐 《本草和名》作"一名槐生"，《纲目》脱此文。

186 枳实

味苦、酸，寒、微寒[1]**，无毒。主治大风在皮肤中，如麻豆苦**[2]**痒，除寒热热**[3]**结，止痢。长肌肉，利五脏，益气，轻身。**除胸胁痰[4]癖，逐停水，破结实，消胀满，心下急、痞痛、逆气、胁风痛，安[5]胃气，止溏泄，明目。**生河内川泽。**九月、十月采，阴干。

今处处有，采破令干。用之除中核，微炙令香，亦如橘皮，以陈者为良。枳树枝[6]茎及皮，治水胀，暴风，骨节疼急。枳实世方多用，道家不须也。（《新修》页128，《大观》卷13，《政和》页323）

【校注】

[1] 微寒 傅本《新修》、罗本《新修》脱，据《千金翼》《证类》补。

[2] **苦** 玄《大观》作"若"，误。

[3] **热热** 《千金翼》《证类》《纲目》《本经疏证》《图考长编》、孙本、顾本俱作"热"。傅本《新修》、罗本《新修》、森本重叠"热"字。

[4] **焕** 《新修》原作"淡"，据《千金翼》《证类》改。

[5] **安** 《图考长编》作"和"。

[6] **枝** 《证类》《图考长编》无。

187 山茱萸

味酸，平、微温，无毒。主治心下邪气，寒热，温中，逐寒湿痹[1]，去三虫。肠胃风邪，寒热，疝瘕，头脑[2]风，风气去来，鼻塞，目黄、耳聋[3]，面疱[4]，温中，下气，出汗，强阴，益精，安五[5]脏，通九窍，止小便利。**久服轻身**，明目，强力，长年。**一名蜀枣[6]**，一名鸡足，一名思益[7]，一名魅实。**生汉[8]中山谷及琅琊、宛朐、东海承县。九月、十月采实，阴干。蓼实为之使，恶桔梗、防风、防己。**

今出近道诸山中大树，子初熟未干，赤色，如胡颓子，亦可啖。既干后，皮甚薄，当[9]合核为用也。（《新修》页129，《大观》卷13，《政和》页336）

【校注】

[1] **寒湿痹** "寒"字下，傅本《新修》、罗本《新修》衍"温"字，据《千金翼》《证类》删。《御览》无"痹"字。

[2] **脑** 《证类》《纲目》《品汇》《图考长编》《本草经疏》《本经疏证》无。

[3] **聋** 《大全》作"龙"，误。

[4] **疱** 《图经衍义》作"皰"。

[5] **五** 傅本《新修》、罗本《新修》脱，据《证类》补。

[6] **蜀枣** 《御览》《纲目》、姜本作"蜀酸枣"。

[7] **一名思益** 《证类》《纲目》《图考长编》无。

[8] **汉** 傅本《新修》、罗本《新修》作"漠"，据《证类》改。

[9] **当** 其下，《证类》有"以"字。

188 桑根白皮

味甘，寒，无毒。主治伤中，五劳，六极，羸瘦，崩中，脉绝[1]，补虚，益气，去肺中水气[2]，止[3]唾血，热渴，水肿，腹满，胪胀，利水道，去寸白，可以缝创[4]。采无时。出土上者杀人[5]。续断、桂心、麻子为之使。**叶：主除寒热，出**

汗。汁[6]：解蜈蚣毒。**桑耳**[7]：味甘，有毒。**黑者**[8]，**主女子漏下赤白汁，血病**[9]，**癥瘕积聚，腹痛**[10]，**阴阳寒热无子，治**[11]月水不调。其黄熟陈白者，止久泄，益气不饥。其[12]金色者，治瘊痹[13]饮，积聚，腹病，金创[14]。一名桑菌，一名木麩[15]。**五木耳：名檽，益气，不饥，轻身，强志。生犍为山谷**[16]。六月多雨时采木耳[17]，即曝干。

东行桑根乃易得，而江边多出土，不可轻信。桑耳，《断谷方》云：木檽又呼为桑上寄生，此云五木耳，而不显四者是何木？案[18]，老桑树生燥耳，有黄[19]、赤、白者，又多雨时亦生软湿者，人采以作菹，皆无复药用。(《新修》页141，《大观》卷13，《政和》页315)

【校注】

[1] **脉绝**　《纲目》、姜本、《本草经解》倒置。

[2] **补虚，益气，去肺中水气**　"补虚，益气"，王本作"补益虚气"。"肺"，傅本《新修》、罗本《新修》原作"脉"，据《千金翼》《证类》改。

[3] **止**　《证类》《纲目》《本草经疏》《本经疏证》无。

[4] **创**　《千金翼》《证类》《纲目》《图考长编》作"金疮"。

[5] **出土上者杀人**　《御览》引《本草经》作"桑根旁行出土上者名伏蛇，疗心痛"。又引《神农本草》作"桑根白皮是今桑树根上白皮，常以四月采，或采无时，出见地上名马领，勿取，毒杀人"。

[6] **汁**　其下，《品汇》衍"有小毒"3字。

[7] **桑耳**　《本经续疏》注为《别录》文。

[8] **黑者**　《本经续疏》注为《别录》文。

[9] **女子漏下赤白汁，血病**　"子"，《纲目》作"人"。"汁"，《本草经疏》作"沃"。"病"，傅本《新修》、罗本《新修》脱，据《证类》补。

[10] **腹痛**　《证类》《千金翼》《本草经疏》《品汇》《纲目》《图考长编》《本经续疏》作"阴痛"，孙本、问本作"阴补"。

[11] **治**　傅本《新修》、罗本《新修》脱，据《证类》补。

[12] **其**　傅本《新修》、罗本《新修》脱，据《证类》补。

[13] **瘊痹**　《证类》《品汇》《图考长编》《本草经疏》《本经续疏》作"癖"。

[14] **创**　《千金翼》《证类》作"疮"。下同。

[15] **麩**　《千金翼》《证类》《图考长编》作"麦"。

[16] **山谷**　傅本《新修》、罗本《新修》脱，据《千金翼》《证类》补。

[17] **木耳**　《千金翼》《证类》无。

[18] **案**　傅本《新修》作"桑"，据《证类》改。

[19] **黄**　其下，《证类》有"者"字。

189　松萝

味苦、甘，平，无毒。主治瞋怒邪气，止虚汗出[1]**风头**[2]**，女子阴寒肿痛**[3]**，治痰**[4]**热，温疟，可为吐汤，利水道。一名女萝。生熊耳山川谷**[5]**松树上。五月采，阴干。**

东山甚多，生杂树上，而以松上者为真。《毛诗》云：茑与女[6]萝，施于松上。茑是寄生，今[7]以桑上者为真，不用松上[8]者，此互[9]有异同尔。（《新修》页143，《大观》卷13，《政和》页330）

【校注】

[1]　**出**　《千金翼》《证类》无。

[2]　**风头**　《千金翼》《证类》《纲目》倒置。

[3]　**痛**　孙本、黄本、问本、周本作"病"。

[4]　**痰**　《新修》作"淡"，据《千金翼》《证类》改。

[5]　**生熊耳山川谷**　"生熊"，《政和》作白字《本经》文。"川"，孙本作"山"。

[6]　**女**　傅本《新修》、罗本《新修》脱，据《证类》补。

[7]　**今**　《证类》无。

[8]　**上**　傅本《新修》、罗本《新修》脱，据《证类》补。

[9]　**互**　傅本《新修》、罗本《新修》作"牙"，据《证类》改。

190　白棘

味辛，寒，无毒。主治心腹[1]**痛，痈肿，溃**[2]**脓，止痛。决刺结**[3]**，治丈**[4]**夫虚损，阴痿，精自出，补肾气，益精髓。一名棘针，一名棘刺。生雍州川谷。**

李云此是酸枣树针[5]，今人用天门冬苗[6]代之，非[7]真也。（《新修》页143，《大观》卷13，《政和》页329）

【校注】

[1]　**腹**　傅本《新修》、罗本《新修》脱，据《证类》补。

[2]　**溃**　《大全》、孙本、问本作"渍"。

[3]　**决刺结**　《纲目》《草木典》注为《本经》文。

[4]　**丈**　傅本《新修》、罗本《新修》作"大"，据《证类》改。

[5]　**酸枣树针**　傅本《新修》、罗本《新修》作"桑树针"，据《证类》改。桑树无针刺，酸枣树有针刺。

[6] **苗**　傅本《新修》、罗本《新修》脱，据《证类》补。

[7] **非**　《证类》作"非是"。

191　棘刺花

味苦，平，无毒[1]。主治金疮、内漏，明目[2]。冬至后百廿日采之。实，主明目[3]，心腹痿痹，除[4]热，利小便。生道旁。四月采。一名菥蓂，一名马[5]胸，一名刺原。又有枣针，治腰痛、喉痹不通[6]。

此一条又相违越，恐李所[7]言多是，然复道其花一名菥蓂，此恐别是[8]一物，不关枣针[9]也。今世人[10]皆用天门冬苗，吾亦不许。门冬苗[11]乃是好作饮，益人，正[12]不可当[13]棘刺尔。（《新修》页144，《大观》卷13，《政和》页328）

【校注】

[1] **平，无毒**　傅本《新修》、罗本《新修》作"无毒，平"，据《千金翼》《证类》改。

[2] **明目**　《证类》《纲目》《品汇》《图考长编》无。

[3] **目**　傅本《新修》、罗本《新修》脱，据《千金翼》《证类》补。

[4] **痹，除**　傅本《新修》、罗本《新修》脱，据《千金翼》《证类》补。

[5] **马**　傅本《新修》、罗本《新修》脱，据《千金翼》《证类》补。

[6] **痹不通**　傅本《新修》、罗本《新修》作"痛了"，据《千金翼》《证类》改。

[7] **李所**　《证类》作"俚"。

[8] **道其花一名菥蓂，此恐别是**　《新修》作"导其花兼一夕折别"，据《证类》改。

[9] **针**　傅本《新修》、罗本《新修》作"刺"，据《证类》改。

[10] **人**　其下，傅本《新修》、罗本《新修》衍"不"字，据《证类》删。

[11] **吾亦不许。门冬苗**　傅本《新修》、罗本《新修》脱，据《证类》补。

[12] **正**　其下，《新修》衍"自"字，据《证类》删。

[13] **当**　《新修》作"儞"，据《证类》改。

192　狗脊

味苦、甘，平，微温，**无毒。主治腰背**[1]**强，关机**[2]**缓急，周**[3]**痹寒湿，膝痛，颇**[4]**利老人。**治失溺不节，男子[5]脚弱腰痛，风邪淋露，少气，目暗，坚[6]脊，利俯仰，女子伤中，关节重。**一名百枝**[7]，一名强膂，一名扶盖[8]，一名扶筋。**生常山川谷。**二月、八月采根[9]，暴干。萆薢为之使，恶败酱。

今山野处处有，与菝葜相似而小异。其茎叶小肥，其节疏，其茎大直，上有刺，叶圆有赤脉[10]。根凹凸龍捼[11]如羊角细强者是。（《大观》卷8，《政和》页207）

【校注】

[1] **腰背** "腰"，《御览》作"要"。"背"，莫本作"脊"。

[2] **关机** 《本草经疏》、顾本、卢本、莫本倒置。"关"，《御览》作"开"。

[3] **周** 《御览》作"风"。

[4] **颓** 《御览》无。

[5] **子** 《纲目》《草木典》作"女"。

[6] **坚** 《图经衍义》作"肩"，误。

[7] **枝** 《御览》作"丈"。

[8] **扶盖** 《纲目》无。"扶"，《本草和名》作"快"。下同。

[9] **根** 《千金翼》无。

[10] **赤脉** 《图考长编》作"脉赤色"。

[11] **根四凸龙挖** 《纲目》作"根凸凹龙挖"。"挖"，商务《政和》误作"从"。

193 萆薢[1]

味苦、甘，平，无毒。主治腰背[2]痛强，骨节风寒湿，周痹，恶疮[3]不瘳，热气。伤中恚怒，阴痿，失溺，关节老血，老人五缓。一名赤节。生真定山谷。二月、八月采根，暴干。薏苡为之使，畏葵根[4]、大黄、茈胡、牡蛎、前胡。

今处处有，亦似菝葜而小异，根大，不甚有角节，色小浅。（《大观》卷8，《政和》页213）

【校注】

[1] **薢** 《本草和名》《医心方》、森本、狩本作"解"。

[2] **背** 《纲目》、姜本、《图考长编》《本草经解》作"脊"，《大全》误作"皆"。

[3] **疮** 孙本、问本、周本、黄本作"创"。

[4] **根** 《大全》作"苗"。

194 菝葜

味甘，平、温，无毒。主治腰背寒痛，风痹，益血气，止小便利。生山野。二月、八月采根，暴干。

此有三种，大略根苗并相类。菝葜茎紫，短小多细刺，小减萆薢而色深，人用作饮。（《大观》卷8，《政和》页214）

195 石韦

味苦[1]、甘，平，无毒。主治劳热邪气，五癃闭不通，利小便水道。止烦，下气，通膀胱满，补五劳，安五脏，去恶风，益精气。**一名石蟀**[2]，一名石皮。用之[3]去黄毛，毛[4]射人肺，令人咳，不可治。**生华阴山谷石上**，不闻水及人声者良。二月采叶，阴干。滑石、杏人、射干为之使，得昌蒲良。

蔓延石上，生叶如皮，故名石韦。今处处有，以不闻水声、人声者为佳[5]。出建平者，叶长大而厚。(《大观》卷8，《政和》页212)

【校注】

[1] **苦** 姜本作"辛"。

[2] **蟀** 莫本作"鞭"。

[3] **用之** 《纲目》《草木典》作"凡用"。

[4] **毛** 《纲目》《草木典》无。

[5] **人声者为佳** 商务《政和》作"及人声者为良"。

196 通草

味辛[1]**、甘，平，无毒。主去恶虫，除脾胃寒热，通**[2]**利九窍、血脉、关**[3]**节，令人**[4]**不忘。**治脾疸[5]，常欲眠，心烦，哕出音声，治耳聋，散痈肿诸结不消，及金疮，恶疮，鼠瘘，踒折，鼻鼻，息肉[6]，堕胎，去三虫。**一名附支，一名丁翁。生石城山谷及山阳。**正月采枝，阴干。

今出近道。绕树藤生，汁白。茎有细孔，两头皆通。含一头吹之，则气出彼头者良。或云即虆藤茎。(《大观》卷8，《政和》页200)

【校注】

[1] **辛** 《医心方》卷30无。

[2] **通** 《御览》无。

[3] **关** 玄《大观》作"间"，误。

[4] **令人** 《御览》无。

[5] **治脾疸** 《医心方》卷30无。

[6] **踒折，鼻鼻，息肉** 《医心方》卷30无此文。

197 瞿[1]麦

味苦、辛，寒，无毒。主治关格诸癃结，小便不通，出刺，决痈肿，明目去翳，破胎堕子，下闭血，养肾气，逐膀胱邪逆，止霍乱，长毛发。一名巨[2]**句麦，一名大菊，一名大兰。生太山川谷。**立秋采实[3]，阴干。蘘草、牡丹[4]为之使，恶桑^[5]螵蛸。

今出近道，一茎生细叶，花红紫赤可爱，合子叶刈取之。子颇似麦，故名瞿麦。此类乃有两种：一种微大，花边有叉桠，未知何者是？今市人皆用小者。复一种，叶广相似而有毛，花晚而甚赤。案《经》云：采实。实中子至细^[6]，燥熟便脱尽。今市人惟合茎叶用，而实正空壳，无复子尔。（《大观》卷8，《政和》页202）

【校注】

[1] 瞿　森本考异云："《真本千金》作'蘧'。"《说文》云："蘧，蘧麦也。"

[2] 巨　《本草和名》作"曰"。

[3] 立秋采实　以上4字，据陶隐居注"《经》云采实"，应属朱字《本经》文。

[4] 蘘草、牡丹　"蘘"，《永乐大典》卷22182作"蓑"。"牡"，玄《大观》作"牧"。

[5] 桑　《证类》脱，据《千金方》卷1"用药第六"补。

[6] 实中子至细　《纲目》作"其中子细"。"实"，人卫本《政和》无，《大观》有。

198　败酱

味苦、咸，平、微寒，无毒。**主治暴热，火疮^[1]赤气，疥瘙，疽^[2]，痔，马鞍热气**。除痈肿，浮肿，结热^[3]，风痹，不足，产后腹^[4]痛。**一名鹿肠^[5]**，一名鹿首，一名马草，一名泽败。**生江夏川谷**。八月采根，暴干^[6]。

出近道，叶似豨莶，根形似茈胡，气如败豆酱^[7]，故以为名。（《大观》卷8，《政和》页210）

【校注】

[1] 疮　孙本、问本、黄本、周本作"创"。

[2] 疥瘙，疽　"瘙"，孙本、问本、黄本、周本作"搔"。"疽"，孙本、问本、周本作"疸"。

[3] 热　《品汇》作"气"。

[4] 腹　《证类》作"疾"，《本经疏证》作"产"，《千金翼》作"腹"，《草木典》脱此字，从《千金翼》为正。

[5] 肠　《本草和名》作"腹"。

[6] 暴干　《图考长编》作"阴干"。

[7] 气如败豆酱　《御览》引《本草经》曰："败酱似桔梗，其臭如败豆酱。"

199　秦皮

味苦，微寒、大^[1]寒，无毒。**主治风寒湿痹，洗洗^[2]寒气，除热，目中青翳白膜**。治男子少精，妇人带下，小儿痫，身热。可作洗目汤。**久服头不白，轻身**，皮肤光泽，肥大有子。一名岑皮，一名石檀。**生庐**[3]**江川谷及宛朐**[4]。二月、八月采皮，阴干。大戟为之使，恶吴[5]茱萸。

世云是樊槻皮，而水渍以和墨，书青[6]色不脱，彻[7]青，且亦殊薄，恐不必尔。世方惟[8]以治目。道术家亦有[9]用处。（《新修》页132，《大观》卷13，《政和》页325）

【校注】

[1] **大**　玄《大观》作"太"，误。

[2] **寒湿痹，洗洗**　《御览》无"寒""洗洗"3字。

[3] **庐**　傅本《新修》、罗本《新修》作"肤"，据《千金翼》《证类》改。

[4] **及宛朐**　"及"，傅本《新修》、罗本《新修》作"生"，据《千金翼》《证类》改。

[5] **吴**　傅本《新修》、罗本《新修》脱，据《证类》补。

[6] **青**　《证类》无。

[7] **彻**　《证类》作"微"。

[8] **惟**　傅本《新修》、罗本《新修》脱，据《证类》补。

[9] **道术家亦有**　《证类》无"术"字。"有"，傅本《新修》、罗本《新修》作"自"，据《证类》改。

200　白芷[1]

味辛，温，无毒。主治女人[2]**漏下赤白，血闭，阴肿**[3]**，寒热，风头**[4]**侵目泪出**[5]**，长肌肤润泽，可作面脂。**治风邪，久渴，吐呕[6]，两胁满，风痛，头眩，目痒，可作膏药面脂，润颜色。**一名芳香，**一名白茝，一名䔖，一名莞，一名苻蓠，一名泽芬。叶名蒚麻[7]，可作浴汤。**生河东川谷**下泽。二月、八月采根，暴干。当归为之使，恶旋覆华。

今出近道，处处有，近下湿地，东间甚多。叶亦可作浴汤，道家以此香浴去尸虫，又用合香也。（《大观》卷8，《政和》页206）

【校注】

[1] **白芷**　孙本、黄本、问本、周本作"白茝"。又《纲目》注"白芷"为本经上品。

[2] **人**　森本考异云："《香字钞》《香药钞》作'子'"。

[3] **肿**　其下，森本考异云："《香字钞》《香药钞》有'痛'字"。

[4] **风头**　《纲目》、姜本、《图考长编》《本草经解》倒置。

[5] **泪出**　"泪"，森本考异云："《香字钞》《香药钞》作'泣'"。《本草经解》脱"出"字。

[6] **久渴，吐呕**　"久渴"，《本草经疏》作"久泻"。"吐呕"，《本经疏证》倒置。

[7] **名蒚麻**　"名"，《图考长编》作"一名"。"蒚麻"，《纲目》作"蒚麻约"。

201 杜衡

味辛，温，无毒。主治风寒咳逆，香人衣体。生山谷。三月三日采根，熟洗，暴干。

根叶都似细辛，惟气小异尔。处处有之。方药少用，惟道家服之，令人身衣香。《山海经》云：可治瘿。（《大观》卷 8，《政和》页 213）

202 杜若

味[1]辛，微温，无毒。主治胸胁下[2]逆气，温中，风入脑户，头肿痛，多涕泪出。眩倒目眩眩，止痛，除口臭气。久服益精，明目[3]，轻身，令人不忘。一名杜[4]衡，一名杜莲，一名白莲，一名白苓[5]，一名若芝。生武陵川泽及宛朐。二月、八月采根，暴干。得辛夷、细辛良，恶茈胡、前胡。

今处处有。叶似姜而有文理，根似高良姜而细，味辛香。又绝似旋覆根，殆欲相乱，叶小异尔。《楚辞》云：山中人兮芳杜若。此者[6]一名杜衡，今复别有杜衡，不相似。（《大观》卷 7，《政和》页 189）

【校注】

[1] 味 万历《政和》作"呀"，误。

[2] 下 万历《政和》作"丁"，误。

[3] 益精，明目 《艺文类聚》作"益气"。

[4] 杜 王本作"土"。

[5] 苓 《图经衍义》作"苓"，《本草和名》作"芥"。

[6] 者 《图考长编》作"也"，柯《大观》作"草"。

203 蘗木[1]

味苦，寒，无毒。主治五脏肠胃中结气[2]热，黄疸，肠痔，止泄痢，女子漏下、赤白，阴阳蚀疮[3]。治[4]惊气在皮间，肌肤热赤起，目热赤痛，口疮。久服通神。一名檀桓。根，名檀桓[5]，主心腹百病，安魂魄，不饥渴。久服轻身。延年通神[6]。生汉中山谷及永昌。恶干漆。

今出邵陵者，轻薄色深为胜。出东山者，厚重[7]而色浅。其根于道家入木芝品，今人不知取服之。又有一种小树，状如石榴。其皮黄而苦，世呼为子蘗，亦[8]主口疮。又一种小树，至[9]多刺，皮亦黄，亦主口疮。（《新修》页 110，《大观》卷 12，《政和》页 299）

【校注】

[1] **蘖木** 《图考长编》作"黄蘖"。

[2] **气** 《证类》《品汇》《纲目》《图考长编》《本草经疏》《本经疏证》均脱。傅本《新修》、罗本《新修》、《千金翼》、森本俱有"气"字。

[3] **阴阳蚀疮** 卢本、顾本、莫本作"阴阳伤蚀疮",黄本作"阴伤蚀创"。"阳",《千金翼》《证类》《品汇》《纲目》俱作"伤";傅本《新修》、罗本《新修》、森本、孙本、问本、姜本作"阳"。

[4] **治** 傅本《新修》、罗本《新修》脱,据《证类》补。

[5] **一名檀桓。根,名檀桓** 《证类》作"根,一名檀桓",卢本、森本、孙本、问本、周本、黄本、顾本作"一名檀桓"。

[6] **主心腹百病……通神** 《纲目》《草木典》注为《本经》文。

[7] **重** 《证类》无。

[8] **亦** 傅本《新修》、罗本《新修》作"赤",据《证类》改。

[9] **至** 《证类》无。

204 木兰

味苦,寒,无毒。主治身有[1]**大热在皮肤中,去面热赤皰、酒齄**[2]**,恶风、癞**[3]**疾,阴下痒湿,明目**[4]。治中风伤寒,及痈疽水肿,去臭气。一名林[5]兰,一名杜兰。皮似桂而香[6]。**生零陵山**[7]**谷,生**[8]**太山。十二月采皮,阴干。**

零陵诸处皆有,状如楠树,皮甚薄而味辛香。今益州有,皮厚,状如厚朴,而气味为胜。故《蜀都赋》云:木兰梫桂也[9]。今东人皆以山桂皮当[10]之,亦相类,道家用合香,亦好也。(《新修》页113,《大观》卷12,《政和》页306)

【校注】

[1] **有** 《千金翼》《证类》《纲目》《品汇》《图考长编》、孙本、问本、黄本、顾本俱无此字。傅本《新修》、罗本《新修》、森本有"有"字,从《新修》为正。

[2] **酒齄** 《新修》倒置,据《千金翼》《证类》改。

[3] **癞** 《千金翼》《证类》《纲目》《品汇》《图考长编》、孙本、顾本、狩本作"癞",《新修》、森本作"癞",从《新修》为正。据本条上下文来看,"癞"字义长于"癞"。

[4] **明目** 《千金翼》《大观》《政和》《纲目》、孙本、《图考长编》作"明耳目",傅本《新修》、罗本《新修》作"明目"。

[5] **林** 森本考异云:"《香字钞》作'松'"。

[6] **皮似桂而香** 《纲目》《草木典》位于"生太山"之后。

[7] **山** 孙本、黄本、问本作"川"。

[8] **生** 《证类》作"及"。

[9] **故《蜀都赋》云：木兰櫋桂也** 《证类》无。

[10] **皮当** 傅本《新修》、罗本《新修》作"及櫬"，据《证类》改。

205　白薇

味苦、咸[1]，**平、大寒，无毒。主治暴中风，身热肢满，忽忽不知人，狂惑邪气，寒热酸疼**[2]，**温**[3]**疟洗洗，发作有时。**治[4]伤中淋露，下水气，利阴气，益精。一名白幕，一名薇草，一名春草，一名骨美。**久服利人。生平原川谷。**三月三日采根，阴干。恶黄耆[5]、干姜、干漆、山茱萸、大枣。

近道处处有。根状似牛膝而短小尔。方家用，多治惊邪、风狂、痓病。（《大观》卷8，《政和》页213）

【校注】

[1] **咸** 《纲目》、姜本注为《本经》文。

[2] **疼** 孙本、问本作"痋"。

[3] **温** 柯《大观》作"溢"。

[4] **治** 人卫本《政和》作"疗"，并作白字《本经》文。

[5] **耆** 此下，《千金方》《证类》《纲目》《本经疏证》有"大黄、大戟"4字。《集注》《医心方》无此4字。

206　菓耳实[1]

味苦、甘，温。叶：味苦、辛，微寒，有小毒。**主治风头寒**[2]**痛，风湿周痹，四肢拘挛痛，恶肉**[3]**死肌，膝**[4]**痛，溪毒。久服益气，耳目聪明，强志，轻身。**一名胡菓，一名地葵，一名菕，一名常思[5]。**生安陆川谷及六**[6]**安田野，**实熟时采。

此是常思菜，伧人皆食之。以叶覆麦作黄衣者，一名羊负来。昔中国无此，言从外国逐羊毛中来，方用亦甚稀。（《大观》卷8，《政和》页195）

【校注】

[1] **菓耳实** 《千金方·食治》作"苍耳子"。"菓"，孙本、问本、周本、黄本作"枲"。"实"，《本草和名》《和名类聚钞》《医心方》、森本无。

[2] **头寒** 《本草经疏》倒置。

[3] **拘挛痛，恶肉** 《千金方·食治》作"拘急挛痛，去恶肉"。

[4] **膝** 成化《政和》、万历《政和》、商务《政和》、《纲目》作"膝"，《品汇》作"漆"。

［5］**常思** 《本草和名》作"常思菜"。

［6］**六** 《草木典》作"大"。

207 茅根[1]

味甘，寒，无毒。主治劳伤虚羸，补中益气，除瘀血，血[2]**闭，寒热，利小便，下五淋，除客热在肠胃，止渴，坚筋，妇人崩中。久服利人。其苗：主下水。一名兰**[3]**根，一名茹**[4]**根，一名地菅**[5]**，一名地筋**[6]**，一名兼杜。生楚地山谷田野，六月采根。**

此即今白茅菅。《诗》云：露彼菅茅[7]。其根如渣芹甜美。服食此断谷甚良。世方稀用，惟治淋及崩中尔。（《大观》卷8，《政和》页208）

【校注】

［1］**茅根** 《草木典》作"白茅"。

［2］**血** 《图考长编》脱。

［3］**兰** 《本草和名》、森本、森本考异引《香药钞》作"蔺"。

［4］**茹** 《本草和名》、森本作"茹"。

［5］**菅** 《大全》、成化《政和》、万历《政和》、商务《政和》、《品汇》作"管"，误。

［6］**筋** 《本草和名》作"筋"。

［7］**菅茅** 商务《政和》作"管茅"，误。

208 百合

味甘，平，无毒。主治邪气腹胀[1]**，心痛，利大小便，补中益气。除浮肿，胪**[2]**胀，痞满，寒热，通身疼痛，及乳难、喉痹肿**[3]**，止涕泪。一名重箱**[4]**，一名重迈**[5]**，一名摩罗**[6]**，一名中逢花，一名强瞿。生荆州川谷。二月、八月采根，暴干。**

近道处处有，根如胡蒜，数十片相累，人亦蒸煮食之。乃言初是蚯蚓相缠结变作之，世人皆呼为强仇，仇即瞿也，声之讹尔，亦堪服食。（《大观》卷8，《政和》页204）

【校注】

［1］**胀** 孙本、问本、黄本、周本作"张"。

［2］**胪** 《千金翼》作"膻"。

［3］**肿** 《证类》《纲目》脱，《千金翼》有。

［4］**箱** 《本草和名》作"匡"。《千金翼》作"箱"。

[5] **一名重迈** 《证类》脱，《千金翼》有。

[6] **摩罗** 《本草和名》作"磨羆"。

209 酸浆[1]

味酸[2]，平、寒，无毒。主治热烦满，定志，益气，利水道。产难吞其实，立[3]产。一名醋浆[4]。生荆楚川泽及人家田园中。五月采，阴干。

处处人家多有，叶亦可食。子作房，房中有子如梅李大，皆黄赤色。小儿食之，能除热，亦治黄病，多效。(《大观》卷8，《政和》页211)

【校注】

[1] **酸浆** 《医心方》、孙本、黄本、问本、周本作"酸酱"，《御览》作"酢浆"。

[2] **味酸** 《御览》无。"酸"，《纲目》、姜本作"苦"。

[3] **立** 卢本作"主"。

[4] **醋浆** "醋"，《本草和名》、森本、《御览》作"酢"。"浆"，孙本、黄本、问本、周本作"酱"。

210 淫羊藿

味辛，寒，无毒。主治阴痿，绝伤[1]，茎中痛，利小便[2]，益气力[3]，强志。坚筋骨，消瘰疬，赤痈，下部有疮洗出虫，丈夫久服，令人无[4]子。一名刚[5]前。生上郡阳山山谷。署预为之使。

服此使人好为阴阳。西川北部有淫羊，一日百遍合，盖食藿所致，故名淫羊藿[6]。(《大观》卷8，《政和》页206)

【校注】

[1] **绝伤** 《本草经疏》《图考长编》作"绝阳"，《御览》作"伤中"。

[2] **茎中痛，利小便** 《御览》在"强志"之后。"茎"字上，《御览》有"除"字。

[3] **力** 《御览》无。

[4] **无** 柯《大观》作"有"，《千金翼》《政和》作"无"，从《千金翼》为正。

[5] **刚** 《御览》作"蜀"。

[6] **故名淫羊藿** 《和名类聚钞》仙灵脾引陶隐居注云"淫羊藿，羊食此藿，一日百遍，故以名之，一曰刚前"；又引苏敬曰"俗名仙灵毗草是也"。

211 蠡实[1]

味甘，平、温，无毒。主治皮肤寒热，胃中热气，风寒湿痹，坚筋骨。令人嗜食。**止心烦满，利大小便，长肌肉**[2]肥大。**久服轻身。花、叶：去白虫**，治喉痹，多服令人溏泄。一名荔实，**一名剧草，一名三坚，一名豕首**。**生河东川谷**。五月采实，阴干。

方药不复用，世无识者，天名精亦名豕首也。（《大观》卷8，《政和》页202）

【校注】

[1] **蠡实**　《御览》作"豕首"。郭璞注《尔雅》引《本草经》曰："蠡卢，一名诸蓝，今江东呼稀首。"

[2] **肉**　《证类》作"肤"，《千金翼》作"肉"。

212　枝子

味苦，寒、大寒，无毒。主治五内邪气，胃中热气，面赤酒疱齇鼻，白癞、赤癞，疮[1]疡。治目热赤痛，胸中[2]、心、大小肠大热，心中烦闷，胃中热气[3]。**一名木丹**，一名越桃。**生南阳川谷**。九月采实，暴干。解玉支毒。

处处有，亦两三种小异，以七道[4]者为良。经霜乃取之。今皆入染用，于药甚稀。玉支即踯躅萠[5]也。（《新修》页133，《大观》卷13，《政和》页320）

【校注】

[1] **疱齇鼻，白癞、赤癞，疮**　玄《大观》注为《别录》文。"疱"，成化《政和》、商务《政和》作"炮"，周本作"泡"。"齇"，《图经衍义》脱。"疮"，孙本、黄本、问本作"创"。

[2] **中**　《证类》《纲目》《品汇》《本草经疏》《图考长编》无。

[3] **胃中热气**　《纲目》《本经疏证》无此文。

[4] **道**　《证类》作"稜"。

[5] **踯躅萠**　《证类》作"羊踯躅"。

213　槟榔

味辛，温，无毒。主治消谷，逐水，除痰[1]澼，**杀三虫，去**[2]伏尸，治寸白。生南海。

此有三、四种：出交州，形小而味甘；广州以南者，形大而味涩，核亦大；尤大者[3]，名楮[4]槟榔，作药皆用之。又小者，南人名蒳子，世人呼为槟榔孙，亦可食。（《新修》页134，《大观》卷13，《政和》页319）

【校注】

[1] **痰** 《新修》作"淡"，据《千金翼》《证类》改。又《纲目》《品汇》《图考长编》亦作"痰"。

[2] **去** 《证类》《本草经疏》《本经续疏》无。

[3] **大；尤大者** 《证类》作"有大者"。

[4] **楮** 《证类》作"猪"。

214　合欢

味甘[1]，平，无毒。主安五脏，和心志[2]，令人欢乐无忧。久服轻身，明目[3]，得所欲[4]。生益州川[5]谷。

嵇公[6]《养生论》亦[7]云：合欢蠲忿，萱草忘忧。诗人又有萱[8]草，皆云即是今鹿[9]葱，而不入药用。至于合欢举世无[10]识之者。当以其非治病之功，稍见轻略，遂致永谢。犹如长生之法，人罕敦尚，亦为遗弃也。洛阳华林苑中，犹云合欢如丁林，唯不来江左尔[11]。（《新修》页134，《大观》卷13，《政和》页332）

【校注】

[1] **甘** 《御览》作"甜"。

[2] **和心志** 《千金翼》《证类》《品汇》《本草经疏》、孙本、顾本作"利心志"。《新修》《艺文类聚》《纲目》、姜本作"和心志"。《御览》作"和心气"。

[3] **目** 玄《大观》作"日"。

[4] **得所欲** 《御览》《艺文类聚》无。

[5] **川** 《千金翼》《证类》《图考长编》、孙本、黄本作"山"。傅本《新修》、罗本《新修》、森本作"川"。

[6] **公** 《证类》作"康"。

[7] **亦** 《证类》无。

[8] **萱** 《图考长编》作"谖"。

[9] **云即是今鹿** 《证类》无"云""是"2字。"鹿"，傅本《新修》、罗本《新修》作"麻"，据《证类》改。

[10] **举世无** 《证类》作"俗间少"。

[11] **洛阳华林苑中，犹云合欢如丁林，唯不来江左尔** 《证类》无。

215　卫矛[1]

味苦，寒，无毒。主治女子崩中，下血，腹满，汗出，除邪，杀鬼毒蛊疰[2]，中恶，腹痛，去白虫，消皮肤风毒肿，令阴中解[3]。一名鬼箭[4]。生霍山山谷。八月采，阴干。

山野处处有。其茎有[5]三羽，状如箭羽，世皆呼为鬼箭。而为用甚稀，用之削取皮及羽也[6]。（《新修》页136，《大观》卷13，《政和》页331）

【校注】

[1] 矛 《本草和名》作"弗"。

[2] 蛊疰 傅本《新修》、罗本《新修》作"注蛊"，据《千金翼》《证类》改。

[3] 令阴中解 "令"字下，《品汇》有"从"字。"解"，傅本《新修》、罗本《新修》作"鲜"，据《千金翼》《证类》改。

[4] 一名鬼箭 《纲目》《草木典》《本经续疏》注为《别录》文。

[5] 有 傅本《新修》、罗本《新修》脱，据《证类》补。

[6] 及羽也 《证类》无"及""也"2字。

216 紫葳

味酸[1]**，微寒，无毒。主治妇人产**[2]**乳余疾，崩中，癥瘕，血闭，寒热，嬴瘦**[3]**，养胎。**茎叶：味苦，无毒。主痿躄[4]，益气。一名陵苕，一名芺华[5]。生西海川谷及山阳。

李云是瞿麦根，今方用至少。《博物志》云：郝晦行华草于太行山北，得紫葳华。必当奇异。今瞿麦华乃可爱，而处处有，不应乃在太行山。且有树其茎叶[6]，恐亦非瞿麦根。《诗》云有苕之华；郭云陵霄藤[7]，亦恐非也。（《新修》页137，《大观》卷13，《政和》页327）

【校注】

[1] 酸 《御览》《本经疏证》作"咸"。

[2] 产 傅本《新修》、罗本《新修》脱，据《千金翼》《证类》补。

[3] 癥瘕，血闭，寒热，嬴瘦 《御览》作"癥血寒热"。

[4] 躄 《图考长编》作"躃"。

[5] 一名陵苕，一名芺华 "芺"，《大全》《图考长编》《本经疏证》作"芰"。"华"字下，《图经衍义》有"一名凌霄花"。

[6] 有树其茎叶 傅本《新修》、罗本《新修》作"又标其茎花"，据《证类》改。

[7] 藤 《证类》无。

217 芜荑

味辛，平[1]**，无毒。主治五内邪气，散皮肤骨节中淫淫温**[2]**行毒，去三虫，化食**[3]**，逐寸白，散腹中喔喔喘息**[4]**。一名无姑**[5]**，一名蕨薞**[6]**。生晋山**[7]**川谷。三月采实，阴干。

今唯出高丽，状如榆荚，气臭如犰，彼人皆以作酱食之。性杀虫，以置物中，亦辟蛀。但患其臭尔。(《新修》页138，《大观》卷13，《政和》页322)

【校注】

[1] 辛，平　傅本《新修》、罗本《新修》脱"辛"字，据《千金翼》《证类》补。"平"，森本、顾本注为《本经》文。

[2] 温　傅本《新修》、罗本《新修》脱，据《千金翼》《证类》补。又《品汇》《图考长编》《本草经疏》俱有"温"字。

[3] 化食　《千金方·食治》作"能化宿食"。

[4] 腹中喧喧喘息　"腹"，《证类》作"肠"。"息"，《新修》作"出"，据《千金翼》《证类》改。

[5] 姑　《图经衍义》作"始"，误。

[6] 一名蘧蒢　《大观》《图考长编》注为《别录》文。

[7] 晋山　傅本《新修》、罗本《新修》脱，据《千金翼》《证类》补。

218　紫草

味苦，寒，无毒。主治心腹邪气，五疸[1]，**补中益气，利九窍，通水道**[2]。治腹[3]肿胀满痛；以合膏，疗小儿疮及面皱。一名紫丹，一名紫芙[4]。**生砀山山谷**及楚地。三月采根，阴干。

今出襄阳，多从南阳、新野来，彼人种之，即是今染紫者，方药家都不复用。《博物志》云：平氏阳山紫草特好。魏国以染色殊黑。比年东山亦种，色小浅于北者。(《大观》卷8，《政和》页209)

【校注】

[1] 疸　姜本、《图考长编》作"疳"。

[2] 通水道　《草木典》注为《别录》文。

[3] 腹　《草木典》无。

[4] 芙　孙本作"芺"。其下，《御览》有"一名地血"4字。

219　紫菀

味苦、辛，温，无毒。主治咳[1]**逆上气，胸中寒热结气，去蛊毒**[2]、**痿蹶**[3]，**安五脏**。治咳唾脓血，止喘悸[4]，五劳体虚，补不足，小儿惊痫。一名紫蒨，一名青菀。**生房陵山谷**及真定、邯郸。二月、三月采根，阴干。款冬为之使，恶天雄、瞿麦、雷丸、远志，畏[5]茵陈蒿。

近道处处有，生[6]布地，花亦紫，本有白毛，根甚柔细。有白者名白菀，不复用。(《大观》卷8，《政和》页209)

【校注】

[1] 咳　《图经衍义》作"饮"，误。

[2] 蛊毒　《图经衍义》作"劳伤"，《品汇》作"痰"。

[3] 歴　森本、顾本、姜本、《本经疏证》《图考长编》《本草经解》作"躄"。

[4] 悴　《图经衍义》作"悖"。

[5] 晨　《图经衍义》脱。

[6] 生　《大观》作"主"。

220　白鲜[1]

味苦、咸，寒，无毒。主治头[2]风，黄疸，咳逆，淋沥，女子阴中肿痛，湿痹死肌，不可屈伸起止行步。治四肢不安，时行腹中大热，饮水，欲走[3]，大呼，小儿惊痫，妇人产后余痛。生上谷川谷及宛朐。四月、五月采根，阴干。恶桑[4]螵蛸、桔梗、茯苓、萆薢。

近道处处有，以蜀中者为良。世呼为白羊鲜，气息正似羊膻，或名白膻。(《大观》卷8，《政和》页210)

【校注】

[1] 鲜　其下，姜本有"皮"字。

[2] 主治头　《御览》作"主酒"。

[3] 欲走　《大观》《大全》《本经续疏》在"妇人产后"之下。

[4] 桑　《证类》《医心方》《纲目》脱此字，《本草经集注》有"桑"字。

221　白兔藿

味苦，平，无毒。主治蛇虺、蜂虿、猘狗、菜肉、蛊毒，鬼[1]疰，风疰，诸大毒不可入口者，皆消除之。又去血，可末着痛上，立消[2]。毒入腹者，煮饮之即解[3]。一名白葛。生交州山谷。

此药治毒，莫之与敌。而人不复用，殊不可解，都不闻有识之者，想当似葛尔，须别广访交州人，未得委悉。(《大观》卷7，《政和》页190)

【校注】

[1] 鬼 孙本、问本、黄本、周本无。

[2] 消 《纲目》《草木典》《图考长编》作"清"。

[3] 风痓，诸大毒……煮饮之即解 《纲目》《草木典》注为《本经》文。

222 营实[1]

味酸，温、微寒，无毒。主治痈疽，恶疮[2]，结肉，跌筋，败疮，热气，阴蚀不瘳，利关节。久服轻身益气。根：止泄痢腹痛，五脏客热，除邪逆气，疽癞[3]，诸恶疮，金疮伤挞，生肉复肌。**一名墙薇，一名墙麻，一名牛棘[4]**，一名牛勒，一名墙[5]蘼，一名山棘。**生零陵川谷及蜀郡。**八月、九月采，阴干。营实即是墙薇子，以白花者为良。根亦可煮酿酒，茎、叶亦可煮作饮。(《大观》卷7，《政和》页182)

【校注】

[1] 营实 《御览》作"蔷薇"。"营"，《图经衍义》作"芜"。

[2] 疮 孙本、问本、黄本、周本作"创"。

[3] 疽癞 《图经衍义》作"疽痈"，《草木典》作"疽癞"。

[4] 棘 《御览》作"膝"。

[5] 墙 《本草和名》作"芦"。

223 薇衔

味苦，平、微寒，无毒。主治风湿痹，历节痛，惊痫吐舌，悸[1]气，贼风，鼠瘘，痈肿。暴癥，逐水，治瘘瘑。久服轻身明目。**一名麋[2]衔，一名承膏，一名承肌[3]**，一名无心，一名无颠。**生汉中川泽及宛朐、邯郸。**七月采茎、叶，阴干。得秦皮良。

世用亦少。(《大观》卷7，《政和》页190)

【校注】

[1] 悸 《永乐大典》卷9762作"悖"。

[2] 麋 《御览》作"縻"，《证类》、《永乐大典》卷9762作"糜"，《千金翼》作"麋"，从《千金翼》为正。

[3] 肌 《本草和名》作"肥"。

224　井中苔及萍

大寒。主治漆疮，热疮，水肿。井中蓝，杀野葛、巴豆诸毒。

废井中多生苔萍，及砖土间生杂草、菜蓝[1]，既解毒，在井中者弥佳，不应复别是一种名井中蓝。井底泥至冷，亦治汤火灼疮，井华水又服炼法用之。(《大观》卷9，《政和》页238)

【校注】

[1] 菜蓝　《大观》、人卫本《政和》作"菜蓝"，成化《政和》、万历《政和》、商务《政和》、《纲目》作"菜蓝"，从《大观》为正。

225　王孙

味苦，平，无毒。主治五脏邪气，寒[1]湿痹，四[2]肢疼酸，膝冷痛[3]。治百病，益气。吴名白功草，楚名王孙，齐名长孙，一名黄孙，一名黄昏，一名海孙，一名蔓延。**生海西川谷及汝南城郭垣下。**

今方家皆呼名[4]黄昏，又云牡蒙，市人亦少识者。(《大观》卷9，《政和》页237)

【校注】

[1] 寒　《御览》无。
[2] 四　《图考长编》无。
[3] 膝冷痛　《御览》无。
[4] 名　《大观》作"为"。

226　爵床[1]

味咸，寒[2]，无毒。主治腰脊痛，不得著床[3]，俛仰艰难，除热，可作浴汤。生汉中川谷及田野。(《大观》卷9，《政和》页238)

【校注】

[1] 床　《御览》作"麻"。
[2] 味咸，寒　玄《大观》、《大全》注为《别录》文。
[3] 床　《大全》作"林"，误。

227　白前

味甘，微温，无毒。主治胁胁逆气，咳嗽上气[1]。

此药出近道，似细辛而大，色白易折。主气嗽方多用之。（《大观》卷9，《政和》页233）

【校注】

[1] **气** 其下，《纲目》《草木典》有"呼吸欲绝"4字。按，此4字非《别录》文，是唐慎微引用的"唐本云"文。

228 百部根

微温，有小毒[1]。主治咳嗽上气。

山野处处有。根数十相连，似天门冬而苦强，亦有小毒。火炙酒渍饮之。治咳嗽，亦主去虱。煮作汤，洗牛犬虱即去。《博物志》云：九真有一种草似百部，但长大尔。悬火上令[2]干，夜取四五寸短切，含咽汁，勿令人知，治暴嗽甚良，名为嗽药。疑此是百部，恐其土肥润处，是以长大尔。（《大观》卷9，《政和》页225）

【校注】

[1] **有小毒** 《证类》脱，《千金翼》有此3字。
[2] **令** 《大观》作"烧"。

229 王瓜

味苦，寒，无毒。主治消渴，内痹[1]，瘀血，月闭，寒热，酸疼，益气，愈[2]聋。治[3]诸邪气，热结，鼠瘘，散痈肿留血，妇人带下不通，下乳汁，止小便数不禁，逐四肢骨节中水，治马骨刺人疮。一名土瓜。生鲁地平泽田野，及人家垣墙间。三月采根，阴干。

今土瓜生篱院间亦有，子熟时赤，如弹丸大。根，今多不预干，临用时乃掘取，不堪[4]入大方，正单行小小尔[5]。《礼记·月令》云：王瓜生，此之谓也。郑玄云菝葜，殊为谬矣。（《大观》卷9，《政和》页219）

【校注】

[1] **痹** 《本草经疏》作"疝"。
[2] **愈** 《大全》、孙本、问本作"俞"。
[3] **治** 其上，《图考长编》有"主聋"2字，并作《别录》文。
[4] **堪** 《大观》作"甚"。
[5] **正单行小小尔** 《图考长编》作"止单行小方尔"。

230 荠苨

味甘，寒，无毒[1]。主治解百药毒[2]。

根茎都[3]似人参，而叶小异，根味甜绝，能杀毒。以其与毒药共处，而毒皆自然歇，不正入方家用也。（《大观》卷9，《政和》页233）

【校注】

[1] 无毒 《证类》脱，据《千金翼》补。

[2] 毒 《大全》作"方"，误。

[3] 都 《图考长编》无。

231 高良[1]姜

大温，无毒[2]。主治暴冷，胃中冷逆，霍乱腹痛。

出高良郡。人腹痛不止，但嚼食亦效。形气与杜若相似，而叶如山姜。（《大观》卷9，《政和》页224）

【校注】

[1] 良 《医心方》作"凉"。

[2] 无毒 《证类》脱，据《千金翼》补。

232 马先蒿

味苦[1]，平，无毒。主治寒热鬼疰，中风，湿痹，女子带[2]下病，无子。一名马屎[3]蒿。生南阳川泽。

方云一名烂石草，主恶疮，方药亦不复用。（《大观》卷9，《政和》页230）

【校注】

[1] 苦 《纲目》、卢本、姜本、莫本、森本、顾本取为《本经》文，《大观》、人卫本《政和》、成化《政和》、商务《政和》作墨字《别录》文，孙本、问本、周本、黄本不取"苦"字为《本经》文，从《大观》为正。

[2] 带 《大全》作"滞"。

[3] 屎 《本草和名》、森本、狩本作"矢"。

233　蜀羊泉[1]

味苦，微寒，无毒。主治头秃[2]，恶疮，热气，疗瘑痂[3]癣虫。治龋齿[4]，女子阴中内伤，皮间实积。一名羊泉，一名羊饴。生蜀郡川[5]谷。

方药亦不复用，彼土人时有采识者。（《大观》卷9，《政和》页237）

【校注】

[1] **泉**　《本草和名》作"全"。

[2] **头秃**　《纲目》、姜本作"秃疮"。

[3] **瘑痂**　"瘑"，孙本、黄本、问本、周本作"搔"。"痂"，《图考长编》作"疗"。

[4] **治龋齿**　《纲目》注为《别录》文，《品汇》、孙本、问本、周本、黄本注为《本经》文，人卫本《政和》、成化《政和》、商务《政和》刻前2字"治龋"为白字《本经》文。森本、顾本不取此3字为《本经》文。

[5] **川**　《纲目》《图经衍义》作"山"。

234　积雪草

味苦，寒，无毒。主治大热，恶疮[1]，痈疽[2]，浸淫赤熛，皮肤赤，身热。生荆州川[3]谷。

方药亦不用，想此草当寒冷尔[4]。（《大观》卷8，《政和》页233）

【校注】

[1] **疮**　孙本、问本、周本、黄本作"创"。

[2] **疽**　万历《政和》、《大全》、森本作"疸"。

[3] **川**　《大观》作"山"，人卫本《政和》、森本、孙本、问本、周本、黄本作"川"。

[4] **想此草当寒冷尔**　《和名类聚钞》引陶隐居注曰："积雪草寒冷，故以名之。"

235　恶实[1]

味辛，平，无毒[2]。主明目，补中，除风伤。根茎：治伤寒寒热汗出，中风面肿，消渴热中，逐水。久服轻身耐老。生鲁山平泽。

方药不复用。（《大观》卷9，《政和》页218）

【校注】

[1] **恶实** 《图经衍义》作"牛蒡子"，《品汇》作"鼠黏子"。"实"字下，《医心方》卷30有"一名牛蒡，一名鼠黏草"。

[2] **无毒** 《证类》脱，据《千金翼》补。

236 莎草根[1]

味甘，微寒，无毒。主除胸中热，充皮毛。久服利[2]人，益气，长须眉。一名薃，一名侯莎，其实名缇。生田野，二月、八月采。

方药亦不复用，《离骚》云：青莎杂树，繁草霍靡。古人为诗多用之，而无识者，乃有鼠蓑，治体异此。（《大观》卷9，《政和》页235）

【校注】

[1] **莎草根** 《医心方》《本草和名》无"根"字。《品汇》作"香附子"，《纲目》作"莎草香附子"。

[2] **利** 成化《政和》、万历《政和》、商务《政和》、《大全》《品汇》《纲目》《草木典》《图考长编》作"令"，《千金翼》、人卫本《政和》作"利"，从《千金翼》为正。

237 大、小蓟根

味甘，温。主养精保血[1]。大蓟主治女子赤白沃[2]，安胎，止吐血，衄鼻，令人肥健。五月采。

大蓟是虎蓟，小蓟是猫蓟，叶并多刺，相似。田野甚多，方药不复用，是贱之故。大蓟根甚治血，亦有毒。（《大观》卷9，《政和》页221）

【校注】

[1] **养精保血** 《草木典》作"保血养精"。

[2] **沃** 《草木典》作"带"。

238 垣衣

味酸，无毒。主治黄疸[1]，心烦，咳逆，血气，暴热在肠胃[2]，金疮内塞[3]。久服补中益气，长肌[4]，好颜色。一名昔邪，一名乌韭，一名垣嬴，一名天韭，一名鼠韭。生古垣墙阴或屋上。三月三日采，阴干。

方药不甚用，世中少见有者。《离骚》亦有昔邪，或云即是天蒜尔。（《大观》卷9，《政和》页236）

【校注】

[1] 疝 《图经衍义》作"瘄"。

[2] 暴热在肠胃 "暴"字下，《图考长编》有"风"字。"胃"字下，《纲目》《草木典》有"暴风口噤"4字。

[3] 塞 《图经衍义》作"寒"。其下，《纲目》有"酒渍服之"4字。

[4] 肌 其下，《纲目》《草木典》有"肉"字。

239 艾叶

味苦，微温，无毒。主灸百病，可作煎，止下痢，吐血，下部䘌疮，妇人漏血，利阴气，生肌肉，辟风寒，使人有子。一名冰台，一名医草。生田野。三月三日采，暴干。作煎勿令见风。

捣叶以灸百病，亦止伤血。汁，又杀蛔虫。苦酒煎叶，治癣甚良。（《大观》卷9，《政和》页217）

240 牡[1]蒿

味苦[2]，温，无毒。主充肌肤，益气，令人暴肥，血脉满盛，不可久服[3]。生田野，五月、八月[4]采。

方药不复用。（《新修》页360，《大观》卷30，《政和》页546）

【校注】

[1] 牡 傅本《新修》、罗本《新修》作"杜"，据《千金翼》《证类》改。

[2] 苦 其下，《纲目》有"微甘"2字。

[3] 血脉满盛，不可久服 两句原颠倒，据文义改。

[4] 八月 傅本《新修》、罗本《新修》脱，据《千金翼》《证类》补。

241 假苏[1]

味辛，温，无毒。主治寒热，鼠瘘，瘰疬，生疮，结聚气破散之[2]，下瘀血，除湿痹[3]。一名鼠蓂，一名姜芥[4]。生汉中川泽。

方药亦不复用。（《新修》页278，《大观》卷28，《政和》页513）

【校注】

[1] 假苏 《品汇》《本草经解》作"荆芥"。按，"假苏"，《新修》《证类》列在中品，但假

苏主治不言"补虚赢"，而言"除寒热，破结聚"，似应在下品。

[2] **结聚气破散之** 《证类》《纲目》《图考长编》作"破结聚气"。"聚"，傅本《新修》、罗本《新修》作"旅"，据《千金翼》《证类》改。

[3] **除湿痹** 傅本《新修》、罗本《新修》脱"除"字，据《千金翼》《证类》补。"痹"，《纲目》《图考长编》作"疽"，《本草经解》作"疸"。

[4] **一名姜芥** 此4字，王本录为《本经》文。

242 水萍[1]

味辛、酸，寒，无毒。主治暴热身痒，下水气，胜酒[2]**，长须发**[3]**，止**[4]**消渴，下气。以沐浴，生毛发。久服轻身。一名水花**[5]**，一名水白，一名水苏**[6]**。生雷泽**[7]**池泽。三月采，暴干。**

此是水中大萍尔，非今浮萍子。《药录》云：五月有花，白色，即非今沟渠所生者。楚王渡江所得，非[8]斯实也。（《大观》卷9，《政和》页219）

【校注】

[1] **萍** 《本草和名》、森本作"荓"。《说文》云："荓，草也"。段玉裁注云："《月令》于三月言生荓，郭璞云'江东谓之藻'。"

[2] **气，胜酒** 《初学记》《艺文类聚》无。

[3] **长须发** 《艺文类聚》作"乌鬓发"，《御览》《初学记》、顾本作"长鬓发"。

[4] **止** 成化《政和》、万历《政和》、商务《政和》、柯《大观》、《大全》《品汇》《本草经疏》、徐本作"主"，人卫本《政和》、《图考长编》《本经疏证》《纲目》、顾本、森本作"止"，孙本、问本、周本、黄本无"止"字。

[5] **花** 《艺文类聚》《初学记》《御览》、森本、孙本作"华"，《图经衍义》作"肥"。

[6] **苏** 成化《政和》、万历《政和》、商务《政和》作"藓"。

[7] **泽** 其下，《御览》有"水上"2字。

[8] **非** 商务《政和》作"有"，《纲目》作"乃"。

243 海藻

味苦、咸，寒[1]**，无毒。主治瘿瘤气，颈下核**[2]**，破散结气**[3]**、痈肿，癥瘕，坚气，腹中上下鸣**[4]**，下十二水肿。治皮间积聚暴癀**[5]**，留气热结，利小便。一名落首，一名薄。生东海池泽。七月七日**[6]**采，暴干。反甘草。**

生海岛上[7]，黑色如乱发而大少许，叶大都似藻叶。又有石帆，状如柏，治石淋。又有水松，状如松，治溪毒。（《大观》卷9，《政和》页221）

【校注】

[1] **苦、咸，寒** 《千金方·食治》作"咸，寒滑"。

[2] **主治瘰瘤气，颈下核** 《千金方·食治》《纲目》作"主瘿瘤结气，散颈下硬核痛"。《永乐大典》卷11602"海藻"条脱"核"字。

[3] **破散结气** 《千金方·食治》《纲目》无。

[4] **鸣** 其上，《千金方·食治》《纲目》有"雷"字。

[5] **癀** 《医心方》卷30作"颓"，《千金翼》《证类》作"癀"，从《千金翼》为正。

[6] **七日** 《千金翼》无此2字。

[7] **上** 《永乐大典》卷11602"海藻"条作"石上"。

244 昆布[1]

味咸，寒，无毒。主治十二种水肿，瘰瘤聚结气，瘘疮[2]。生东海。

今惟出高丽。绳把索之如卷麻，作黄黑色，柔韧可食。《尔雅》云：纶似纶，组似组，东海有之。今青苔、紫菜皆似纶，此昆布亦似组，恐即是也。凡海中菜，皆治瘰瘤结气。青苔、紫菜辈亦然，干苔性热，柔苔甚冷也。(《大观》卷9，《政和》页222)

【校注】

[1] **昆布** 《御览》作"纶布"。

[2] **聚结气，瘘疮** 《医心方》卷30作"气瘘"。

245 荭草

味咸，微寒，无毒。主治消渴，去热，明目，益气。一名鸿藹[1]。如马蓼而大，生水旁，五月采实。

此类甚多，今生下湿地，极似马蓼，甚长大。《诗》称隰有游龙，注云荭草。郭景纯云：即笼古也。(《大观》卷9，《政和》页234)

【校注】

[1] **藹** 万历《政和》作"鹄"，《本草和名》作"藚"。

246 陟厘

味甘，大温，无毒。主治心腹大寒，温中消谷，强胃气，止泄痢。生江南池泽。

此即南人作纸者，方家惟合断下药用之。（《大观》卷9，《政和》页237）

247 薰草

味甘，平，无毒。主明目，止泪，治泄精，去臭恶气，伤寒头痛，上气，腰痛。一名蕙草。生下湿地，三月采，阴干。脱节者良。

世人呼燕草，状如茅而香者为薰草，人家颇种之。《药录》云：叶如麻，两两相对。《山海经》云：薰草，麻[1]叶而方茎，赤[2]花而黑实，气如靡芜，可以止疠[3]。今市人皆用燕草，此则非。今诗书家多用蕙语，而竟不知是何草。尚其名而迷其实，皆此类也。（《新修》页359，《大观》卷30，《政和》页545）

【校注】

[1] **麻** 此下，傅本《新修》、罗本《新修》衍"草"字，据《山海经》卷5、《证类》删。

[2] **赤** 傅本《新修》、罗本《新修》作"亦"，据《证类》改。

[3] **止疠** 《证类》《纲目》、《山海经》卷5作"已疠"，傅本《新修》、罗本《新修》作"止疠"。《山海经笺疏》郝懿行注云："《尔雅疏》引此经作'止疠'。"

248 干姜

味辛，温[1]、大热，无毒。**主治胸满[2]，咳逆上气，温中，止血[3]，出汗，逐风湿痹，肠澼下痢。**寒冷腹痛，中恶，霍乱，胀满，风邪诸毒，皮肤间结气，止唾血。**生者尤良。**生姜：味辛，微温。主治伤寒头痛鼻塞，咳逆上气，止呕吐。**久服去臭气，通神明[4]。**生犍为川谷及荆州、扬州，九月采。秦椒为之使，杀半夏、莨菪毒，恶黄芩、黄连[5]、天鼠屎[6]。

干姜今惟出临海、章安，两三村解作之。蜀汉姜旧美，荆州有好姜，而并不能作干者。凡作干姜法，水淹三日毕，去皮置流水中六日，更去皮，然后晒干，置瓮瓶中，谓之酿也。（《大观》卷8，《政和》页193）

【校注】

[1] **温** 《千金方·食治》作"热"。

[2] **胸满** 《千金方·食治》作"胸中满"。

[3] **止血** 《千金方·食治》作"止漏血"。

[4] **久服去臭气，通神明** 《品汇》注为《别录》文。"去"下，《千金方·食治》有"胸膈上"3字。

[5] **黄连** 《集注》脱，据《证类》补。

［6］**屎** 《证类》作"粪"，《医心方》《集注》作"矢"。

249 五色符

　　味苦，微温。主治咳逆，五脏邪气，调中，益气，明目，杀虫。青符、白符、赤符、黑符、黄符[1]，各随色补其脏。白符，一名女木。生巴郡山谷。

　　方药皆不复用，今人并无识者。(《新修》页363，《大观》卷30，《政和》页546)

【校注】

［1］**黄符** 傅本《新修》、罗本《新修》脱，据《千金翼》《证类》补。

草木下品　卷第五

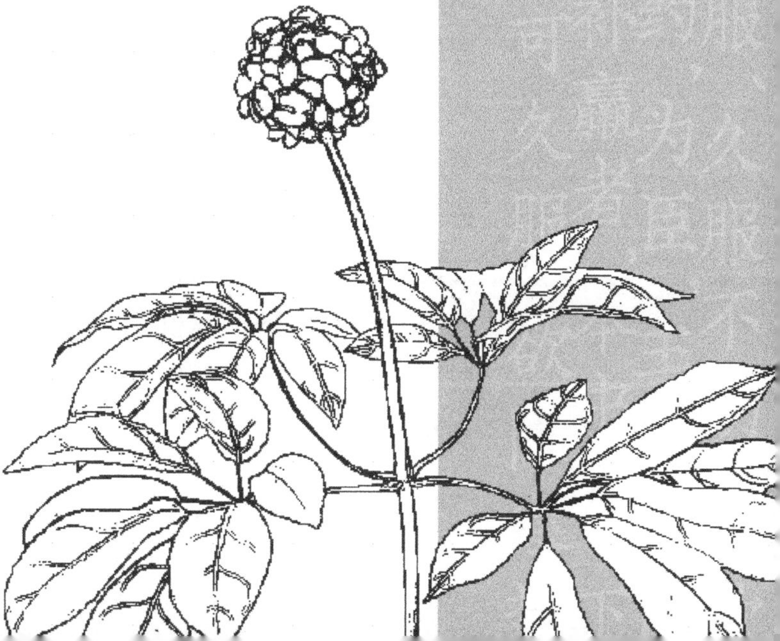

250 大黄将军	251 蜀椒	252 蔓椒	253 莽草
254 鼠李	255 枇杷叶	256 巴豆	257 甘遂
258 葶苈	259 大戟	260 泽漆	261 芫华
262 荛华	263 旋覆华	264 钩吻	265 蚤休
266 虎杖根	267 石长生	268 鼠尾草	269 屋游
270 牵牛子	271 狼毒	272 鬼臼	273 芦根
274 甘蕉根	275 萹蓄	276 商陆	277 女青
278 白附子	279 天雄	280 乌头	281 附子
282 侧子	283 羊踯躅	284 茵芋	285 射干
286 鸢尾	287 由跋根	288 药实根	289 皂荚
290 楝实	291 柳华	292 桐叶	293 梓白皮
294 蜀漆	295 半夏	296 款冬	297 牡丹
298 防己	299 赤赫	300 黄环	301 巴戟天
302 石南草	303 女菀	304 地榆	305 五加皮
306 泽兰	307 紫参	308 蛇全	309 草蒿
310 藋菌	311 虂舌	312 雷丸	313 贯众
314 青葙子	315 牙子	316 藜芦	317 赭魁
318 及己	319 连翘	320 白头翁	321 蔺茹
322 白薮	323 白及	324 占斯	325 蚤廉
326 虎掌	327 莨菪子	328 栾华	329 杉材
330 楠材	331 榧实	332 紫真檀木	333 淮木
334 别羁	335 石下长卿	336 羊桃	337 羊蹄
338 鹿藿	339 练石草	340 牛扁	341 陆英
342 蕈草	343 茛草	344 恒山	345 夏枯草
346 襄草	347 戈共	348 乌韭	349 溲疏
350 钓樟根皮	351 榉树皮	352 钓藤	353 苦芙
354 马鞭草	355 马勃	356 鸡肠草	357 蛇莓汁
358 苎根	359 菰根	360 狼跋子	361 蒴藋
362 船虹	363 败船茹	364 败蒲席	365 败天公
366 鼠姑			

250　大黄_{将军}

味苦，寒、大寒，无毒。主[1]**下瘀血，血闭**[2]**，寒热，破癥瘕积聚，留饮宿食，荡涤肠胃，推陈致新，通利水谷**[3]**，调中化食，安和**[4]**五脏。**平胃下气，除痰实，肠间结热，心腹胀满，女子寒血闭胀，小腹痛[5]，诸老血留结。一名黄良。**生河西山谷**及陇西。二月、八月采根，火干。得芍药、黄芩、牡蛎、细辛、茯苓治惊恚怒，心下悸气。得消石、紫石英、桃人治女子血闭。黄芩[6]为之使。无所畏。

今采益州北部汶山及西山者，虽非河西、陇西，好者犹作紫地锦色，味甚苦涩，色至浓黑。西川阴干者胜。北部日干，亦有火干者，皮小焦不如[7]，而耐蛀堪久。此药至劲利，麁者便不中服，最为世方所重。道家时用以去痰疾，非养性所须也。将军之号，当取其骏快矣。（《大观》卷10，《政和》页246）

【校注】

[1]　**主**　森本无。

[2]　**血闭**　《御览》无"血"字。"闭"，《大全》作"闲"。

[3]　**水谷**　"水"，《大全》作"氷"。"谷"下，《御览》有"道"字。

[4]　**化食，安和**　《御览》无"化""和"2字。

[5]　**痛**　《图经衍义》无。

[6]　**芩**　商务《政和》作"苓"，误。

[7]　**不如**　《图考长编》脱此2字。

251　蜀椒

味辛，温[1]**、大热，有毒。主治邪气咳逆，温中，逐骨节皮肤死肌**[2]**，寒湿[3]痹痛，下气。除五脏[4]六腑寒冷，伤寒，温疟，大风，汗不出[5]，心腹留饮宿食，止[6]肠澼下痢，泄精，女子[7]字乳余疾，散风邪瘕结，水肿，黄疸[8]，鬼疰，蛊毒，杀虫鱼毒。久服之头不白[9]，轻身，增年。开腠理，通血脉，坚齿发，调关节，耐寒暑，可作膏药。多食令人乏气，口闭者杀人。一名巴椒，一名卢[10]葂。生武都川谷及巴郡。八月采实，阴[11]干。杏人为之使，畏橐吾[12]。

出蜀郡北部[13]，人家种之，皮肉厚，腹里白，气味浓。江阳晋原及建平间亦有而细赤，辛而不香，力势不如巴郡。巴椒，有毒不可服，而此为一名，恐不尔。又有秦椒，黑色，在上[14]品中。凡用椒皆火微熬之，令汗出，谓为汗椒，令有力势[15]。椒目冷利去水[16]，则[17]入药不得相杂尔。(《新修》页154，《大观》卷13，《政和》页340)

【校注】

[1] **温** 《千金方·食治》《医心方》卷30无。

[2] **死肌** 《千金方·食治》作"中寒冷，去死肌"。莫本作"中寒，去死肌"。

[3] **湿** 《医心方》卷30作"温"。

[4] **五脏** 《医心方》卷30、傅本《新修》、罗本《新修》有此2字，《千金翼》《证类》《纲目》《品汇》《本草经疏》《本经疏证》《图考长编》无此2字。

[5] **出** 《本经疏证》作"止"。

[6] **止** 《证类》《纲目》无。

[7] **女子** 傅本《新修》、罗本《新修》脱，据《千金翼》《证类》《纲目》补。

[8] **疸** 玄《大观》作"疸"。

[9] **之头不白** 《证类》、姜本无"之"字。"白"，傅本《新修》作"由"，据罗本《新修》、《证类》改。

[10] **卢** 《千金翼》《证类》《纲目》作"蔍"。

[11] **阴** 傅本《新修》、罗本《新修》脱，据《千金翼》《证类》补。

[12] **畏橐吾** 《证类》作"畏款冬"。《证类》卷2"序例下"中"蜀椒"条，有"禹锡等谨按：唐本云，畏橐吾、附子、防风"。傅本《新修》、罗本《新修》无"附子、防风"。

[13] **郡北部** "郡"，《证类》作"都"。"部"，《图考长编》作"郡"。"部"字下，傅本《新修》、罗本《新修》衍"西川志"，据《证类》删。

[14] **上** 《证类》作"中"。

[15] **力势** 《证类》倒置。

[16] **利去水** 《证类》无。

[17] **则** 《证类》作"别"。

252 蔓椒

味苦，温[1]，无毒。主治风寒湿[2]痹，历节疼痛[3]，除四肢厥气，膝痛。一名豕[4]椒，一名猪椒[5]，一名虦椒，一名狗椒。生云中山[6]川[7]谷及丘塚间。采茎、根，煮酿酒[8]。

山野处处有，世呼为樛，似椒[9]薰，小不香尔，一名豨杀[10]，可以蒸病出汗也。（《新修》页159，《大观》卷14，《政和》页358）

【校注】

[1] **温** 卢本、莫本作"平"。

[2] **湿** 《图经衍义》作"温"。

[3] **痛** 《证类》《品汇》《纲目》、孙本、问本、周本、黄本、顾本无，傅本《新修》、罗本《新修》、森本有"痛"字。

[4] **豕** 万历《政和》、孙本、问本、黄本、周本作"家"。

[5] **一名猪椒** 傅本《新修》、罗本《新修》脱，据《千金翼》《证类》补。

[6] **山** 《证类》无。

[7] **川** 《图经衍义》作"生"。

[8] **酒** 傅本《新修》、罗本《新修》脱，据《千金翼》《证类》补。

[9] **椒** 傅本《新修》、罗本《新修》作"樔"，据《证类》改。

[10] **豨杀** 《证类》作"豨椒"，《纲目》作"猪椒"，傅本《新修》、罗本《新修》作"豨杀"，从《新修》为正。

253 莽草

味辛、苦，温，有毒。主治风头，痈肿，乳痈[1]，疝瘕，除[2]结气，疥瘙，虫疽疮[3]，杀虫鱼。治喉痹不通，乳难，头风痒，可用沐，勿近目[4]。一名葞，一名春草。**生上[5]谷山谷及宛朐。五月采叶，阴干。**

上谷远在幽州[6]，今东间诸山[7]处处皆有。叶青新[8]烈者良。人[9]用捣以和米内水中，鱼吞即死浮出，人取食之无妨。莽草，字亦有作䓌字，今世呼为䓌草也[10]。（《新修》页155，《大观》卷14，《政和》页346）

【校注】

[1] **风头，痈肿，乳痈** 《御览》作"风头，痈乳"。"头"，《纲目》《图考长编》作"毒"。"乳痈"，顾本作"乳肿"。

[2] **除** 《御览》无。

[3] **虫疽疮** 《证类》、孙本、黄本、问本无此文。森本据《新修》录此文。

[4] **勿近目** 《证类》作"勿令入眼"。

[5] **上** 《御览》作"还"。

［6］ **上谷远在幽州** 《证类》无。

［7］ **诸山** 《证类》无。

［8］ **新** 《图考长编》作"辛"。

［9］ **人** 《图考长编》作"又"。

［10］ **今世呼为菺草也** 傅本《新修》、罗本《新修》作"呼为冈青"，据《证类》改。

254 鼠李

主治寒热瘰疬疮[1]。皮[2]：味苦，微寒[3]，无毒。主除身皮热毒。一名牛李，一名鼠梓，一名椑[4]。**生田野**，采无时。

此条又附见，今亦在副品限也[5]。（《新修》页157，《大观》卷14，《政和》页353）

【校注】

［1］ **疮** 孙本、问本、周本、黄本作"创"。

［2］ **皮** 其上，《证类》有"其"字。

［3］ **味苦，微寒** 卢本录此4字为《本经》文。

［4］ **椑** 《新修》作"柙"，据《千金翼》《证类》改。

［5］ **此条又附见，今亦在副品限也** 《证类》无此文。

255 枇杷叶

味苦[1]，平，无毒[2]。主治卒哕[3]不止，下气[4]。

其叶不暇[5]煮，但嚼食，亦[6]差。人以作饮，乃[7]小冷。（《新修》页251，《大观》卷23，《政和》页469）

【校注】

［1］ **味苦** 傅本《新修》、罗本《新修》、《医心方》卷30脱，据《千金翼》《证类》补。

［2］ **无毒** 傅本《新修》、罗本《新修》、《医心方》卷30脱，据《千金翼》《证类》补。

［3］ **哕** 《草木典》作"噎"。

［4］ **气** 其下，《纲目》《草木典》有"煮汁服"3字。

［5］ **其叶不暇** 傅本《新修》、罗本《新修》作"不假"，据《证类》改。

［6］ **亦** 傅本《新修》作"小"，据罗本《新修》、《证类》改。

［7］ **乃** 《大观》《政和》作"则"，傅本《新修》、罗本《新修》作"乃"，从《新修》为正。

256 巴豆

味辛，温，生温熟寒，有大[1]毒。**主治伤寒，温疟，寒热**[2]，**破癥瘕，结坚**

积聚[3]，留饮痰癖[4]，大腹水胀[5]，荡练[6]五脏六腑，开通[7]闭塞，利水谷道，去恶肉[8]，除鬼蛊毒疰[9]邪物，杀虫鱼[10]。治女子月[11]闭，烂胎，金创[12]，脓血，不利丈夫阴[13]，杀斑猫[14]毒。可练饵之，益血脉，令[15]人色好，变化与鬼神通。一名巴椒[16]。生巴[17]郡川谷。八月采实，阴干[18]，用之去心皮。芫花为之使，恶蘘草[19]，畏大黄、黄连、藜芦。

出巴郡，似大豆，最能利[20]人，新者佳。用之皆[21]去心皮乃秤[22]，又熬令黄黑，别捣如膏，乃合[23]和丸散尔。道方亦有练饵法，服之乃言[24]神仙。人吞一枚，便欲死，而鼠食之，三年重卅斤，物性乃有相耐如[25]此尔。（《新修》页 152，《大观》卷 14，《政和》页 339）

【校注】

[1] **大** 《图经衍义》无。

[2] **伤寒，温疟，寒热** 《御览》作"温疟、伤寒热"。

[3] **癥瘕，结坚积聚** "癥"，《御览》作"癖"。"结坚积聚"，《证类》《纲目》《品汇》《图考长编》《本草经疏》《本经疏证》作"结聚坚积"，傅本《新修》、罗本《新修》作"结坚积聚"。

[4] **痰癖** 《新修》作"淡澼"，据《千金翼》《证类》改。

[5] **水胀** 《纲目》无此 2 字。"胀"，孙本、黄本、问本、周本作"张"。

[6] **练** 《千金翼》《图经衍义》《品汇》《本草经疏》作"涤"。

[7] **六腑，开通** "六腑"，《御览》作"通六腑"。"开通"，森本考异云："《香药钞》作开导。"

[8] **肉** 玄《大观》作"内"，误。

[9] **蛊毒疰** 《证类》《纲目》《品汇》《图考长编》《本草经疏》《本经疏证》作"毒蛊疰"，《御览》作"毒邪疰"。

[10] **鱼** 《图考长编》《御览》无。

[11] **月** 玄《大观》脱"月"字。

[12] **创** 《证类》《纲目》等作"疮"。

[13] **阴** 其下，《纲目》《品汇》衍"癥"字。

[14] **猫** 其下，《纲目》《草木典》衍"蛇虺"2 字。

[15] **令** 《图经衍义》作"今"，误。

[16] **椒** 《御览》作"菽"。

[17] **巴** 《御览》作"蜀"。

[18] **采实，阴干** 《千金翼》《证类》无"实"字。"阴"，傅本《新修》、罗本《新修》脱，据《千金翼》《证类》补。

[19] **草** 傅本《新修》作"菜"，据罗本《新修》、《证类》改。

[20] **利** 《证类》作"泻"。

[21] **之皆** 傅本《新修》、罗本《新修》倒置，据《证类》改。

[22] **秤** 傅本《新修》、罗本《新修》原作"稭"，据《证类》改。

[23] **合**　《证类》无。

[24] **言**　《图考长编》作"可"。

[25] **如**　傅本《新修》作"知"，据罗本《新修》、《证类》改。

257　甘遂

味苦、甘，寒、大寒，有毒。主治大腹疝瘕，腹满[1]，面目浮肿，留[2]饮宿食，破癥坚积聚，利水谷道。下五水，散膀胱[3]留热，皮中痞，热气肿满。一名**主田[4]**，一名甘藁，一名陵藁[5]，一名凌泽，一名重泽[6]。**生中山川谷。**二月采根，阴干。瓜蒂为之使，恶远志，反甘草。

中山在代郡。先第一本出太山，江东比[7]来用京口者，大不相似。赤皮者胜，白皮都下亦有，名草比遂，殊恶，盖谓膺伪草耳[8]，非言草石之草也[9]。（敦煌本《新修》卷10，《大观》卷10，《政和》页254）

【校注】

[1] **腹满**　《御览》作"胀满"，《本草经疏》作"腹痛"。

[2] **留**　其上，《御览》有"除"字。

[3] **胱**　玄《大观》作"胱"，误。

[4] **一名主田**　《证类》《本经疏证》在"一名重泽"之后。《纲目》注"主田"为《别录》文。

[5] **一名陵藁**　《图考长编》无。

[6] **一名重泽**　《图经衍义》无。

[7] **比**　敦煌本《新修》作"北"，据《证类》改。

[8] **草耳**　《证类》作"之草"，《纲目》作"者也"。

[9] **也**　《证类》无。

258　葶苈

味辛、苦[1]，寒、大寒，无毒。主治癥瘕积聚，结气，饮食寒热，破坚逐邪，通利水道。下膀胱水，腹[2]留热气，皮间邪水上出，面目浮[3]肿，身暴中风热痱痒，利小腹。久服令人虚。**一名大室，一名大适[4]，**一名丁历[5]，一名蕈蒿[6]。**生藁城平泽及田野。**立夏后采实，阴干。得酒良[7]，榆皮为之使，恶僵蚕、石龙[8]芮。

出彭城者最胜，今近道亦有，母即[9]公荠，子细黄至苦，用之当熬也。（敦煌本《新修》卷10，《大观》卷10，《政和》页248）

【校注】

[1] **苦** 敦煌本《新修》作朱书《本经》文，其他各本皆注为《别录》文。

[2] **腹** 《千金翼》《证类》《纲目》作"伏"。

[3] **浮** 敦煌本《新修》脱，据《千金翼》《证类》补。

[4] **一名大室，一名大适** 此文，《证类》在"一名草蒿"之后。"适"字下，《纲目》以《尔雅》文"狗荠"为《别录》文。

[5] **丁历** 孙本、问本、周本作"下历"。

[6] **蒿** 敦煌本《新修》脱，据《千金翼》《证类》补。

[7] **得酒良** 《证类》对此文作大字正文，不作小字注文。

[8] **龙** 敦煌本《新修》脱，据《证类》补。

[9] **即** 《证类》作"则"。

259 大戟

味苦、甘，寒、大寒，有小毒。主治蛊毒，十二水，腹[1]**满急痛，积聚，中风，皮肤疼痛，吐逆。**颈腋痛肿，头痛，发汗，利大小肠。一名邛钜。生常山。十二月采根，阴干。反甘草，畏菖蒲、芦草、鼠屎[2]。

近道处处有[3]，至猥贱也。（敦煌本《新修》卷10，《大观》卷10，《政和》页256）

【校注】

[1] **腹** 《大观》《大全》《本草经疏》、狩本、孙本、问本、周本、黄本作"肿"。

[2] **屎** 人卫本《政和》作"尿"。

[3] **有** 《证类》作"皆有"。

260 泽漆

味苦、辛，微寒，无毒[1]**。主治皮肤热，大腹水气，四肢面目浮肿，丈夫阴气不足。**利大小肠，明目，轻身。一名漆茎，大戟苗也。生太山川泽。三月三日、七月七日采茎叶[2]，阴干。小豆为之使，恶署预。

是[3]大戟苗，生时摘叶有白汁，故名泽漆，亦能啮人肉。（敦煌本《新修》卷10，《大观》卷10，《政和》页256）

【校注】

[1] **无毒** 敦煌本《新修》将"无"字作朱书，将"毒"字作墨书。《证类》对"无毒"作墨字《别录》文。

239

［2］ **茎叶** 敦煌本《新修》脱，据《千金翼》《证类》补。

［3］ **是** 其上，《证类》有"此"字。

261 芫华[1]

味辛、苦，温、微温，有小毒。主治咳逆上气。喉鸣喘[2]，**咽肿，短气，蛊毒**[3]，**鬼疟，疝瘕，痈肿，杀虫鱼**[4]，消胸中痰[5]水，喜唾，水肿，五水在五脏皮肤，及腰痛，下寒毒、肉毒。久服令人虚。**一名去水**[6]，一名毒鱼，一名杜芫[7]。其[8]根名蜀桑根，治疥疮[9]，可用毒鱼。**生淮源川谷。三月三日采花**[10]，阴干。决明子[11]为之使，反甘草。

近道处处有，用之微熬，不可近眼[12]。（敦煌卷《新修》卷10，《大观》卷14，《政和》页360）

【校注】

［1］ **华** 《证类》《纲目》《图考长编》作"花"。

［2］ **喘** 敦煌本《新修》脱，据《千金翼》《证类》补。

［3］ **蛊毒** 《品汇》《纲目》作"虫毒"。

［4］ **鱼** 《御览》无。

［5］ **痰** 敦煌本《新修》作"淡"，据《千金翼》《证类》改。

［6］ **一名去水** 《本草和名》无。

［7］ **杜芫** 《新修》作"牡芫"，据《本草和名》《千金翼》《证类》改。

［8］ **其** 敦煌本《新修》脱，据《千金翼》《证类》补。

［9］ **疮** 敦煌本《新修》作"咳"，据《千金翼》《证类》改。

［10］ **三日采花** 《证类》《本经疏证》脱"三"字。"花"，敦煌本《新修》作"芊"，据《千金翼》《证类》改。

［11］ **子** 《证类》无。

［12］ **眼** 敦煌本《新修》作"明也"，据《证类》改。

262 荛华

味苦[1]、**辛，寒、微寒，有毒。主治伤寒，温疟，下十二水，破**[2]**积聚，大坚，癥瘕，荡涤肠胃中留癖，饮食寒热邪气，利水道。**治痰[3]饮咳嗽。**生咸阳川谷及河南中牟。六月采花，阴干。**

中牟者，平[4]时惟从河上来[5]，形似芫花而极细，白色。比来隔绝，殆不可得。（敦煌本《新修》卷10，《大观》卷10，《政和》页257）

【校注】

[1] **苦** 《图经衍义》作"若"。其下，孙本有"平"字。

[2] **破** 玄《大观》、《大全》、狩本作"破破"。

[3] **痰** 敦煌本《新修》作"淡"，据《千金翼》《证类》改。

[4] **牟者，平** 敦煌本《新修》脱，据《证类》补。

[5] **来** 商务《政和》作"表"。

263　旋覆华

味咸、甘，**温**、微温[1]，冷利，有小毒。**主治结气，胁下满，惊**[2]**悸，除水，去五**[3]**脏间寒热，补中下气。**消胸上痰[4]结，唾[5]如胶漆，心胁痰水，膀胱留饮，风气湿痹，皮间死肉，目中眵睛，利大[6]肠，通血脉，益色泽。一名金沸草，一名盛椹，一名戴椹[7]。其根：主风湿[8]。**生平泽川谷。**五月采花，日干，二十日成。

出近道下湿地[9]，似菊花而大。又别有旋葍根[10]，乃出河南来，北国亦有，形似芎䓖，唯合旋葍膏用之，余无正[11]所入也，非此旋覆华[12]根也。（敦煌本《新修》卷10，《大观》卷10，《政和》页251）

【校注】

[1] **温** 人卫本《政和》无。

[2] **惊** 敦煌本《新修》脱，据《千金翼》《证类》补。

[3] **五** 敦煌本《新修》、《千金翼》脱，据《证类》补。

[4] **痰** 敦煌本《新修》作"淡"，据《千金翼》《证类》补。下同。

[5] **唾** 《大全》作"嗘"。

[6] **大** 成化《政和》、万历《政和》、商务《政和》作"太"。

[7] **一名戴椹** 《证类》在"益色泽"之后。

[8] **湿** 敦煌本《新修》作"温"，据《千金翼》《证类》改。《纲目》《品汇》《图考长编》《本经疏证》亦作"温"。

[9] **湿地** 敦煌本《新修》脱，据《证类》补。

[10] **根** 敦煌本《新修》作"相"，据《证类》改。

[11] **正** 《大观》《政和》无。

[12] **旋覆华** 《大观》脱"旋"字。敦煌本《新修》脱"华"字，据《证类》补。

264　钩[1]吻

味辛，温，有大毒[2]。主治金创乳痓[3]，中[4]恶风，咳逆上气，水肿，杀鬼痓、蛊毒[5]。破癥积，除脚膝痹痛[6]，四肢拘挛，恶疮疥虫，杀鸟兽。**一名野**[7]**葛**。折之青烟出者名固活。甚热[8]，不入汤。**生傅高山谷**及会稽东野。秦钩吻，味辛。治喉痹，咽中塞，声变，咳逆气，温中。一名除辛，一名毒根。生寒石山，二月、八月采[9]。半夏为之使，恶黄芩。

五府中亦云[10]，钩吻是野葛，言其入口能[11]钩人喉吻，或言吻作挽字，牵挽人腹[12]而绝之。覈事而言，乃是两物[13]。野葛是根[14]，状如牡丹，所生处亦有毒，飞鸟不得集之，今人用合膏服之无嫌。钩吻别是一草，叶似黄精而茎紫，当心抽花，黄色，初生既极类黄精，故以为杀生之对也。或云钩吻是毛莨，此《本经》及后说皆[15]参错不同，未详定[16]云何？又有一物名阴命，赤色，着木悬其子，生山海中，最有大毒，入口即[17]杀人。（敦煌本《新修》卷10，《大观》卷10，《政和》页252）

【校注】

[1] **钩** 敦煌本《新修》作"钓"，据《千金翼》《证类》改。

[2] **有大毒** 成化《政和》、商务《政和》、《纲目》作"大有毒"。

[3] **乳痓** 森本作"乳痓"。

[4] **中** 敦煌本《新修》脱，据《千金翼》《证类》补。

[5] **逆上气，水肿，杀鬼痓、蛊毒** 敦煌本《新修》脱，据《千金翼》《证类》补。

[6] **痛** 敦煌本《新修》脱，据《千金翼》《证类》补。

[7] **野** 《医心方》作"冶"。

[8] **甚热** 敦煌本《新修》作"其热一宿"，据《千金翼》《证类》改。

[9] **秦钩吻……八月采** 《千金翼》《证类》《品汇》皆无此文。《蜀本草》有此文。（见人卫本《政和》页252掌禹锡引）

[10] **府中亦云** 《证类》《图考长编》作"符中亦云"。

[11] **能** 《证类》作"则"。

[12] **腹** 《证类》作"肠"。

[13] **覈事而言，乃是两物** "覈"，敦煌本《新修》作"窠"，据《证类》改。敦煌本《新修》原脱"而"字，据《证类》补。"是"，商务《政和》作"事"。

[14] **野葛是根** 敦煌本《新修》脱"野"字，据《证类》补。

[15] **此《本经》及后说皆** 《证类》无"经""皆"2字。

[16] **定** 《证类》无。

[17] **即** 《证类》作"能立"。

265 蚤休

味苦，微寒，有毒。主治惊痫，摇头弄舌，热气在腹中，癫疾，痈疮，阴蚀，下三虫，去蛇毒。一名蚩[1]休。生山阳川谷及宛朐。（《大观》卷11，《政和》页279）

【校注】

[1] **蛊**　《本草和名》、森本作"螫"。

266　虎杖根

微温。主通利月水，破留血癥结。

田野甚多此，状如大马蓼，茎斑而叶圆。极主暴瘕，酒渍根服之也。（《大观》卷13，《政和》页333）

267　石长生

味咸、苦，**微寒**，有毒。主治寒热恶疮，大[1]热，辟鬼气不祥[2]。下三虫。一名丹草[3]。生咸阳山谷。

世中虽时有采者，方药亦不复用。近道亦有，是细细草叶，花紫色尔。南中多生石岩下，叶似蕨，而细如龙须草大，黑如光漆，高尺余，不与余草杂也。（《大观》卷11，《政和》页280）

【校注】

[1] **大**　《御览》、孙本作"火"。
[2] **辟鬼气不祥**　《御览》作"辟恶气不祥、鬼毒"。
[3] **丹草**　《御览》作"丹沙草"。

268　鼠尾草

味苦，微寒，无毒。主治鼠瘘寒热，下痢脓血不止。白花者主白下，赤花者主赤下。一名葝，一名陵翘。生平泽中。四月采叶，七月采花[1]，阴干。

田野甚多，人采作滋染皂。又用治下瘘，当浓煮取汁，令可丸服之。今人亦用作饮。（《大观》卷11，《政和》页273）

【校注】

[1] **花**　《大观》作"叶"。

269　屋游

味甘，寒。主治浮热在皮肤，往来寒热，利小肠膀胱气[1]。生屋上阴处。八月、九月采。

此瓦屋上青苔衣[2]，剥取煮服之。（《大观》卷11，《政和》页284）

【校注】

[1] 气　玄《大观》作"风"。

[2] **此瓦屋上青苔衣**　《和名类聚钞》引苏敬曰："屋游，瓦上青苔衣也。"

270　牵牛子

味苦，寒，有毒。主下气，治脚满水肿，除风毒，利小便。

作藤生，花状如扁豆，黄色。子作小房，实黑色，形如球子核。比来服之，以治脚满气急，得小便利，无不差。此药始出田野人牵牛易药，故以名之。又有一种草，叶上有三白点，世因以名三白草，其根以治脚下气，亦甚有验。（《大观》卷11，《政和》页264）

271　狼毒

味辛，平，有大毒。主治咳逆上气，破积聚饮食，寒热水气，胁下积癖[1]，恶疮[2]，鼠瘘，疽[3]蚀，鬼精，蛊[4]毒，杀飞鸟走兽。一名续毒。生秦亭山谷及奉高。二月、八月采根，阴干。陈而沉水者良。大豆为之使，恶麦句姜。

秦亭在陇西，亦出宕昌。乃言止有数亩地生，蝮蛇食其根，故为难得。亦用太山者，今用出汉中及建平。云与防葵同根类，但置水中沉者，便是狼毒，浮者则是防葵。世用稀，亦难得，是治腹内要药尔。（《大观》卷11，《政和》页268）

【校注】

[1] **胁下积癖**　《图经衍义》脱"积"字。

[2] **疮**　孙本、黄本、问本、周本作"创"。

[3] **疽**　成化《政和》、万历《政和》、商务《政和》、《大全》作"疸"。

[4] **蛊**　柯《大观》、《图经衍义》作"虫"。

272　鬼臼

味辛，温、微温[1]，有毒。主杀蛊毒，鬼疰，精物，辟恶气不祥[2]，逐邪，解百毒。治咳嗽喉结，风邪烦惑，失魄[3]妄见，去目中肤翳，杀大毒，不入汤。一名爵犀，一名马目毒公，一名九臼，一名天臼，一名解毒。生九真山谷及宛朐。二月、八月采根。畏垣[4]衣。

鬼臼如射干，白而味甘，温，有毒。治风邪鬼疰蛊毒。九臼相连，有毛者良，一名九臼。生山谷，八月采，阴干。又似钩吻。今马目毒公如黄精，根臼处似马眼而柔润；鬼臼似射干、术辈。有两种：出钱塘、近道者，味甘，上有丛毛，最胜；出会稽、吴兴者，乃大，味苦，无丛毛，不如，略乃相似而乖异毒公。今方家多用鬼臼，少用毒公，不知此那复顿尔乖越也。（《大观》卷11，《政和》页271）

【校注】

[1] **微温** 《大观》《大全》、卢本、狩本注为《本经》文。莫本作"微寒"，并录为《本经》文。

[2] **祥** 成化《政和》、商务《政和》、万历《政和》作"详"。

[3] **魄** 《本经疏证》作"魂"。

[4] **垣** 万历《政和》作"坦"。

273 芦根

味甘，寒[1]。主治消渴，客热，止小便利。

当掘取甘、辛者，其露出及浮水中者，并不堪用也。（《大观》卷11，《政和》页271）

【校注】

[1] **寒** 其下，《纲目》《本草经疏》有"无毒"2字。

274 甘蔗根

大寒。主治痈肿结热。

本出广州，今都下、东间并有。根叶无异，惟子不堪食尔，根捣[1]敷热肿，甚良。又有五叶莓。生人篱援间，作藤，世人呼为笼草。取其根捣敷痈疖，亦效。（《大观》卷11，《政和》页270）

【校注】

[1] **根捣** 《大观》作"捣烂"。

275 萹蓄[1]

味苦[2]，平，无毒。主治浸淫疥瘙，疽[3]，痔，杀三虫。治女子阴蚀。生东莱山谷。五月采，阴干。

处处有，布地生，花节间白，叶细绿，人亦呼为萹竹。煮汁与小儿饮，治蛔虫有验。（《大观》卷11，《政和》页268）

【校注】

[1] 蓍　《千金方·食治》作"竹叶"。

[2] 苦　孙本、问本、黄本、周本作"辛"。

[3] 瘟　森本作"疽"。

276　商陆

味辛、酸，平，有毒。主治水胀[1]**疝瘕痹，熨除痈肿，杀鬼精物。**治胸中邪气，水肿，痿痹，腹满洪直，疏五脏，散水气。如人形者，有神。**一名蒻**[2]**根，一名夜呼。生咸阳川谷。**

近道处处有，方家不甚干用，治水肿，切生根杂生鲤鱼煮作汤。道家乃散用及煎酿，皆能去尸虫，见鬼神。其实亦入神药。花名蒻花，尤良。(《大观》卷11，《政和》页263)

【校注】

[1] 胀　《纲目》、姜本、卢本、莫本、《图考长编》作"肿"，孙本、问本、周本、黄本作"张"。

[2] 蒻　《大观》作"荡"。

277　女青

味辛，平，有毒。主治蛊毒，逐邪恶气[1]**，杀鬼，温疟，辟不祥**[2]**。一名雀瓢。蛇衔根也，生朱崖**[3]**。**八月采，阴干。

若是蛇衔根，不应独生朱崖。世用是草叶，别是一物，未详孰是。术云带此屑一两，则疫疠不犯，弥宜识真者。(《大观》卷11，《政和》页273)

【校注】

[1] 恶气　《御览》无此2字，莫本无"恶"字。

[2] 祥　成化《政和》、商务《政和》作"详"。

[3] 崖　其下，《御览》有"生山谷"3字。

278　白附子

主治心痛，血痹，面上百病，行药势。生蜀郡。三月采。

此物乃言出芮芮，久绝，世无复真者，今人乃作之献用。(《大观》卷11，《政和》页279)

279 天雄

味辛、甘，温、大温，有大毒。主治大风，寒湿痹，历[1]**节痛，拘挛缓急，破积聚，邪气，金创，强筋**[2]**骨，轻身，健行。**治头面风去来疼痛，心腹结积[3]，关节重，不能行步，除骨间痛，长阴气[4]，**强志，令人**[5]**武勇，力作不倦。又堕胎**[6]**。一名白幕**[7]**。生少室山谷。**二月采根，阴干。远志为之使，恶腐婢[8]。

今采用八月中旬。天雄似附子[9]，细而长者便是[10]，长者乃至三四寸许，此与乌头、附子三种[11]，本并出建平，谓为[12]三建。今宜都佷山最好，谓为西建。钱塘间者，谓为东建，气力劣弱[13]，不相似，故曰西水[14]犹胜东白也。其用灰杀之时，有冰[15]强者并[16]不佳。（敦煌本《新修》卷10，《大观》卷10，《政和》页244）

【校注】

[1] **历** 敦煌本《新修》脱，据《千金翼》《证类》补。

[2] **筋** 《大观》作"节"。

[3] **积** 《纲目》《草木典》作"聚"。

[4] **除骨间痛，长阴气** 敦煌本《新修》作"长气"，据《千金翼》《证类》改。

[5] **令人** 敦煌本《新修》脱，据《千金翼》《证类》补。

[6] **又堕胎** 《品汇》《纲目》《草木典》无。

[7] **幕** 敦煌本《新修》作"幂"，据《千金翼》《证类》改。

[8] **婢** 敦煌本《新修》作"妇"，据《证类》改。

[9] **子** 商务《政和》脱此字。

[10] **便是** 商务《政和》作"使是"。

[11] **三种** 敦煌本《新修》作"谓为三建"，据《证类》改。

[12] **谓为** 《证类》作"故谓之"。

[13] **劣弱** 敦煌本《新修》脱，据《证类》补。"劣"，商务《政和》作"小力"。

[14] **曰西水** "曰"，敦煌本《新修》作"日"，据《证类》改。"水"，《证类》作"冰"。

[15] **冰** 商务《政和》、《纲目》作"水"，《图考长编》作"木"。

[16] **者并** 《大观》《政和》作"皆"。

280 乌头

味辛、甘，温、大热，有大毒。主治中风[1]**，恶风**[2]**洗洗**[3]**，出汗，除寒湿痹**[4]**，咳逆上气，破积聚，寒热。**消胸上痰[5]冷，食不下，心腹冷疾，脐间痛，肩胛痛不可俛仰，目中痛不可力视[6]，又堕胎。**其汁：煎之名射罔，杀禽兽。**射罔，味苦，有大毒。治尸疰、癥坚，及头中[7]风，痹痛。**一名奚毒**[8]**，一名即**

子[9]，一名乌喙[10]。乌喙，味辛，微温，有大毒[11]。主风湿，丈夫肾湿，阴囊痒，寒热历节，掣引腰痛，不能步行，痈肿脓结，又堕胎。生朗陵川[12]谷。正月、二月[13]采，阴干。长三寸以上为天雄。莽草为之使，反半夏、栝楼、贝母、白敛、白及，恶藜芦[14]。

今采用四月乌头与附子同根，春时茎初生有脑形似乌鸟之头，故谓之乌头，有两歧共蒂，状如牛角，名乌喙，喙即乌之口也。亦以八月采，捣榨茎取汁，日煎为射罔，猎人以傅箭射禽兽，中人亦死，宜速解之[15]。（敦煌本《新修》卷10，《大观》卷10，《政和》页243）

【校注】

[1] **有大毒。主治中风**　敦煌本《新修》脱"大""风"2字，据《千金翼》《证类》补。

[2] **恶风**　《御览》作"中恶"。

[3] **洗洗**　《御览》、《永乐大典》卷2346作"洗"，玄《大观》、《大全》、狩本作"法"，其他各本作"洗洗"。

[4] **湿痹**　敦煌本《新修》、《御览》作"温"，据《千金翼》《证类》改。

[5] **消胸上痰**　《永乐大典》卷2346无"消"字。"痰"，敦煌本《新修》作"淡"，据《千金翼》《证类》改。

[6] **力视**　《千金翼》《证类》、《永乐大典》卷2346、《品汇》《纲目》《本经疏证》《图考长编》作"久视"。敦煌本《新修》作"力视"。

[7] **中**　敦煌本《新修》脱，据《证类》补。

[8] **臭毒**　《御览》作"叶毒"。

[9] **即子**　《御览》作"荫"，《图考长编》作"耿子"，《永乐大典》卷2346作"即子乌喙"。

[10] **乌喙**　敦煌本《新修》原脱，据《证类》补。

[11] **毒**　《大观》作"热"。

[12] **川**　《证类》、《永乐大典》卷2346、《纲目》作"山"，敦煌本《新修》、《御览》作"川"。

[13] **正月、二月**　《图经衍义》脱。

[14] **芦**　敦煌本《新修》原脱，据《证类》补。

[15] **今采用四月……宜速解之**　敦煌本《新修》作"初有脑形乌鸟之头，故谓两牧共蒂，状如牛角，名乌冈，捣师以傅箭射肉中人亦死，宜即解之"，据《证类》改。

281　附子

味辛、甘，温、大热，有大毒。**主治风寒咳逆，邪气，温中，金创**[1]**，破癥坚积聚，血**[2]**瘕，寒湿，踒躄，拘挛，膝痛，不能行走**[3]。治脚疼冷弱，腰脊风寒，心腹冷痛，霍乱转筋，下痢赤白，坚肌骨[4]，强阴。又堕胎，为百药长。生犍为山谷及广汉。八[5]月采为附子，春采为乌头。地胆为之使，恶蜈蚣，畏防风、黑豆、甘草、黄耆、人参、乌韭。

附子以八月上旬采也，八角者良。凡用三建，皆热灰炮[6]令折，勿过焦，惟姜附汤生用之。世方动[7]用附子，皆须甘草，或人参、干姜[8]相配者，正以制其毒故也。（敦煌本《新修》卷10，《大观》卷10，《政和》页241）

【校注】

[1] **温中，金创** 《御览》在"膝痛"之下。

[2] **血** 玄《大观》、《大全》作墨字《别录》文。

[3] **膝痛，不能行走** 《御览》作"不起疼痛"，《千金翼》《证类》作"膝痛脚疼冷弱不能行步"。敦煌本《新修》作"膝痛不能行走"。

[4] **骨** 《本经疏证》作"骨肉"。

[5] **八** 《证类》作"冬"。

[6] **炮** 《证类》作"微炮"。

[7] **动** 《证类》作"每"。

[8] **或人参、干姜** 《证类》无"或"字。"干姜"，《证类》作"生姜"。

282 侧子

味辛，大热，有大毒。主治痈肿，风痹历节，腰脚疼冷，寒热鼠瘘。又堕胎[1]。

此即附子边角之大者，脱取之，昔时不用，比来医家以治脚气[2]多验。凡此三建，世[3]中乃是同根，而《本经》分生三处，当各有所宜故也。方云：少室天雄，朗陵乌头，皆称本土，今则无别矣。少室山连嵩高[4]，朗陵县属豫州，汝南郡今在北国。（敦煌本《新修》卷10，《大观》卷10，《政和》页244）

【校注】

[1] **又堕胎** 《品汇》无。

[2] **家以治脚气** 敦煌本《新修》原脱，据《证类》补。

[3] **世** 商务《政和》作"衍"。

[4] **高** 敦煌本《新修》脱，据《证类》补。

283 羊踯躅

味辛，温，有大毒。主治贼风在皮肤[1]中淫淫痛，温疟、恶毒，诸[2]痹。邪气，鬼疰，蛊毒。一名玉支。**生太行山**[3]**谷及淮南山。三月**[4]**采花，阴干。**

今近道诸山皆有之。花黄[5]似鹿葱，羊误食其叶，踯躅而死，故以为名。不可近眼。（敦煌本《新修》卷10，《大观》卷10，《政和》页258）

【校注】

[1] **肤**　敦煌本《新修》脱，据《千金翼》《证类》补。

[2] **诸**　《御览》作"湿"。

[3] **山**　其下，《证类》《纲目》有"川"字。

[4] **三月**　《草木典》脱。

[5] **黄**　《证类》《纲目》作"苗"。

284　茵[1]芋

味苦，温、微温，有毒。主治五脏邪气，心腹寒热[2]**，羸瘦，如**[3]**疟状，发作有时，诸关节风湿**[4]**痹痛。**治久风湿走四肢[5]，脚弱。一名芜草[6]，一名卑共。**生太山川谷。三月三日采叶，阴干。**

好者出彭城，今近道亦有。茎叶状如莽草而细软，取用之皆连细茎[7]。方用甚稀，惟以合治风酒散用之。（敦煌本《新修》卷10，《大观》卷10，《政和》页257）

【校注】

[1] **茵**　《本草和名》《和名类聚钞》作"茼"。

[2] **热**　《图经衍义》无。

[3] **如**　成化《政和》、万历《政和》、《大观》刻为墨字《别录》文。

[4] **湿**　敦煌本《新修》作"温"，据《千金翼》《证类》改。

[5] **湿走四肢**　敦煌本《新修》脱，据《证类》补。"湿"，《千金翼》作"流"。

[6] **芜草**　《证类》《纲目》《图考长编》作"莞草"。

[7] **取用之皆连细茎**　"取"，敦煌本《新修》作"耳"，据《证类》改。"皆"，商务《政和》作"甘"。

285　射干

味苦，平[1]**，微温，有毒。主治咳逆上气，喉痹咽痛，不得消息，散结**[2]**气，腹中邪逆**[3]**，食饮大热。**治老血在心肝[4]脾间，咳唾言语气臭，散胸中热[5]气。久服令人虚。**一名乌扇，一名乌蒲**[6]**，一名乌翣，一名乌吹，一名草姜。生南阳川谷，生**[7]**田野。三月三日采根，阴干。**

此即是乌翣根，庭坛[8]多种之，黄色，亦治毒肿。方多作夜[9]干字，今射[10]亦作夜音，乃[11]言其叶是鸢尾，而复有鸢头，此盖相似尔，恐非。乌翣，即其叶名矣。又别有射干，相似而花白茎长，似射人之执[12]竿者。故阮公诗云：射干临层城[13]。此不入药用，根亦无块，惟有其质[14]。（敦煌本《新修》卷10，《大观》卷10，《政和》页252）

【校注】

[1] **平** 《御览》作"辛"。

[2] **结** 孙本、问本、黄本作"急"。

[3] **递** 其下，莫本有"气"字。

[4] **肝** 《证类》《品汇》《纲目》《本草经疏》《本经疏证》《图考长编》皆无。

[5] **热** 敦煌本《新修》脱，据《千金翼》《证类》补。

[6] **蒲** 《御览》《本草和名》作"蒱"。

[7] **生** 《证类》《纲目》无。

[8] **坛** 《证类》《纲目》作"台"。

[9] **夜** 敦煌本《新修》脱，据《证类》补。

[10] **今射** 敦煌本《新修》作"令将"，据《证类》改。

[11] **乃** 《证类》《纲目》作"人"。

[12] **执** 敦煌本《新修》作"热"，据《证类》改。

[13] **层城** 《新修》作"增城"，据《证类》改。《纲目》亦作"层城"。

[14] **根亦无块，惟有其质** 《纲目》无此文。"块"，敦煌本《新修》作"愧"，据《证类》改。"惟有其质"，敦煌本《新修》脱，据《证类》补。

286 鸢尾

味苦，平，有毒。主治蛊毒，邪[1]气，鬼疰诸毒，破癥瘕积聚，大[2]水，下三虫。治头眩，杀鬼魅[3]。一名乌园。生九疑山谷，五月采。

方家皆云[4]，是夜[5]干苗，无鸢尾之名，主治亦异，此当别一种物[6]。方亦有用，鸢头者即应是其根，治体相似，而本[7]草不显之。（敦煌本《新修》卷10，《大观》卷10，《政和》页246）

【校注】

[1] **邪** 敦煌本《新修》作"耶"，据《千金翼》《证类》改。

[2] **大** 成化《政和》、万历《政和》、《大全》、商务《政和》、《品汇》《纲目》《图考长编》、卢本、孙本、问本、周本、黄本、顾本、狩本、森本作"去"，敦煌本《新修》、《千金翼》、人卫本《政和》作"大"，从敦煌本《新修》为正。

[3] **治头眩，杀鬼魅** 《纲目》《草木典》作"杀鬼魅，疗头眩"。

[4] **皆云** 《证类》无"皆"字。《纲目》作"言"。

［5］**夜**　《证类》《纲目》作"射"。

［6］**此当别一种物**　《证类》无"此"字，《纲目》无"此""物"2字。

［7］**本**　敦煌本《新修》作"木"，据《证类》改。

287　由跋根[1]

主治毒肿结热。

本出始兴，今[2]都下亦种之。状如乌翣而布地，花紫色，根似附子，苦酒摩涂肿，亦效，不入余药。（《大观》卷10，《政和》页246）

【校注】

［1］**由跋根**　《证类》《品汇》《纲目》《图考长编》无"根"字。

［2］**今**　敦煌本《新修》作"令"，据《证类》改。

288　药实根

味辛[1]，**温，无毒。主治邪气，诸痹，疼酸，绩绝伤**[2]，**补骨髓。一名连木。生蜀郡山谷**。采无时。（《新修》页166，《大观》卷14，《政和》页357）

【校注】

［1］**辛**　人卫本《政和》、成化《政和》、万历《政和》、商务《政和》作墨字《别录》文，《大观》《纲目》、孙本、问本、周本、黄本、顾本、森本俱作《本经》文，从《大观》为正。

［2］**绝伤**　傅本《新修》、罗本《新修》原倒置，据《千金翼》《证类》改。

289　皂荚

味辛、咸[1]，**温，有小毒。主治风痹，死肌，邪气，风头泪出，下水**[2]，**利九窍，杀鬼**[3]**精物**。治腹胀满，消谷，破[4]咳嗽囊结，妇人胞不落，明目益精。可为沐药，不入汤。**生雍州川谷**及鲁邹县，如猪[5]牙者良。九月、十月采荚，阴[6]干。青葙子[7]为之使，恶麦门冬，畏空青、人参、苦[8]参。

今处处有，长尺二者良。世人见其皆有虫孔，而未尝见虫形，皆言不可近，令人恶病，殊不尔。其虫状如草菜[9]上青虫，荚微欲黑，便出，所以难见尔。但取生者看，自知之也[10]。（《新修》页166，《大观》卷14，《政和》页341）

【校注】

[1] **咸** 森本、卢本、王本、莫本均不取此字为《本经》文。

[2] **下水** 《证类》《纲目》《品汇》《图考长编》《本草经疏》《本经疏证》无此2字，傅本《新修》、罗本《新修》、森本有此2字。

[3] **鬼** 《千金翼》《证类》《纲目》无。

[4] **破** 《千金翼》《证类》《纲目》作"除"。

[5] **猪** 傅本《新修》、罗本《新修》作"睹"，据《证类》改。

[6] **阴** 傅本《新修》、罗本《新修》脱，据《证类》补。

[7] **青葙子** 《千金方》《医心方》作"栢子"，《证类》《纲目》《本经疏证》作"栢实"，敦煌本《集注》作"青葙子"。

[8] **苦** 傅本《新修》、罗本《新修》作"昔"，据《证类》改。

[9] **菜** 傅本《新修》、罗本《新修》作"採"，据《证类》改。《纲目》《图考长编》作"叶"。

[10] **取生者看，自知之也** "取"字下，《证类》有"青荚"2字。"看""自"，《新修》作"者""目"，据《证类》改。

290　楝实

味苦，寒，有小毒。主治温疾，伤寒大热烦狂，杀三虫，疗疡，利小便水道[1]。根：微寒，治蛔虫，利大肠[2]。生荆山山谷。

处处有，世人五月五日皆取花叶佩带[3]之，云[4]辟恶。其根以苦酒磨涂疥，甚良。煮汁作糜，食之去蛔虫。（《新修》页167，《大观》卷14，《政和》页344）

【校注】

[1] **利小便水道** 玄《大观》、《大全》作墨字《别录》文。"道"字下，《图经衍义》有"一名金铃子，俗呼为苦楝"。

[2] **肠** 傅本《新修》、罗本《新修》作"腹"，据《千金翼》《证类》改。

[3] **花叶佩带** 《证类》无"花""带"2字。

[4] **云** 傅本《新修》、罗本《新修》作"去"，据《证类》改。

291　柳华[1]

味苦，寒，无毒。主治风水，黄疸，面热黑。痂疥，恶疮，金创。一名柳[2]絮。叶：主马疥痂疮。取煎煮，以洗马疥，立愈。又治心腹内血[3]，止痛。实：主溃痈，逐脓血。子汁：治渴[4]。生琅琊川泽。

柳即今水杨[5]也，花熟随风起[6]，状如飞雪。陈元正方以为譬者[7]，当用其未舒时，子亦随花飞，正应水渍取[8]汁尔。柳花亦宜贴灸疮，皮叶治漆疮尔。（《新修》页168，《大观》卷14，

《政和》页 343）

【校注】

［1］**华** 《千金翼》作"叶"。

［2］**柳** 《艺文类聚》无。

［3］**又治心腹内血** 傅本《新修》、罗本《新修》脱"又"字，据《千金翼》《证类》补。"内"，傅本《新修》、罗本《新修》作"肉"，据《千金翼》《证类》改。

［4］**子汁：治渴** 柯《大观》、玄《大观》、《大全》、森本、顾本、孙本注为《本经》文，人卫本《政和》、商务《政和》、《纲目》注为《别录》文，从《大观》为正。

［5］**杨** 《证类》作"杨柳"。

［6］**起** 《证类》《图考长编》无。

［7］**正方以为罄者** 《证类》《图考长编》无"正""者"2 字。

［8］**取** 《证类》《图考长编》无。

292　桐叶

味苦，寒，无毒。主治恶蚀疮著阴。皮：主五痔，杀三[1]**虫。治奔豚气病**[2]**。华**[3]**：敷猪疮，饲猪**[4]**肥大三倍。生桐柏山谷**[5]**。**

桐树有四种：青桐，茎[6]皮青，叶[7]似梧桐而无子。梧桐，色白，叶似青桐有子，子肥亦可食。白桐与岗桐无异，惟有花子尔。花三[8]月舒，黄紫色，《礼》云桐始花者也。岗桐无子，是作琴瑟者。今此云花，便应是白桐，白桐亦[9]堪作琴瑟，一名椅桐，人家多植之。（《新修》页 169，《大观》卷 14，《政和》页 349）

【校注】

［1］**三** 傅本《新修》、罗本《新修》脱，据《千金翼》《证类》补。

［2］**奔豚气病** 傅本《新修》、罗本《新修》脱"病"字，据《千金翼》《证类》补。"奔豚"，傅本《新修》、罗本《新修》作"贲纯"，据《证类》改。"豚"，《千金翼》作"纯"。

［3］**华** 《图经衍义》作"梧花"。

［4］**饲猪** 傅本《新修》、罗本《新修》脱，据《千金翼》《证类》补。

［5］**山谷** 玄《大观》无。

［6］**茎** 《证类》作"叶"。

［7］**叶** 《证类》无。

［8］**三** 《证类》作"二"。

［9］**亦** 《证类》无。

293 梓白皮

味苦，寒，无毒。主治热，去三虫，治目中患[1]**。华**[2]**、叶：捣敷猪疮，饲猪肥大易养**[3]**三倍。生河内山谷。**

此即梓树之皮。梓亦有三种，当用朴素[4]不腐者，方药不复用[5]。叶治手脚水烂[6]。桐叶及此以肥猪之法未见，其事[7]应在商丘子《养猪经》中尔。（《新修》页 170，《大观》卷 14，《政和》页 351）

【校注】

[1] **患** 《证类》《纲目》《品汇》《图考长编》作"疾"，《新修》作"患"。

[2] **华** 《千金翼》《证类》无，傅本《新修》、罗本《新修》、森本有此字。

[3] **饲猪肥大易养** 傅本《新修》、罗本《新修》脱"饲猪"2 字，据《千金翼》《证类》补。《证类》脱"易养"2 字。

[4] **用朴素** "用"字下，傅本《新修》、罗本《新修》衍"作"字。据《证类》删。"朴素"，傅本《新修》、罗本《新修》作"样素"（《玉篇》有"样"字，杖也）。《证类》作"拌素"，《纲目》《图考长编》作"朴素"。

[5] **方药不复用** 《证类》无。

[6] **水烂** 《证类》作"火烂疮"。

[7] **其事** 《证类》无。

294 蜀漆

味辛[1]**，平、微温，有毒。主治疟**[2]**及咳逆寒热，腹中癥坚**[3]**，痞结，积聚，邪**[4]**气，蛊毒，鬼疰。治胸中邪结气吐出之。生江林山川谷，生**[5]**蜀汉中，恒**[6]**山苗也。五月采叶，阴干。栝楼为之使，恶贯众。**

犹是恒山苗，而所出又异者，江林山即益州江阳山名。故是同处尔。彼人采，仍萦结作丸[7]，得时燥者，佳矣。（敦煌本《新修》卷 10，《大观》卷 10，《政和》页 254）

【校注】

[1] **辛** 《本经疏证》作"苦"。

[2] **疟** 《御览》作"疮"。

[3] **腹中癥坚** "中"，《御览》无。"癥坚"，卢本、莫本倒置。

[4] **邪** 《本经疏证》作"飞"。

[5] **生** 《证类》《纲目》《本经疏证》《图考长编》作"及"。

［6］**恒** 《证类》《纲目》《本经疏证》《图考长编》作"常"。下同。

［7］**丸** 敦煌本《新修》作"九"，据《证类》改。

295 半夏

味辛，平、生微寒、熟温，有毒。主治伤寒寒热，心下坚，下气[1]**，喉咽肿痛，头眩，胸胀，咳逆，肠鸣，止汗。**消心腹胸中膈痰[2]热满结，咳嗽上气，心下急痛坚痞，时气呕逆，消痈肿，胎堕[3]，治痿黄，悦泽面目。生令人吐，熟令人下。用之汤洗，令滑尽。**一名地文，一名水玉**[4]，一名守田[5]，一名示姑。**生槐里川谷。**五月、八月采根，暴干。射干为之使，恶皂荚，畏雄黄、生姜[6]、干姜、秦皮、龟甲，反乌头。

槐里属扶风，今第一出青州[7]，吴中亦有，以肉白者为佳，不厌陈久，用之皆[8]汤洗十许过，令滑尽，不尔戟人咽喉[9]。方中有半夏，必须生姜者，亦以制其毒故也。（敦煌本《新修》卷10，《大观》卷10，《政和》页245）

【校注】

［1］**下气** 敦煌本《新修》脱"下"字，据《千金翼》《证类》补。

［2］**中膈痰** 《千金翼》《证类》《品汇》《本草经疏》《本经疏证》《图考长编》无"中"字。"痰"，敦煌本《新修》作"淡"，据《千金翼》《证类》改。

［3］**胎堕** 《千金翼》《证类》倒置。

［4］**一名地文，一名水玉** 商务《政和》作墨字《别录》文。

［5］**一名守田** 《证类》在"令滑尽"之后。

［6］**姜** 敦煌本《新修》脱，据《证类》补。

［7］**州** 敦煌本《新修》作"戈"，据《证类》改。

［8］**皆** 其下，《证类》有"先"字。

［9］**喉** 敦煌本《新修》脱，据《证类》补。

296 款冬[1]

味辛、甘，温，无毒。主治咳逆上气善喘，喉痹，诸惊痫，寒热，邪气。消渴，喘息呼吸。**一名橐吾**[2]，一名颗东[3]，一名虎须[4]，一名菟奚[5]，一名氏冬。**生常山山谷及上党水旁。**十一月采花，阴干。杏人为之使，得紫菀良，恶皂荚、消石[6]、玄参，畏贝母[7]、辛夷、麻黄、黄耆、黄芩、黄连、青葙。

第一出河北，其形如宿蓴未舒者佳，其腹里有丝。次出高丽、百济，其花乃似大菊花。次亦出蜀北部宕昌，而并不如。其冬月在冰下生，十二月、正月旦取之。（《大观》卷9，《政和》页226）

【校注】

[1] **款冬** 《证类》《纲目》、顾本、孙本、问本、周本、黄本、《图考长编》作"款冬花"，《千金翼》《真本千金方》《艺文类聚》《医心方》《御览》《本草和名》《和名类聚钞》、森本作"款冬"，无"花"字，从《千金翼》为正。

[2] **吾** 《御览》作"石"。

[3] **颗东** "颗"，莫本作"显"。"东"，《纲目》《本经疏证》《图考长编》、卢本、莫本作"冻"；《大观》、人卫本《政和》、森本作"东"；成化《政和》、万历《政和》、商务《政和》、孙本、问本、周本、黄本、顾本作"涷"；《艺文类聚》《御览》作"冬"。

[4] **须** 《千金翼》、森本考异引《顿医钞》作"发"；《本草和名》作"髲"。

[5] **菟臭** 《艺文类聚》作"菟爰"。

[6] **消石** 玄《大观》作"芒消"。

[7] **玄参，畏贝母** 《医心方》无"玄参""贝母"。

297 牡丹

味辛、苦，寒、微寒，无毒。**主治寒热**[1]，**中风，瘛疭，痉，惊痫，邪气**[2]，**除癥坚，瘀血留舍肠胃，安五脏，治痈疮。**除时气，头痛，客热，五劳，劳气，头腰痛，风噤，癫[3]疾。**一名鹿韭**[4]，**一名鼠姑。生**[5]**巴郡山谷及汉中**，二月、八月采根，阴干。畏菟丝子、贝母、大黄。

今东间亦有，色赤者为好，用之去心。按，鼠妇亦名鼠姑，而此又同，殆非其类，恐字误。

（《大观》卷9，《政和》页227）

【校注】

[1] **热** 其下，《御览》有"癥伤"2字。

[2] **瘛疭，痉，惊痫，邪气** 《御览》作"惊邪"。

[3] **癫** 《纲目》《草木典》《图考长编》作"癫"。

[4] **韭** 《本草和名》《和名类聚钞》作"韮"。

[5] **生** 《御览》作"出"。

298 防己

味辛、苦，平、温，无毒。**主治风寒，温疟，热气，诸痫，除邪，利大小便。**治水肿，风肿[1]，去膀胱热，伤寒，寒热邪气，中风手脚挛急，止泄，散痈肿，恶结，诸蜗疥癣，虫疮，通腠理，利九窍。**一名解离**[2]，文如车辐理解者良。**生汉中川谷。**二月、八月采根，阴干。殷蘖为之使，杀雄黄毒，恶细辛，畏草薢。

今出宜都、建平，大而青白色，虚软者好，黯黑冰[3]强者不佳。服食亦须之。是治风水家[4]要药尔。（《大观》卷8，《政和》页223）

【校注】

[1] **风肿** 《本经疏证》在"散痈肿"之后。

[2] **解离** 《御览》作"石解"。

[3] **黯黑冰** 《图考长编》作"黯黑木"。

[4] **家** 柯《大观》作"气"。

299 赤赫[1]

味苦，寒，有毒。主治痂疡恶败疮，除三虫、邪气。生益州川谷，二月、八月采[2]。（《新修》页365，《大观》卷30，《政和》页546）

【校注】

[1] **赫** 傅本《新修》、罗本《新修》作"赭"，据《千金翼》《证类》《本草和名》改。

[2] **采** 傅本《新修》、罗本《新修》脱，据《千金翼》《证类》补。

300 黄环

味苦，平[1]，有毒。主治蛊毒，鬼疰[2]，鬼魅，邪气在脏中，除咳逆寒热[3]。一名凌泉，一名大就。生蜀郡[4]山谷。三月采根，阴干。鸢尾为之使，恶茯苓、防己[5]。

似防己。亦作车辐理解。《蜀都赋》所[6]云：青珠黄环者，或云是大戟花，定非也。世[7]用甚希，市人尟有识者。（《新修》页150，《大观》卷14，《政和》页352）

【校注】

[1] **平** 《御览》无。

[2] **主治蛊毒，鬼疰** 《御览》作"主虫毒"。

[3] **除咳逆寒热** 《御览》无"除"字。"热"，傅本《新修》、罗本《新修》作"势"，据《千金翼》《证类》改。

[4] **生蜀郡** 玄《大观》作白字《本经》文。

[5] **防己** 傅本《新修》、罗本《新修》脱，据《证类》补。

[6] **所** 《证类》《纲目》无。

[7] **世** 《证类》《纲目》无。

301 巴戟天

味辛、甘，**微温**，无毒。**主治大风邪气，阴痿不起**[1]**，强筋骨，安五脏，补中，增志，益气**。治头面游风，小[2]腹及阴中相引痛，下气，补五劳，益精，利男子。生巴郡及下邳**山谷**。二月、八月采根，阴干。**覆盆子为之使，恶朝生、雷丸、丹参。**

今亦用建平、宜都者，状如牡丹而细，外赤内黑，用之打去心。（《大观》卷6，《政和》页165）

【校注】

[1] **起**　其上，森本考异云："《顿医钞》有'发'字。"

[2] **小**　《本草经疏》作"少"。

302 石南草[1]

味辛、苦，平[2]，有毒。**主养肾气，内伤阴衰，利筋骨皮毛**。治脚弱，五脏邪气，除热。女子不可久[3]服，令思男。实：**杀蛊**[4]**毒，破积聚，逐**[5]**风痹。一名鬼目**。生华阴**山谷**。二月、四月采叶，八月采实，阴干。五加为之使。

今庐江及东间皆有，叶状如枇杷叶，方用亦稀。（《新修》页151，《大观》卷14，《政和》页351）

【校注】

[1] **石南草**　《千金翼》《证类》《纲目》《图考长编》、孙本、问本、周本、黄本、顾本作"石南"，傅本《新修》、罗本《新修》、森本、《本草和名》《医心方》、森本作"石南草"。

[2] **苦，平**　傅本《新修》、罗本《新修》倒置，据《千金翼》《证类》改。"平"，人卫本《政和》、商务《政和》、《图考长编》注为《别录》文，《大观》、森本、顾本作《本经》文。

[3] **久**　傅本《新修》、罗本《新修》脱，据《千金翼》《证类》补。

[4] **蛊**　柯《大观》作"虫"。

[5] **逐**　《大全》作"递"。

303 女菀[1]

味辛，温，无毒。**主治风寒洗洗**[2]**，霍乱，泄痢，肠鸣上下无常处，惊痫，寒热百疾**。治肺伤咳逆出汗，久寒在膀胱支满，饮酒夜食发病。一名白菀[3]，一名织女菀，一名茆。**生汉中川谷**或山阳，正月、二月采，阴干。畏卤咸。

比来医方都无复用之。市人亦少有，便是欲绝。别复有白菀似紫菀，非此之别名也。（《大观》卷8，《政和》页237）

【校注】

［1］菀　《御览》作"苑"。

［2］风寒洗洗　孙本脱"寒"字。"洗洗"，黄本作"洗"，玄《大观》、《大全》、狩本作"洗法"。

［3］菀　《图经衍义》作"苑"。下同。

304　地榆

味苦、甘、酸，微[1]寒，无毒。**主治妇人乳痓痛，七伤，带下十二病[2]，止痛，除恶肉，止汗[3]，治金疮。**止脓血，诸瘘恶疮，热疮[4]，消酒，除消渴，补绝伤，产后内塞，可作金疮膏。**生桐柏及宛朐山谷。**二月、八月采根，暴干。得发良，恶麦门冬。

今近道处处有，叶似榆而长，初生布地，而花子紫黑色如豉，故名玉豉。一茎长直上，根亦入酿酒。道方烧作灰，能烂石也。乏茗时，用叶作饮，亦好。（《大观》卷9，《政和》页202）

【校注】

［1］微　《御览》无。

［2］十二病　《证类》脱"十二"两字，《纲目》、姜本、卢本、莫本、《本草经疏》作"五漏"，《千金翼》作"十二病"，从《千金翼》为正。

［3］汗　此下，《御览》有"气"字。

［4］热疮　《千金翼》无。

305　五加皮[1]

味辛、苦，温[2]、微寒，无毒。**主治心腹疝气，腹痛，益气，治躄，小儿不[3]能行，疽疮[4]，阴蚀。**男子阴痿，囊下湿，小便余[5]沥，女人阴痒及腰脊痛，两脚疼痹风弱，五缓虚羸。补中益精，坚筋骨，强志意。久服轻身耐老。一名**豺漆[6]**，一名豺节。五叶者良。生汉中及宛朐。五月、七月采茎。十月采根，阴干。远志为之使，畏蛇蜕[7]**皮、玄参。**

今近道处处有，东间弥多，四叶者亦好，煮根茎酿酒，至[8]益人，道家用此作灰，亦以[9]煮石与地榆，并有秘法。加字或作家字者也[10]。（《新修》页107，《大观》卷12，《政和》页301）

【校注】

[1] **五加皮** 傅本《新修》、罗本《新修》、《本草和名》《医心方》作"五茄",《纲目》、森本作"五加",《千金翼》《大观》《政和》、孙本、问本、周本、黄本、顾本、《图考长编》作"五加皮"。从《千金翼》为正。

[2] **温** 柯《大观》作墨字《别录》文。

[3] **不** 傅本《新修》、罗本《新修》作"立",据《千金翼》《证类》改。"不"字上,《纲目》、姜本、莫本有"三岁"2字。

[4] **痘疮** "痘",问本作"疸"。"疮",孙本作"创"。

[5] **余** 傅本《新修》、罗本《新修》作"饮",据《千金翼》《证类》改。

[6] **一名豺漆** 《图经衍义》脱。

[7] **脱** 《证类》无。

[8] **至** 《证类》作"主"。

[9] **以** 《图考长编》作"可"。

[10] **加字或作家字者也** 《证类》无。

306 泽兰

味苦[1]、甘,微温,无毒。主治乳妇内衄[2],中风余疾[3],大腹水肿,身、面、四肢浮肿,骨节中水,金疮,痈肿疮脓[4]。产后金疮内塞。一名虎兰,一名龙枣[5],一名虎蒲。生汝南诸大泽傍[6],三月三日采,阴干。防己为之使。

今处处有,多生下湿地。叶微香,可煎油,或生泽旁,故名泽兰,亦名都梁香,可作浴汤。人家多种之,而叶小异。今山中[7]又有一种甚相似,茎方,叶小强,不甚香。既云泽兰,又生泽旁,故山中者为非,而药家乃[8]采用之。(《大观》卷9,《政和》页222)

【校注】

[1] **苦** 《御览》无。

[2] **内衄** 《御览》作"衄血"。

[3] **疾** 森本考异云:"《香字钞》《香药钞》作'痛'。"

[4] **疮脓** 《图经衍义》倒置。"脓"字下,森本考异云:"《香字钞》《香药钞》有'血'字。"

[5] **枣** 《御览》作"来"。

[6] **诸大泽傍** 《御览》作"又生池泽旁"。

[7] **山中** 《大观》作"来"。

[8] **乃** 《大观》作"亦"。

307 紫参

味苦、辛[1],寒、微寒,无毒。主治心腹积聚,寒热邪气,通九窍[2],利大小便[3]。治肠胃大热，唾血，衄血，肠中聚血，痈肿诸疮，止渴，益精。**一名牡蒙**，一名众戎，一名童肠，一名马行。**生河西及宛朐**[4]**山谷**，三月采根，火炙使紫色。畏辛夷。

今方家皆呼为牡蒙，用之亦少。(《大观》卷8，《政和》页211)

【校注】

[1] **辛** 《纲目》、姜本、卢本、森本、莫本无。

[2] **窍** 其下，《御览》有"治牛病"3字。

[3] **利大小便** 《御览》在"通九窍"之前。

[4] **朐** 其下，《御览》有"生林阳"3字。

308　蛇全[1]

味苦，微寒，无毒。主治惊痫，寒热，邪气，除热，金疮，疽，痔，鼠瘘，恶疮，头疡。治心腹邪气，腹痛，湿痹。养胎，利小儿。**一名蛇衔。生益州山谷。**八月采，阴干。

即是蛇衔[2]，蛇衔有两种，并生石上。当用细叶黄[3]花者，处处有之。亦生黄土地，不必皆生石上也。(《大观》卷10，《政和》页253)

【校注】

[1] **蛇全** 《千金翼》《品汇》《纲目》《图考长编》《草木典》作"蛇含"，商务《政和》、孙本、问本、周本、黄本、顾本作"蛇合"，《大观》、人卫本《政和》、《本草和名》《医心方》、森本作"蛇全"，从《大观》为正。

[2] **衔** 商务《政和》作"禦"。

[3] **黄** 商务《政和》无。

309　草蒿

味苦，寒，无毒。主治疥瘙痂痒，恶疮，杀虱，留热在骨节间[1]，**明**[2]**目。一名青蒿，一名方溃。生华阴川泽。**

处处有之，即今青蒿，人亦取杂香菜食之。(《大观》卷10，《政和》页250)

【校注】

[1] **留热在骨节间** "留"字上，《纲目》、姜本有"治"字。"间"，孙本、黄本、问本、周本作"闲"。

[2] 明 《本经续疏》无。

310 蘘[1]菌

味咸、甘，平、微温，有小毒[2]。主治心痛，温中，去长虫[3]、白癜[4]、蛲虫，蛇[5]螫毒，癥瘕，诸虫。疽蜗，去蛔虫、寸白，恶疮。一名蘘芦。生东海池泽及渤海章武。八月采，阴干。得酒良，畏鸡子。

出北来，此亦无有，形状似菌。云鹳屎所化生，一名鹳菌。单末之，猪肉臛和食，可以遣蛔虫。（《大观》卷10，《政和》页255）

【校注】

[1] 蘘 《品汇》作"萑"，误。

[2] 有小毒 《图考长编》作"小有毒"。

[3] 虫 《大观》《大全》《图考长编》、孙本、问本作"患"，《千金翼》、人卫本《政和》、《纲目》《品汇》、森本、周本、黄本、顾本、狩本作"虫"。

[4] 癜 黄本、问本作"瘢"，误。

[5] 蛇 《图经衍义》无。

311 蘼舌

味辛，微温，无毒。主治霍乱，腹痛，吐逆，止[1]烦。生水中。五月采，暴干[2]。

生小小水中。今人五月五日采，阴[3]干，以治霍乱，甚良方也[4]。（《大观》卷30，《政和》页546）

【校注】

[1] 止 《千金翼》《证类》作"心"，傅本《新修》、罗本《新修》作"止"。

[2] 暴干 《千金翼》《证类》《纲目》无。

[3] 阴 《证类》《纲目》无。

[4] 方也 《证类》无。

312 雷丸[1]

味苦、咸，寒、微寒，有小毒。主杀三虫，逐[2]毒气，胃中热，利丈夫，不利女子，作膏摩[3]，除小儿百病。逐邪气，恶风，汗出，除皮中热结，积聚[4]，蛊毒，白虫，寸白自出不止。久服令[5]阴痿。一名雷矢，一名雷实，赤者杀人。**生石城山谷**，生[6]汉中土中。八月采根，暴干。荔实、厚朴为之使，恶葛根。

今出建[7]平、宜都间，累累相连如丸。《本经》云：利丈夫。《别录》云：久服阴痿，于事相反。(《新修》页160，《大观》卷14，《政和》页347)

【校注】

[1] **丸** 《御览》作"公"。

[2] **逐** 万历《政和》作"递"。

[3] **膏摩** 《千金翼》《证类》《本草经疏》、孙本、问本、周本、黄本、顾本俱倒置，傅本《新修》、罗本《新修》、森本作"膏摩"，从《新修》为正。

[4] **聚** 《证类》《纲目》无。

[5] **令** 其下，《证类》有"人"字。

[6] **生** 《证类》作"及"。

[7] **建** 傅本《新修》、罗本《新修》作"达"，据《证类》改。

313 贯众[1]

味苦，微寒，有毒。主治腹中邪热[2]**气，诸毒，杀三虫。**去寸白，破癥瘕，除头风，止金创[3]。花：治恶疮，令人泄。**一名贯节，一名贯渠，一名百头**[4]**，一名虎卷，一名扁苻**[5]**，**一名伯萍，一名乐[6]藻，此谓草鸱[7]头。**生玄山山谷及宛胸又少室**[8]。二月、八月采根，阴干。藋菌为之使。

近道亦有，叶如大蕨，其根形色毛芒全似老鸱头[9]，故呼为草鸱头也。(敦煌本《新修》卷10，《大观》卷10，《政和》页257)

【校注】

[1] **众** 森本考异云："《长生疗养方》作'首'。"

[2] **热** 《御览》无。

[3] **创** 《千金翼》《证类》《品汇》《本草经疏》《本经续疏》《图考长编》作"疮"，敦煌本《新修》作"创"。

[4] **一名百头** 《御览》在"一名贯节"之后。

[5] **苻** 《千金翼》、孙本、问本、周本、黄本、顾本作"符"，《大观》、人卫本《政和》、《纲目》《图考长编》、森本作"苻"。

[6] **乐** 《永乐大典》卷11602、成化《政和》、万历《政和》、商务《政和》、《大观》《图考长编》《本经续疏》作"药"，敦煌本《新修》、人卫本《政和》作"乐"，从《新修》为正。

[7] **鸱** 《千金翼》《大观》《政和》作"鸱"，敦煌本《新修》作"鸱"，从《新修》为正。

下同。

《本草经集注》辑校

　　[8] **又少室**　《证类》《纲目》作"少室山"。

　　[9] **毛芒全似老鸱头**　"毛芒全"，敦煌本《新修》作"芒令"，据《证类》改。"老"，商务《政和》作"者"。

314　青葙子[1]

味苦，微寒，无毒。主治邪气，皮肤中[2]**热，风瘙身痒，杀三虫。恶疮，疥虱，痔**[3]**蚀，下部䘌疮。其子**[4]**：名草决明，治唇口青。一名草蒿，一名萋**[5]**蒿。生**[6]**平谷道旁。三月采茎叶**[7]**，阴干。五月、六月采子**[8]**。**

　　处处有。似麦栅花，其子甚细。后又有草蒿，别本亦作草藁[9]。今主[10]治殊相类，形名又相似，极多[11]足为疑，而实两种也。（敦煌本《新修》卷10，《大观》卷10，《政和》页255）

【校注】

　　[1] **子**　《本草和名》《纲目》、森本无。

　　[2] **中**　敦煌本《新修》脱，据《千金翼》《证类》补。

　　[3] **痔**　《图经衍义》作"虚"，误。

　　[4] **其子**　《图考长编》无。"其"，《证类》无。

　　[5] **萋**　万历《政和》作"姜"，误。

　　[6] **生**　其上，《图考长编》有"子"字。

　　[7] **叶**　敦煌本《新修》脱，据《千金翼》《证类》补。

　　[8] **五月、六月采子**　人卫本《政和》作白字《本经》文。

　　[9] **藁**　敦煌本《新修》脱，据《证类》补。

　　[10] **主**　敦煌本《新修》作"至"，据《证类》改。

　　[11] **多**　敦煌本《新修》脱，据《证类》补。

315　牙子[1]

味苦、酸[2]**，寒，有毒。主治邪气，热气，疥瘙，恶疡**[3]**，疮痔**[4]**，去白虫。一名狼牙，一名狼齿，一名狼子，一名犬牙**[5]**。生淮方**[6]**川谷及宛朐。八月采根，暴干。中湿腐烂**[7]**生衣者，杀人。芜荑为之使，恶地榆、枣肌**[8]**。**

　　近道处处有，其根牙亦似兽之牙齿也。（敦煌本《新修》卷10，《大观》卷10，《政和》页258）

【校注】

　　[1] **牙子**　《御览》《纲目》、森本作"狼牙"。

［2］**酸**　敦煌本《新修》脱，据《千金翼》《证类》补。

［3］**热气，疥瘙，恶疡**　《御览》无此文。"热"，《图考长编》作"恶"。"疡"，敦煌本《新修》脱，据《千金翼》《证类》补。

［4］**疮痔**　孙本、问本、周本、黄本作"创痔"。

［5］**一名犬牙**　《图经衍义》脱此文。"犬"，《大观》、商务《政和》作"大"。

［6］**方**　《千金翼》《证类》《本经疏证》《图考长编》作"南"，敦煌本《新修》作"方"。

［7］**烂**　敦煌本《新修》脱，据《千金翼》《证类》补。

［8］**枣肌**　《千金方》作"秦艽"。"枣"，敦煌本《新修》作"来"，据《证类》改。

316　藜芦

味辛、苦，寒、微寒，有毒。主治蛊毒，咳逆，泄痢，肠澼，头疡，疥瘙[1]，**恶疮，杀诸虫毒**[2]，**去死肌**。治哕[3]逆，喉痹不通，鼻中息肉，马刀，烂疮。不入汤。**一名葱苒，一名葱葵，一名山葱。生太山**[4]**山谷**。三月采根，阴干。黄连为之使，反细辛、芍药、五参，恶大黄。

近道处处有。本[5]下极似葱而多毛。用之止剔取根，微炙之。（敦煌本《新修》卷10，《大观》卷10，《政和》页251）

【校注】

［1］**瘙**　顾本作"疮"。

［2］**杀诸虫毒**　《图考长编》脱"杀"字。"虫"，《图经衍义》、孙本、问本、周本、黄本、顾本作"蛊"。

［3］**哕**　《千金翼》《证类》《本草经疏》《品汇》《纲目》《图考长编》《本经疏证》作"哕"。

［4］**山**　敦煌本《新修》脱，据《千金翼》《证类》补。

［5］**本**　《证类》作"根"，敦煌本《新修》作"本"。

317　赭魁

味甘，平，无毒。主治心腹积聚，除三[1]虫。生山谷，二月采。

状如小芋子，肉白皮黄，近道亦有。（敦煌本《新修》卷10，《大观》卷10，《政和》页257）

【校注】

［1］**三**　《图经衍义》作"二"。

318　及已[1]

味苦，平，有毒。主治诸恶疮，疥痂，瘘[2]蚀，及牛马诸疮。

今人多用以合治疥膏，其验也[3]。（敦煌本《新修》卷10，《大观》卷10，《政和》页258）

【校注】

[1] **己** 敦煌本《新修》、《证类》作"巳"，《千金翼》《品汇》作"已"。

[2] **瘘** 成化《政和》、万历《政和》、商务《政和》、《大全》作"瘘"。

[3] **治疥膏，甚验也** "治"，《证类》《纲目》《图考长编》作"疥"。"验也"，《图考长编》作"效"。

319 连翘

味苦，平，无毒。主治寒热，鼠瘘，瘰疬，痈肿，恶疮，瘿瘤，结热，蛊毒。去白虫。一名异翘，一名兰华，一名折根，一名轵，一名三廉。生太[1]山山谷。二月采，阴干。

处处有，今用茎连花实也。（《大观》卷11，《政和》页275）

【校注】

[1] **太** 成化《政和》、万历《政和》、商务《政和》作"大"。

320 白头翁[1]

味苦，温，无毒[2]、有毒。主治温疟，狂易寒热，癥瘕积聚，瘿气[3]，逐血，止痛，治金疮[4]，鼻衄。一名野丈人，一名胡王使者[5]，一名奈[6]何草。生高山山谷[7]及田野，四月采。

处处有。近根处有白茸，状似人白头，故以为名。方用亦治毒痢。（《大观》卷11，《政和》页270）

【校注】

[1] **白头翁** "白"，《图经衍义》作"日"。"翁"，《本草和名》《和名类聚钞》、敦煌本《集注》序录、森本皆作"公"。

[2] **无毒** 卢本、孙本、问本、周本、黄本、顾本、莫本不取此2字为《本经》文，《大观》、人卫本《政和》作白字《本经》文，《纲目》、森本注此2字为《本经》文，从《大观》为正。

[3] **瘿气** 《御览》在"温疟"之前。

[4] **治金疮** 《图经衍义》作"瘕疮"，森本作"疗金创"，《千金翼》《证类》《纲目》作"疗金疮"，顾本无"治"字。

[5] **胡王使者** "胡"，《图经衍义》作"明"。"王"，《本草和名》作"主"。

[6] 柰　《图经衍义》作"椊"。

[7] 高山山谷　"高"，柯《大观》作"嵩"。"山"，《御览》、森本作"川"。

321 蔄[1]茹

味辛、酸[2]，寒、微寒，有小毒。主蚀恶肉，败疮，死肌，杀疥虫，排脓恶血，除大[3]风热气，善忘，不乐[4]。去热痹，破癥瘕，除息肉。一名屈据，一名离娄。生代郡川谷。五月采根，阴干。黑头者良。甘草为之使，恶麦门冬。

今第一出高丽，色黄。初断时汁出凝黑如漆，故云漆头。次出近道，名草蔄茹，色白，皆烧铁烁头令黑，以当漆头，非真也。叶似大戟，花黄，二月便生。根亦治疮。（《大观》卷11，《政和》页276）

【校注】

[1] 蔄　孙本、黄本、问本、周本作"蘭"，森本、《御览》引吴普文作"间"，其他各本作"蔄"。

[2] 酸　《大观》、狩本作为《本经》文。

[3] 大　《御览》作"太"。

[4] 乐　《纲目》《图考长编》、卢本、莫本作"寐"。

322 白蔹

味苦、甘，平、微寒[1]，无毒。主治痈肿疽疮，散结气，止痛，除热，目中赤[2]，小儿惊痫，温疟，女子阴[3]中肿痛。下赤白，杀火毒。一名菟核，一名白草，一名白根，一名昆仑。生衡山山谷。二月、八月采根，暴干。代赭为之使，反乌头。

近道处处有之，作藤生，根如白芷，破片以竹穿之，日干。生取根捣，敷痈肿亦效。（敦煌本《新修》卷10，《大观》卷10，《政和》页255）

【校注】

[1] 微寒　敦煌本《新修》作朱书《本经》文，其他各本注为《别录》文。

[2] 赤　敦煌本《新修》作"亦"，据《千金翼》《证类》改。

[3] 阴　敦煌本《新修》、《千金翼》作"除"，据《证类》改。

323 白及

味苦、辛，平[1]、微寒，无毒。主治痈肿，恶疮，败疽[2]，伤阴，死肌，胃[3]中邪气，贼风鬼击，痱缓不收。除白癣、疥虫。**一名甘根，一名连及草。生北山川谷及宛朐及越山**。紫石英为之使，恶理石，畏李核、杏人。

近道处处有之。叶似杜若，根形似菱米，节间有毛。方用亦稀，可以作糊。（《大观》卷10，《政和》页255）

【校注】

[1] 平　《御览》无。

[2] 痱　玄《大观》、《大全》、狩本无。

[3] 胃　森本考异云："《长生疗养方》作'胸'。"

324　占斯

味苦，温[1]，无毒。主治邪气湿痹，寒热疽疮，除水坚积血症，月闭无子，小儿躄不能行，诸恶疮痈肿，止[2]腹痛，令女人有子。一名炭皮。生太山出谷，采无时。解狼毒毒。

李云是梓[3]树上寄生，树大衔枝在肌肉，今人皆以胡桃皮当之，非是真也。案《桐君录》云：生上洛[4]，是木皮，状如厚朴，色似桂白[5]，其理一纵一横。今市人皆削乃似厚朴，而无正纵横理，不知此复是何物，莫测真假，何者为是也。（《新修》页366，《大观》卷30，《政和》页546）

【校注】

[1] 温　其下，傅本《新修》、罗本《新修》衍"微温"2字，据《千金翼》《证类》删。

[2] 止　傅本《新修》、罗本《新修》作"上"，据《千金翼》《证类》改。

[3] 梓　《证类》《纲目》作"樟"。

[4] 洛　傅本《新修》、罗本《新修》作"俗"，据《证类》改。

[5] 白　傅本《新修》、罗本《新修》作"日"，据《证类》改。

325　蜚廉

味苦，平，无毒。主治骨节热，胫重酸疼。头眩顶重，皮间邪风如蜂螫针刺，鱼子细起，热疮，痈疽[1]，痔，湿痹，止风邪咳嗽，下乳汁。**久服令人身轻，益气，明目，不老。可煮可干。一名漏芦，一名天荠，一名伏猪，一名飞轻[2]，一名伏兔，一名飞雉，一名木禾。生河内川泽。**正月采根，七月、八月采花，阴干。得乌头良，恶麻黄。

处处有。极似苦芙，惟叶下附茎，茎有皮起似箭羽，叶又多刻缺，花紫色。世方殆无用，而道家服其

枝茎，可得长生，又入神枕方。今既别有漏芦，则非此别名尔。(《大观》卷7，《政和》页184)

【校注】

[1] 瘟 《大观》作"疽"。

[2] 一名飞轻 成化《政和》、万历《政和》、商务《政和》、《纲目》注为《别录》文，《大全》、人卫本《政和》注为《本经》文。

326 虎掌

味苦，温、微寒，有大毒。**主治心痛，寒热，结气，积聚，伏梁，伤筋痿拘缓，利水道。**除[1]阴下湿，风眩。生汉中**山谷**及宛胸。二月、八月采，阴干。蜀漆为之使，恶莽草。

近道亦有，极[2]似半夏，但皆大，四边有子如虎掌。今用多破之，或三四片尔，方药亦不正用也。(敦煌本《新修》卷10，《大观》卷10，《政和》页246)

【校注】

[1] 结气，积聚……利水道。除 敦煌本《新修》脱，据《千金翼》《证类》补。

[2] 极 《证类》《纲目》作"形"。

327 莨菪[1]子

味苦、甘，寒，有毒。**主治齿痛，出虫，肉痹，拘急，使人健行，见鬼。**治癫狂风痫，颠倒拘挛。**多食令人狂走。久服轻身**[2]**，走及奔马，强志，益力，通神。一名横唐**[3]**，一名行唐**[4]。**生海滨川谷**及雍州。五月采子。

今处处亦[5]有。子形颇似五味核而极小。惟入治癫狂方用，寻此乃不可多食过剂尔。久服自无嫌，通神健行，足为大益，而《仙经》不见用之[6]，今方家多作莨[7]蓎也。(敦煌本《新修》卷10，《大观》卷10，《政和》页249)

【校注】

[1] 菪 敦煌本《新修》作"蓎"，据《千金翼》《证类》改。

[2] 身 敦煌本《新修》脱"身"字，据《千金翼》《证类》补。

[3] 一名横唐 敦煌本《新修》作墨书《别录》文，但现存各种古本草皆作《本经》文。

[4] 一名行唐 敦煌本《新修》作朱书《本经》文，但现存各种古本草皆作《别录》文。

[5] 亦 《证类》《纲目》无。

[6] 之 其下，敦煌本《新修》原衍"狼唐"2字，据《证类》删。

[7] 茛 《证类》作"狼"。

328 栾华

味苦，寒，无毒。主治目痛泣[1]**出，伤眥，消目肿。生汉中川谷。**五月采。决明为之使。（《新修》页158，《大观》卷14，《政和》页358）

【校注】

[1] 泣 《千金翼》《证类》作"泪"，傅本《新修》、罗本《新修》、森本作"泣"，从《新修》为正。

329 杉材

微温，无毒。主治漆疮[1]。

削作柿，煮以洗漆疮，无[2]不即差。又有鼠查，生去地高尺[3]余许，煮以洗漆[4]多差。又有漆姑，叶细细，多生石边，亦治漆疮。其鸡子及蟹，并是旧方。（《新修》页158，《大观》卷14，《政和》页355）

【校注】

[1] 无毒。主治漆疮 傅本《新修》、罗本《新修》作"疗漆"，据《千金翼》《证类》改。
[2] 疮，无 傅本《新修》、罗本《新修》作"漆亦"，据《证类》改。
[3] 尺 傅本《新修》、罗本《新修》作"丈"，据《证类》改。
[4] 漆 《图考长编》作"疮"。

330 楠材

微温。主治霍乱吐下不止。

削作柿，煮服之，穷无他药，用此。（《新修》页159，《大观》卷14，《政和》页359）

331 榧实

味甘[1]。主治五痔，去三虫，蛊毒，鬼疰。生永昌。

今出[2]东阳诸郡，食其子，乃言[3]治寸白虫。不复有余用，不入药方，疑此与后虫品彼子治说符同[4]。（《新修》页159，《大观》卷14，《政和》页356）

【校注】

[1] **味甘** 此下，《千金翼》《证类》有"无毒"2字。傅本《新修》、罗本《新修》、《医心方》卷30俱作"味甘"，并无"无毒"2字。

[2] **今出** 《图考长编》无此2字。

[3] **乃言** 《证类》无此2字。

[4] **不复有余用……治说符同** 《证类》无此文。又《证类》卷末"彼子"条引"唐本注"云："榧子，陶于木部出之，此条宜在果部中也。"据此，本书将"榧实"列在木部下品。

332 紫真檀木[1]

味咸，微寒。主治恶毒，风毒。

世人磨以涂风毒、诸肿，亦效，然不及青木香。又主金创[2]，止血，亦治淋用之。（《新修》页174，《大观》卷14，《政和》页354）

【校注】

[1] **木** 《千金翼》《证类》无。

[2] **创** 《证类》作"疮"。

333 淮木

味苦，平，无毒。主治久咳上气，伤[1]中，虚羸，补中益气，女子阴蚀，漏下，赤白沃。一名百岁城中木。生晋阳平泽。

方药亦不复用。（《新修》页365，《大观》卷30，《政和》页546）

【校注】

[1] **伤** 孙本、问本、周本、黄本作"肠"。

334 别羁

味苦，微温，无毒[1]。主治风寒，湿痹，身重，四肢疼酸，寒邪[2]历节痛。一名别枝，一名别骑，一名鳖羁。生蓝田川谷。二月、八月采。

方家时有用处，今世亦绝尔也[3]。（《新修》页360，《大观》卷30，《政和》页545）

【校注】

[1] **微温，无毒** "微温"，莫本作"微寒"。《纲目》注"无毒"为《本经》文，其他各本作

《别录》文。

[2] **邪** 《新修》作"耶"，据《千金翼》《证类》改。

[3] **也** 《证类》无。

335 石下长卿[1]

味咸，平，有毒。主治鬼疰，精物，邪恶气[2]，杀百精，蛊毒，老魅注易[3]，亡走，啼哭，悲伤，恍惚。一名徐长卿。生陇西池泽山谷。

此又名徐长卿，恐是尔，方家无用。此处世中皆不复识别[4]也。（《新修》页361，《大观》卷30，《政和》页546）

【校注】

[1] **石下长卿** 此条，《纲目》并在"徐长卿"条下，并注为《别录》文，孙本、问本、周本、黄本不取本条为《本经》文。

[2] **邪恶气** 卢本、莫本作"邪气恶鬼"。

[3] **老魅注易** 王本作"狂易"。

[4] **别** 《证类》《纲目》无。

336 羊桃

味苦，寒，有毒[1]。主治㷹热[2]，身暴赤色，风水积聚，恶疡[3]，除小儿热。去五脏五水，大腹，利小便，益气，可作浴汤。一名鬼桃，一名羊肠，一名苌楚，一名御戈[4]，一名铫戈。生山林川谷及生田野，二月采，阴干。

山野多有，甚似家桃，又非山桃。子小细，苦不堪噉，花甚赤。《诗》云"隰有苌楚"者，即此也。方药亦不复用。（《大观》卷11，《政和》页273）

【校注】

[1] **有毒** 《大观》作白字《本经》文。

[2] **㷹热** 森本作"燥热"。

[3] **疡** 柯《大观》作"疮"。

[4] **戈** 《千金翼》、柯《大观》、《政和》作"弋"，《本草和名》、玄《大观》、《大全》作"戈"，从《本草和名》为正。下同。

337 羊蹄[1]

味苦，寒，无毒。主治头秃疥瘙[2]，除热[3]，女子阴蚀[4]。浸淫，疽[5]痔，

273

杀虫。一名东方宿，一名连虫陆，一名鬼目，一名蓄。生陈留川泽。

今人呼名秃菜，即是[6]蓄音之讹。《诗》云："言采其蓄"。又一种极相似而味酸[7]，呼为酸模，根亦治疥也。（《大观》卷11，《政和》页267）

【校注】

[1] **羊蹄** 《御览》作"鬼目"，并在卷995和卷998重出"鬼目"条。

[2] **头秃疥瘙** 森本考异引《长生疗养方》作"疬疬疥癣"。

[3] **除热** 《御览》作"阴热无子"。《医心方》无"热"字。

[4] **女子阴蚀** 《御览》无。

[5] **疽** 成化《政和》、万历《政和》、商务《政和》作"疸"。

[6] **是** 成化《政和》、商务《政和》作"使"。

[7] **相似而味酸** 《图考长编》脱"相"字。"酸"，人卫本《政和》、商务《政和》作"醋"。

338 鹿藿

味苦，平，无毒。主治蛊毒，女子腰[1]腹痛，不乐，肠痈，瘰疬，疡气。生汶山山谷。

方药不复用，人亦罕识。葛根之苗，又一名鹿藿。（《大观》卷11，《政和》页279）

【校注】

[1] **腰** 孙本、问本、黄本、周本作"要"。

339 练石草

味苦，寒，无毒。主治五癃，破石淋，膀胱中结气，利水道小便。生南阳川泽。

一名烂石草，又云即马矢蒿。（《新修》页362，《大观》卷30，《政和》页546）

340 牛扁

味苦，微寒，无毒。主治身皮疮热气，可作浴汤。杀牛虱、小虫，又治牛病。生桂阳川谷[1]。

今人不复识此，牛疫代代不无用之。既要牛医家应用，而亦无知者。（《大观》卷11，《政和》页282）

【校注】

[1] 谷 《图经衍义》作"俗"，误。

341 陆英

味苦，寒，无毒。主治骨间诸痹，四肢拘挛疼酸，膝寒痛，阴痿，短气不足，脚肿。生熊耳[1]川谷及冤句，立秋采。(《大观》卷11，《政和》页280)

【校注】

[1] 耳 其下，《御览》衍"山"字。

342 蕈草

味咸，平，无毒。主养心气，除心温温辛痛，浸淫身热。可作盐[1]。生淮南平泽，七月采。矾石为之使。(《新修》页362，《大观》卷30，《政和》页546)

【校注】

[1] 盐 其下，《千金翼》有"花"字。

343 荩草

味苦，平，无毒。主治久咳上[1]气喘逆，久寒惊悸，痂疥白秃疡气，杀皮肤小虫。可以染黄作金色。生青衣川谷，九月、十月采。畏鼠妇[2]。

青衣在益州西。(《大观》卷11，《政和》页281)

【校注】

[1] 上 《大全》《图考长编》作"止"。
[2] 妇 《医心方》作"姑"。

344 恒山

味苦、辛，寒、微寒，有毒。主治伤寒寒热[1]，热发[2]温疟，鬼毒，胸中痰[3]结吐逆。治鬼蛊往来，水胀，洒洒恶寒，鼠瘘。一名互草。生益州川谷及汉中。八月采根，阴干。畏玉札[4]。

出宜都、建平，细实黄者，呼为鸡骨恒山，用最胜。（敦煌本《新修》卷10，《大观》卷10，《政和》页253）

【校注】

[1] **寒热**　《御览》无。

[2] **热发**　人卫本《政和》作墨字《别录》文。"热"，敦煌本《新修》脱，据《千金翼》《证类》补。

[3] **痰**　敦煌本《新修》作"淡"，据《千金翼》《证类》改。又《御览》无"痰"字。

[4] **玉札**　"玉"，敦煌本《新修》作"王"，据《证类》改。"札"，《图经衍义》作"礼"。

345　夏枯草

味苦、辛[1]**，寒，无毒。主治寒**[2]**热，瘰疬，鼠瘘，头疮，破癥，散瘿结气，脚肿湿痹，轻身。一名夕句，一名乃东，一名燕面。生蜀郡川**[3]**谷，四月采。土**[4]瓜为之使。（《大观》卷11，《政和》页283）

【校注】

[1] **辛**　森本无，卢本作"微"。

[2] **主治寒**　孙本无此3字，森本无"主"字。

[3] **川**　《本经续疏》作"山"。

[4] **土**　成化《政和》作"上"。

346　蘘草

味甘[1]、苦，寒，无毒。主治温疟[2]寒热，酸嘶邪气，辟不祥。生淮南山谷。（《新修》页363，《大观》卷30，《政和》页546）

【校注】

[1] **甘**　《新修》脱，据《千金翼》《证类》补。

[2] **疟**　傅本《新修》、罗本《新修》作"生"，据《千金翼》《证类》改。

347　戈[1]共

味苦，寒，无毒。主治惊气，伤寒，腹痛，羸瘦，皮中有邪气，手足寒无色。生益州山谷。畏玉札、蜚蠊[2]。（《新修》页362，《大观》卷30，《政和》页546）

【校注】

[1] 戈　傅本《新修》、罗本《新修》、《千金翼》《政和》作"弋"。敦煌本《集注》序录作"戈"，《本草和名》《大观》《纲目》亦作"戈"，从《集注》为正。

[2] 畏玉札、蜚蠊　"畏"，《证类》作"恶"。"蠊"，傅本《新修》、罗本《新修》作"蠦"，据《证类》改。

348　乌韭

味甘，寒，无毒。主治[1]皮肤往来寒热，利小肠膀胱气。治黄疸，金疮内塞，补中益气，好颜色。生山谷石上。

垣衣亦名乌韭，而为治异，非是此种类也。（《大观》卷11，《政和》页278）

【校注】

[1] 治　莫本作"浮热在"。

349　溲疏

味辛、苦，寒、微寒，无毒。主治身皮肤中热，除邪气，止遗[1]溺。通利水道，除胃中热，下气，可作浴汤。一名巨骨。生掘耳川[2]谷及田野故丘墟地。四月采。漏芦为之使。

李云溲疏一名杨栌，一名牡荆，一名空疏。皮白，中空，时时有节。子似枸杞子。冬月熟，色赤，味甘、苦。末代乃无[3]识者，此实真也，非人篱援[4]之杨栌也。李当之此说，于论牡荆，乃不为大乖[5]，而滥引溲疏，恐斯误矣。又云：溲疏与空疏亦不同。掘耳，疑应作熊[6]耳。熊耳[7]，山名。而都无掘耳之号也[8]。（《新修》页161，《大观》卷14，《政和》页353）

【校注】

[1] 遗　万历《政和》作"气"。

[2] 掘耳川　"掘"，《千金翼》《证类》《图考长编》作"熊"。"川"，孙本作"山"。

[3] 末代乃无　傅本《新修》、罗本《新修》作"未代无乃"，据《证类》改。"乃无"，《永乐大典》卷2408"溲疏"条作"无有"。

[4] 人篱援　"人"下，《永乐大典》有"家"字。"援"，《图考长编》作"垣"。

[5] 乖　傅本《新修》、罗本《新修》作"可"，据《证类》改。

[6] 熊　傅本《新修》、罗本《新修》作"態"，据《证类》改。

[7] 熊耳　傅本《新修》、罗本《新修》脱，据《证类》补。

[8] 而都无掘耳之号也　《证类》《永乐大典》无"而""也"2字。

350 钓樟根皮

主治金创，止血。

出桂阳、邵陵诸处，亦呼作鸟樟，方家乃不[1]用，而世人多识此。刮根皮屑，以治金创，断血易合甚验。又有一草似狼牙，气辛臭，名地菘，人呼为刘懱草，五月五日采，干作屑，亦主[2]治金疮，言刘懱昔采用之尔。(《新修》页 160,《大观》卷 14,《政和》页 349)

【校注】

[1] **乃不**　《证类》作"少"。

[2] **主**　傅本《新修》、罗本《新修》作"至"，据《证类》改。

351 榉[1]树皮

大寒。主治时行头痛，热结在肠胃。

山中处处有，皮似檀、槐，叶如栎、槲，人亦多识用之。削取里皮，去上[2]甲，煎服之，夏日作饮去热。(《新修》页 163,《大观》卷 14,《政和》页 348)

【校注】

[1] **榉**　《新修》作"举"，据《千金翼》《证类》改。

[2] **上**　《图考长编》作"外"。

352 钓藤

微寒，无毒。主治小儿寒热，十二惊痫。

出建平，亦作弔[1]藤字，惟治小儿，不入余方。(《新修》页 165,《大观》卷 14,《政和》页 357)

【校注】

[1] **弔**　傅本《新修》作"予"，罗本《新修》作"声"，据《证类》改。

353 苦芺

微寒。主治面目通身漆疮。

处处有之，伧人取茎生食之。五月五日采，暴干，烧作灰，以治金疮，甚验。(《大观》卷 11,

《政和》页282）

354 马鞭草

主治下部蜃疮。

村墟陌甚多。茎似细辛，花紫色，叶微似蓬蒿也。（《大观》卷11，《政和》页269）

355 马勃

味辛，平，无毒。主治恶疮马疥。一名马庀[1]。生园中久腐[2]处。

世人呼为马寙勃，紫色虚软，状如狗肺，弹之粉出，敷诸疮用之，甚良也。（《大观》卷11，《政和》页285）

【校注】

[1] 庀（pǐ） 《品汇》作"庀"，《千金翼》《纲目》《图考长编》作"疕"。

[2] 腐 《草木典》作"废"。

356 鸡肠草

主治毒肿，止小便利。

人家园庭亦有此草，小儿取挼汁，以拈蜘蛛网，至黏，可掇蝉，治蠼螋溺也。（《大观》卷29，《政和》页521）

357 蛇莓汁

大寒。主治胸腹大热不止。

园野亦多。子赤色，极似莓，而不堪噉，人亦无服此为药者。治溪毒、射工，伤寒大热，甚良。（《大观》卷11，《政和》页276）

358 苎根

寒。主治小儿赤丹。其渍苎汁，治渴。

即今绩苎尔。又有山苎，亦相似，可入用也。（《大观》卷11，《政和》页270）

359 菰根

大寒。主治肠胃痼热，消渴，止小便利。

菰根亦如芦根，冷利复甚也。（《大观》卷11，《政和》页267）

360　狼跋子

有小毒。主治恶疮、蜗疥，杀虫鱼。

出交广，形扁扁尔。捣以杂米，投水中，鱼无大小，皆浮出而死。人用苦酒摩，治疥亦效。（《大观》卷11，《政和》页284）

361　莿蘿

味酸，温，有毒。主治风瘙瘾疹，身痒，湿[1]痹，可作浴汤。一名堇、草，一名芨。生田野。春夏采叶，秋冬采茎、根。

田野墟村中甚多，绝治风痹痒痛，多用薄洗，不堪入服，亦有酒渍根，稍饮之者。（《大观》卷11，《政和》页265）

【校注】

[1] 湿　《千金翼》《图经衍义》作"滋"。

362　船虹

味酸，无毒。主下气，止烦满。可作浴汤，药色黄。生蜀郡，立秋取。

方[1]药不用，世人无识者也。（《大观》卷30，《政和》页546）

【校注】

[1] 方　傅本《新修》、罗本《新修》作"古"，据《证类》改。

363　败船茹

平。主治妇人崩中，吐、痢血不止。

此是大艑（步典切）艑（他盍切）刮竹茹，以捏直萌切漏处者，取干煮之，亦烧作屑服之。（《大观》卷11，《政和》页284）

364　败蒲席

平。主治筋溢、恶疮。

烧之蒲席，惟舡[1]家用，状如蒲帆尔。人家所用席，皆是莞草；而荐多是蒲。方家有用也。（《大观》卷11，《政和》页275）

【校注】

[1] 舡　《大观》《纲目》作"船"。

365　败天公

平。主治鬼疰精魅。

此是人所戴竹笠之败者也，取上竹烧，酒服之。（《大观》卷11，《政和》页286）

366　鼠姑

味苦，平、寒，无毒。主治咳逆上气，寒热，鼠瘘，恶疮，邪气。一名赋。生丹水。

今人不识此鼠姑，乃牡丹又[1]名鼠姑，罔[2]知孰是。（《大观》卷30，《政和》页546）

【校注】

[1] 又　傅本《新修》、罗本《新修》作"人"，据《证类》改。
[2] 罔　傅本《新修》、罗本《新修》作"因"，据《证类》改。

虫兽三品　卷第六

上　品

367　龙骨

味甘，平、微寒，无毒。**主治心腹鬼疰，精物老魅，咳逆，泄痢脓血，女子漏下，癥瘕坚结，小儿热气惊痫。** 治心腹烦满，四肢痿枯[1]，汗出，夜卧自惊，恚怒，伏气在心下，不得喘[2]息，肠痈内疽阴蚀，止[3]汗，小便利[4]，溺血，养精神，定魂魄，安五脏。白龙骨：治梦寐[5]泄精，小便泄精。**龙齿：主治小儿[6]大人惊痫，癫疾，狂走，心下结气，不能喘息，诸痉，杀精物。** 治小儿五惊，十二痫，身热不可近人[7]，大人骨间寒热，又杀蛊毒。**得人参、牛黄良，畏石膏。**角：主治惊痫，瘛[8]疭，身热如火，腹中坚及热泄。**畏干漆、蜀椒、理石[9]。久服轻身，通神明，延年。**生晋地川[10]谷，及太山岩水岸土穴石[11]中死龙处，采无时。

今多出益州、梁州[12]间，巴中亦有骨，欲得脊脑[13]，作白地锦文，舐之著舌者，良。齿小强，犹有齿形。角强而实。又有龙脑，肥[14]软，亦断痢。云皆是龙蜕[15]，非实死也。比来巴中数[16]得龙胞，吾自亲见形体具存，云治产难[17]，产后余疾，正当末服之。（《新修》页181，《大观》卷16，《政和》页368）

【校注】

[1] **痿枯** 《本草经疏》倒置。"枯"，傅本《新修》、罗本《新修》作"枝"，据《千金翼》《证类》改。

[2] **不得喘** 傅本《新修》、罗本《新修》脱"不""喘"2字，据《千金翼》《证类》补。

[3] **止** 傅本《新修》、罗本《新修》作"心"，据《千金翼》《证类》改。

[4] **小便利** 《证类》《纲目》作"缩小便"。

[5] 癔　《千金翼》《证类》《纲目》《本草经疏》《本经疏证》作"寐"。

[6] 龙齿：主治小儿　《千金翼》《证类》《品汇》、孙本、顾本、《本草经疏》《本经疏证》无"龙""治"2字。

[7] 人　《证类》《纲目》《本草经疏》无。

[8] 癗　傅本《新修》、罗本《新修》脱，据《千金翼》《证类》补。

[9] 畏干漆、蜀椒、理石　《证类》在"采无时"之下。

[10] 川　《御览》作"山"。

[11] 及太山岩水岸土穴石　"及"，傅本《新修》、罗本《新修》作"生"，据《千金翼》《证类》改。"石"，《证类》无。

[12] 益州、梁州　《证类》作"梁、益"。

[13] 脑　傅本《新修》、罗本《新修》作"胫"，据《证类》改。

[14] 肥　傅本《新修》、罗本《新修》作"肌"，据《证类》改。

[15] 蚖　傅本《新修》、罗本《新修》作"蛇"，据《证类》改。

[16] 敷　傅本《新修》、罗本《新修》作"敢"，据《证类》改。

[17] 产难　《证类》无。

368　牛黄

味苦，平，有小毒。主治惊痫[1]**，寒热，热盛狂痓**[2]**，除邪逐鬼。**治[3]小儿百病，诸痫热，口不开，大人狂癫，又[4]堕胎。久服轻身，增季[5]，令人不忘。**生晋地平泽**[6]，生于牛，得之[7]即阴干百日，使时燥，无令见日月光。人参为之使，得牡丹、昌蒲利耳目，恶龙骨、地黄、龙胆、蜚蠊[8]，畏牛膝。

旧云[9]神牛出入鸣吼者有之，伺其出角上，以盆水承而吐[10]之，即堕落水中。今人多皆就胆中得之尔。多出梁、益，一子如鸡子黄大相重叠，药中之贵，莫复过此。一子起二三分[11]，好者直五六千至一万也。世人多假作，甚相似，唯以磨爪甲舐拭不脱者，是真之[12]。（《新修》页183，《大观》卷16，《政和》页370）

【校注】

[1] 痫　《御览》无。

[2] 热盛狂痓　"盛"，莫本作"气"。"痓"，《本草经疏》、森本作"痉"。

[3] 治　傅本《新修》、罗本《新修》脱，据《千金翼》《证类》补。

[4] 又　傅本《新修》、罗本《新修》脱，据《千金翼》《证类》补。《图经衍义》作"及"。

[5] 久服轻身，增季　"久"，《图经衍义》作"又"。"季"，《证类》《品汇》《纲目》《本草经疏》《本经续疏》作"年"。

[6] 生晋地平泽　《御览》作"生晋地，生陇西平泽"，《纲目》《禽虫典》作"生陇西及晋地"。

[7] 生于牛，得之　《御览》作"特牛胆中"。

［8］蜚蠊 《医心方》作"飞廉"。

［9］云 傅本《新修》、罗本《新修》、武本《新修》作"五"，据《证类》改。

［10］吐 傅本《新修》、罗本《新修》作"咀"，据《证类》改。

［11］起二三分 《证类》作"及二二分"。

［12］世人多假作，甚相似，唯以磨爪甲舐拭不脱者，是真之 《证类》脱。

369 麝香[1]

味辛[2]，温，无毒。**主辟恶气，杀鬼精物**[3]，**温疟，蛊毒，痫痓**[4]，**去三虫**[5]。治[6]诸凶邪鬼气，中恶，心腹暴痛胀急，痞满，风毒，妇人产难，堕胎，去面𪒛目中肤翳。**久服除邪**[7]，**不梦寤魇寐**，通神仙。**生中台川谷**[8]及益州[9]、雍州山中。春分取之，生者益良。

麝[10]形似獐，恒食柏叶[11]，又噉蛇，五月得香往往有蛇皮骨，故麝香治蛇毒。今以蛇蜕皮裹麝香[12]弥香，则是相[13]使也。其香正在麝阴茎前皮内，别有膜裹之。今出随郡义阳晋熙诸蛮中者亚之。今出其形貌直如粟肤人。又云是卵，不然也。香多被破杂蛮，犹差于益州[14]。益州香[15]形扁，仍以皮膜裹[16]之。一子真者，分糅[17]作三四子，刮取其[18]血膜，亦[19]杂以余物。大都亦有精麂[20]，破看[21]一片，有毛在裹中者为胜，彼人以为志。若于诸羌夷中得者，多真好。烧当门沸起良久亦[22]好。今唯得活者，自看[23]取之，必当全真尔。生香人云是其精溺凝作之[24]，殊不尔麝[25]夏月食蛇虫多，至寒香满，入春患急痛，自以脚剔[26]出，著屎溺中覆之，皆有常处。人有遇得，乃至[27]一斗五升也。用此香乃胜杀取者。带麝非但香，亦辟恶。以真者一子，置头[28]间枕之，辟恶梦及尸疰鬼气。（《新修》页184，《大观》卷16，《政和》页369）

【校注】

［1］**麝香** 成化《政和》、万历《政和》、商务《政和》对"麝香"条全文作墨字《别录》文，无白字《本经》标记。

［2］**味辛** 卢本、莫本作"甘"。

［3］**辟恶气，杀鬼精物** 《御览》无"气""物"2字。

［4］**痫痓** 《纲目》作"惊痫"，《品汇》《本草经疏》、森本作"痫痓"。

［5］**虫** 《图经衍义》作"蛊"。

［6］**治** 傅本《新修》、罗本《新修》脱，据《千金翼》《证类》补。

［7］**邪** 其下，卢本、莫本有"气"字。

［8］**川谷** 《御览》作"山也"。

［9］**及益州** 傅本《新修》、罗本《新修》作"生益州及"，据《千金翼》《证类》改。

［10］**麝** 其下，傅本《新修》、罗本《新修》衍"香"字，据《证类》删。

［11］**恒食柏叶** "恒"，《证类》作"常"。"叶"，傅本《新修》、罗本《新修》作"集"，据《证类》改。唐代抄本"叶"字多作"葉"。

［12］**香** 傅本《新修》、罗本《新修》脱，据《证类》补。

［13］**相** 傅本《新修》作"胡"，据罗本《新修》、《证类》改。

［14］**今出其形貌直如……犹差于益州** 《证类》无此文。

［15］**益州香** 《证类》作"出益州者"。

［16］**裹** 傅本《新修》、罗本《新修》脱，据《证类》补。

［17］**真者，分糅** "者"，《证类》作"香"。"糅"，《证类》无。

［18］**其** 《证类》无。

［19］**亦** 《证类》无。

［20］**精麚** 傅本《新修》、罗本《新修》作"麚鹿"，据《证类》改。

［21］**看** 傅本《新修》、罗本《新修》作"者"，据《证类》改。

［22］**起良久亦** "起"，《证类》无。"亦"，《证类》作"即"。

［23］**看** 傅本《新修》、罗本《新修》作"者"，据《证类》改。

［24］**云是其精溺凝作之** "云"，傅本《新修》、罗本《新修》作"去"，据《证类》改。"之"，傅本《新修》、罗本《新修》脱，据《证类》补。

［25］**麕** 其下，傅本《新修》、罗本《新修》衍"香"字，据《证类》删。

［26］**剔** 傅本《新修》、罗本《新修》作"别"，据《证类》改。

［27］**至** 傅本《新修》、罗本《新修》脱，据《证类》补。

［28］**头** 《证类》作"颈"。

370　人乳汁

主补五脏，令人肥白悦泽。

张仓恒服人乳，故年百岁余，肥白如瓠。（《新修》页186，《大观》卷15，《政和》页364）

371　发髲

味苦，温、小寒，无毒。**主治五癃，关格不得小便，利水道**[1]，**治小儿痫**[2]，**大人痓，仍自还神化**[3]。合鸡子黄煎之，消为水，治小儿惊热下痢[4]。

李云是童男[5]发。神化之事，未见别方。今世中妪母为小儿作[6]鸡子煎，用发杂熬良久得汁，与儿服去痰热。治百病而用发，皆用其父[7]梳头乱者尔。不知此发髲审取[8]是何物？且髲字书记所无，或作算[9]音，人今呼斑发为算发。书家亦呼[10]乱发为鬊，恐髲即是[11]鬊音也。童男之理[12]，未或全[13]明。（《新修》页186，《大观》卷15，《政和》页363）

【校注】

［1］**不得小便，利水道** 《千金翼》《证类》《纲目》、孙本、问本、周本、黄本、顾本作"不通，利小便水道"。傅本《新修》、罗本《新修》、森本作"不得小便，利水道"。

［2］痫 《纲目》、姜本作"惊"。

［3］化 其下，傅本《新修》、罗本《新修》衍"生平泽"3字，现据《千金翼》《证类》删。

［4］下痢 《纲目》作"百病"。傅本《新修》、罗本《新修》脱"痢"字，查《千金方》卷15治痢方用乱发灰，《外台》卷25亦云乱发灰止痢。《小儿卫生总微论方》卷10"胎中病"论蓐疮条引刘禹锡云："因阅本草有云，乱发合鸡子黄煎，消为水，治小儿惊热下痢"。据此，应补"痢"字。

［5］男 傅本《新修》、罗本《新修》脱，据《证类》补。

［6］作 傅本《新修》、罗本《新修》脱，据《证类》补。

［7］用其父 "用"，《证类》作"取"。"父"，傅本《新修》、罗本《新修》作"人"，据《证类》改。

［8］取 《证类》无。

［9］算 《证类》作"蒜"。下同。

［10］呼 傅本《新修》、罗本《新修》脱，据《证类》补。

［11］是 《证类》无。

［12］理 傅本《新修》作"埋"，据罗本《新修》、《证类》改。

［13］全 傅本《新修》、罗本《新修》作"金"，据《证类》改。

372 乱发

微温。主治咳嗽[1]，五淋，大小便不通，小儿惊痫，止血，鼻衄，烧之吹内立已[2]。

此常人头发尔，术家用已乱发及爪烧，山人饮之相亲爱[3]。此与发髲治体相似[4]。（《新修》页187，《大观》卷10，《政和》页363）

【校注】

［1］咳嗽 《本草经疏》作"咳逆"。"咳"，《新修》脱，据《千金翼》《证类》补。

［2］已 《千金翼》作"止"。马王堆出土《五十二病方》对表示治愈之词，皆用"已"字。

［3］术家用已乱发及爪烧，山人饮之相亲爱 《证类》无此文。

［4］此与发髲治体相似 《证类》无"此"字。"似"字下，《新修》衍"若然则长此一件"，据《证类》删。

373 头垢

主治淋闭不通。

术云头垢浮针，以肥腻[1]故尔。今当用悦[2]泽人者。其垢可丸，亦[3]主噎，又治劳复

也[4]。(《新修》页188，《大观》卷15，《政和》页364)

【校注】

[1] **賦** 傅本《新修》、罗本《新修》脱，据《证类》补。

[2] **悦** 傅本《新修》、罗本《新修》作"傅"，据《证类》改。

[3] **亦** 《证类》作"又"。

[4] **又治劳复也** 《证类》作"亦疗劳"。

374 人屎

寒。主治时行大热狂走，解诸毒，宜用绝干者，捣末，沸汤沃服之[1]。人溺，治寒热，头痛[2]，温气，童男者尤良。溺白垽[3]，治鼻衄，汤火灼疮。东向圊厕[4]溺坑中青泥，治喉痹，消痈肿，若已有脓即溃。

交广俚人用焦铜为箭镞，射人才伤皮便死，惟饮粪汁即差。而射猪狗不死，以其食粪故也。时行大热，饮粪汁亦愈。今近城寺，别塞空罂[5]口，内粪仓中，积年得汁甚黑而苦，名为黄龙汤，治温病垂死饮[6]皆差。若人初得头痛，直饮溺[7]数升，亦多愈，合葱豉作汤弥佳。溺垽及青泥为治并如所说。又妇人月水亦解毒箭并女劳复，浣裈汁亦善。扶南国旧有奇术，能禁令刀斫人不入，惟以月水涂刀便死，此是污秽坏神气也；又人合药，所以忌触之。皮既一种物，故从屎溺之例，又人精和鹰屎，亦灭瘢[8]。(《新修》页188，《大观》卷15，《政和》页364)

【校注】

[1] **宜用绝干者，捣末，沸汤沃服之** 傅本《新修》、罗本《新修》脱，据《千金翼》《证类》补。

[2] **痛** 《千金翼》《证类》《品汇》《本草经疏》《本经疏证》作"疼"。

[3] **溺白垽** 《纲目》注为《新修》文。

[4] **圊厕** 傅本《新修》、罗本《新修》作"清前"，据《千金翼》《证类》改。

[5] **塞空罂** 傅本《新修》、罗本《新修》作"寒空明"，据《证类》改。

[6] **饮** 《证类》无。

[7] **溺** 《证类》作"人尿"。

[8] **溺垽及青泥……鹰屎，亦灭瘢** 《证类》将这段陶隐居注文，分立为三个药物条文，即妇人月水、浣裈汁、人精。

375 马乳

止渴。

今人不甚服，当缘难得也。(《新修》页190，《大观》卷16，《政和》页373)

376 牛乳

微寒。主补虚羸，止渴，下气[1]。

犦牛为佳，不用新被饮竟者[2]。（《新修》页190，《大观》卷16，《政和》页373）

【校注】

[1] **下气** 《千金翼》《证类》《纲目》《品汇》《本草经疏》无。

[2] **被饮竟者** 《证类》作"饮者"。

377 羊乳

温。补寒冷虚乏。

牛乳、羊乳实为[1]补润，故北人皆多肥健。（《新修》页190，《大观》卷16，《政和》页372）

【校注】

[1] **牛乳、羊乳实为** 傅本《新修》、罗本《新修》作"牛羊乳实"，据《证类》改。

378 酪酥[1]

微寒。主补五脏，利大[2]肠，主治口疮。

酥出外国，亦从益州来，本是牛羊乳所为，作之自有法[3]。佛经[4]称乳成酪，酪成酥，酥成醍醐。醍醐色黄白作饼甚甘肥，亦时至江南。（《新修》页191，《大观》卷16，《政和》页373）

【校注】

[1] **酪酥** 《证类》无"酪"字。"酥"，《新修》原作"苏"，据《千金翼》《证类》改。

[2] **大** 《纲目》作"大小"。

[3] **作之自有法** 傅本《新修》、罗本《新修》作"之自省法"，据《证类》改。

[4] **经** 《纲目》作"书"。其下，傅本《新修》、罗本《新修》衍"亟"，据《证类》删。

379 熊脂[1]

味甘，微寒[2]、微温、无毒。主治[3]风痹不仁，筋急，五脏腹中积聚，寒热，羸瘦，头疡[4]，白秃，面皯皰[5]，食饮呕吐[6]。久服强志，不饥，轻身，长年[7]。生雍州山谷。十一月取。

此脂即是熊白，是背^[8]上膏，寒月则有，夏月则无。其腹中肪及身中膏，煎取可作药，而不中敢^[9]。今东西诸山林^[10]一皆有之，自是非易得物尔。瘤病人^[11]不可食熊肉，令终身不除愈也。（《新修》页191，《大观》卷16，《政和》页370）

【校注】

［1］脂　《千金方·食治》作"肉"。"脂"下，《艺文类聚》《御览》有"一名熊白"4字。

［2］寒　《艺文类聚》《御览》无。

［3］主治　《艺文类聚》作"止"。

［4］瘤　姜本作"伤"。

［5］肝胞　"肝"上，《纲目》、姜本有"上"字。"胞"，《大全》作"抱"。

［6］食饮咽吐　《证类》《本草经疏》作"食饮吐呕"。

［7］长年　《纲目》《品汇》注为《本经》文。

［8］背　傅本《新修》、罗本《新修》脱，据《证类》补。

［9］敢　傅本《新修》、罗本《新修》、武本《新修》作"取"，据《证类》改。

［10］林　《证类》作"县"。

［11］病人　《证类》作"疾"。

380　石蜜

味甘，平，微温，无毒^[1]。主治心腹邪气，诸惊痫痉^[2]，安五脏，诸不足^[3]，益气，补中^[4]，止痛，解毒，除众病，和百药^[5]。养脾气，除心烦，食饮不下，止肠澼，肌中疼痛，口疮，明耳目。**久服强志^[6]，轻身，不饥^[7]，不老，**延年神仙。一名石饴^[8]。**生武都山谷、河源山谷及诸山石中，色白如膏者良。

石蜜即崖蜜也。高山岩石间作之，色青、赤，味小酸，食之心烦。其蜂黑色似虻。又木蜜，呼为食蜜，悬树枝作之，色青白，树空及人家养作之者，亦白而浓厚，味美。凡蜂作蜜，皆须人小便以酿诸花，乃得和熟，状似作饴须蘖也。又有土蜜，于土中作之，色青白，味酸。今出晋安檀崖者，多土蜜，云最胜。出东阳临海诸处多木蜜；出于潜、怀安诸县多崖蜜，亦有杂木蜜及人家养者，例皆被添，殆无淳者，必须亲自看取之，乃无杂尔，且又多被煎煮。其江南向西诸蜜，皆是木蜜，添杂最多，不可为药用。道家丸饵，莫不须之。仙方亦单炼服之，致长生不老也。（《大观》卷20，《政和》页410）

【校注】

［1］微温，无毒　《政和》作"无毒，微温"，《千金翼》、柯《大观》、《大全》《图经衍义》作"微温，无毒"。

［2］诸惊痫痉　《御览》无。"痉"，《品汇》、森本作"痓"。

［3］**诸不足** 《御览》无。

［4］**中** 《北堂书钞》作"内"。

［5］**止痛，解毒，除众病，和百药** "止痛，解毒"，《千金方·食治》作"止腹痛，解诸药毒"。"除众病，和百药"，《御览》无此文。"众"，《北堂书钞》作"百"。

［6］**强志** 《御览》无。

［7］**不饥** 《御览》无。

［8］**饴** 《图经衍义》作"胎"，误。

381 蜜蜡[1]

味甘，微温，无毒。**主治下痢脓血，补中，续绝伤，金疮[2]，益气，不饥，耐老。**白蜡，治久泄澼，后重，见白脓，补绝伤，利小儿。久服轻身，不饥。**生武都山谷。**生于蜜房木石间。恶芫花、齐蛤。

此蜜蜡尔，生于蜜中，故谓蜜蜡。蜂皆先以此为蜜蹠，煎蜜亦得之。初时极香软，人更煮炼，或加少醋酒，便黄赤，以作烛色为好。今药家皆应用白蜡，但取削之，于夏月日曝百日许自然白；卒用之，亦可烊内水中十余过亦白。世方惟以合治下丸，而《仙经》断谷最为要用，今人但嚼食方寸者，亦一日不饥也。（《大观》卷20，《政和》页412）

【校注】

［1］**蜜蜡** 《医心方》《本草和名》作"膌蜜"。森本作"蜡蜜"。

［2］**疮** 孙本、黄本、问本、周本、森本作"创"。

382 蜂子

味甘，平、微寒，无毒。**主治风头，除蛊毒，补虚羸，伤中。**治心腹痛，大人小儿腹中五虫口吐出者，面目黄。**久服令人光泽，好颜色，不老，轻身益气。大黄蜂子：主治心腹胀满痛，**干呕，**轻身益气**[1]。**土蜂子：主治痈肿，嗌痛。一名蜚零。生武都山谷。**畏黄芩、芍药、牡蛎。

前直云蜂子，即应是蜜蜂子也，取其未成头足时炒食之；又酒渍以敷面，令面悦白。黄蜂则人家屋上者及觚瓠蜂也。（《大观》卷20，《政和》页411）

【校注】

［1］**大黄蜂子：主治心腹胀满痛，干呕，轻身益气** 《纲目》注为《别录》文。"胀"，《大全》作"服"，孙本、问本、黄本作"復"，周本作"张"。

383　白^[1]胶

味甘，平、温，无毒。主治伤中，劳绝，腰痛，羸瘦^[2]，补中益气，妇人血闭^[3]无子，止^[4]痛，安胎。治^[5]吐血，下血，崩中不止，四肢酸疼，多汗，淋露，折跌伤损。久服轻身，延年^[6]。一名鹿角胶。生云中，煮鹿角作之。得火良，畏大黄。

今人少复煮作，惟合角弓，犹言用此胶尔。方药用亦稀，道家时又^[7]须之。作白胶法，先以米潘汁，渍七日^[8]令软，然后煮煎之，如作阿胶法^[9]尔。又一法即细剉角，与一片干牛皮，角即消烂矣，不尔相厌，百年无一熟也。（《新修》页192，《大观》卷16，《政和》页371）

【校注】

[1] **白**　《御览》无。

[2] **腰痛，羸瘦**　"腰"，孙本、问本、周本、黄本作"要"。《御览》无"羸"字。

[3] **血闭**　《御览》无。

[4] **止**　《大全》作"正"。

[5] **治**　傅本《新修》、罗本《新修》脱，据《千金翼》《证类》补。

[6] **年**　黄本、问本作"季"。

[7] **又**　《证类》无。

[8] **渍七日**　傅本《新修》、罗本《新修》原作"七日渍"，据《证类》改。

[9] **法**　《证类》无。

384　阿胶

味甘^[1]，平、微温，无毒。主治心腹内崩，劳极洒洒如疟^[2]状，腰腹痛，四肢酸疼，女子下血，安胎。丈夫少^[3]腹痛，虚劳羸廋，阴气不足，脚酸不能久立，养肝气。**久服轻身，益气。**一名傅致胶。生东平郡，煮牛皮作之。出东阿。恶^[4]大黄，得火^[5]良。

出东阿，故曰阿胶。今都下^[6]能作之，用皮亦有老少，胶则有清浊。凡三种：清薄者，书^[7]画用；厚而清者，名为盆覆胶，作药用之，用之^[8]皆火炙，丸散须极燥^[9]，入汤微炙尔；浊黑者，可胶物用，不入药也^[10]。用一片鹿角即成胶，不尔不成也^[11]。（《新修》页193，《大观》卷16，《政和》页372）

【校注】

[1] **甘**　玄《大观》作"廿"，误。

［2］**洒洒如疟** "洒洒"，傅本《新修》、罗本《新修》脱一"洒"字，据《千金翼》《证类》补。"疟"，傅本《新修》、罗本《新修》作"瘧"，据《千金翼》《证类》改。

［3］**少** 《证类》《纲目》《品汇》《本草经疏》《本经疏证》作"小"。

［4］**恶** 《证类》作"畏"。

［5］**火** 成化《政和》、万历《政和》、商务《政和》作"大"，误。

［6］**都下** 《证类》作"东都下亦"。

［7］**书** 《证类》无。

［8］**用之** 《证类》无。

［9］**爆** 傅本《新修》、罗本《新修》作"焦"，据《证类》改。

［10］**也** 《证类》作"用"。

［11］**也** 傅本《新修》、罗本《新修》作"耳"，据《证类》改。

385 白鹅膏

主治耳卒聋，以灌之。毛：主射工、水毒。肉：平，利五脏。

东川多溪毒，养鹅以辟之[1]，毛[2]羽亦佳，中射工毒[3]者，饮血又以涂身。鹅未必食射工，特[4]以威相制尔，乃言鹅不食生虫，今鹅子亦啾蚯蚓辈。（《新修》页229，《大观》卷19，《政和》页399）

【校注】

［1］**之** 傅本《新修》、罗本《新修》作"是"，据《证类》改。

［2］**毛** 傅本《新修》、罗本《新修》作"色"，据《证类》改。

［3］**毒** 傅本《新修》、罗本《新修》脱，据《证类》补。

［4］**特** 傅本《新修》作"特"，罗本《新修》作"持"，《证类》作"盖"，从傅本《新修》为正。

386 雁肪

味甘，平，无毒。主治风击[1]，拘急，偏枯，气不通利[2]。久服长毛[3]发须眉，益气，不饥，轻身，耐老[4]。一名鹜肪。生江南[5]池泽。取无时。

诗云：大曰鸿，小曰雁。今雁类亦有大小，皆同一形又别有野鹅大于雁，犹似家仓鹅，谓之驾鹅。膍肪自[6]不多食，其肉应亦[7]好。鹜作木音[8]，云是野鸭。今此一名鹜肪，则雁、鹜皆相类尔。此后又有鸭事别注在后[9]。夫雁乃住江湖，而夏应产伏皆往北[10]，恐雁门北人不食此鸟故也，中原亦重之尔。虽采无时，以冬月为好。（《新修》页230，《大观》卷19，《政和》页400）

【校注】

[1] 击 《千金翼》《证类》作"孽"，傅本《新修》、罗本《新修》、《医心方》卷30俱作"击"。

[2] 气不通利 "气"上，《千金方·食治》《纲目》、姜本、莫本有"血"字。《御览》无"利"字。

[3] 毛 傅本《新修》、罗本《新修》脱，据《千金翼》《证类》补。

[4] 轻身，耐老 《御览》作"耐老，轻身"。"耐"，傅本《新修》、罗本《新修》作"能"，据《千金翼》《证类》改。

[5] 江南 傅本《新修》、罗本《新修》作"南海"，据《千金翼》《证类》改。

[6] 自 傅本《新修》、罗本《新修》作"白"，据《证类》改。

[7] 应亦 傅本《新修》、罗本《新修》作"亦雁应"，据《证类》改。

[8] 音 傅本《新修》、罗本《新修》作"青"，据《证类》改。

[9] 此后又有鸣事别注在后 两个"后"字，《证类》皆作"前"。"又"，傅本《新修》、罗本《新修》作"大"，据《证类》改。"别"，《证类》无。

[10] 北 傅本《新修》、罗本《新修》作"此"，据《证类》改。

387 丹雄鸡

味甘，微温、微寒，无毒。主治女人[1]崩中漏下，赤白沃[2]，补虚，温中，止血。不伤之疮[3]，通神，杀毒，辟[4]不祥。头：主杀鬼，东门上者弥良[5]。白雄鸡肉：味酸[6]，微温，主下气，治狂邪，安五脏，伤中，消渴。乌雄鸡肉：微[7]温。主补中，止痛。胆：微寒，主治目不明，肌疮。心：主治五邪。血：主踒折，骨痛及痿痹。肪：主治耳聋。鸡肠：平，主治遗尿[8]，小便数不禁。肝及左翅毛：主起阴。冠血：主治乳难。肶胵里黄皮：微寒[9]，主治泄痢，小便利，遗溺，除热，止烦。屎白：微寒。主消渴，伤寒，寒热[10]，破石淋及转筋，利小便，止遗溺[11]，灭瘢痕。黑雌鸡：主治风寒湿痹，五缓六急，安胎[12]。其血：无毒，平。主治[13]中恶腹痛，及踒折骨痛，乳难。翮羽：主下血闭[14]。黄雌鸡：味酸、甘，平。主治伤中，消渴，小便数不禁，肠澼泄痢，补益五脏，续绝伤，治虚劳，益气力[15]。肋骨：主治小儿羸瘦，食不生肌。鸡子：主除热火疮，治痫痉[16]，可作虎魄神物。卵白：微寒，治目热赤痛，除心下伏[17]热，止烦满，咳逆，小儿下泄，妇人产难，胞衣不出。醯渍之一宿，治黄疸，破大烦热。卵中白皮：主久咳结气，得麻黄、紫菀和服之立已[18]。鸡白蠹：能肥脂。生朝鲜平泽。

鸡此[19]例又甚多，云鸡子作虎魄者，用欲毈卵黄白，混杂煮作之，亦极相似，惟不拾芥尔。又煮白合银，口含须[20]臾，色如金。鸡子不可合葫、蒜[21]及李子食之。乌鸡肉，不可合犬肝、

296

肾[22]食之。小儿食鸡肉，好生蛔虫。又鸡不可合芥叶蒸食[23]之。朝鲜乃在玄菟乐浪，不应总是鸡所出。今云白蠹，不知是何物，恐此别[24]一种尔。（《新修》页225，《大观》卷19，《政和》页397）

【校注】

[1] **人** 孙本、狩本作"子"。

[2] **沃** 《纲目》作"带"。《图经衍义》作"治"。

[3] **不伤之疮** 《证类》作"久伤乏疮"。《纲目》作"能愈久伤乏疮不差者"。

[4] **辟** 傅本《新修》、罗本《新修》脱，据《千金翼》《证类》补。

[5] **东门上者弥良** 《大观》《大全》《纲目》、狩本注为《本经》文。"弥"，《证类》作"尤"。

[6] **味酸** 傅本《新修》、罗本《新修》脱，据《千金翼》《证类》补。

[7] **微** 傅本《新修》、罗本《新修》脱，据《千金翼》《证类》补。

[8] **肪：主治耳聋。鸡肠：平，主治遗尿** 《大观》《大全》《纲目》、狩本注为《别录》文。"鸡肠：平，主遗尿"，《证类》作"肠主遗溺"。

[9] **肶胵里黄皮：微寒** "肶"，万历《政和》作"肘"。"里"，孙本、问本、黄本作"裹"。《大观》《大全》注"微寒"2字为《本经》文。

[10] **屎白……寒热** "屎"，孙本、问本、周本、黄本、顾本作"尿"，疑"尿"系"屎"之误。"寒"，傅本《新修》、罗本《新修》脱，据《千金翼》《证类》补。

[11] **溺** 其下，《大全》衍"泄"字。

[12] **黑雌鸡：主治风寒湿痹，五缓六急，安胎** 《大观》《大全》、孙本、顾本作为《本经》文，人卫本《政和》作墨字《别录》文，森本不录为《本经》文。"黑"，傅本《新修》、罗本《新修》作"里"，据《千金翼》《证类》改。

[13] **其血：无毒，平。主治** 《证类》《品汇》无"其"字。"治"，《证类》作"主"。

[14] **闭** 万历《政和》作"闲"，误。

[15] **治虚劳，益气力** 《千金翼》《证类》无"虚""力"2字。

[16] **鸡子：主除热火疮，治痫痓** "子"下，《千金方·食治》、莫本有"黄"字。"主"，傅本《新修》、罗本《新修》脱，据《千金翼》《证类》补。"火疮"，《千金方·食治》作"火灼烂疮"。又《证类》无"治"字。"痓"，《证类》作"痊"。

[17] **伏** 傅本《新修》、罗本《新修》脱，据《千金翼》《证类》补。

[18] **和服之立已** 傅本《新修》、罗本《新修》脱"和"字，据《千金翼》《证类》补。"已"，万历《政和》作"止"，柯《大观》、商务《政和》作"也"。

[19] **此** 《证类》作"比"。

[20] **须** 傅本《新修》、罗本《新修》作"顷"，据《证类》改。

[21] **可合葫、蒜** 傅本《新修》、罗本《新修》脱"可"，据《证类》补。"蒜"，罗本《新修》作"蒜"，傅本《新修》作"蒜"，据《证类》改。

[22] **肾** 《证类》作"犬肾"。

［23］**食** 傅本《新修》、罗本《新修》脱，据《证类》补。

［24］**恐此别** 《证类》作"别恐"。

388 鹜肪

味甘，无毒。主治风虚，寒热。白鸭[1]屎：名鸭[2]通。主杀石药毒，解结缚，散蓄热[3]。肉：补虚，除[4]热，和脏腑，利水道。

鹜即是鸭，鸭有家、有野，前《本经》云雁肪[5]，一名鹜肪[6]其治小异，此说则专是家鸭尔。黄雌鸭为补最胜。鸭卵不可合鳖肉[7]食之。凡鸟自死口不闭者，皆不可食之，食之杀人。（《新修》页230，《大观》卷19，《政和》页400）

【校注】

［1］**鸭** 傅本《新修》、罗本《新修》作"卵"，据《千金翼》《证类》改。

［2］**鸭** 《千金翼》《证类》无。

［3］**散蓄热** 傅本《新修》、罗本《新修》脱"散"字，据《千金翼》《证类》补。

［4］**除** 傅本《新修》、罗本《新修》脱，据《千金翼》《证类》补。

［5］**前《本经》云雁肪** "前"，《证类》作"又"。"云"，傅本《新修》、罗本《新修》脱，据《证类》补。"肪"，《新修》作"肺"，据《证类》改。

［6］**肪** 傅本《新修》、罗本《新修》作"肺"，据《证类》改。

［7］**肉** 傅本《新修》、罗本《新修》作"完"，据《证类》改。

389 牡蛎

味咸，平、微寒，无毒。主治伤寒，寒热，温疟洒洒[1]，惊恚怒气，除拘缓，鼠瘘，女子带下[2]赤白。除留热在关节、荣卫虚热去来[3]不定，烦满，止汗，心痛气结，止渴，除老血，涩大小肠，止大小便，治泄精，喉痹，咳嗽，心胁下痞热。**久服强骨节，杀邪鬼[4]，延年[5]。一名蛎蛤，**一名牡蛤。**生东海池泽。**采无时。贝母为之使，得甘草、牛膝、远志、蛇床良，恶麻黄、吴茱萸、辛夷。

是百岁雕所化，以十一月采为好，去肉，二百日成。今出东海，永嘉、晋安皆好。道家方以左顾者是雄，故名牡蛎；右顾则牝蛎尔。生著石，皆以口在上，举以腹向南视之，口邪向东则是。或云以尖头为左顾者，未详孰是？例以大者为好。又出广州，南海亦如此，但多右顾不用尔。丹方以泥釜，皆除其甲口，止取胁胁如粉处尔。世用亦如之，彼海人皆以泥煮盐釜，耐水火而不破漏。（《大观》卷20，《政和》页412）

【校注】

[1] **洒洒** 万历《政和》作"酒酒"，孙本作"瀴瀴"。

[2] **带下** 《医心方》卷30作"下血"。

[3] **来** 《大全》作"米"，误。

[4] **鬼** 孙本作"气"。

[5] **年** 黄本、问本作"季"。

390 魁蛤

味甘，平，无毒。主治痿痹，泄痢，便脓血。一名魁陆，一名活东。生东海，正圆两头空，表有文，取无时。

形似纺轩，小狭长，外[1]有纵横文理，云是老蝙蝠化为，用之至少。而《本经》海蛤，一名魁蛤，与此为异也。(《大观》卷20，《政和》页417)

【校注】

[1] **外** 《本草和名》作"表"。

391 石决明

味咸，平，无毒。主治目障[1]翳痛，青[2]盲。久服益精[3]，轻身。生南海。

世云是紫贝，定小异，亦难得。又云是鳆鱼甲，附石生，大者如手，明耀五色，内亦含珠。人今皆水渍紫贝，以熨眼，颇能明。此一种，本亦附见在决明条，甲既是异类，今为副品也。(《大观》卷20，《政和》页415)

【校注】

[1] **障** 《医心方》卷30作"白"。

[2] **青** 《医心方》卷30作"清"。

[3] **益精** 《本经续疏》无。

392 秦龟

味苦，无毒。主除湿痹气，身重，四肢关节不可动摇。生山之阴土中，二月、八月取。

此即山中龟，不入水者，形大小无定，方药不甚用龟类虽多，入药止有两种尔，又有鸳龟，小狭长尾，乃言治蛇毒，以其食蛇故也，用以卜则吉凶正反。带秦龟前臑骨，令人入山不迷。广州有

蠵蠵，其血甚治俚人毒箭伤。（《大观》卷20，《政和》页413）

393 鲍鱼

味辛、臭，温，无毒。主治坠堕，骹蹶，踠折，瘀血、血痹在四肢不散者，女子崩中血不止。勿令中咸。

所谓鲍鱼之肆，言其臭也，世人呼为鲍鱼，字似鲍，又言盐鲍之以成故也。作药当用少盐臭者，不知正何种鱼尔？乃言穿贯者亦入药，方家自少用之。今此鲍鱼乃是鳙鱼，长尺许，合完淡干之，而都无臭气，要自治漏血，不知何者是真？（《大观》卷20，《政和》页419）

394 鮧鱼

味甘，无毒。主治百病。

此是鳀也，今人皆呼慈音，即是鲇鱼，作臛食之云补；又有鳠鱼相似而大；又有鮠鱼亦相似，黄而美，益人，其合鹿肉及赤目赤须无鳃者，食之并杀人；又有人鱼，似鳀而有四足，声如小儿，食之治瘕疾，其膏燃之不消耗，始皇骊山冢中用之，谓之人膏也。荆州、临沮、青溪至多此鱼。（《大观》卷20，《政和》页417）

395 鳢鱼[1]

味甘，大温，无毒。主补中，益血，治瀒唇。五月五日取头骨烧之，止痢。

鳢是荇苓根化作之，又云是人发所化，今其腹中自有子，不必尽是变化也。性热，作臛食之亦补。而时行病起，食之多复，又喜令人霍乱。凡此水族鱼虾之类甚多，其有名者，已注在前条，虽皆可食，而甚损人，故不入药用。又有食之反能致病者，今条注如后说：凡鱼头有白色如连珠至脊上者，腹中无胆者，头中无鳃者，并杀人。鱼汁不可合鸬鹚肉食之。鲫鱼不可合猴、雉肉食之。鳣鳢不可合白犬血食之。鲤鱼子不可合猪肝食之，鲫鱼亦尔。青鱼鲊不可合生胡荽及生葵并麦酱食之。虾无须及腹下通黑，及煮之反白，皆不可食。生鰕鲙不可合鸡肉食之，亦损人。又有鮒鮔[2]亦益人，尾有毒，治齿痛。又有鮂魿鱼，至能醒酒。鮠鮧鱼有毒，不可食。（《大观》卷20，《政和》页418）

【校注】

[1] 鳢鱼 《医心方》作"鮕"。

[2] 鮔 《本草和名》作"鱼"。

中　品

396　零羊角

味咸、苦，寒、微寒，无毒。主明目[1]**，益气，起阴，去恶血注下，辟蛊毒**[2]**、恶鬼不祥，安心气，常不魇寐。**治伤寒，时气寒热[3]，热在肌肤，温风注毒伏在骨间，除郁[4]，惊梦，狂越，僻谬，及食噎不通。**久服强筋骨，轻身**[5]**，起阴，益气**[6]，利丈夫。**生石城山川谷及**[7]华阴山，采无时。

今出建平宜都诸蛮中及西域，多两角者，一角者为胜。角甚多节，蹙蹙圆绕。别有山羊角极长，惟一边有节，节亦疎[8]大，不入方[9]用。而《尔雅》云[10]名羱羊，而羌夷云只此即名零羊[11]，甚能陟峻坂[12]；短角者，乃是山羊尔，亦未详其正。（《新修》页197，《大观》卷17，《政和》页382）

【校注】

[1]　**目**　傅本《新修》、罗本《新修》作"日"，据《千金翼》《证类》改。

[2]　**毒**　玄《大观》作"每"。

[3]　**热**　傅本《新修》、罗本《新修》脱，据《千金翼》《证类》补。

[4]　**郁**　《千金翼》《证类》《纲目》《本草经疏》《本经续疏》作"邪气"。

[5]　**久服强筋骨，轻身**　《大观》《大全》《品汇》《本经续疏》、森本、狩本作为《本经》文。《政和》《纲目》作《别录》文。孙本、顾本不取为《本经》文。

[6]　**起阴，益气**　《千金翼》无。

[7]　**及**　傅本《新修》、罗本《新修》作"生"，据《千金翼》《证类》改。

[8]　**疎**　傅本《新修》、罗本《新修》作"殊"，据《证类》改。

[9]　**方**　《证类》作"药"。

[10]　**而《尔雅》云**　《证类》无"而""云"2字。

[11]　**即名零羊**　《证类》作"名羚羊角"。

[12]　**坂**　傅本《新修》、罗本《新修》脱，据《证类》补。

397　羖羊角

味咸、苦，温[1]**、微寒，无毒。主治青盲，明目，杀疥虫，止寒泄，辟恶鬼、虎、狼，止惊悸。**治百节中结气，风头痛[2]及蛊毒，吐血，妇人产后余痛[3]。烧之杀鬼魅，辟虎狼。**久服安心，益气力**[4]**，轻身。生河西川谷。**取无[5]时。勿使[6]中湿，湿[7]有毒。菟丝为之使。

羊髓　味甘，温，无毒。主治男女伤中、阴气不足，利血脉，益经气，以酒服之。

青羊胆　主治青盲，明目。

羊肺　补肺，主治咳嗽。

羊心　主止忧恚膈气。

羊肾　主补肾气，益精髓。

羊齿　主治小儿羊痫，寒热[8]。三月三日取之。

羊肉　味甘，大热，无毒。主缓中，字乳余疾，及头[9]脑大风汗出，虚劳寒冷，补中[10]**益气，安心止惊。**

羊骨　热，主治虚劳，寒中，羸瘦。

羊屎　燔之，主治小儿泄痢，肠鸣，惊痫。

羖羊角方药不甚用，余[11]皆入汤煎。羊有三四种，最以青色者为胜，次则乌羊尔。其羖羺羊[12]及牻中无角羊，正可噉食之，为药不及都下者，其乳髓则肥好也。羊肝不可合猪[13]肉及梅子、小豆食之，伤人心，大病人。（《新修》页199，《大观》卷17，《政和》页379）

【校注】

[1] **咸、苦，温**　"咸"，《千金方·食治》作"酸"。"温"，万历《政和》作"湿"。

[2] **痛**　傅本《新修》、罗本《新修》脱，据《千金翼》《证类》补。

[3] **痛**　《千金翼》作"疾"。

[4] **力**　《千金翼》《证类》《纲目》《本草经疏》无。

[5] **无**　《本草经疏》作"之"。

[6] **使**　傅本《新修》、罗本《新修》脱，据《千金翼》《证类》补。

[7] **湿**　其下，《千金翼》《证类》有"即"字。

[8] **羊痫，寒热**　"羊"，傅本《新修》、罗本《新修》作"痒"，据《千金翼》《证类》改。傅本《新修》、罗本《新修》脱"热"，据《证类》补。

[9] **及头**　傅本《新修》脱，据武本《新修》、罗本《新修》、《千金翼》《证类》补。

[10] **中**　傅本《新修》、罗本《新修》作"寒"，据《千金翼》《证类》改。

[11] **余**　其上，《证类》有"其"字。

[12] **羖羺羊**　《纲目》作"羺羖羊"。"羊"字下，傅本《新修》、罗本《新修》衍"有"字，据《证类》删。

[13] **猪**　傅本《新修》、罗本《新修》作"睹"，据《证类》改。

398　犀角[1]

味苦、咸、酸[2]，寒、微寒，无毒。**主治百毒蛊[3]疰，邪鬼，瘴[4]气，杀钩**

吻、鸩羽、蛇毒[5]，除邪[6]，不迷惑[7]魇寐。治伤寒，温疫，头痛，寒热，诸毒气。久服轻身[8]，骏健。生永昌川[9]谷及益州。松脂为之使，恶藋菌、雷丸。

今出武陵、交州、宁州诸远山。犀有二[10]角，以额上者为胜，又有通天[11]犀，角上有一白缕，直上至端[12]，此至神验。或云是水犀，角出水中。《汉书》所云[13]：骇鸡犀者，以置米边[14]，鸡皆惊骇不敢啄[15]。又置屋中，乌鸟不敢集屋上。昔者有人以犀为蠹，死于野中，有行人见有鸢飞翔其上，不敢下往者，疑犀为异，抽取便群鸟竞集[16]。又云通天犀，夜露不濡，以此知之。凡犀见成物皆被[17]蒸煮，不堪入药，惟生者为佳。虽曰屑片[18]，亦是已[19]煮炙，况用屑乎！又有光[20]犀，其角甚长，文理亦似犀，不堪药用尔。（《新修》页 195，《大观》卷 17，《政和》页 383）

【校注】

[1] 犀角　《御览》作"犀牛角"。

[2] 咸、酸　《千金翼》《证类》倒置。

[3] 盅　孙本、黄本、问本作"虫"，姜本作"鬼"。

[4] 瘴　孙本作"障"。

[5] 杀钩吻、鸩羽、蛇毒　《品汇》注为《别录》文。"钩"，《大全》作"钓"，误。

[6] 邪　孙本、黄本、问本、周本无。

[7] 惑　孙本作"或"，误。

[8] 久服轻身　《大全》注为《别录》文。

[9] 川　《千金翼》《证类》作"山"，傅本《新修》、罗本《新修》、森本作"川"。

[10] 二　傅本《新修》、罗本《新修》作"三"，据《证类》改。

[11] 天　傅本《新修》、罗本《新修》作"王"，据《证类》改。

[12] 白缕，直上至端　"白"，《证类》作"曰"，《新修》作"白"。傅本《新修》、罗本《新修》脱"至端"，据《证类》补。

[13] 《汉书》所云　傅本《新修》、罗本《新修》作"书所去"，据《证类》改。

[14] 边　《证类》作"中"。

[15] 惊骇不敢啄　傅本《新修》、罗本《新修》作"惊斤不取喉"，据《证类》改。

[16] 昔者有人以犀为蠹……抽取便群鸟竞集　《证类》无。

[17] 被　傅本《新修》、罗本《新修》作"彼"，据《证类》改。

[18] 曰屑片　《证类》作"是犀片"。

[19] 已　其下，《证类》有"经"字。

[20] 光　《证类》作"悖"。

399　牛角䚡

主下闭血，瘀血，疼痛[1]，女人带下，下[2]血。燔之，味苦，无毒。水牛角：

主治时气寒热头痛。髓[3]：**补中，填骨髓，久服增年**。髓：味甘，温，无毒。主安五脏，平三焦，温骨髓，补中，续绝伤，益气[4]，止泄痢，消渴，以酒服之[5]。胆[6]：**可丸药**。胆：味苦，大寒。主除心腹热，渴利，口焦燥[7]，益目精。

此朱书牛角䚡、髓，其胆《本经》附出牛黄条中，此以类相从尔，非上品之药，今拨出随例在此，不关[8]件数，犹黑书，别品之限尔。

　　心：主治虚忘。肝：主明目[9]。肾：主补肾气，益精。齿：主治小儿牛痫。肉：味甘[10]，平，无毒。主治消渴，止哕泄[11]，安中益气，养脾胃，自死者不良。屎：寒，主治水肿，恶气，用[12]涂门户著壁者。燔之，主治鼠瘘，恶疮。黄犍牛、乌牯牛溺：主治水肿，腹胀，脚满，利小便。

　　此牛亦以犪牛为好[13]，青牛最良[14]，水牛为可充[15]食尔。自死谓疫死，肉多毒。青牛肠不可共犬肉犬血食之，令人成病也。（《新修》页202，《大观》卷17，《政和》页377）

【校注】

[1] **疼痛**　傅本《新修》、罗本《新修》缺，据《千金翼》《证类》《品汇》《纲目》《本草经疏》补。

[2] **下，下**　《千金翼》《证类》《品汇》《纲目》《本草经疏》仅1个"下"字。

[3] **髓**　其下，卢本、莫本有"味甘，平。主"4字。

[4] **补中，续绝伤，益气**　《纲目》无"补中"2字。《证类》无"伤"字。"气"字下，《纲目》有"力"字。

[5] **消渴，以酒服之**　《纲目》作"去消渴，皆以清酒暖服之"。"酒"，傅本《新修》、罗本《新修》作"滴"，据《千金翼》《证类》改。

[6] **胆**　其下，卢本、莫本有"味苦，寒"3字。

[7] **利，口焦燥**　《千金方·食治》作"止下利，去口焦燥"，《纲目》作"止下痢及口焦燥"。

[8] **关**　傅本《新修》、罗本《新修》作"开"，据《证类》改。

[9] **肝：主明目**　傅本《新修》、罗本《新修》脱，据《千金翼》《证类》补。

[10] **甘**　《千金翼》作"咸"。

[11] **止哕泄**　《千金翼》作"止吐泄"。"止"，傅本《新修》、罗本《新修》作"上"，据《证类》改。

[12] **用**　傅本《新修》、罗本《新修》作"白"，据《千金翼》《证类》改。

[13] **好**　《证类》作"胜"，《本草和名》作"佳"。

[14] **良**　傅本《新修》、罗本《新修》作"哀"，据《证类》改。

[15] **充**　傅本《新修》、罗本《新修》作"死"，据《证类》改。

400　白马茎

味咸、甘，平，无毒。**主治伤中，脉[1]绝，阴不起，强志益气，长肌肉肥健，**

生子，小儿惊痫。阴干百日。**眼：主治惊痫，腹满，疟疾**[2]。**当杀用之**[3]。 **悬蹄：主治惊痫**[4]，**瘕疝，乳难，辟**[5]**恶气，鬼毒，蛊注不祥**，止衄血，内漏，龋齿。**生云中平泽**。白马蹄：主治妇人漏[6]下，白崩。赤马蹄：主治妇人赤崩，并温[7]。齿：主治小儿马[8]痫。鬐头膏：主生发。鬐毛：主治女子崩中赤白。心：主治喜忘[9]。肺：主治寒热，小儿茎痿。肉：味辛、苦，冷。主除[10]热下气，长筋，强腰脊，壮健，强意利[11]志，轻身不饥。脯[12]：主治寒热痿痹。屎：名马通，微[13]温。主治妇人崩中，止渴利[14]，吐下血，鼻衄金创，止血[15]。头骨：主治喜眠，令人不睡[16]。溺：味辛，微寒。主治消渴，破癥坚积聚，男子伏梁积疝，妇人瘕疾。铜器承饮之[17]。

东行白马蹄下土[18]，作方术用[19]，知女人外情。马色类甚多，以纯白者为良。其口、眼、蹄皆白，世中时有两三尔，小小用不必尔。马肝及鞍下肉，旧言杀人。食骏马肉[20]，不饮酒亦杀人。白马青蹄亦不可食。《礼》云：马黑脊而班臂漏脯[21]，亦不复中食[22]。骨[23]，伤人有毒。人体有疮，马汗、马气、马毛亦并能为害人也[24]。（《新修》页204，《大观》卷17，《政和》页374）

【校注】

[1] **脉** 傅本《新修》、罗本《新修》脱，据《千金翼》《证类》补。

[2] **眼：主治惊痫，腹满，疟疾** 《纲目》注为《别录》文。"满"，卢本作"胀"。

[3] **当杀用之** 《千金翼》脱此4字。"杀"，傅本《新修》、罗本《新修》作"熱"，据《证类》改。又此4字，《大观》、孙本、顾本注为《本经》文，《大全》《政和》注为《别录》文。

[4] **痫** 《纲目》《证类》《品汇》作"邪"。傅本《新修》、罗本《新修》、森本作"痫"。

[5] **辟** 莫本作"解"。

[6] **漏** 《千金翼》《证类》《品汇》作"瘘"。

[7] **治妇人赤崩，并温** 傅本《新修》、罗本《新修》脱"妇人"2字，据《千金翼》《证类》补。又《千金翼》《证类》脱"并温"2字。

[8] **马** 《证类》《品汇》作"惊"。

[9] **忘** 傅本《新修》、罗本《新修》作"忌"，据《千金翼》《证类》改。

[10] **除** 《千金翼》《证类》《品汇》无。

[11] **意利** 《千金翼》《证类》《纲目》《品汇》无。

[12] **脯** 万历《政和》作"补"，误。

[13] **微** 成化《政和》、万历《政和》、商务《政和》作"微"。

[14] **利** 《千金翼》《证类》作"及"，傅本《新修》、罗本《新修》作"利"。

[15] **金创，止血** "创"，《千金翼》《证类》作"疮"。《本经疏证》无"止"字。

[16] **睡** 成化《政和》、万历《政和》、商务《政和》作"睦"。

[17] **之** 傅本《新修》、罗本《新修》脱，据《千金翼》《证类》补。

[18] **土** 傅本《新修》、罗本《新修》作"主"，据《证类》改。

[19] **用** 《证类》无。

[20] **内** 傅本《新修》、罗本《新修》作"穴"，据《证类》改。

[21] **漏脯** 《证类》无。

[22] **不复中食** 《证类》作"不可食"。

[23] **骨** 《证类》作"马骨"。

[24] **人也** 《证类》无。

401　牡狗阴茎[1]

味咸[2]，平，无毒。**主治伤中，阴**[3]**痿不起，令强热，大生子，除女子带下十二疾**。一名狗精。六月[4]上伏取，阴干百日。

胆：主明目[5]，痂疡，恶疮[6]。心：主治忧恚气，除邪。脑：主治头风痹痛[7]，治下部蜃疮，鼻中息肉。齿：主治癫痫，寒热，卒风痹[8]，伏日取之。头骨：主治金创[9]，止血。四脚蹄[10]：煮饮之，下乳汁。白狗血：味咸，无毒。主治癫[11]疾发作。肉：味咸、酸，温。主安五脏，补绝伤，轻身益气。屎中骨：主治寒热，小儿惊痫。

白狗、乌狗入药用。白狗骨烧屑，治诸疮瘘及妬[12]乳痈肿。黄狗肉，大补虚。牝[13]不及牡，牡者父也。又呼为[14]犬，言脚上别有一悬蹄者是也。白犬[15]血合白鸡肉、白鹅肝、白羊肉、乌鸡肉、蒲子羹等皆病人，不可食。犬春月目[16]赤、鼻燥、欲狂猘[17]，不宜食。（《新修》页208，《大观》卷17，《政和》页381）

【校注】

[1] **茎** 《医心方》无"茎"字。

[2] **咸** 《千金方·食治》作"酸"。

[3] **阴** 其上，《千金方·食治》有"丈夫"2字。

[4] **月** 此下，傅本《新修》、罗本《新修》衍"之"字。据《千金翼》《证类》删。

[5] **胆：主明目** 《大观》《大全》作墨字《别录》文。其他本注为《本经》文。

[6] **疮** 其下，傅本《新修》、罗本《新修》衍"生平泽"3字，据《千金翼》《证类》删。

[7] **痛** 《千金翼》《证类》无。

[8] **痹** 傅本《新修》、罗本《新修》作"沸"，据《千金翼》《证类》改。

[9] **治金创** 《千金翼》《证类》作"主金疮"。

[10] **蹄** 《新修》脱，据《千金翼》《证类》补。

[11] **癫** 《图经衍义》作"痫"。

[12] **妬** 傅本《新修》、罗本《新修》作"妒"，据《证类》改。

[13] **补虚。牝** 傅本《新修》、罗本《新修》缺"虚"字。《证类》缺"牝"字。

[14] **呼为** 傅本《新修》、罗本《新修》倒置，据《证类》改。

[15] **犬** 《证类》作"狗"。

[16] **目** 傅本《新修》、罗本《新修》作"日"，据《证类》改。

[17] **獭** 其下，《证类》有"者"字。

402 鹿茸[1]

味甘、酸，温、微温，无毒。主治漏下恶血，寒热，惊痫，益气，强志，生齿，不老。治虚劳洒洒如疟，羸瘦，四肢酸疼，腰脊痛，小便利，泄精溺血，破留血在腹，散石淋，痈肿，骨中热疽，养骨[2]，安胎下气，杀鬼精物，不可近阴，令痿，久服耐老。四月、五月解角时取，阴干，使时[3]燥。麻勃为之使。

角：味咸，无毒[4]。**主治恶疮，痈肿，逐邪恶气[5]，留血在阴中。**除少腹血急痛，腰脊痛[6]，折伤恶血，益气。七月取[7]。 杜仲为之使。 髓：味甘，温。主治丈夫女子伤中脉绝[8]，筋急痛[9]，咳逆。以酒和服之，良[10]肾：平，主补肾气。肉：温，主补中，强五脏，益气力，生者治口僻，剉[11]薄之。

野肉之中，唯獐鹿可食，生则[12]不膻腥，又非辰属，八卦无主而兼能温补于人，则[13]生死无尤，故道家许听为脯过。其余肉，虽牛、羊、鸡、犬[14]补益充肌肤，于亡魂皆为愆责[15]，并不足噉。凡肉脯炙之不动，及见水而动，及曝[16]之不燥，并杀人。又茅屋漏脯，即名漏脯[17]，藏脯密器中名郁[18]脯，并不可食之。（《新修》页210，《大观》卷17，《政和》页376）

【校注】

[1] **鹿茸** 成化《政和》、万历《政和》、商务《政和》对"鹿茸"条全文作墨字《别录》文，无白字《本经》文标记。

[2] **养骨** 傅本《新修》、罗本《新修》作"养骨"。《证类》将"养"字改成"痒"，归于上句；"骨"字划归下句，使文义全变。

[3] **时** 《本经疏证》作"自"。

[4] **角：味咸，无毒** "角"，《真本千金方》《医心方》作"鹿角"。"味咸，无毒"，傅本《新修》、罗本《新修》原在"留血在阴中"之下，据《千金翼》《证类》改。

[5] **恶气** 傅本《新修》、罗本《新修》原脱此2字，据《千金翼》《证类》补。

[6] **少腹血急痛，腰脊痛** "少"，《证类》作"小"。傅本《新修》、罗本《新修》脱"急""脊"2字，据《千金翼》《证类》补。

[7] **取** 《本经续疏》作"采"。

[8] **脉绝** 《证类》倒置。

[9] **痛** 傅本《新修》、罗本《新修》脱，据《千金翼》《证类》补。

[10] **和服之。良** 傅本《新修》、罗本《新修》脱"和""良"2字，据《千金翼》《证

类》补。

[11] 剉 《千金翼》《证类》作"割"，傅本《新修》、罗本《新修》作"剉"。

[12] **麂可食，生则** "麂"，《新修》作"麻"，据《证类》改。"则"，《新修》脱，据《证类》补。

[13] **则** 《证类》作"即"。

[14] **牛、羊、鸡、犬** "牛""犬"，傅本《新修》、罗本《新修》作"午""大"，据《证类》改。

[15] **亡魂皆为怨责** "亡""责"，傅本《新修》、罗本《新修》作"巳""青"，据《证类》改。

[16] **曝** 傅本《新修》、罗本《新修》作"胶"，据《证类》改。

[17] **即名漏脯** 《证类》无。

[18] **郁** 傅本《新修》、罗本《新修》作"爵"，据《证类》改。

403　獐骨

微温。主治虚损，泄精。肉：温，主补益五脏。髓[1]：益气力，悦泽人面。

世云白肉，正是獐，不纯于鹿，言其白胆[2]，易惊怖也。又呼为麕，麕肉不可合鹄肉，食之[3]成癥瘤也。（《新修》页212，《大观》卷17，《政和》页386）

【校注】

[1] **髓** 《纲目》《禽虫典》作"髓脑"。

[2] **正是獐，不纯于鹿，言其白胆** 《证类》作"是獐言白胆"。"纯"，《本草和名》作"施"。

[3] **之** 《证类》无。

404　虎骨

主除邪恶气，杀鬼疰毒，止惊悸，治[1]恶疮、鼠瘘，头骨尤良。膏：治狗啮疮。爪：主辟恶魅。肉：主治恶心欲呕，益气力。

世云[2]热食虎肉，坏人齿，信自如此。虎头作枕，辟恶魇；以置户上，辟鬼。鼻，悬户上，令生男儿[3]。骨，杂朱书[4]符，治邪。须，治齿痛。爪，多以系[5]小儿臂，辟恶鬼。（《新修》页212，《大观》卷17，《政和》页384）

【校注】

[1] **治** 《证类》作"主"。下同。

[2] **云** 《证类》作"方"。

[3] **儿** 《证类》无。

[4] **书** 《证类》作"画"。

[5] **多以系** 《证类》无"多"字。"系",《证类》作"悬"。

405 豹肉

味酸,平,无毒[1]。主安五脏,补绝伤,轻身益气,久服[2]利人。

豹至稀有,为用亦鲜,唯尾可贵。(《新修》页213,《大观》卷17,《政和》页386)

【校注】

[1] **无毒** 傅本《新修》、罗本《新修》脱,据《千金翼》《证类》补。

[2] **益气,久服** 傅本《新修》、罗本《新修》脱,据《千金翼》《证类》补。

406 狸骨

味甘,温,无毒。主治风疰、尸疰、鬼疰,毒气在皮中淫跃如针刺者[1],心腹痛,走无常处,及鼠瘘恶疮,头骨尤良。肉:亦[2]治诸疰。阴茎:治[3]月水不通,男子阴㿉。烧之,以东流水服之。

狸类又[4]甚多,今此用虎狸,无用猫[5]者。猫狸亦好,其骨至难,别自取乃可信。又有狙[6],音信,色黄而臭,肉亦主鼠瘘,及狸肉作羹如常法[7]并佳。(《新修》页214,《大观》卷17,《政和》页386)

【校注】

[1] **主治风疰、尸疰、鬼疰,毒气在皮中淫跃如针刺者** 《御览》作"主风湿鬼毒气,皮中如针刺"。"在",《新修》脱,据《千金翼》《证类》补。"跃""者",《纲目》作"濯""著"。

[2] **亦** 《证类》无。

[3] **治** 《证类》作"主",《纲目》《禽虫典》作"主女人"。

[4] **又** 《证类》无。

[5] **猫** 傅本《新修》、罗本《新修》脱,据《证类》补。

[6] **狙** 《证类》作"狸"。

[7] **法** 《证类》作"食法"。

407 兔头骨

平,无毒[1]。主治头眩痛,癫疾。骨:主治热中消渴。脑:主治[2]冻疮。肝:主治目暗。肉[3]:味辛,平,无毒。主补中益气。

兔肉乃大美[4]，亦益人。妊身[5]不可食，令子唇缺。其肉又[6]不可合白鸡肉食之，令人[7]面发黄；合獭肉食之，令[8]人病遁尸。(《新修》页125，《大观》卷17，《政和》页385)

【校注】

[1] **无毒** 傅本《新修》、罗本《新修》脱，据《千金翼》《证类》补。

[2] **治** 《证类》作"主"。

[3] **肉** 傅本《新修》、罗本《新修》作"完"，据《千金翼》《证类》改。

[4] **乃大美** 《证类》作"为羹"。

[5] **身** 《证类》作"娠"。

[6] **又** 《证类》无。

[7] **令人** 《证类》无。

[8] **令** 傅本《新修》、罗本《新修》作"合"，据《证类》改。

408 雉肉[1]

味酸，微寒，无毒。主补中，益气力，止泄利，除蚁瘘。

雉虽[2]非辰属，而正是离禽。丙[3]午日不可食者，明其[4]王于火也。(《新修》页232，《大观》卷19，《政和》页403)

【校注】

[1] **肉** 傅本《新修》、罗本《新修》作"完"，据《千金翼》《证类》改。

[2] **虽** 傅本《新修》、罗本《新修》讹作"难"，据《证类》改。

[3] **丙** 傅本《新修》、罗本《新修》因避唐讳作"景"，据《证类》改。

[4] **其** 《证类》脱。

409 鹰屎白

主治伤挞，灭瘢。

止[1]单用白，亦不能灭瘢。复应合诸药，僵蚕、衣鱼之属以为膏也。(《新修》页232，《大观》卷19，《政和》页402)

【校注】

[1] **止** 傅本《新修》、罗本《新修》作"正"，据《证类》改。

410 雀卵

味酸，温，无毒。主下气，男子阴痿[1]不起，强之令热，多精有子。脑：主治耳聋。头血：主治雀盲。雄雀屎：主治目痛，决痈疖，女子带下，溺不利，除疝痕[1]。五月取之良。

雀性利阴阳，故卵亦然。术云：雀卵和天雄丸服之，令茎大不衰。人患黄昏间目无所见，谓之为雀盲[2]，其头血治之。雄雀屎，两头尖[3]是也，亦治龋齿。雀肉，不可合李[4]食之，亦忌合酱食，妊身尤禁也[5]。（《新修》页233，《大观》卷19，《政和》页401）

【校注】

[1] **痕** 傅本《新修》、罗本《新修》作"瘻"，据《千金翼》《证类》改。

[2] **谓之为雀盲** 《证类》作"为之雀盲"。

[3] **尖** 《证类》作"尖者"。

[4] **雀肉，不可合李** "肉"，傅本《新修》、罗本《新修》作"完"，据《证类》改。"李"，《证类》作"李子"。

[5] **尤禁也** 《证类》作"人尤禁之"。

411 鸛骨

味甘，无毒。主治鬼蛊诸疰毒，五尸，心腹疾。

鸛亦有两种，似鹄而巢[1]树者为白鸛，黑色曲颈者为阳乌鸛[2]。今宜[3]用白者。（《新修》页234，《大观》卷19，《政和》页404）

【校注】

[1] **巢** 傅本《新修》作"菓"，据罗本《新修》、《证类》改。

[2] **颈者为阳乌鸛** "颈"，傅本《新修》、罗本《新修》作"颈"，据《证类》改。《证类》无"阳"字。

[3] **宜** 傅本《新修》、罗本《新修》作"此"，据《证类》改。

412 雄鹊[1]

味甘，寒，无毒。主治石淋，消结热。可烧作灰，以石投中散解者是雄也[2]。

五月五日鹊脑入术家用，一名飞驳乌。鸟之雌、雄难别，旧言[3]其翼左覆右是雄，右覆左是雌。又烧毛作屑，内水中，沉者是雄，浮者是[4]雌。今云投石，恐止是鹊尔，余鸟未必尔，并未识之。（《新修》页234，《大观》卷19，《政和》页404）

【校注】

[1] **雄鹊** 《证类》作"雄鹊肉"。

[2] **以石投中散解者是雄也** 《新修》脱"散""是"2字，据《千金翼》《证类》补。

[3] **言** 《证类》作"云"。

[4] **是** 傅本《新修》、罗本《新修》作"之"，据《证类》改。

413 伏翼

味咸，平，无毒。主治目瞑痒痛[1]，治[2]**淋，利水道，明目，夜视有精光。久服令人喜乐，媚好，无忧。一名蝙蝠**[3]。**生太山川谷，及人家屋间。立夏后采，阴干。**苋实、云实为之使。

伏翼目及胆，术家用为洞视法，自非白色倒悬者，亦不可服之也。（《大观》卷19，《政和》页402）

【校注】

[1] **痒痛** 《纲目》《品汇》注为《本经》文。

[2] **治** 《千金翼》无。

[3] **蝠** 其下，姜本有"一名天鼠"。

414 蝟[1]皮

味苦，平，无毒。主治五痔，阴蚀，下血赤白五色，血汁不止，阴肿，痛引腰[2]**背，酒煮杀之。又治腹痛，疝积，亦烧为灰**[3]，**酒服之。生楚山川谷**田野。取无时，勿使中湿。得酒良，畏桔梗、麦门冬。

田野中时有此兽，人犯近，便藏头足，毛刺人，不可得捉，能跳入虎耳中。而见鹊便自仰腹受啄，物有相制，不可思议尔。其脂烊铁注中，内少水银，则柔如铅锡矣。（《大观》卷21，《政和》页423）

【校注】

[1] **蝟** 《千金翼》《证类》列在虫部，"蝟"从"虫"旁；《纲目》移在兽部，"蝟"改为"猬"，从"犬"旁。

[2] **痛引腰** "痛"，莫本无。"腰"，孙本、问本、黄本作"要"。

[3] **亦烧为灰** 《图经衍义》作"烧灰为末"，《纲目》作"烧灰"。

415 石龙子[1]

味咸，寒，有小毒。主治五癃邪结气，破石淋，下血，利小便水[2]**道。一名蜥**

蝎，一名山龙子，一名守宫，一名石蜴。**生平阳川谷**，及荆山[3]石间。五月取，著石上令干。恶硫黄、斑猫、芜菁。

其类有四种：一大形，纯黄色，为蛇医母，亦名蛇舅母，不入药；次似蛇医，小形长尾，见人不动，名龙子；次有小形而五色，尾青碧可爱，名断蜴，并不螫人；一种喜缘篱壁，名蝘蜓，形小而黑，乃言螫人必死，而未常闻中人。案，东方朔云：若非守宫则蜥蜴。如此蝘蜓名守宫矣。以朱饲之，满三斤，杀，干末以涂女子身，有交接事便脱，不尔如赤志，故谓守宫。今此一名守宫，犹如野葛、鬼臼之义也，殊难分别。（《大观》卷21，《政和》页432）

【校注】

[1] **石龙子** 《医心方》《真本千金方》作"蜥蜴"。

[2] **水** 《千金翼》作"利水"。

[3] **山** 《千金翼》、柯《大观》、《图经衍义》作"山山"。

416 露[1]蜂房

味苦、咸，平，有毒。主治惊痫瘛疭，寒热邪气，癫疾，鬼精虫毒，肠痔，火熬[2]**之良。**又治蜂毒，毒肿。**一名蜂塲**[3]，一名百穿，一名蜂勒。**生牂牁山谷。**七月七日采，阴干。恶干姜、丹参、黄芩、芍药、牡蛎。

此蜂房多在树腹中及地中，今此曰露蜂房，当用人家屋间及树枝间包裹者。乃远举牂牁，未解所以。（《大观》卷21，《政和》页424）

【校注】

[1] **露** 《医心方》无。

[2] **熬** 卢本作"炙"。

[3] **塲** 《证类》原作"肠"，据《本草和名》改。

417 樗鸡

味苦，平，有小毒。主治心腹邪气，阴痿，益精强志，生子，好色[1]**，补中，轻身。**又治腰痛，下气，强阴多精，不可[2]近目。生河内[3]川谷樗树上。七月采，暴干。

形似寒蝥而小，今出梁州，方用至稀，惟合大麝香丸用之。樗树似漆而臭，今以此树上为好，亦如芫青、亭长，必以芫、葛上为良矣。（《大观》卷21，《政和》页431）

【校注】

[1] **好色** 卢本作“好颜色”。

[2] **可** 玄《大观》作“生”。

[3] **内** 《图经衍义》作“中”。

418 蚱蝉

味咸、甘，**寒**[1]，无毒。主治小儿惊痫，夜啼，癫病，寒热，惊悸，妇人乳难，胞衣不出，又堕胎。**生杨柳上**[2]。五月采，蒸干之，勿令蠹。

蚱字，音作笮，即是痖蝉。痖，雌蝉也，不能鸣者。蝉类甚多。庄子云：蟪蛄不知春秋，则是今四月、五月小紫青色者。而《离骚》云：蟪蛄鸣兮啾啾，岁暮兮不自聊，此乃寒螀尔，九月、十月中鸣甚悽急；又二月中便鸣者名蜺母，似寒螀而小，七月、八月鸣者名蛁蟟，色青。今此云生杨柳树上是。《诗》云：鸣蜩嘒嘒者，形大而黑，傴偻丈夫，止是掇此，昔人噉之。故《礼》有雀鷃蜩范，范有冠，蝉有緌，亦谓此蜩。此蜩复五月便鸣。世云五月不鸣，婴儿多灾，今其治亦专主小儿也。(《大观》卷 21，《政和》页 427)

【校注】

[1] **寒** 《大观》《大全》《本经续疏》、狩本注为《别录》文。

[2] **生杨柳上** 《纲目》《品汇》《本经续疏》注为《别录》文。

419 白僵蚕

味咸、辛，平[1]，无毒。**主治小儿惊痫，夜啼，去三虫，灭黑䵟，令人面色好，治男子阴疡病。**女子崩中赤白，产后余痛[2]，灭诸疮瘢痕。**生**颍川**平泽。**四月取自死者，勿令中湿，湿[3]有毒，不可用[4]。

人家养蚕时，有合箔[5]皆僵者，即曝燥都不坏。今见小白色，似有盐度者为好。末以涂马齿，即不能食草，以桑叶拭去乃还食，此明蚕即马类也。(《大观》卷 21，《政和》页 430)

【校注】

[1] **平** 森本、顾本、卢本、《纲目》注为《本经》文，《大观》《政和》作墨字《别录》文，从《大观》为正。

[2] **痛** 《千金翼》作“病”，玄《大观》作“痈”。

[3] **湿** 《千金翼》作“中湿”，《纲目》无。

[4] **用** 《图经衍义》作“川也”。

[5] **箔** 《本草和名》作“薄”。

420　桑螵蛸

味咸、甘，平，无毒。主治伤中，疝瘕，阴痿，益精，生子，女子血闭，腰痛[1]，通五淋，利小便水道。又治男子虚损，五脏气微，梦寐失精，遗溺。久服益气，养神。一名蚀肬。生桑枝上，螳螂子也。二月、三月采蒸之[2]，当火炙，不尔令人泄。得龙骨，治泄精，畏旋覆华。

世呼螳[3]螂为蚀螂，逢树便产，以桑上者为好，是兼得桑皮之津气，市人恐非真，皆令合枝断取之尔，伪者亦以胶著桑枝之上也。（《大观》卷20，《政和》页415）

【校注】

[1] **女子血闭，腰痛**　“闭”，万历《政和》作“腹”。“腰”，孙本、黄本、问本作“要”。

[2] **采蒸之**　《本经续疏》注为《别录》文。

[3] **螳**　《本草和名》作“蟷”。

421　䗪虫

味咸，寒，有毒。主治心腹寒热洗洗，血积癥瘕，破坚，下血闭，生子大良。一名地鳖，一名土鳖。生河东川泽及沙中，人家墙壁下土中湿处。十月取[1]，暴干。畏皂荚、昌蒲。

形扁扁如鳖，故名土鳖，而有甲，不能飞，小有臭气，今人家亦有之。（《大观》卷21，《政和》页434）

【校注】

[1] **取**　《证类》脱，《千金翼》有“取”字。

422　蛴螬

味咸，微温、微寒，有毒。主治恶血，血瘀痹气[1]，破折血在胁下[2]坚满痛，月闭，目中淫肤，青翳白膜。治吐血在胸腹不去，及破骨蹉折，血结，金疮内塞，产后中寒，下乳汁。一名蟦[3]蛴，一名蟹齐，一名敦齐。生河内平泽及人家积粪草中。取无时，反行者良。蜚蠊[4]**为之使，恶附子。**

大者如足大指，以背滚行，乃驶于脚，杂猪蹄作羹与乳母，不能别之，《诗》云领如蝤蛴，今此别之。名以蛴字在下，恐此云蛴螬倒尔。（《大观》卷21，《政和》页428）

【校注】

[1] **血瘕痹气** 《御览》作"血痹"。

[2] **下** 《大全》作"不"。

[3] **蟥** 《本草和名》作"蟥"。

[4] **蜚蟊** 《千金方》作"蜚虫",《证类》《纲目》作"蜚蠊",敦煌本《集注》序录、《医心方》作"蜚虻"。

423 蛞[1]蝓

味咸,寒,无毒。主治贼风喎僻,轶筋[2]及脱肛,惊痫,挛缩。一名陵蠡,一名土蜗,一名附蜗。**生太山**池泽及阴地沙石垣[3]**下。八月取[4]**。

蛞蝓无壳,不应有蜗名,其附蜗者,复名蜗牛。生池泽沙石,则应是今山蜗,或当言其头,形类犹似蜗牛虫者,世名蜗牛者,作瓜字,则蜗字亦音瓜。庄子所云,战于蜗角也。蛞蝓入三十六禽限,又是四种角虫之类。荧室星之精矣。方家殆无复用乎。(《大观》卷21,《政和》页432)

【校注】

[1] **蛞** 孙本作"活"。

[2] **喎僻,轶筋** "喎僻",《千金翼》作"喎贼",《证类》作"喎僻"。又"蟹"条亦作"喎僻"。"轶",卢本、莫本作"跌"。

[3] **垣** 玄《大观》作"坦",误。

[4] **取** 《图经衍义》作"收"。

424 海蛤

味苦、咸[1],平,无毒。主治咳逆上气,喘息烦满[2],胸[3]痛,寒热,治阴痿。**一名魁蛤。**生东海。蜀漆为之使,畏狗胆、甘遂、芫花。

此物以细如巨胜、润泽光净者,好;有庬如半杏人者,不入药用[4]。(《大观》卷20,《政和》页416)

【校注】

[1] **咸** 姜本录为《本经》文。

[2] **喘息烦满** 《医心方》卷30无"息"字。"息",《品汇》卷29作"急"。《御览》卷988无"息""满"2字。

[3] **胸** 《图经衍义》作"背"。

[4] **此物以细如巨胜……不入药用** 《证类》原标为"唐本注",但苏颂《本草图经》注云

"陶隐居以细如巨胜润泽光净者为海蛤"。据此，则该文应出于陶隐居。

425 文蛤

味咸，平，无毒。**主治恶疮，蚀**[1]**五痔。**咳逆胸痹，腰痛胁急，鼠瘘，大孔出血，崩中漏下。生东海，表有文，取无时。

海蛤至润泽，云从雁屎中得之，二三十过方为良，今人多取相揻令磨荡似之尔；文蛤小大而有紫斑，此既异类而同条，若别之，则数多，今以为附见，而在副品限也。凡有四物如此。（《大观》卷20，《政和》页416）

【校注】

［1］**蚀** 《御览》作"除阴蚀"。

426 鲤鱼胆[1]

味苦，寒，无毒。**主治目热赤痛，青盲，明目。久服强悍，益志气。**肉：味甘，主咳逆上气，黄疸，止渴。生者，主治水肿脚满，下气。骨：主女子带下赤白。齿：主石淋。**生九江池泽**，取无时。

鲤鱼，最为鱼之主，形既可爱，又能神变，乃至飞越山湖，所以琴高乘之。山上水中有鲤不可食。又鲤鲊不可合小豆藿食之。其子合猪肝食之，亦能害人尔。（《大观》卷20，《政和》页419）

【校注】

［1］**胆** 《本草和名》无。

427 鳝鱼

味甘，寒，无毒。**主治湿痹，面目浮肿，下大水，**治五痔。有疮者，不可食，令人瘢白。**一名鲖鱼。生九江池泽**，取无时。

今皆作鳢字，旧言是公蛎蛇所变，然亦有相生者。至难死，犹有蛇性。合小豆白煮，以治肿满甚效。（《大观》卷20，《政和》页417）

428 龟甲

味咸、甘[1]，平，有毒。**主治漏下赤白，破癥瘕，痎疟，五痔**[2]**，阴蚀，湿痹，四肢重弱，小儿囟不合。**治头疮难燥，女子阴疮及[3]惊恚气，心腹痛不可久立，骨中寒热，伤寒劳复，或肌体寒热欲死，以作汤良。**久服轻身，不饥，**益气资智，亦使人能食。**一名神屋。生**南海**池泽**及湖水中。采无时，勿令中湿，中湿即[4]有毒。恶沙参、蜚蠊。

此用水中神龟，长一尺二寸者为善，厴可以供卜，壳可以充药，亦入仙方，用之当炙。生龟溺，甚治久嗽，亦断疟。肉，作羹臛，大补而多神灵，不可轻杀。书家载之甚多，此不具说也。(《大观》卷20，《政和》页413)

【校注】

[1] **味咸、甘** "咸"，卢本、莫本作"酸"。姜本不取"咸"字为《本经》文，而取"甘"字为《本经》文。

[2] **破癥瘕，痎疟，五痔** 《本经续疏》无"破"字。玄《大观》注"疟，五痔"为《别录》文。

[3] **及** 《本草经疏》无。

[4] **即** 柯《大观》、《本经续疏》无。

429　鳖甲

味咸，平，无毒。主治心腹癥瘕，坚积，寒热，去痞，息肉，阴蚀，痔，恶肉。治温疟，血瘕，腰痛，小儿胁下坚。肉：味甘，主伤中，益气，补不足。**生**丹阳**池泽**，取无时。恶矾石。

生取甲，剔去肉为好，不用煮脱者。今看有连厴及干岩便好，若上有甲，两边骨出，已被煮也，用之当炙。夏月剉鳖，以赤苋包置湿地，则变化生鳖。人有裹鳖甲屑，经五月，皆能变成鳖子。此其肉亦不足食，多作癥瘕。其目陷者，及合鸡子食之，杀人。不可合苋菜食之。其厴下有如王字形者，亦不可食。(《大观》卷21，《政和》页425)

430　鮀[1]鱼甲

味辛，微温，有毒。主治心腹癥瘕，伏坚，积聚，寒热，女子崩中，下血五色，小腹、阴中引相痛，疮疥死肌。治五邪涕泣时惊，腰中重痛，小儿气癃眦溃。肉：主少气吸吸，足不立地。**生**南海**池泽**，取无时。蜀漆为之使，畏狗胆、芫花、甘遂。

鮀，即今鼍甲也，用之当炙。皮可以贯鼓，肉至补益。于物难死，沸汤沃口入腹良久乃剥尔。鼍肉亦补，食之如鼍法。此等老者，多能变化为邪魅，自非急勿食之。(《大观》卷21，《政和》页431)

【校注】

[1] 蛇 《本草和名》《医心方》、森本作"鳝"。

431 乌贼鱼骨[1]

味咸，微温，无毒。主治女子漏下赤白经汁，血闭，阴蚀，肿痛，寒热，癥瘕，无子。治惊气入腹，腹痛环脐，阴中寒肿，令[2]人有子，又止疮多脓汁不燥。肉：味酸，平，主益气强志。**生东海**池泽，取无时。恶白敛、白及。

此是鹍乌所化作，今其口脚具存，犹相似尔。用其骨亦炙之。其鱼腹中有墨，今作好墨用之。（《大观》卷21，《政和》页428）

【校注】

[1] 骨 《医心方》卷30、《本草和名》无。

[2] 寒肿，令 人卫本《政和》、《大全》作白字《本经》文。

432 蟹[1]

味咸，寒[2]，有毒。主治胸中邪气热[3]结痛，喝僻，面肿，败漆[4]烧之致鼠。解结散血[5]，愈漆疮，养筋益气。爪：主破胞，堕胎。**生伊洛**池泽诸水中，取无时。杀莨菪毒、漆毒。

蟹类甚多，蜻蝶、拥剑、彭螖[6]皆是，并不入药。惟蟹最多有用，仙方以化漆为水，服之长生。以黑犬血灌之，三日烧之，诸鼠毕至。未被霜甚有毒，云食水莨所为，人中之，不即治多死。目相向者亦杀人，服冬瓜汁、紫苏汁及大黄丸皆得差。海边又有彭蜞、拥剑，似彭螖而大，似蟹而小，不可食。蔡谟初渡江，不识而啖之，几死，叹曰：读《尔雅》不熟，为劝学者所误。（《大观》卷21，《政和》页426）

【校注】

[1] 蟹 《千金方·食治》作"蟹壳"。

[2] 味咸，寒 《千金方·食治》作"味酸"。"寒"，《大观》《大全》作墨字《别录》文，狩本不取"寒"字为《本经》文。

[3] 气热 《医心方》卷30作"热气"。《千金方·食治》无"气"字。

[4] 败漆 《千金方·食治》作"散败漆"，《纲目》、姜本作"能败漆"，森本考异云"《万安方》作'又与败漆器合'"。

[5] 解结散血 《医心方》卷30作"散血气"。

[6] 蝶、拥剑、彭螖 《本草和名》作"蜞、拥剑、彭蜞"。

433　鳗鲡鱼

味甘，有毒。主治五痔，疮瘘，杀诸虫。

能缘树食藤花，形似鳝，取作臛食之。炙以熏诸木竹，辟蛀虫。膏，治诸瘘疮。又有鳅，亦相似而短也。（《大观》卷21，《政和》页431）

434　原蚕蛾

雄者有小毒。主益精气，强阴道，交接不倦，亦止精。屎：温，无毒。主肠鸣，热中，消渴，风痹，瘾疹。

原蚕是重养者，世呼为魏蚕。道家用其蛾止精，其翁茧入术用。屎，名蚕沙，多入诸方用，不但熨风而已也。（《大观》卷21，《政和》页429）

下　品

435　六畜毛蹄甲[1]

味咸，平，有毒。主治鬼疰[2]，蛊毒，寒热，惊痫痓，癫疾[3]，狂走。骆驼毛尤良。

六畜，谓马、牛、羊、猪、狗、鸡也，骡、驴亦其类。骆驼出外国，方家并不复[4]用。且马、牛、羊、鸡、猪、狗毛蹄，亦已[5]各出其身之品类中，所主治不必皆[6]同此矣。（《新修》页216，《大观》卷18，《政和》页395）

【校注】

[1] **六畜毛蹄甲**　玄《大观》、《大全》无"甲"字，并将此条全文作墨字《别录》文，无白字《本经》标记。

[2] **疰**　傅本《新修》、罗本《新修》脱，据《千金翼》《证类》补。

[3] **痓，癫疾**　《证类》作"癫痓"。"痓"，森本、王本作"痉"。

[4] **出外国，方家并不复**　《证类》无"出外国"3字。"不复"，《证类》作"少"。

[5] **已**　《证类》作"以"。

[6] **皆**　《证类》无。

436　弓弩弦

主治难产，胞衣不出。

产难取[1]弓弩弦以缚腰，及烧弩牙，令赤，内酒中饮之，皆取发放快速之义也。（《大观》卷11，《政和》页281）

【校注】

[1] **取** 《大观》作"以"。

437　败鼓皮

平。主治中蛊毒。

此用穿败者，烧作屑，水和服之。病人即唤蛊主姓名，仍往令其呼取，蛊便差。白蘘荷亦然。（《大观》卷18，《政和》页395）

438　鲮鲤甲

微寒。主治五邪惊啼悲伤，烧之作灰，以酒或水和方寸匕，治蚁瘘。

其形似鼍而短小，又似鲤鱼，有四足，能陆能水。出岸开鳞甲，伏如死，令蚁入中，忽闭而入水，开甲，蚁皆浮出，于是食之，故主蚁瘘。方用亦稀，惟治疮癞及诸痊疾尔。（《大观》卷22，《政和》页454）

439　獭肝

味甘，有毒。主治鬼疰蛊毒，却鱼鲠，止久嗽[1]烧服之。肉：治疫气温病，及牛马时行病。煮屎灌之亦良。

獭有两种：有獱獭，形大，头如马，身似蝙蝠，不入药用。此当取常所见[2]者，其骨亦治食鱼骨鲠。有牛马家，可取屎收[3]之。多出溪岸边。其肉不可与兔肉杂食也。（《新修》页221，《大观》卷18，《政和》页392）

【校注】

[1] **却鱼鲠，止久嗽** 傅本《新修》、罗本《新修》作"鱼臊嗽"，据《千金翼》《证类》改。
[2] **常所见** 《证类》作"以鱼际天"。
[3] **取屎收** 傅本《新修》、罗本《新修》作"逆取屎录"，据《证类》改。

440　狐阴茎

味甘，有[1]毒。主治女子绝产，阴痒，小儿阴颓卵肿。五脏及肠：味苦，微寒，有毒。主治蛊毒寒热，小儿惊痫。雄狐屎：烧之辟恶，在木石上者是。

江东无狐，皆出北方及益州间，形似狸而黄，亦善能为魅也。（《新修》页222，《大观》卷18，《政和》页391）

【校注】

［1］**有** 傅本《新修》、罗本《新修》作"肖"，据《千金翼》《证类》改。

441 麋脂

味辛，温，无毒。主治痈肿，恶疮，死肌，寒风湿[1]**痹，四肢拘缓不收，风头肿气，通腠**[2]**理，柔皮肤，不可近阴，令瘘。一名宫**[3]**脂。畏大**[4]**黄。角：味甘，无毒。主痹，止血，益气力。生南山山谷，生淮海边泽中**[5]**，十月取。

今海陵间最多，千百为群，多牝少牡。人言一牡辄交[6]十余牝，交毕即死。其脂堕土中，经年人得之方好，名曰遁脂，酒服至良。寻麋性乃尔媱快，不应萎人阴。一方言不可近阴，令阴不瘘[7]，此乃有理。麋肉不可合虾及生菜[8]、梅、李、果实，食之皆病人。其角刮去屑[9]，熬香，酒服之，大益人。事出彭祖传中。（《新修》页217，《大观》卷18，《政和》页390）

【校注】

［1］**寒风湿** 《纲目》、姜本、莫本、《千金方·食治》作"寒热，风寒湿"。"湿"，傅本《新修》、罗本《新修》作"温"，据《千金翼》《证类》改。

［2］**腠** 孙本、黄本、问本、周本作"凑"。

［3］**宫** 成化《政和》、万历《政和》、商务《政和》、《纲目》《品汇》、顾本作"官"。

［4］**大** 武本《新修》作"火"。

［5］**生淮海边泽中** "生"，《千金翼》《证类》作"及"。"泽中"，《千金翼》《证类》无。

［6］**交** 傅本《新修》、罗本《新修》作"夫"，据《证类》改。

［7］**不瘘** 《新修》作"萎"，据《证类》改。

［8］**麋肉不可合虾及生菜** "肉"，傅本《新修》、罗本《新修》作"完"，据《证类》改。"菜"，傅本《新修》、罗本《新修》作"荣"，据《证类》改。

［9］**屑** 傅本《新修》、罗本《新修》脱，据《证类》补。

442 蝦蟆

味辛，寒，有毒。主治邪气，破癥坚血，痈肿，阴疮，服之不患热病。治阴蚀，疽疠恶疮，猘犬伤疮，能合玉石。一名蟾蜍，一名鼀[1]，一名去甫，一名苦蠪。**生江湖池泽。**五月五日取，阴干，东行者良。

此是腹大、皮上多痱磊者，其皮汁甚有毒，犬啮之，口皆肿。人得温病斑出困者，生食一两枚，无不差者。五月五日取东行者五枚，反缚着密室中闭之，明旦视自解者，取为术用，能使人缚亦自解。烧灰敷疮立验。其肪涂玉则刻之如蜡，故云能合玉石，但肪不可多得。取肥者，剉，煎膏，以涂玉，亦软滑易截。古玉器有奇特，非雕琢人功者，多是昆吾刀及虾蟆肪所刻也。（《大观》卷22，《政和》页440）

【校注】

[1] 齇　《本草和名》作“去齇”。

443　蛙

味甘，寒，无毒。主治小儿赤气，肌疮，脐伤，止痛，气不足。一名长股。生水中，取无时。

凡蜂、蚁、蛙、蝉，其类最多。大而青脊者，俗名土鸭，其鸣甚壮。又一种黑色，南人名为蛤子，食之至美。又一种小形善鸣唤，名蛙子，此则是也。（《大观》卷22，《政和》页453）

444　石蚕[1]

味咸，寒，有毒。主治五癃，破石淋，堕胎。肉[2]：解结气，利水道，除热。一名沙虱[3]。生江汉池泽。

李云江左无识此者，谓为草根，其实类虫，形如老蚕，生附石。伧人得而食之，味咸而微辛。李之所言有理，但江汉非伧地尔。大都应是生气物，犹如海中蛎蛤辈，附石生不动，亦皆活物也。今世用草根黑色多角节，亦似蚕，恐未是实。方家不用沙虱，自是东间水中细虫。人入水浴，着人略不可见，痛如针刺，挑亦得之。今此名或同尔，非其所称也。（《大观》卷22，《政和》页449）

【校注】

[1] 石蚕　《御览》作“沙虱”。
[2] 肉　孙本、问本、周本作“内”。“肉”上，《纲目》、姜本、莫本有“其”字。
[3] 沙虱　《御览》作“石蚕”。

445　蚺蛇胆

味甘、苦，寒，有小毒。主治心腹䘌痛，下部䘌疮，目肿痛。膏：平，有小毒。主皮肤风毒，妇人产后腹痛余疾。

此蛇出晋安，大者三二围。在地行往不举头者，是真；举头者，非真。形多相似，彼土人以此别之。膏、胆又相乱也。真膏累累如梨豆子相着，他蛇膏皆大如梅、李子。真胆狭长通黑，皮膜极薄，舐之甜苦，摩以注水即沉而不散；其伪者并不尔。此物最难得真，真膏多所入药用，亦云能治伯牛疾。（《大观》卷22，《政和》页443）

446 蝮蛇胆

味苦，微寒，有毒。主治䘌疮。肉：酿作酒，治癞疾，诸瘘，心腹痛，下结气，除蛊毒。其腹中吞鼠，有小毒，治鼠瘘。

蝮蛇黄黑色，黄颔尖口，毒最烈，虺形短而扁，毒不异于蚖，中人不即治，多死。蛇类甚众，惟此二种及青蝰[1]为猛，治之并别有方。蛇皆有足，五月五日取烧地令热，以酒沃之，置中，足出。术家所用赤蟝、黄颔，多在人家屋间，吞鼠子雀雏，见腹中大者，破取，干之。（《大观》卷22，《政和》页445）

【校注】

[1] **青蝰** 《证类》作"青蛙"，据《补辑肘后方》下卷第83葛氏方改。

447 蛇蜕[1]

味咸、甘，平，无毒。主治小儿百二十种惊痫，瘛疭，癫疾，寒热，肠痔，虫毒，蛇痫，弄舌摇头，大人五邪，言语僻越，恶疮，呕咳，明目。火熬之良[2]。一名龙[3]子衣，一名蛇[4]符，一名龙子皮，一名龙子单衣，一名弓皮[5]。生荆州川谷及田野。五月五日、十五日取之，良。畏磁石及酒。

草中不甚见虺、蝮蜕，惟有长者，多是赤蟝、黄颔辈，其皮不可复识，今往往得尔，皆须完全。石上者弥佳，烧之甚治诸恶疮也。（《大观》卷22，《政和》页443）

【校注】

[1] **蜕** 其下，《本草和名》《医心方》有"皮"字。

[2] **火熬之良** 《品汇》注为《别录》文。

[3] **龙** 《千金翼》作"石出"。

[4] **蛇** 卢本、莫本作"龙"。

[5] **皮** 莫本作"衣"。

448 蜈蚣

味辛，温，有毒。主治鬼疰，蛊毒，噉诸蛇虫鱼毒，杀鬼物老精，温疟，去三虫。治心腹寒热结聚，堕胎，去恶血。**生大吴川谷**江南。赤头足者良。

今赤足者多出京口，长山、高丽山，茅山亦甚有，于腐烂积草处得之，勿令伤，曝干之。黄足者甚多，而不堪用，人多火炙令赤以当之，非真也。一名蝍蛆。庄周云：蝍蛆甘带。《淮南子》云：腾蛇游雾，而殆于蝍蛆。其性能制蛇，忽见大蛇，便缘而噉其脑。蜈蚣亦啮人，以桑汁白盐涂之即愈。（《大观》卷22，《政和》页446）

449 马陆

味辛，温，有毒。主治腹中大坚癥，破积聚，息肉，恶疮，白秃。治寒热痞结，胁下满。**一名百足，一名马轴。生玄菟川谷。**

李云此虫形长五六寸，状如大蚕，夏月登树鸣，冬则蛰，今人呼为飞蚿虫也，恐不必是马陆尔。今有一细黄虫，状如蜈蚣而甚长，俗名土虫，鸡食之醉闷亦至死。书云：百足之虫，至死不僵。此虫足甚多，寸寸断便寸行，或欲相似，方家既不复用，市人亦无取者，末详何者的是。（《大观》卷22，《政和》页453）

450 蠮[1]螉

味辛，平，无毒。主治久聋，咳逆，毒气，出刺[2]，出汗。治鼻窒。其土房主痈肿，风头。**一名土蜂，生熊耳川谷**及牂牁，或人屋间。

此类甚多，虽名土蜂，不就土中为窟，谓捷土作房尔。今一种黑色，腰甚细，衔泥于人室及器物边作房，如并竹管者是也。其生子如粟米大置中，乃捕取草上青蜘蛛十余枚满中，仍塞口，以拟其子大为粮也。其一种入芦竹管中者，亦取草上青虫，一名蜾蠃。诗人云：螟蛉有子，蜾蠃负之。言细腰物无雌，皆取青虫，教祝便变成己子，斯为谬矣。造诗者乃可不详，未审夫子何为因其辟邪。圣人有阙，多皆类也。（《大观》卷22，《政和》页446）

【校注】

[1] **蠮** 《医心方》作"蠮"。

[2] **出刺** 《图经衍义》无。

451 雀瓮

味甘，平，无毒。主治小儿惊痫，寒热，结气，蛊毒，鬼疰。一名躁舍。生汉中，采蒸之，生树枝间[1]，蛅蟖房也。八月取。

蛅蟖，蚝虫也。此虫多在石榴树上，世呼为蚝虫，其背毛亦螫人。生卵，形如鸡子，大如巴豆，今方家亦不用此。蚝，一作蛓尔。（《大观》卷22，《政和》页450）

【校注】

[1] **生树枝间** 森本录为《本经》文。按"蚱蝉"例，此4字应属《本经》文。

452 彼子[1]

味甘，温，有毒。主治腹中邪气，去三虫，蛇螫，蛊毒，鬼疰，伏尸[2]。**生永昌山谷。**

方家从来无用此者，古今诸医及药家，了不复识。又一名罴子，不知其形何类也。（《大观》卷30，《政和》页547）

【校注】

[1] **彼子** 《千金翼》脱漏"彼子"条。《医心方》所载《新修》目录虫鱼部有彼子。《新修》注云"彼子误入虫部"，故置彼子于虫部。

[2] **鬼疰，伏尸** 万历《政和》作"蛊疰，伏生"。"尸"，《大全》误作"户"。

453 鼠妇

味酸，温，微寒，无毒。主治气癃，不得小便[1]，**妇人月闭，血瘕**[2]，**痫痓**[3]，**寒热，利水道。一名负蟠**[4]，**一名蚍蛝，一名蜲蠜。生魏郡平谷及人家地上，五月五日取。**

一名鼠负，言鼠多在坎中，背则负之，今作妇字，如似乖理。又一名鼠姑。（《大观》卷22，《政和》页455）

【校注】

[1] **便** 万历《政和》作"使"，误。

[2] **瘕** 孙本、问本、黄本、周本作"瘕"。

[3] **痓** 森本作"痉"。

[4] **负蟠** 《本草和名》《御览》作"蟠负"，森本作"蟠负"。

454 萤火

味辛，微温，无毒。主明目，小儿火疮，伤热气，蛊毒，鬼疰，通神精。一名夜光，一名放光[1]，**一名熠燿**[2]，**一名即炤。生阶地池泽。七月七日取，阴干。**

此是腐草及烂竹根所化，初犹未如虫，腹下已有光，数日便变而能飞。方术家捕取内酒中，令死乃干之，世药用之亦稀。（《大观》卷22，《政和》页455）

【校注】

[1] **光** 《千金翼》作“火”。

[2] **熠燿** 《本草和名》作“燿燿”。

455 衣[1]鱼

味咸，温，无毒[2]**。主治妇人疝瘕**[3]**，小便不**[4]**利，小儿中**[5]**风项强背起，摩之。**又治淋，堕胎，涂疮灭瘢。**一名白鱼，**一名蟫。**生**咸阳**平泽。**

衣中乃有，而不可常得，多在书中。亦可用于小儿淋闭，以摩脐及小腹，即溺通也。(《大观》卷22，《政和》页456)

【校注】

[1] **衣** 《御览》作“白”。

[2] **无毒** 人卫本《政和》作为《本经》文。

[3] **瘕** 《御览》作“疵”。

[4] **不** 《御览》作“洩”。

[5] **中** 其上，《御览》有“头”字。

456 白颈蚯蚓

味咸，寒、大寒，无毒。**主治蛇瘕，去三虫，伏尸，鬼疰，蛊毒，杀长虫，仍自化作水。**治伤寒伏热，狂谬，大腹，黄疸。一名土龙。**生**[1]**平土，**三月取，阴干。

白颈是其老者尔，取破去土，盐之，日暴，须臾成水，道术多用之。温病大热狂言，饮其汁皆差，与黄龙汤治同也。其屎，呼为蚓蝼，食细土无沙石，入合丹泥釜用。若服此干蚓，应熬作屑，去蛕虫甚有验也。(《大观》卷22，《政和》页445)

【校注】

[1] **生** 其下，《御览》有“蜚谷”2字。

457 蝼[1]蛄

味咸，寒，无毒。**主治产难，出肉中刺**[2]**，溃痈肿，下哽噎**[3]**，解毒，除**[4]**恶疮。一名蟪蛄，一名天蝼，一名螜。生**东城**平泽，夜出者良。**夏至取，暴干。

以自出者，其自腰以前甚涩，主止大小便。从腰以后甚利，主下大小便。若出拔刺，多用其脑。此物颇协神鬼，昔人狱中得其蟨力者。今人夜忽见出，多打杀之，言为鬼所使也。（《大观》卷22，《政和》页453）

【校注】

[1] 蟨　《御览》作"蟠"。

[2] 出肉中刺　《御览》作"刺在肉中"。

[3] 噎　《御览》作"咽"。

[4] 除　《御览》作"愈"。

458　蜣螂

味咸，寒，有毒。主治小儿惊痫，瘈疭，腹胀，寒热，大人癫疾，狂易。手足端寒，肢满贲豚。**一名蛣蜣。火熬之良**[1]。**生长沙**池泽。五月五日取，蒸，藏之，临用当炙，勿置水中，令人吐。畏羊角、石膏。

庄子云：蛣蜣之智，在于转丸。其喜入人粪中，取屎丸而却推之，俗名推丸。当取大者，其类有三四种，以鼻头扁者为真。（《大观》卷22，《政和》页451）

【校注】

[1] 火熬之良　《品汇》注为《别录》文。

459　地胆

味辛，寒，有毒。主治鬼疰，寒热，鼠瘘，恶疮，死肌，破癥瘕，堕胎。蚀疮中恶肉，鼻中息肉，散结气石淋，去子，服一刀圭即下。**一名蚖**[1]**青，一名青蛙**[2]。**生汶**山川谷，八月取。恶甘草。

真者出梁州，状如大马蚁有翼；伪者即斑猫所化，状如大豆，大都治体略同，必不能得真尔。此亦可用，故有蚖青之名。蚖字乃异，恐是相承误矣。（《大观》卷22，《政和》页454）

【校注】

[1] 蚖　《图经衍义》作"阮"，森本作"元"。

[2] 蛙　成化《政和》、万历《政和》、商务《政和》作"蚌"。

460　马刀

味辛，微寒，有毒。主治[1]**漏下赤白，寒**[2]**热，破石淋，杀禽兽贼鼠。**除五脏间热，肌中鼠瘘，止烦满，补中，去厥痹，利机关。用之当炼，得水烂人肠。又云得水良。一名马蛤。**生**江湖**池泽**及东海，取无时。

李云生江汉中，长六七寸，江汉间人名为单姥，亦食其肉，肉似蚌。今人多不识之，大都似今蜓蚨而非。方用至少。凡此类皆不可多食，而不正入药，惟蛤蜊煮之醒酒。蚬壳陈久者止痢。车螯、蚶蛎、蛼蟟之属，亦可为食，无损益，不见所主。雉入大水变为蜃，蜃云是大蛤，乃是蚌尔，煮食诸蛳蜗与菜，皆不利人也。（《大观》卷22，《政和》页441）

【校注】

[1] 治　其下，《御览》有"补中"2字，《纲目》有"妇人"2字。

[2] 寒　其上，《御览》有"留"字。

461　贝子

味咸，平，有毒。主治目翳，鬼疰，蛊毒，腹痛下血，五癃，利水道。除寒热温疰，解肌，散结热。**烧用之良。**一名贝齿。**生东海池泽。**

此是今小小贝子，人以饰军容服物者，乃出南海。烧作细屑末，以吹眼中，治翳良。又真马珂捣末，亦治盲翳。（《大观》卷22，《政和》页449）

462　田中螺汁

大寒。主治目热赤痛，止渴。

生水田中及湖渎岸侧，形圆大如梨、橘者，人亦煮食之。煮汁，亦治热，醒酒，止渴。患眼痛，取真珠并黄连内其中，良久汁出，取以注目中，多差。（《大观》卷22，《政和》页449）

463　蜗牛

味咸，寒。主治贼风喝僻，踠跌，大肠下脱肛，筋急及惊痫。

蜗牛，字是力戈反，而世呼为瓜牛。生山中及人家，头形如蛞蝓，但背负壳尔。前以注说之。海边又一种，正相似，火炙壳便走出，食之益颜色，名为寄居。方家既不复用，人无取者，未详何者的是也。（《大观》卷21，《政和》页432）

464　鸱[1]头

味咸，平，无毒。主治头风眩颠倒，痫疾。

即世人呼为老鸱[2]者，一名鸢[3]，鸢作绿音[4]。又有雕鹗，并相似而大。虽不限雌雄，恐雄

者当胜。今合鸬头酒，用之当微炙，不用蠹[5]虫者。（《新修》页 236，《大观》卷 19，《政和》页 403）

【校注】

[1] 鸬　《证类》《纲目》作"鸬"。《新修》《本草和名》《医心方》作"鸬"，从《本草和名》为正。

[2] 鸬　人卫本《政和》作"鸬"，《大观》作"鸦"。

[3] 载　《证类》《纲目》作"鸢"，《本草和名》作"载"，从《本草和名》为正。

[4] 载作绿音　《证类》无此文。

[5] 蠹　傅本《新修》、罗本《新修》作"蟊"，据《证类》改。

465　鸩鸟毛

有大毒。入五脏烂杀人。其口，主杀蝮蛇毒。一名鸩日。生南海。

此乃是两种：鸩鸟，状如孔雀，五色杂斑，高大，黑颈，赤喙，出交、广深山中；鸩日鸟，状如黑伧鸡，其共禁大朽树，令反，觅蛇吞之，作声似云同力，故江东人呼为同力鸟，并噉蛇。人误食其肉[1]，亦即死。鸩毛羽，不可近人，而并治毒蛇。带鸩喙，亦辟蛇。昔时皆用鸩毛为毒酒，故名鸩酒。顷[2]来不复尔。又[3]云有物赤色，状如龙，名海姜，生海中，亦大有毒，甚于鸩羽也。（《新修》页 367、《大观》卷 30，《政和》页 547）

【校注】

[1] 肉　《新修》作"宗"，据《证类》改。

[2] 顷　傅本《新修》、罗本《新修》作"项"，据《证类》改。

[3] 又　傅本《新修》、罗本《新修》作"不"，据《证类》改。

466　鸬鹚屎[1]

一名蜀水华。主去面黑䵟黡志。头：微寒。主治嗖[2]及噎，烧服之。

溪谷间甚多见之，当自取其屎，择用白处，市卖不可信。骨，亦主鱼哽[3]。此鸟不卵生。口吐其雏，独为一异也[4]。（《新修》页 236，《大观》卷 19，《政和》页 404）

【校注】

[1] 鸬鹚屎　本条以罗本《新修》为底本。"屎"，《新修》作"矢"，据《千金翼》《证类》改。下同。

[2] 嗖　《千金翼》《证类》作"鲠"。

[3] 哽 《证类》作"鲠"。

[4] 也 《证类》无。

467 孔雀屎

微寒。主治女子带下，小便不利。

出广、益诸州[1]，都下亦养之[2]。方家不见用其屎也。(《新修》页235，《大观》卷19，《政和》页401)

【校注】

[1] 出广、益诸州 罗本《新修》脱此文。

[2] 都下亦养之 《证类》无。

468 豚卵

味甘[1]，温，无毒。主治惊痫[2]，癫疾，鬼疰，蛊毒，除寒热，贲豚，五癃，邪气挛缩。一名豚颠。阴干藏之，勿令败。猪悬蹄[3]：主治五痔，伏热在[4]肠，肠痈内蚀。猪四足：小寒。治伤挞[5]，诸败疮，下乳汁。心：主惊邪，忧恚。肾：冷，和[6]理肾气，通利膀胱[7]。胆：治伤寒热渴。肚[8]：补中益气，止渴利。齿：主小儿惊痫，五月五日取。鬐膏：主生发。肪膏：主煎诸膏药，解斑猫、芫青毒。豭猪肉：味酸，冷，治狂病。凡猪肉[9]：味苦，主闭血脉，弱筋骨，虚人肌，不可久食，病人金创者尤甚。猪屎：主寒热，黄疸，湿痹。

猪为用最多，惟肉不宜人[10]，人有多食，皆能暴肥，此盖虚肌[11]故也。其脂能悦泽皮肤[12]，作手膏不皲裂，肪膏煎药，无不用之。勿令中水[13]，腊月者历年不坏，颈上[14]膏谓之负革脂[15]，入道家[16]用。其屎汁，极治温毒[17]。食其肉[18]饮酒，不可卧秫[19]稻穰中。又白猪蹄白[20]杂青者不可食，食[21]猪膏，又忌乌梅也[22]。(吐鲁番出土《集注》残简，《新修》页218，《大观》卷18，《政和》页388)

【校注】

[1] 味甘 "味"，傅本《新修》作"咮"，据罗本《新修》、《千金翼》《证类》改。"甘"，孙本、问本、周本、黄本作"苦"。

[2] 惊痫 "痫"字下，《御览》有"除阴茎中痛"。

[3] 猪悬蹄 《千金翼》《证类》无"猪"字。

[4] 热在 傅本《新修》、罗本《新修》脱，据《千金翼》《证类》补。

[5] 挞 傅本《新修》、罗本《新修》作"捷"，据《千金翼》《证类》改。

［6］**和** 傅本《新修》、罗本《新修》作"利"，据《千金翼》《证类》改。又《纲目》无"和"字。

［7］**通利膀胱** 傅本《新修》、罗本《新修》脱"利"字，据《千金翼》《证类》补。"胱"，傅本《新修》、罗本《新修》作"胱"，据《千金翼》《证类》改。

［8］**肚** 其下，《证类》有"主"字。

［9］**肉** 傅本《新修》、罗本《新修》作"完"，据《千金翼》《证类》改。

［10］**人** 《证类》作"食"。

［11］**肌** 《证类》作"肥"。

［12］**能悦泽皮肤** "能"字上，傅本《新修》、罗本《新修》衍"膃"字，据《证类》删。《证类》无"泽"字。"肤"，傅本《新修》、罗本《新修》作"虚"，据《证类》改。

［13］**中水** 《证类》倒置。

［14］**上** 《证类》作"下"，傅本《新修》、罗本《新修》作"上"，从《新修》为正。

［15］**脂** 《证类》作"肪"。

［16］**家** 傅本《新修》、罗本《新修》作"处"，据《证类》改。

［17］**极治温毒** 《证类》作"疗温毒热"。

［18］**肉** 傅本《新修》、罗本《新修》作"完"，据《证类》改。

［19］**秣** 傅本《新修》、罗本《新修》作"秋"，据《证类》改。

［20］**蹄白** 《证类》作"白蹄"。

［21］**食** 《证类》无。

［22］**也** 《证类》无。

469 燕屎[1]

味辛，平，有毒。主治蛊毒，鬼疰，逐不祥邪[2]气，破五癃，利小便。生高谷山平谷[3]。

燕有两种，有胡、有越。紫胸轻小者是越燕，不入药用，胸斑黑[4]声大者是胡燕。世呼胡燕为夏候，其作窠喜长，人言有容[5]一匹绢者，令家富。窠亦入药用，与屎同，多以作汤洗浴，治小儿惊邪也。窠户有北向[6]及尾侷色白者，皆数百岁燕，食之延年。凡燕肉不可食，令人入水为蛟龙[7]所吞，亦不宜杀之[8]。（吐鲁番出土《集注》残卷，《新修》页235，《大观》卷19，《政和》页401）

【校注】

［1］**燕屎** 《千金方·食治》作"越燕屎"。"屎"，《集注》残卷、《新修》作"矢"，据《千金翼》《证类》改。

［2］**邪** 《集注》残卷、《新修》作"耶"，据《千金翼》《证类》改。

［3］**生高谷山平谷** 《集注》残卷作朱字《本经》文，《证类》作墨字《别录》文。从《集注》

残卷为正。

[4] **黑** 傅本《新修》、罗本《新修》误作"里"，据《证类》改。

[5] **客** 傅本《新修》、罗本《新修》作"客"，据《证类》改。

[6] **向** 傅本《新修》、罗本《新修》作"河"，据《证类》改。

[7] **龙** 《证类》无。

[8] **之** 傅本《新修》、罗本《新修》脱，据《证类》补。

470 天鼠屎

味辛，寒，有[1]**毒。主治面痈肿，皮肤说说**[2]**时痛，腹中血气，破寒热积聚，除惊悸，**去面黑𪒟。**一名鼠沾**[3]**，一名石肝。生合浦山谷**[4]。十月、十二月取[5]。恶白敛[6]、白薇。

方家不复用，世不识也。（吐鲁番出土《集注》残卷，《大观》卷19，《政和》页402）

【校注】

[1] **有** 《证类》作"无"。

[2] **说说** 《千金翼》《证类》作"洗洗"，《纲目》作"洒洒"。《集注》作"说说"。

[3] **沾** 《千金翼》《证类》《品汇》《纲目》、顾本、狩本作"法"，《本草和名》、森本作"姑"，孙本作"沄"，《集注》残卷作"沾"。

[4] **生合浦山谷** 《证类》注为《别录》文。"合"，《集注》残卷作"令"，据《千金翼》《政类》改。

[5] **取** 《图经衍义》作"收"。

[6] **敛** 万历《政和》作"饮"，《图经衍义》作"荃"。

471 鼹鼠

味咸，无毒。主治痈疽，诸瘘蚀恶疮，阴䘌烂疮。在土中行。五月取令干，燔之。

世中一名隐鼠，一名鼹[1]鼠，形如鼠，大而无尾，黑色，长鼻甚[2]强，恒穿耕地中行，讨掘即得。今诸山林中，又有一兽[3]，大如水牛，形似猪，灰赤[4]色，下脚似象，胸前尾上皆白，有力而钝，亦名鼹鼠。人张网[5]取食之，肉亦似牛肉[6]，多以作脯。其膏亦云[7]主瘘，乃云此是鼠王，其精溺一滴落地辄成一鼠。谷有鼠灾年，则多出，恐非虚尔。谷字一作段。此鼠蹄烧末酒服，又以骨捣碎酿酒将服之，并治瘘良验也[8]。（吐鲁番出土《集注》残卷，《新修》页220，《大观》卷18，《政和》页393）

【校注】

[1] **綴** 《证类》作"豿"。

[2] **甚** 傅本《新修》、罗本《新修》作"其",据《证类》改。

[3] **又有一兽** 《证类》无"又"字。"兽",傅本《新修》、罗本《新修》作"狩",据《证类》改。

[4] **赤** 傅本《新修》、罗本《新修》脱,据《证类》补。

[5] **张网** 《证类》作"长"。

[6] **肉** 《新修》脱,据《证类》补。

[7] **云** 傅本《新修》作"去",据《证类》改。

[8] **谷字一作……并治瘘良验也** 《证类》无。

472 鼺鼠

主堕胎,生乳[1]易。生山都平谷。

鼺是䶅[2]鼠,一名飞生,状如蝙蝠,大如鸱鸢[3],毛紫色暗,夜行飞行[4]。生人取其皮毛,以与产妇持之,令儿易出[5]。又有水马,生海中,是鱼虾类,状[6]如马形,亦主易产。此鼺鼠别类而同一条中,当以其是皮毛之物也,今亦在副品限也[7]。(《新修》页216,《大观》卷18,《政和》页393)

【校注】

[1] **生乳** 《千金翼》《证类》作"令产"。《新修》、森本作"生乳"。

[2] **鼺是䶅** 《证类》作"鼺是䶓",傅本《新修》、罗本《新修》作"鼺是䶅"。

[3] **鸱鸢** 《证类》作"鸱鸢"。

[4] **行** 《证类》无。

[5] **出** 《证类》作"生"。

[6] **类,状** 《证类》倒置。

[7] **此鼺鼠……今亦在副品限也** 《证类》无此文。

473 牡鼠

微温,无毒。主治踒折,续筋骨,捣敷之,三日一易。四足及尾:主妇人堕胎,易产[1]。肉:热,无毒。主治小儿哺露大腹,炙食之。粪:微寒,无毒。主治小儿痫疾,大腹,时行劳复。

牡鼠,父鼠也。其屎两头尖,专治劳复。鼠目,主明目,夜见书,术家用之。腊月鼠,烧之辟恶气;膏煎之,亦治诸疮。胆,主目暗,但才死胆便消,故不可得之。(《大观》卷22,《政和》页440)

【校注】

[1] **产** 《证类》作"出",《千金翼》作"产"。

474 斑猫

味辛,寒,有毒。主治寒热,鬼疰,蛊毒,鼠瘘,疥癣,**恶疮,疽蚀,死肌,破石癃**,血积,伤人肌,堕胎。**一名龙尾。生河东川谷。**八月取,阴干。马刀为之使,畏巴豆、丹参、空青,恶肤青。

豆花时取之,甲上黄黑斑色,如巴豆大者是也。(《大观》卷22,《政和》页448)

475 芫青

味辛,微温,有毒。主治蛊毒,风疰,鬼疰,堕胎。三月取,暴干。芫花时取之,青黑色,亦治鼠瘘。(《大观》卷22,《政和》页454)

476 葛上亭长

味辛,微温,有毒。主治蛊毒,鬼疰,破淋结,积聚,堕胎。七月取,暴干[1]。

葛花时取之,身黑而头赤,喻如人着玄衣赤帻,故名亭长。此一虫五变,为治皆相似,二月、三月在芫花上,即呼芫青;四月、五月在王不留行上,即呼王不留行虫;六月、七月在葛花上,即呼为葛上亭长;八月在豆花上,即呼斑猫;九月、十月欲还地蛰,即呼为地胆,此是伪地胆尔,为治犹同。其类亭长,腹中有卵,白如米粒,主治诸淋结也。(《大观》卷22,《政和》页446)

【校注】

[1] **干** 其下,《图经衍义》有"一名斑猫"4字。

477 蜘蛛

微寒。主治大人小儿癞。七月七日取其网,治喜忘。

蜘蛛类数十种,《尔雅》止载七八种尔,今此用悬网状如鱼罾者,亦名蛈蟷。蜂及蜈蚣螫人,取置肉上,则能吸毒。又以断疟及干呕霍乱。术家取其网着衣领中辟忘。有赤斑者,世名络新妇,亦入方术用之。其余杂种,并不入药。《诗》云蠨蛸在户,正谓此[1]也。(《大观》卷22,《政和》页444)

【校注】

[1] **此** 《大观》作"止"，《政和》作"此"。

478 蜻蛉

微寒。主强阴，止精。

此有五六种，今用青色大眼者，一名诸乘，世呼胡蜊，道家用以止精。眼可化为青珠。其余黄细及黑者，不入药用，一名蜻蜓。（《大观》卷22，《政和》页455）

479 木虻

味苦，平，有毒。主治目赤痛，眦伤泪出，瘀血，血闭，寒热酸嘶，无子。一名魂常。生汉中川泽，五月取。

此虻不噉血，状似虻而小，近道草中不见有，市人亦少有卖者，方家所用，惟是蜚虻乜。（《大观》卷21，《政和》页433）

480 蜚虻

味苦，微寒，有毒。主逐瘀血，破下血积，坚痞，癥瘕，寒热，通利血脉及九窍，女子月水不通，积聚，除贼血在胸腹五脏者，及喉痹结塞。生江夏川谷，五月取。腹有血者良。

此即今噉牛马血者，伺其腹满掩取干之，方家皆呼为虻虫矣。（《大观》卷21，《政和》页433）

481 蜚蠊

味咸，寒[1]，有毒。主治血瘀，癥坚，寒热[2]，破积聚，喉咽痹[3]，内塞[4]无子，通利血脉。生晋阳川[5]泽及人家屋间，立秋采。

形亦似蜚虫而轻小能飞，本在草中。八月、九月知寒，多入人家屋里逃尔。有两三种，以作廉姜气者为真，南人亦噉之。（《大观》卷21，《政和》页433）

【校注】

[1] **寒** 《御览》无。

[2] **癥坚，寒热** 《御览》作"逐下血"。

[3] **咽痹** 《御览》无"咽"字。"痹"，《政和》《纲目》、顾本作"闭"，《千金翼》、元大德《大观》、柯《大观》、《大全》《品汇》、狩本、森本、卢本、王本、孙本、问本、周本、黄本作

"痹"，从《大观》为正。

[4] 塞　诸本作"寒"，据药性改。蜚蠊性寒，不可治寒证。又蜚蠊主瘀血、癥坚，能破坚活血通闭塞，应能治内塞无子。

[5] 川　《御览》作"山"。

482　水蛭

味咸、苦，平、微寒，有毒。主逐恶血，瘀血，月闭[1]，**破血瘕，积聚**[2]，**无子，利水道，又**[3]**堕胎。一名蚑，一名至掌。生雷泽池泽。五月、六月采，暴干。**

蚑，今复有数种，此用马蜞，得啮人腹中有血者，仍干为佳。山蚑及诸小者，皆不用。楚王食寒菹，所得而吞之，果能去结积，虽曰阴祐，亦是物性兼然。（《大观》卷22，《政和》页448）

【校注】

[1] **逐恶血，瘀血，月闭**　《御览》作"治恶血，瘀结，水闭"。

[2] **血瘕，积聚**　《御览》作"凝积"。"瘕"，《纲目》、姜本作"癥"。

[3] **又**　《千金翼》作"及"。

果、菜、米谷、有名无实　卷第七

483 豆蔻	484 **葡萄**	485 **蓬蘽**	486 覆盆子
487 **大枣**	488 **藕实茎**	489 **鸡头实**	490 芰实
491 栗	492 婴桃	493 樱桃	494 **梅实**
495 柿	496 木瓜实	497 甘蔗	498 芋
499 乌芋	500 **郁核**	501 **杏核人**	502 **桃核人**
503 李核人	504 梨	505 柰	506 安石榴
507 **白瓜子**	508 白冬瓜	509 **冬葵子**	510 葵根
511 苋实	512 **苦菜**	513 荠	514 芜菁及芦菔
515 菘	516 芥	517 苜蓿	518 荏子
519 **蓼实**	520 **葱实**	521 **薤**	522 韭
523 白蘘荷	524 菾菜	525 苏	526 **水苏**
527 香薷	528 **瓜蒂**	529 **苦瓠**	530 **水靳**
531 蕈	532 落葵	533 繁蒌	534 蕺
535 葫	536 蒜	537 **胡麻**	538 **麻蕡**
539 **麻子**	540 饴糖	541 **大豆黄卷**	542 **赤小豆**
543 豉	544 大麦	545 穬麦	546 小麦
547 青粱米	548 黄粱米	549 白粱米	550 粟米
551 丹黍米	552 蘗米	553 秫米	554 陈廪米
555 酒	556 **腐婢**	557 蓏豆	558 黍米
559 粳米	560 稻米	561 稷米	562 酢酒
563 酱	564 盐	565 春杵头细糠	566 青玉
567 白玉髓	568 玉英	569 璧玉	570 合玉石
571 紫石华	572 白石华	573 黑石华	574 黄石华
575 厉石华	576 石肺	577 石肝	578 石脾
579 石肾	580 封石	581 陵石	582 碧石青
583 遂石	584 白肌石	585 龙石膏	586 五羽石
587 石流青	588 石流赤	589 石耆	590 紫加石
591 终石	592 玉伯	593 文石	594 曼诸石
595 山慈石	596 石濡	597 石芸	598 石剧
599 路石	600 旷石	601 败石	602 越砥
603 金茎	604 夏臺	605 柴紫	606 鬼目
607 鬼盖	608 马颠	609 马唐	610 马逢
611 牛舌实	612 羊乳	613 羊实	614 犀洛

615	鹿良	616	菟枣	617	雀梅	618	雀翘
619	鸡涅	620	相乌	621	鼠耳	622	蛇舌
623	龙常草	624	离楼草	625	神护草	626	黄护草
627	吴唐草	628	天雄草	629	雀医草	630	木甘草
631	益决草	632	九熟草	633	兑草	634	酸草
635	异草	636	雍草	637	苉草	638	莘草
639	勒草	640	英草华	641	吴葵华	642	封华
643	北荇华	644	陕华	645	排华	646	节华
647	徐李	648	新雉木	649	合新木	650	俳蒲木
651	遂阳木	652	学木核	653	木核	654	枸核
655	荻皮	656	桑茎实	657	满阴实	658	可聚实
659	让实	660	蕙实	661	青雌	662	白背
663	白女肠	664	白扇根	665	白给	666	白并
667	白辛	668	白昌	669	赤举	670	赤涅
671	黄秫	672	徐黄	673	黄白支	674	紫蓝
675	紫给	676	天蓼	677	地朕	678	地芩
679	地筋	680	地耳	681	土齿	682	燕齿
683	酸恶	684	酸赭	685	巴棘	686	巴朱
687	蜀格	688	纍根	689	苗根	690	参果根
691	黄辨	692	良达	693	对庐	694	粪蓝
695	委蛇	696	麻伯	697	王明	698	类鼻
699	师系	700	逐折	701	并苦	702	领灰
703	父陛根	704	索干	705	荆茎	706	鬼麗
707	竹付	708	秘恶	709	唐夷	710	知杖
711	葵松	712	河煎	713	区余	714	三叶
715	五母麻	716	疥柏	717	常更之生	718	救煞人者
719	丁公寄	720	城里赤柱	721	城东腐木	722	芥
723	载	724	庆	725	腜	726	凫葵
727	白菀	728	雄黄虫	729	天社虫	730	桑蠹虫
731	石蠹虫	732	行夜	733	蜗篱	734	麋鱼
735	丹戬	736	扁前	737	蚖类	738	蚍厉
739	梗鸡	740	益符	741	地防	742	黄虫

果部药物

上　品

483　豆蔻[1]

味辛，温，无毒。主温中，心腹痛，呕吐，去口臭气。生南海。

味辛烈者为好，甚香，可恒含[2]之。其五和糁中物皆宜人：廉姜最[3]温中，下气；益智，热；枸橼，温；甘蔗、麂目并小冷尔。（《新修》页242，《大观》卷23，《政和》页460）

【校注】

[1] **豆蔻**　傅本《新修》、罗本《新修》作"荳蔻"，据《千金翼》《证类》改。又《医心方》亦作"荳蔻"。

[2] **含**　傅本《新修》、罗本《新修》作"合"，据武本《新修》、《证类》改。

[3] **最**　《证类》无。

484　葡萄[1]

味甘，平，无毒。主治筋骨湿痹，益气倍力[2]，强志，令人肥健，耐饥[3]，忍风寒。久食轻身，不老[4]，延年。可作酒，逐[5]水，利小便。生陇西五原、敦煌山谷。

魏国使人多赍来，状如五味子而甘美，可[6]作酒，云用其藤汁殊美好。北国人多肥健耐寒，盖食斯乎？不植淮南，亦如橘之变于河北矣。人说即是[7]此间蘡薁，恐如彼之枳类橘耶？（《新修》

页242,《大观》卷23,《政和》页463)

【校注】

[1] **葡萄** 本条以罗本《新修》为底本。"葡萄",是古代从新疆地方语直译的音。各种本草对此2字书写互异,傅本《新修》、罗本《新修》、《医心方》作"蒲陶",《千金翼》《证类》作"葡萄"。

[2] **倍力** 《艺文类聚》无。

[3] **耐饥** 《艺文类聚》作"少饥",《医心方》无此2字。卢本作"耐老"。

[4] **久食轻身,不老** "久",傅本《新修》、罗本《新修》作"人",据《千金翼》《证类》改。"食",徐本作"服"。"老",《大全》作"者"。

[5] **逐** 傅本《新修》、罗本《新修》作"遂",据《千金翼》《证类》改。

[6] **可** 傅本《新修》、罗本《新修》原脱,据《证类》补。

[7] **是** 《证类》无。

485 蓬蘽

味酸、咸[1],**平,无毒。主安五脏,益精气,长阴令坚,强志,倍力,有子。**又治暴中风,身热大惊。久[2]**服轻身,不老。一名覆盆,一名陵蘽,一名阴蘽。生荆山平泽及宛朐。**

李云即是人所食莓尔。(《新修》页243,《大观》卷23,《政和》页464)

【校注】

[1] **咸** 《大观》《大全》《本经续疏》注为《本经》文。人卫本《政和》作墨字《别录》文,森本、孙本、问本、周本、黄本、顾本皆不取"咸"字为《本经》文,从人卫本《政和》及诸辑本为正。

[2] **久** 傅本《新修》、罗本《新修》作"人",据《千金翼》《证类》改。

486 覆盆子

味甘,平[1],**无毒。主益气轻身,令发不白。五月采实**[2]。

蓬蘽是根名,方家不用,乃昌容所服,以易颜色[3]者也。覆盆是实名,李云是莓子,乃似覆盆之形,而以津汁为味,其核甚[4]微细,药中所[5]用覆盆子小异。此未详孰是?(《新修》页244,《大观》卷23,《政和》页465)

【校注】

[1] **味甘，平**　《医心方》卷30无。

[2] **实**　《证类》《纲目》无。

[3] **色**　《证类》无。

[4] **甚**　《证类》无。

[5] **所**　《证类》无。

487　大枣[1]

味甘，平，无毒[2]。主治心腹邪气，安中，养脾[3]，助十二经，平胃气[4]，通九窍，补少气少津[5]，身中不足，大惊，四肢重，和[6]百药。补中益气，强力，除烦闷[7]，心下悬，肠澼[8]。久服轻身，长年[9]，不饥，神仙。一名干枣，一名美枣，一名良枣。八月采，暴干。三岁陈核中人：燔之，味苦，主腹痛，邪气。生枣：味甘[10]、辛，多食令人多寒热[11]，羸瘦者，不可食[12]。**叶：覆麻黄，能令出汗。生河东[13]平泽。大枣[14]杀乌头毒。**

旧云河东猗氏县枣特异，今出青州、彭城，枣形小[15]，核细，多膏，甚甜。郁州互市[16]亦得之，而郁州者亦好，小不及尔。江东临沂金城枣，形大而虚少脂[17]，好者亦可用[18]。南枣大恶，殆不堪噉[19]。道家方药以枣为佳饵，其皮利，肉补虚[20]，所以合汤皆擘[21]用之。（《新修》页245，《大观》卷23，《政和》页462）

【校注】

[1] **大枣**　《医心方》作"干枣"。"枣"，傅本《新修》、罗本《新修》作"枣"，据《千金翼》《证类》改。

[2] **平，无毒**　"平"，《千金方·食治》作"辛"。"无毒"，《纲目》注为《本经》文。

[3] **脾**　其下，《千金方·食治》《纲目》《本草经解》、姜本有"气"字。

[4] **助十二经，平胃气**　"助"，孙本作"肋"。"经"字下，《医心方》有"脉"字。"平胃气"，傅本《新修》、罗本《新修》脱"平"字，据《千金翼》《医心方》《证类》补。

[5] **津**　其下，《证类》《纲目》有"液"字。

[6] **和**　其上，《千金方·食治》有"可"字。

[7] **闷**　傅本《新修》、罗本《新修》脱，据《千金翼》《证类》补。

[8] **心下悬，肠澼**　"心"字上，《千金翼》《证类》有"疗"字。"肠澼"，《纲目》《草木典》作"除肠澼"。

[9] **长年**　姜本作"延年"，又傅本《新修》、罗本《新修》作"长季"，据《千金翼》《证类》改。

[10] **甘**　傅本《新修》、罗本《新修》脱，据《千金翼》《证类》补。

[11] **多食令人多寒热**　傅本《新修》、罗本《新修》原作"令人多热"，据《千金翼》《证

类》改。

　[12]　**食**　傅本《新修》、罗本《新修》作"令"，据《千金翼》《证类》改。

　[13]　**令出汗。生河东**　傅本《新修》、罗本《新修》脱"令""生"2字，据《千金翼》《证类》补。

　[14]　**大枣**　《证类》无。

　[15]　**出青州、彭城，枣形小**　《证类》《图考长编》作"青州出者形大"。

　[16]　**甚甜。郁州互市**　"甜"，傅本《新修》、罗本《新修》作"眈"，据《证类》改。"郁"，傅本《新修》、罗本《新修》脱，据《证类》补。"互"，傅本《新修》、罗本《新修》作"平"，据《证类》改。又"互"，《图考长编》作"无"。

　[17]　**脂**　傅本《新修》、罗本《新修》作"暗"，据《证类》改。

　[18]　**用**　其下，傅本《新修》、罗本《新修》衍"及"字，据《证类》删。

　[19]　**噉**　傅本《新修》、罗本《新修》作"敢"，据《证类》改。

　[20]　**虚**　傅本《新修》、罗本《新修》脱，据《证类》补。

　[21]　**擘**　傅本《新修》、罗本《新修》作"辟"，据《证类》改。

488　藕实茎[1]

味甘，平[2]、寒，无毒。主补中养神，益气力，除百疾[3]。久服轻身，耐老，不饥，延年。一名水芝丹[4]，一名莲。生汝南池泽[5]，八月采。

即今莲子，八月[6]、九月取坚黑者，干捣破之。花及根并入神仙用。今云茎，恐即是根，不尔不应言甘也。宋[7]帝时，太官作羊[8]血䐑，庖[9]人削藕皮误落血中，遂皆散不凝，医仍用藕治血多效也。（《新修》页247，《大观》卷23，《政和》页460）

【校注】

　[1]　**藕实茎**　"藕"，傅本《新修》、罗本《新修》作"蕅"，据《千金翼》《证类》改。"茎"，《本草和名》、《医心方》卷30、《千金方·食治》俱无。

　[2]　**平**　玄《大观》作"乎"。

　[3]　**疾**　《千金方·食治》作"病"。

　[4]　**丹**　《千金方·食治》《纲目》、姜本无。

　[5]　**生汝南池泽**　《御览》引《本经》曰："藕实茎，所在池泽皆有，生豫章、汝南者良，苗高五六尺，叶团青大如扇，其花赤名莲荷，子黑状如羊屎。"

　[6]　**月**　傅本《新修》、罗本《新修》脱，据《证类》补。

　[7]　**宋**　傅本《新修》、罗本《新修》作"宗"，据《证类》改。

　[8]　**羊**　《证类》无。

　[9]　**庖**　傅本《新修》、罗本《新修》脱，据《证类》补。

489　鸡头实[1]

味甘，平，无毒。主治湿痹，腰脊膝痛，补中，除暴疾[2]，益精气[3]，强志，令[4]耳目聪明。久服轻身，不饥，耐老，神仙。一名雁喙[5]实，一名芡。生雷泽池泽[6]，八月采。

此即今蔿子，子形[7]上花似鸡冠，故名鸡头。仙方取此并莲实合饵，能令小儿不长，自别有方[8]。正尔食之，亦当益人。（《新修》页247，《大观》卷23，《政和》页466）

【校注】

[1] 鸡头实　《御览》作"鸡头"。

[2] 除暴疾　"暴"，傅本《新修》、罗本《新修》脱，据《千金翼》《证类》补。《医心方》卷30脱"除暴疾"3字。

[3] 气　《医心方》卷30无。

[4] 强志，令　"志"，其下，《千金方·食治》有"意"字。"令"，傅本《新修》、罗本《新修》脱，据《千金翼》《证类》补。

[5] 喙　《御览》无。

[6] 池泽　《御览》引《本经》作"雷泽"，《证类》注"雷泽"为墨字《别录》文。

[7] 子形　《纲目》作"茎"。《证类》无"子"字。

[8] 自别有方　《证类》无。

490　芰实[1]

味甘，平，无毒。主安中，补脏[2]，不饥，轻身。一名蔆[3]。

庐江间最多，皆取火煏[4]，以为米充[5]粮，今多蒸曝蜜和饵之，断谷长生。水族中又有菰首，性冷，恐非上品。被霜后食之，令阴不强。又不可杂白蜜食，令生虫。（《新修》页248，《大观》卷23，《政和》页465）

【校注】

[1] 芰实　本条以罗本《新修》为底本。"芰"，《证类》作"芰"，《新修》作"芰"。

[2] 补脏　《千金翼》卷4、《证类》卷23作"补五脏"。傅本《新修》、罗本《新修》、《医心方》卷30作"补脏"，俱无"五"字。

[3] 蔆　《千金翼》《证类》《纲目》作"菱"。

[4] 煏　《证类》作"燔"。

[5] 充　傅本《新修》、罗本《新修》作"苑"，据《证类》改。

491 栗

味咸，温，无毒。主益气，厚肠胃，补肾[1]气，令人忍[2]饥。生山阴，九月[3]采。

今会稽最丰，诸暨栗形大，皮厚不美，剡及始丰皮薄而甜。相传有人患脚弱，往[4]栗树下食数升，便能起行，此是补肾之义，然应生啖之。今[5]若饵服，故宜蒸曝之。（《新修》页249，《大观》卷23，《政和》页464）

【校注】

[1] **肾** 《大全》误作"贤"。

[2] **忍** 《千金翼》《证类》作"耐"。

[3] **月** 傅本《新修》、罗本《新修》作"日"，据《千金翼》《证类》改。

[4] **往** 《医心方》卷30、《新修》作"佳"，据《证类》改。

[5] **今** 傅本《新修》、罗本《新修》作"令"，据武本《新修》改。《证类》无"今"字。

492 婴桃[1]

味辛，平，无毒。主止泄肠澼[2]，除热，调中，益脾气，令人好色美志。一名牛桃，一名英豆。实大如麦，多毛。四月采，阴干。

此非今果实樱桃，形乃相似，而实乖异，山间乃时有，方药亦不复用耳。（《新修》页367，《大观》卷30，《政和》页546）

【校注】

[1] **婴桃** 本条，《新修》《千金翼》《证类》俱列在书末"有名无用"类中，但果部"樱桃"条陶隐居注云："所主又与前婴桃相似"。据此，本书将"婴桃"从"有名无用"类移到果部，置于"樱桃"条之前。

[2] **肠澼** 傅本《新修》、罗本《新修》作"腹澼"，据《千金翼》《证类》改。

493 樱桃

味甘。主调中，益脾气，令人好颜色，美志[1]。

此即今朱樱桃[2]，味甘、酸，可食，而所主又与前婴桃相似。恐医家[3]滥载之，未必是今者尔。又故[4]颓子凌冬不凋，子亦应益人，或云寒热病不可食。（《新修》页249，《大观》卷23，《政和》页466）

【校注】

[1] **好颜色，美志** "颜"，傅本《新修》、罗本《新修》脱，据《千金翼》《证类》补。《图考长编》脱"美志"2字。

[2] **今朱樱桃** "今"，傅本《新修》、罗本《新修》作"令"，据《证类》改。《证类》《图考长编》脱"桃"字。

[3] **家** 傅本《新修》、罗本《新修》脱，据《证类》补。

[4] **故** 《证类》作"胡"。

中　品

494　梅实

味酸[1]，平，无毒。主下气，除热烦满，安心，肢[2] 体痛，偏枯不仁，死肌[3]，去青黑痣，恶疾[4]。止[5] 下痢，好唾，口干。生汉中川[6] 谷。五月采，火干。

此亦是今乌梅也，用之[7] 去核，微熬之。伤寒烦热，水渍饮汁。生梅子及白梅亦应相似。今人[8] 多用白梅和药，以点痣，蚀[9] 恶肉也。服黄精人，云禁食梅实。（《新修》页250，《大观》卷23，《政和》页466）

【校注】

[1] **酸** 森本作"咸"。

[2] **肢** 其上，《纲目》《本草经解》《本经疏证》《图考长编》有"止"字。

[3] **死肌** 傅本《新修》、罗本《新修》作"死肥"，据《千金翼》《证类》改。《永乐大典》卷2800"梅实"条作"不饥"。

[4] **去青黑痣，恶疾** 莫本无"青"字。"恶疾"，卢本、顾本、莫本作"恶肉"，《纲目》、姜本、《本经疏证》《本草经解》《图考长编》作"蚀恶肉"。

[5] **止** 傅本《新修》、罗本《新修》、武本《新修》作"心"，据《千金翼》《证类》改。

[6] **川** 《本经疏证》作"山"。

[7] **之** 《证类》作"当"。

[8] **今人** 傅本《新修》、罗本《新修》作"人令"，据《证类》改。

[9] **蚀** 傅本《新修》、罗本《新修》作"食"，据《证类》改。

495　柿

味甘，无毒，寒[1]。主通鼻耳气，肠澼不足。

柿有数种，云今乌柿火熏者，性热，断下，又治狗啮疮。火熘[2] 者亦好，日干者性冷。鹿心柿尤不可多食，令入腹痛利[3]，生柿弥冷。又有椑，色青，惟堪生啖，其性冷复乃甚于柿[4]，散石热家[5]啖之，亦无嫌。不入药用。(《新修》页251，《大观》卷23，《政和》页468)

【校注】

[1] **无毒，寒** 《千金翼》《证类》作“寒，无毒”，傅本《新修》、罗本《新修》、《医心方》卷30俱作“无毒，寒”。

[2] **熘** 《证类》《图考长编》作“煏”。

[3] **利** 《证类》无。

[4] **其性冷复乃甚于柿** “性”，傅本《新修》、罗本《新修》脱，据《证类》补。《证类》无“乃”字。

[5] **家** 其上，《图考长编》有“服石”2字。

496 木瓜实

味酸，温，无毒[1]。主治湿痹邪[2]气，霍乱，大吐下，转筋不止。其枝亦可煮用[3]。

山阴、兰亭尤多，彼人以为良药[4]，最治转筋。转[5]筋时，但呼其名及书上作木瓜字皆愈，理亦不可寻[6]解。世人拄[7]木瓜杖，云利筋胫。又有榠楂，大而黄，可进酒去痰[8]。又楂子，涩，断利。《礼》云：楂梨曰欑之。郑公不识楂，乃云是梨之不藏者。然则[9]古亦以楂为果，今则不入例也。凡此属多不益人者也[10]。(《新修》页251，《大观》卷23，《政和》页467)

【校注】

[1] **无毒** 《本经续疏》无。

[2] **邪** 《纲目》《本草经疏》作“脚”。

[3] **用** 此下，《千金翼》有“之”字。

[4] **药** 《证类》作“果”。

[5] **转** 其上，《证类》有“如”字。

[6] **理亦不可寻** 《证类》无“理”“寻”2字。

[7] **拄** 《证类》作“柱”。

[8] **痰** 《新修》作“淡”，据《证类》改。

[9] **则** 《证类》无。

[10] **凡此属多不益人者也** 《证类》无。

497 甘蔗

味甘，平，无毒。主下气，和中，补[1]脾气，利大肠。

今出江东为胜，庐陵亦有好者。广州人种[2]，数年生，皆如大竹，长丈余，取汁以为沙糖，甚益人。又有荻蔗[3]，节疏而细，亦可啖也。（《新修》页252，《大观》卷23，《政和》页471）

【校注】

[1] **补** 《千金翼》《证类》《品汇》《纲目》《本草经疏》《图考长编》作"助"。傅本《新修》、罗本《新修》、《医心方》卷30俱作"补"。

[2] **广州人种** 《证类》《纲目》作"广州一种"，义长。

[3] **荻蔗** 傅本《新修》、罗本《新修》作"荻蔗"，据《证类》改。

498 芋

味辛，平，有毒。主宽肠胃，充肌肤，滑中。一名土芝。

钱塘最多，生则有毒莶，不可食，性滑中，下石，服饵家所忌。种芋三年不采，成梠芋。又别有野芋，名尤[1]芋，形叶相似如一根，并杀人。人不识而食[2]，垂死者，他人以土浆及粪汁与饮之，得活矣。（《新修》页254，《大观》卷23，《政和》页468）

【校注】

[1] **尤** 《本草和名》作"左"，《证类》《纲目》《图考长编》作"老"。

[2] **食** 其下，《证类》有"之"字。

499 乌芋

味苦、甘，微寒，无毒。主治消渴，痹热，热中[1]，益气。一名藉姑，一名水萍。二月生叶，叶如芋。三月三日采根，暴干。

今藉姑[2]生水田中，叶有桠，状如泽泻，不正似芋。其根黄似芋子而小，煮食之乃可啖。疑其有乌名，今有乌[3]者，根极相似，细而美，叶乖[4]异状，头如莞[5]草，呼为凫[6]茨，恐此非[7]也。（《新修》页254，《大观》卷23，《政和》页469）

【校注】

[1] **热中** 《千金翼》《证类》《纲目》作"温中"。

[2] **姑** 《新修》作"始"，据《证类》改。

[3] **乌名，今有乌** 《证类》《图考长编》无。

[4] **乖** 《图考长编》无。

[5] **头如莞** 《证类》《图考长编》作"如觅"。

[6] **凫** 傅本《新修》、罗本《新修》作"鸟"，据《证类》改。

[7] **非** 《证类》《图考长编》无。

下 品

500 郁核[1]

味酸，平[2]，无毒。主治大腹水肿，面目、四肢浮肿，利小便水道。根[3]：主齿龂肿，龋齿，坚齿，去白虫。一名爵李，一名车下李，一名棣。生高山川谷及丘陵上。五月[4]、六月采根。

山野处处有。其[5]子熟赤色，亦可啖[6]之。(《新修》页156，《大观》卷14，《政和》页345)

【校注】

[1] **郁核** 《医心方》卷30作"郁子"，《证类》、《永乐大典》卷3000作"郁李人"。傅本《新修》、罗本《新修》、森本作"郁核"，从《新修》为正。

[2] **平** 《图考长编》作"辛"。

[3] **根** 其下，《品汇》有"凉"字。

[4] **月** 《草木典》无。

[5] **其** 《证类》无。

[6] **啖** 傅本《新修》作"散"，据罗本《新修》改。《证类》作"啖"。

501 杏核人[1]

味甘、苦，温，冷利，有毒。主治咳逆上气，雷[2]鸣，喉痹，下气，产乳，金创，寒心，贲豚，惊痫，心下烦热，风气去来[3]，时行头痛，解肌，消心下急，杀狗毒。一名杏子[4]。五月采[5]。其两人者杀人，可以毒狗。花[6]：味苦，无毒。主补不足，女子伤中，寒热痹，厥逆。实：味酸，不可多食，伤筋骨。生晋山川谷。 得火良，恶黄耆、黄芩、葛根，解锡毒，畏蘘草。

处处有，药中多用之，汤浸去赤[7]皮，熬令黄。(《新修》页255，《大观》卷23，《政和》页473)

【校注】

[1] **杏核人** 《千金翼》作"杏核仁"，人卫本《政和》、《永乐大典》卷3000作"杏核人"，《医心方》卷30作"杏实"。傅本《新修》、罗本《新修》作"杏核"。

[2] **雷** 其上，《千金方·食治》有"肠中"2字。

[3] **风气去来** 傅本《新修》、罗本《新修》脱"气"字，据《千金翼》《证类》补。"去"，

《纲目》《图考长编》作"往"。

[4] **一名杏子** 《证类》《图考长编》无此文。

[5] **采** 其下，《证类》有"之"字。

[6] **花** 其上，《图经衍义》有"杏"字。

[7] **赤** 《证类》《图考长编》作"尖"。

502 桃核人[1]

味苦、甘，平，无毒。主治瘀血，闭瘕[2]**邪气，杀小虫。**主咳逆[3]上气，消心下坚，除卒暴击血，破癥瘕，通月水，止痛。七月采取人，阴干。**桃华：杀疰恶鬼，令人好颜色**[4]。味苦，平，无毒。主除水气，破石淋，利大小便[5]，下三虫，悦泽人面。三月三日采，阴干。**桃枭**[6]**：杀百鬼精物，**味苦，**微温。**主治中恶腹痛，杀精魅五毒不祥。一名桃奴[7]，一名枭景[8]，是实着树不落，实中者，正月采之。**桃毛：主下血瘕，寒热，积聚**[9]**，**无子，带下诸疾，破坚闭，刮取实毛用之[10]。**桃蠹：主杀鬼，辟邪恶**[11]**不祥，**食桃树虫也。其茎白[12]皮：味苦、辛，无毒。除邪鬼，中恶，腹痛，去胃中热。其叶：味苦、辛[13]，平，无毒。主除尸虫，出疮中虫。其胶：鍊之，主保中不饥[14]，忍风寒。其实：味酸，多食令人有热。**生太**[15]**山川谷。**

今[16]处处有，京口者亦好，当取解核种之为佳。又有山龙桃，其人不堪用，世用[17]桃人作酪乃言冷。桃胶入仙家用。三月三日采[18]花，亦供丹方所需。方言服三树桃花尽，则面色如桃花，人亦无试之者。服术人云[19]禁食桃也。（《新修》页256，《大观》卷23，《政和》页471）

【校注】

[1] **桃核人** 《千金翼》作"桃核仁"，人卫本《政和》、《永乐大典》卷3000作"桃核人"，《医心方》作"桃实"，傅本《新修》、罗本《新修》作"桃核"。

[2] **主治瘀血，闭瘕** "主治"，《千金方·食治》作"破"。"闭瘕"，《千金翼》《永乐大典》《证类》作"血闭瘕"，《图考长编》作"血瘕瘕"，《纲目》、卢本、顾本、姜本、莫本作"血闭癥瘕"。

[3] **杀小虫。主咳逆** "小"，姜本作"三"。"主"，《千金翼》《证类》作"止"。

[4] **好颜色** 傅本《新修》、罗本《新修》脱"颜"字，据《千金翼》《证类》补。森本无"颜"字，《纲目》《图考长编》、孙本、问本、周本、黄本、顾本俱作"好颜色"。又下条，"白瓜子"文中有"好颜色"文句，不作"好色"文句。

[5] **破石淋，利大小便** "淋"，傅本《新修》、罗本《新修》作"水"，据《千金翼》《证类》改。"大"，傅本《新修》、罗本《新修》脱，据《千金翼》《证类》补。

[6] **枭** 万历《政和》、成化《政和》、商务《政和》、孙本作"兔"。

[7] **一名桃奴** 《图考长编》无。

[8] **一名枭景** 傅本《新修》、罗本《新修》脱，据《千金翼》《证类》补。

[9] **聚** 《大全》、孙本作"寒"。

[10] **破坚闭，刮取实毛用之** "坚"，《图考长编》作"血"。"实"，《证类》无。"用之"，傅本《新修》、罗本《新修》原脱，据《千金翼》《证类》补。

[11] **辟邪恶** 《证类》脱"辟"字。"邪恶"，傅本《新修》、罗本《新修》脱，据《千金翼》《证类》补。

[12] **其茎白** 《证类》《图考长编》无"其"字。《新修》脱"白"字，据《千金翼》《证类》补。

[13] **其叶：味苦、辛** 《证类》《图考长编》无"其"字。"其叶"，《图经衍义》作"桃叶"。"辛"，傅本《新修》、罗本《新修》脱，据《千金翼》《证类》补。

[14] **饥** 《千金翼》作"饱"。

[15] **太** 傅本《新修》、罗本《新修》作"大"，据《千金翼》《证类》改。

[16] **今** 傅本《新修》、罗本《新修》脱，据《证类》补。

[17] **世用** 《证类》《图考长编》无。

[18] **采** 傅本《新修》、罗本《新修》脱，据《证类》补。

[19] **服术人云** "术"，傅本《新修》、罗本《新修》作"木"，据《证类》改。"云"，《图考长编》作"大"。

503 李核人

味甘[1]、苦，平，无毒。主治僵仆跻[2]，瘀血，骨痛[3]。根[4]皮：大寒，主治消[5]渴，止心烦、逆奔[6]气。实[7]：味苦，主除痼热，调中。

李类又多。京口有麦李，麦秀时熟，小而甜脆[8]，核不入药。今此用姑熟[9]所出南居李，解核如杏子者，为佳。凡李[10]实熟食之皆好，不可合雀肉食，又不可临水上啖之。李皮水煎含之，治齿痛佳。（《新修》页259，《大观》卷23，《政和》页477）

【校注】

[1] **甘** 《千金翼》《证类》、《永乐大典》卷3000无。

[2] **仆跻** "仆"，傅本《新修》、罗本《新修》作"作"，据《千金翼》《证类》改。"跻"，《图考长编》作"踒折"。

[3] **痛** 《本经疏证》作"折"。

[4] **根** 其上，《图经衍义》有"李"字。

[5] **消** 傅本《新修》、罗本《新修》脱，据《千金翼》《证类》补。

[6] **奔** 其下，《纲目》《草木典》《图考长编》有"豚"字。

[7] **实** 其上，《图经衍义》有"李"字。

[8] **脆** 傅本《新修》、罗本《新修》作"晚"，据《证类》改。

[9] **姑熟** 傅本《新修》、罗本《新修》作"始熟",据武本《新修》、《证类》改。按,地名无始熟,始熟乃姑熟之误。姑熟,即今安徽当涂县治,于东晋时置城戍守。

[10] **李** 《证类》无。

504 梨

味苦[1],寒。多食令人寒中[2],主治金创。乳妇[3]尤不可食。

梨种复[4]殊多,并皆冷利,世人以为快果,不入药用,食之损人[5]。(《新修》页259,《大观》卷23,《政和》页476)

【校注】

[1] **苦** 《千金翼》《证类》作"甘、微酸"。傅本《新修》、罗本《新修》、《医心方》卷30俱作"苦"。

[2] **多食令人寒中** 傅本《新修》、罗本《新修》脱"多食"2字,据《千金翼》《证类》补。又《医心方》卷30亦脱"多食"2字。"中"字下,《纲目》《草木典》《图考长编》有"萎困"2字。

[3] **乳妇** 《医心方》卷30作"妇人"。又"妇"字下,《纲目》《草木典》《图考长编》有"血虚者"3字。

[4] **复** 《图考长编》无。

[5] **食之损人** 《证类》作"多食损人也"。《图考长编》作"食之多损人也"。

505 奈

味苦,寒。多食令人胪胀,病人尤甚。

奈[1]江南乃有,而北[2]国最丰,皆以[3]作脯,不宜人。有林檎相似而小,亦恐非益人者。枇杷叶已出上卷,其实乃宜人。东阳、寻阳最多也[4]。(《新修》页260,《大观》卷23,《政和》页478)

【校注】

[1] **奈** 《证类》无。

[2] **北** 傅本《新修》、罗本《新修》作"此",据《证类》改。

[3] **以** 《证类》《图考长编》无

[4] **枇杷叶……东阳、寻阳最多也** 《证类》《图考长编》无。

506 安石榴

味酸、甘,损人[1],不可多食。其[2]酸实壳:主治下痢,止漏精。其东行根:主治蛔虫、寸白。

石榴以花赤可爱，故人多植之，尤为外国所重。入药唯根、壳而已，其味有甜、酢[3]，药家用酢者。其[4]子为服食所忌也[5]。（《新修》页260，《大观》卷23，《政和》页475）

【校注】

[1] **味酸、甘，损人** 《千金翼》《证类》作"味甘、酸，无毒，主咽燥渴，损人肺"，《医心方》卷30作"味甘、酸，损人"，傅本《新修》、罗本《新修》作"味酸、甘，损人"。

[2] **其** 《证类》《图考长编》无。

[3] **酢** 《证类》《图考长编》作"醋"。

[4] **其** 《证类》无。

[5] **也** 《证类》无。

菜部药物

上　品

507　白瓜子[1]

味甘，平、寒，无毒。主令人悦泽，好颜色，益气，不饥。久服轻身，耐[2]**老。主除烦**[3]**满不乐，久服寒中。可作面脂，令悦泽**[4]**。一名水芝**[5]**。一名白爪**[6]**子。生嵩高平泽。冬瓜仁也，八月采之。**

【校注】

[1] **白瓜子** 孙本作"瓜子"，卢本作"白冬瓜子"，《永乐大典》卷3000作"白瓜人"。

[2] **耐** 傅本《新修》、罗本《新修》作"能"，据《千金翼》《证类》、《医心方》卷30改。

[3] **烦** 傅本《新修》、罗本《新修》脱，据《千金翼》《证类》补。

[4] **令悦泽** 《千金翼》作"令面光泽"，《永乐大典》卷3000、《纲目》《品汇》《图考长编》作"令面悦泽"，《证类》作"令而悦泽"。

[5] **一名水芝** 《本经续疏》《草木典》注为《别录》文。"水"，《御览》作"土"。

[6] **爪** 傅本《新修》、罗本《新修》作"瓜"，据《千金翼》、人卫本《政和》改。

508　白冬瓜

微[1]寒。主除小[2]腹水胀，利小便，止渴。

被霜后合取，置[3]经年，破取核，水洗，燥，乃擣取仁用之。冬瓜性冷利，解毒，消渴，止烦

闷，直捣，绞汁服之。(《新修》页 262，《大观》卷 27，《政和》页 504)

【校注】

[1] **微** 其上，《千金翼》《证类》有"味甘"2 字，傅本《新修》、罗本《新修》、《医心方》卷 30 俱无"味甘"2 字。

[2] **小** 《医心方》卷 30 作"少"。

[3] **置** 《新修》作"是"，据《证类》改。

509 冬葵子

味甘，寒，无毒。主治五脏六腑寒热，羸瘦，五癃[1]**，利小便。治妇人乳难内闭**[2]**。久服坚骨，长肌肉，轻身，延年。生少室**[3]**。十二月采。黄芩为之使。**(《新修》页 265，《大观》卷 27，《政和》页 499)

【校注】

[1] **五癃** 莫本作"破五癃"，《千金方·食治》作"破五淋"。

[2] **妇人乳难内闭** 《纲目》《草木典》作"乳内闭肿痛"。"内"，傅本《新修》、罗本《新修》作"由"，据《千金翼》《证类》改。

[3] **室** 其下，《千金翼》《证类》有"山"字。

510 葵根

味甘，寒，无毒。主治恶疮，治淋，利小便，解蜀椒毒。叶：为百菜主，其[1]心伤人。

以秋种葵，覆养经冬，至春作子，谓之冬葵[2]，多入药用，至滑利，能下石淋[3]。春葵子亦滑利，不堪余药用。根，故是常葵尔。叶尤冷利，不可多[4]食。术家取此葵子，微炒令爆烊，散着湿地，遍踏之[5]。朝种葵暮生，远[6]不过宿。又云取羊角、马蹄烧作灰，散于湿地[7]，即生罗勒，世呼为西王母菜，食之益人。生菜中，又有胡荽[8]、芸薹、白苣、邪蒿，并不可多食[9]，大都服药通[10]忌生菜尔。佛家斋，忌食薰渠，不的知[11]是何菜? 多言[12]今芸薹，憎其臭故也[13]。(《新修》页 265，《大观》卷 27，《政和》页 499)

【校注】

[1] **其** 傅本《新修》、罗本《新修》原脱，据《千金翼》《证类》补。

[2] **谓之冬葵** "之"，傅本《新修》、罗本《新修》脱，据《证类》补。"葵"字下，《图考长编》有"子"字。

[3] **石淋** "石"，傅本《新修》、罗本《新修》作"名"，据《证类》改。《证类》无"淋"字。

［4］多　傅本《新修》、罗本《新修》脱，据《证类》补。

［5］微炒令焯炔，散着湿地，遍踏之　"炒令"，傅本《新修》、罗本《新修》作"砂冷"，据《证类》改。"焯""湿"，《博物志》卷4"术"作"爆""熟"。"炔"，《证类》作"炕"。"踏"，傅本《新修》、罗本《新修》作"踚"，据《证类》改。

［6］朝种葵暮生，远　《证类》《纲目》无"葵"字。"远"，《纲目》作"还"。

［7］地　其下，《证类》有"遍踏之"3字。

［8］又有胡荽　傅本《新修》作"人有胡荽"，罗本《新修》作"又有胡荽"，据《证类》改。

［9］不可多食　《新修》作"可食"，据《证类》改。

［10］通　其上，傅本《新修》、罗本《新修》原衍"自"，据《证类》删。

［11］的知　傅本《新修》、罗本《新修》倒置，据《证类》改。

［12］多言　傅本《新修》、罗本《新修》脱，据《证类》补。

［13］故也　《证类》作"矣"。

511　苋实[1]

味甘，寒、大寒，无毒。主治青盲[2]，白翳，明目，除邪[3]，利大小便，去寒热。杀蛔虫。久服[4]益气力，不饥，轻身。一名马苋，一名莫实，细苋亦同。生淮阳川泽及田中，叶如蓝，十一月采。

李云[5]即苋菜也。今马苋别一种，布地生，实至微细，俗呼为马齿苋，亦可食，小酸，恐非今苋实。其苋实当是白苋，所以云细苋亦同，叶如蓝也。细苋即是糠苋，食之乃胜，而并冷利，被霜乃熟，故云十一月采。又有赤苋，茎纯紫，能[6]治赤下，而不堪食。药方用苋实甚稀，断谷方中时用之。（《大观》卷27，《政和》页500）

【校注】

［1］苋实　傅本《新修》、罗本《新修》卷18目录中有"苋实"，但正文中脱漏本条全文。今据《千金翼》《证类》补。《医心方》作"苋菜"，《千金方·食治》作"苋菜实"。

［2］盲　狩本作"音"。《大全》、玄《大观》注"盲"为《别录》文。

［3］邪　其下，《千金方·食治》有"气"字。

［4］久服　《医心方》卷30无。

［5］云　其下，《图考长编》有"苋实"2字。

［6］能　其上，《图考长编》有"亦"字。

512　苦菜

味苦，寒[1]，无毒。主治五脏邪气，厌谷，胃痹，肠澼，渴热中疾，恶疮。久服[2]安心，益气，聪察，少卧，轻身，耐[3]老，耐饥寒，高[4]气不老。一名荼苦[5]，一名选，一名[6]游冬。**生**益州**川谷**，　生[7]山陵道旁，凌冬不死。三月三日采，阴干。

疑此则[8]是今茗。茗，一名茶，又令人不眠，亦凌冬不凋，而嫌其止[9]生益州。益州乃有苦菜，正是苦蘵尔。上卷上品白英[10]下，已注之。《桐君药[11]录》云，苦菜叶三月生扶疏，六月华从叶出，茎直花黄，八月实黑；实落根[12]复生，冬不枯。今茗极似此，西[13]阳武昌及卢江晋熙茗[14]皆好，东人止[15]作青茗。茗皆有淳，饮之宜人。凡所饮物，有茗及木叶天门冬苗，并菝葜，皆益人，余物并冷利。又巴东间别有真茶，火煏[16]作卷结，为饮亦令人不眠，恐或是此。世中多煮檀叶及大皂李作茶饮[17]，并冷。又南方有瓜芦木，亦似茗，至[18]苦涩。取其叶作屑，煮饮汁，即通夜不眠[19]。煮盐人唯资此饮尔，交广最所重。客来先设，乃加以香芼辈尔。（《新修》页266，《大观》卷27，《政和》页506）

【校注】

[1] **寒**　其上，《千金方·食治》有"大"字。

[2] **服**　《千金方·食治》作"食"。

[3] **耐**　傅本《新修》、罗本《新修》作"能"，据《千金翼》《证类》改。

[4] **高**　《品汇》《图考长编》作"豪"。

[5] **茶苦**　《证类》作"茶草"，《纲目》作"茶"，《本草和名》作"一名茶草，一名茶"，《千金翼》作"茶苦"。"唐本注"云："苦菜，《诗》云谁谓茶苦，苦菜异名也。"据此，当从《千金翼》为正。

[6] **一名**　万历《政和》作白字《本经》文。

[7] **生**　《证类》无。

[8] **则**　《证类》作"即"。

[9] **止**　傅本《新修》、罗本《新修》作"心"，据《证类》改。

[10] **英**　傅本《新修》、罗本《新修》作"莫"，据《证类》改。

[11] **药**　《证类》无。

[12] **实黑；实落根**　"黑"，傅本《新修》、罗本《新修》作"墨"，据《证类》改。"根"，傅本《新修》、罗本《新修》作"桐"，据《证类》改。

[13] **西**　《图考长编》作"酉"。

[14] **及卢江晋熙茗**　"及""熙"，《图考长编》作"又""陵"。《证类》无"茗"字。

[15] **止**　《证类》《图考长编》作"正"。

[16] **火煏**　傅本《新修》、罗本《新修》脱，据《证类》补。

[17] **饮**　傅本《新修》、罗本《新修》脱，据《证类》补。

[18] **至**　《证类》《图考长编》无。

[19] **眠**　《证类》《图考长编》作"睡"。

513 荠

味甘，温，无毒。主利肝气，和中。其实：主明目，目痛。

荠类又多，此是人^[1]可食者，生^[2]叶作菹、羹亦^[3]佳。《诗》云：谁谓荼苦，其甘如荠。又疑荼是菜类矣^[4]。（《新修》页268，《大观》卷27，《政和》页508）

【校注】

[1] **人** 其上，《证类》《图考长编》有"今"字。

[2] **生** 《证类》《图考长编》无。

[3] **亦** 《新修》作"赤"，据《证类》改。

[4] **又疑荼是菜类矣** 《证类》《图考长编》作"是也"2字。

514 芜菁及芦菔

味苦^[1]，温，无毒。主利五脏，轻身益气，可长食之^[2]。芜菁子：主明目。

芦菔是今温菘，其根可食。叶不中啖。芜菁根乃细于温菘，而叶似菘，好食。西川惟种此，而其子与温菘甚相似，小细尔。世方无用，服食家亦炼饵之，而不云芦菔子，恐不用也。世人蒸^[3]其根及作菹，皆好，但小熏臭尔^[4]，细而过辛，不宜服也。（《新修》页268，《大观》卷27，《政和》页501）

【校注】

[1] **苦** 傅本《新修》、罗本《新修》脱，据《千金翼》《证类》补。

[2] **之** 傅本《新修》、罗本《新修》脱，据《千金翼》《证类》补。

[3] **蒸** 傅本《新修》、罗本《新修》作"并"，据《证类》改。

[4] **尔** 其下，《大观》有"又有茎根"，《政和》有"又有荜根"，张本《纲目》有"又有赤根"，校点本《纲目》有"又有突根"。

515 菘

味甘，温，无毒。主通利肠胃，除胸中烦，解酒渴。

菜中有菘，最为恒^[1]食，性和利^[2]人，无余逆忤，今^[3]人多食。如似小冷，而又^[4]耐霜雪。其子可作油，敷头长发；涂刀剑，令不锈。其^[5]有数种，犹是一类，正论^[6]其美与不美尔。服药有甘草而食菘，令^[7]病不除。（《新修》页270，《大观》卷27，《政和》页506）

【校注】

[1] **恒** 《证类》《图考长编》作"常"。

[2] **利** 傅本《新修》、罗本《新修》脱，据《证类》补。

[3] **今** 傅本《新修》、罗本《新修》作"令"，据《证类》改。

［4］ **又** 傅本《新修》、罗本《新修》作"交"，据《证类》改。

［5］ **其** 此下，傅本《新修》、罗本《新修》衍"乃"字，据《证类》删。

［6］ **正论** "正"，《图考长编》作"止"。"论"下，傅本《新修》、罗本《新修》衍"丁"字，据《证类》删。

［7］ **令** 其上，《证类》有"即"字。

516 芥

味辛，温，无毒。归鼻。主除肾[1]邪气，利九窍，明耳目，安中，久服[2]温中。

似菘而有毛，味劙[3]，好作菹，亦生食。其子可藏冬瓜。又有莨，以作菹，甚劙快。（《新修》页270，《大观》卷27，《政和》页505）

【校注】

［1］ **主除肾** 《图考长编》无"主"字。"肾"下，《纲目》《图考长编》有"经"字。

［2］ **服** 《医心方》《千金翼》《证类》《纲目》《本草经疏》《图考长编》作"食"，《新修》作"服"。

［3］ **劙** 《证类》作"辣"，傅本《新修》、罗本《新修》作"劙"。

517 苜蓿

味苦，平[1]，无毒。主安中，利人，可久食。

长安中乃有苜蓿园，北人甚重此，江南人不甚食之，以无气味故也。外国复别有苜蓿草，以治目，非此类也。（《新修》页271，《大观》卷27，《政和》页508）

【校注】

［1］ **苦，平** 傅本《新修》、罗本《新修》脱，据《千金翼》《证类》补。

518 荏子

味辛，温，无毒。主治咳逆，下气，温中，补[1]体。叶：主调中，去臭气。九月采，阴干。

荏状如苏，高大白色，不甚香。其子[2]研之，杂米作糜，甚肥美，下气，补益。东人呼为苵，以其似苏字，但除禾[3]边故也。榨其子作油[4]，日煎之，即今油帛及和漆[5]用者，服食断谷[6]亦用之，名为重油。（《新修》页271，《大观》卷27，《政和》页507）

【校注】

[1] **补** 傅本《新修》、罗本《新修》脱，据《千金翼》《证类》补。

[2] **其子** 罗本《新修》倒置，傅本《新修》作"子共"，据《证类》改。

[3] **禾** 傅本《新修》、罗本《新修》作"木"，据《证类》改。

[4] **榨其子作油** "榨"，傅本《新修》作"苦"，罗本《新修》作"苲"，据《证类》改。

[5] **漆** 其下，《证类》有"所"字，《图考长编》有"听"字。

[6] **服食断谷** 傅本《新修》、罗本《新修》作"胜食新谷"，据《证类》改。

中 品

519 蓼实

味辛，温，无毒。主明目[1]**，温中，耐**[2]**风寒，下水气，面目浮肿，㿔疡**[3]**。叶：归**[4]**舌，除大小肠邪气，利中益志。马蓼：去肠中蛭虫**[5]**，轻身。生雷泽**[6]**川泽。**

此类又[7]多，人所食有三种：一是紫蓼，相似而紫色；一是[8]香蓼，亦相似而香，并不甚辛，而好食；一是青[9]蓼，人家常有，其叶有圆有尖[10]，以圆者为胜，所用即是此。干之以酿酒，主治[11]风冷，大良。马蓼生下湿地，茎斑，叶大有黑点[12]。亦有两三种，其最大者名茏古，即是荭草，已在上卷中品。(《新修》页272，《大观》卷28，《政和》页509)

【校注】

[1] **主明目** 玄《大观》作墨字《别录》文。

[2] **耐** 《医心方》卷30作"能"。其上，《千金方·食治》有"解肌"2字。

[3] **浮肿，㿔疡** 玄《大观》、《大全》以"浮肿，㿔疡"为《别录》文。"疡"，《千金方·食治》作"疽"。

[4] **归** 其下，《千金翼》有"于"字。

[5] **去肠中蛭虫** 玄《大观》作墨字《别录》文。"肠"，傅本《新修》、罗本《新修》作"腹"，据《千金翼》《证类》改。

[6] **泽** 傅本《新修》、罗本《新修》脱，据《千金翼》《证类》补。

[7] **又** 《图考长编》作"最"。

[8] **一是** 《证类》无"一"字。《图考长编》无"是"字。

[9] **青** 傅本《新修》作"月"，据《证类》改。

[10] **有圆有尖** 《证类》作"有圆者，有尖者"。

[11] **治** 《证类》《图考长编》无。

[12] **点** 傅本《新修》、罗本《新修》脱，据《证类》补。

520 葱实

味辛，温[1]，无毒。主[2]明目，补中[3]不足。其茎葱白：平[4]，可作汤[5]，主治伤寒，寒热，出汗[6]，中风，面目肿，伤寒骨肉痛[7]，喉痹不通，安胎，归目[8]，除肝[9]邪气，安中，利五脏，益目精[10]，杀百药毒。葱根：主伤寒头痛[11]。葱汁：平，温[12]。主[13]溺血，解藜芦毒。（《新修》页 273，《大观》卷 28，《政和》页 510）

【校注】

[1] **辛，温** 森本考异云："《万安方》作辛，平"。"温"，姜本作"大温"。

[2] **主** 其下，傅本《新修》、罗本《新修》有"疗"字，据《千金翼》《证类》删。

[3] **中** 其下，《纲目》、姜本、卢本、莫本有"气"字。

[4] **平** 《本经疏证》注为《本经》文。

[5] **可作汤** 傅本《新修》、罗本《新修》作"中作治汤"，据《千金翼》《证类》改。

[6] **出汗** "出"字上，《千金方·食治》有"骨肉碎痛，能"5字，《纲目》有"能"字。"汗"，傅本《新修》、罗本《新修》作"汁"，据《千金翼》《证类》改。

[7] **痛** 其上，《本经疏证》有"碎"字。

[8] **归目** 《千金翼》作"归于目"。

[9] **肝** 《本经疏证》作"肝中"。

[10] **精** 《千金翼》《证类》《品汇》《本草经疏》《本经疏证》《图考长编》作"睛"。

[11] **痛** 《千金翼》作"疼"。

[12] **温** 《新修》脱，据《千金翼》《证类》补。

[13] **主** 《图考长编》作"止"。

521 薤

味辛、苦，温[1]，无毒。主治金创创败[2]，轻身，不饥，耐老，归骨[3]。菜芝也[4]。除寒热，去水气，温中，散结[5]，利病人。诸疮中风寒水肿以涂之[6]。**生鲁山平泽。**

葱、薤异物，而今共条。《本经》既无韭，以其同类故也，今亦取为副[7]品种数。方家多用白及叶中涕，名葱苒，无复用实者。葱亦有寒热，其[8]白冷、青热，伤寒汤不得令有青也。能消桂为水，亦化五石，仙术[9]所用。薤又温补，仙方及服食家[10]皆须之，偏入诸膏用，并不可生啖，熏[11]辛为忌耳。（《新修》页 274，《大观》卷 28，《政和》页 512）

【校注】

[1] **温** 人卫本《政和》、《本经疏证》作为《别录》文，《大观》《大全》、森本、孙本、顾本作为《本经》文，从《大观》为正。

[2] **创创败** 《品汇》《本经疏证》《图考长编》作"创败"。"败"下，《千金方·食治》有"能生肌肉"4字。

[3] **归骨** 《千金翼》《证类》作"归于骨"。

[4] **菜芝也** 《本经疏证》无。

[5] **散结** 《纲目》《本经疏证》作"散结气，作羹食"。

[6] **水肿以涂之** "水"，万历《政和》、成化《政和》、商务《政和》作"冰"。"水"字下，《本经疏证》有"气"字。"以"，《纲目》《本经疏证》作"捣"。

[7] **副** 《图考长编》作"别"。

[8] **其** 《证类》《图考长编》无。

[9] **术** 《证类》《图考长编》作"方"。

[10] **家** 傅本《新修》、罗本《新修》脱，据《证类》补。

[11] **并不可生噉，熏** 《证类》无"并"字。"噉"，傅本《新修》、罗本《新修》作"取"，据《证类》改。"熏"，《证类》《图考长编》作"荤"。

522 韭

味辛、微[1]酸，温，无毒。归心[2]，主安五脏，除胃中热，利病人，可久食。子：主梦泄精，溺白。根：主养发。

韭子入棘刺诸丸，主漏精；用根，入发膏[3]；用叶，人以煮鲫鱼鲊，断卒下痢，多验[4]。但此菜殊辛臭，虽煮食之，便出犹奇熏灼，不如葱、薤熟则[5]无气，最是养性所忌也[6]。生姜是常食物，其已随干姜在中品，今依次入食，更别显之，而复有小异处，所以弥宜书。生姜，微温，辛，归五脏，去淡下气，止呕吐，除风邪寒热。久服少志、少智，伤心气，如此则不可多食长御，有病者是所宜也尔。今人噉诸辛辣物，惟此最恒，故《论语》云"不撤姜食"，即可常噉，但勿过多尔。（《新修》页275，《大观》卷28，《政和》页511）

【校注】

[1] **微** 傅本《新修》、罗本《新修》脱，据《千金翼》《证类》补。

[2] **归心** 《千金翼》《证类》作"归于心"。"归"字上，傅本《新修》、罗本《新修》衍"师"字，据《证类》删。

[3] **用根，入发膏** 《纲目》作"根入生发膏用"。"入"字下，《证类》有"生"字。

[4] **人以煮鲫鱼鲊，断卒下痢，多验** 《证类》无"人"字。"鲊"字下，《纲目》有"食"字。《纲目》无"多验"2字。

[5] **则** 《证类》作"即"。

［6］**养性所忌也** "性"，《纲目》作"生"。"忌"，《新修》作"忘"，据《证类》改。

523 白蘘荷

微温。主治中蛊及疟[1]。

今人乃呼赤[2]者为蘘荷，白者为覆葅，叶同一种尔。于人食之，赤者为胜。药用白者。中蛊者[3]服其汁，并[4]卧其叶，即呼蛊主姓名。亦主诸溪毒、沙虱辈，多食损药势[5]，又不利脚。人家种白蘘荷，亦云辟蛇。（《新修》页276，《大观》卷28，《政和》页513）

【校注】

［1］**疟** 其下，《纲目》有"捣汁服"。

［2］**赤** 傅本《新修》、罗本《新修》作"甘"，据《证类》改。

［3］**者** 《新修》脱，据《证类》补。

［4］**并** 傅本《新修》、罗本《新修》作"可"，据《证类》改。

［5］**势** 《新修》作"热"，据《证类》改。

524 恭菜

味甘、苦，大寒。主治时行壮[1]热，解风热毒。

即今以杂[2]作鲊蒸者。恭，作甜音[3]，字[4]亦作忝。时行热病初得，便捣饮汁皆除差[5]。（《新修》页276，《大观》卷28，《政和》页513）

【校注】

［1］**壮** 傅本《新修》、罗本《新修》作"杜"，据《千金翼》《证类》改。

［2］**杂** 《证类》《图考长编》无。

［3］**音** 傅本《新修》、罗本《新修》作"青"，据《证类》改。

［4］**字** 《证类》无。

［5］**便捣饮汁皆除差** 《大观》《图考长编》作"便捣汁饮皆得除差"，人卫本《政和》作"便捣汁皆饮得除差"，《纲目》作"捣汁饮之便瘥"。

525 苏[1]

味辛，温。主下气，除寒中，子[2]尤良。

叶下紫色而气甚香。其无紫色[3]不香似荏者，名[4]野苏，不任[5]用。子主下气，与橘皮相宜同治也。（《新修》页277，《大观》卷28，《政和》页514）

【校注】

[1] **苏** 《千金翼》作"紫苏"。

[2] **子** 《千金翼》《证类》作"其子"。

[3] **色** 傅本《新修》、罗本《新修》脱，据《证类》补。

[4] **名** 《证类》《图考长编》作"多"。

[5] **任** 《证类》《纲目》《图考长编》作"堪"。

526 水苏

味辛，微[1]温，无毒。主下气，杀谷，除饮食[2]，辟口臭，去毒，辟恶气[3]。久服通神明，轻身，耐[4]老。主吐[5]血、衄血、血崩。一名鸡苏，一名劳祖[6]，一名芥苴[7]，一名瓜苴[8]，一名道华[9]。生九真池泽，七月采。

方药不用，世中莫识。昔九真辽远，亦无能识[10]访之。（《新修》页277，《大观》卷28，《政和》页514）

【校注】

[1] **微** 傅本《新修》、罗本《新修》脱，据《千金翼》《证类》补。

[2] **下气，杀谷，除饮食** 人卫本《政和》、商务《政和》注为《别录》文，《大观》《纲目》、森本注为《本经》文，《图考长编》、孙本、顾本注"下气"为《本经》文，从《大观》为正。

[3] **去毒，辟恶气** "去"字下，《纲目》、姜本有"邪"字。"气"，孙本、问本、周本、黄本、顾本无。

[4] **耐** 傅本《新修》、罗本《新修》作"能"，据《千金翼》《证类》改。

[5] **吐** 傅本《新修》、罗本《新修》脱，据《千金翼》《证类》补。

[6] **祖** 《本草和名》作"菹"。

[7] **苴** 《本草和名》作"蒩"，《证类》《图考长编》作"蒩"。

[8] **瓜苴** 《证类》无。

[9] **一名道华** 《证类》《纲目》《图考长编》无此文。

[10] **识** 《证类》无。

527 香薷

味辛，微温。主治霍乱腹痛吐下，散水肿。

处处[1]有此，惟供[2]生食。十月中取，干之，霍乱煮饮，无不差。作煎，除水肿尤良之也[3]。（《新修》页278，《大观》卷28，《政和》页515）

【校注】

[1] **处处** 《证类》《纲目》《图考长编》作"家家"。

[2] **惟供** 《纲目》《图考长编》作"作菜"。

[3] **之也** 《证类》无。

下　品

528　瓜蒂[1]

味苦，寒，有毒。主治大水，身面四肢浮肿，下水，杀蛊毒，咳逆上气，及食诸果不消[2]，病在胸腹中，皆吐下之。去鼻中息肉，黄[3]疸。其花：主心痛，咳逆[4]。生嵩高平泽，七月七日[5]采，阴干。

瓜蒂多用早青蒂，此云七月七日采，便是甜瓜蒂也。人亦有用[6]熟瓜蒂者，取吐乃无异，此止[7]论其蒂所主尔。今瓜例皆冷[8]利，早青者尤甚。熟瓜乃有数种，除瓤食不害人，若觉食[9]多，入水自渍便消[10]。永嘉有寒瓜甚大，今每[11]即取藏经年食之。亦有再熟瓜，又有越瓜，人以[12]作菹者，食之亦冷，并非药用尔。《博物志》云：水浸至项，食瓜无数。又云斑瓜花有毒，分采之，瓜皮杀蟆虫也[13]。（《新修》页264，《大观》卷27，《政和》页503）

【校注】

[1] **蒂** 傅本《新修》、罗本《新修》作"带"，据《千金翼》《证类》改。

[2] **及食诸果不消** "及"，《新修》脱，据《千金翼》《证类》补。又《千金翼》《证类》《纲目》《本草经疏》《本经疏证》、孙本、问本、周本、黄本、顾本无"不消"2字，傅本《新修》、罗本《新修》、森本有此2字。

[3] **黄** 其上，《千金翼》《证类》有"疗"字。

[4] **心痛，咳逆** 傅本《新修》、罗本《新修》作"疗心"，据《千金翼》《证类》改。

[5] **七日** 《证类》无。

[6] **甜瓜蒂也。人亦有用** 《新修》脱，据《证类》补。

[7] **止** 其下，《证类》有"于"字。

[8] **冷** 傅本《新修》作"令"，据罗本《新修》、《证类》改。

[9] **食** 《证类》无。

[10] **入水自渍便消** "入""消"，《证类》作"即入""即消"。

[11] **今每** 傅本《新修》、罗本《新修》作"合母"，据《证类》改。

[12] **人以** "人"字上，傅本《新修》、罗本《新修》衍"甚"，据《证类》删。《证类》无"以"字。

[13] **《博物志》云……杀蟆虫也** 《证类》无此文。

529　苦瓠

味苦，寒，有毒。主治大水，面目四肢浮肿，下水，令人吐。生晋地川泽。

瓠与冬瓜，气类同辈，而有上下之殊，当是为其苦者尔。今瓠自忽[1]有苦者如胆，不可食，非别生一种也。又有瓠瓤[2]，亦是瓠类，小者名瓢，食之乃胜瓠。凡此等[3]，皆利水道，所以在夏月食之，大理自不及冬瓜矣[4]。（《新修》页280，《大观》卷29，《政和》页516）

【校注】

[1] **忽**　傅本《新修》、罗本《新修》作"恕"，据《证类》改。

[2] **瓤**　傅本《新修》、罗本《新修》脱，据《证类》补。

[3] **等**　傅本《新修》、罗本《新修》作"木"，据《证类》改。

[4] **矣**　《证类》《图考长编》作"也"。

530　水靳[1]

味甘，平，无毒。主治[2]女子赤沃，止[3]血，养精，保血脉，益气，令人肥健嗜食。一名水英。生南海池泽。

论靳主治，乃应[4]是上品，未解何意，乃在下[5]。其二月、三月英时善[6]，可作菹及熟爁食之[7]，亦利小便，消水肿[8]。又有渣靳，可为生菜，此靳亦可生啖[9]，世中皆作芹字也。（《新修》页281，《大观》卷29，《政和》页519）

【校注】

[1] **靳**　傅本《新修》、罗本《新修》作"靳"，据《证类》改。《千金翼》《医心方》作"芹"。

[2] **治**　《新修》作"疗"，据讳例改。《千金翼》《证类》《品汇》《图考长编》无此字。

[3] **止**　傅本《新修》、罗本《新修》作"心"，据《千金翼》《证类》改。

[4] **乃应**　《证类》《图考长编》作"合"。

[5] **下**　《图考长编》作"下品"。

[6] **英时善**　《证类》作"作英时"。

[7] **爁食之**　傅本《新修》、罗新《新修》作"爁食可"，据《证类》改。"爁"，《纲目》作"渝"，煮也。

[8] **亦利小便，消水肿**　《证类》《图考长编》无此文。《纲目》作"故名水英"。

[9] **此靳亦可生啖**　《证类》《图考长编》无"此靳"2字。"啖"，傅本《新修》、罗本《新修》作"敢"，据《证类》改。《纲目》作"啖"。

531 蓴

味甘，寒，无毒。主消渴，热痹[1]。

蓴性[2]寒，又[3]云冷，补，下气，杂鲤鱼作羹[4]，亦逐水。而性滑，服食家不可多噉也。（《新修》页282，《大观》卷29，《政和》页519）

【校注】

[1] 痹　傅本《新修》、罗本《新修》脱，据《千金翼》《证类》补。

[2] 性　傅本《新修》、罗本《新修》作"有"，据《证类》改。

[3] 又　傅本《新修》、罗本《新修》作"夏皆"，据《证类》改。

[4] 羹　傅本《新修》、罗本《新修》作"美"，据《证类》改。"羹"下，《纲目》有"食"字。

532 落葵

味酸，寒，无毒。主滑中散热。实：主悦泽人面。一名天葵，一名繁露。

又名承露，人家多种之。叶惟可酲鲊[1]，性冷滑，人食之，为狗所啮作疮者[2]，终身不差[3]。其子紫色，女人以渍粉傅面为假色，不[4]入药用也。（《新修》页282，《大观》卷29，《政和》页521）

【校注】

[1] 酲鲊　"酲"，傅本《新修》、罗本《新修》作"酼"，据《证类》改。"酲"通"鲊"。《释名·释饮食》："鲊，菹也。以盐米酿鱼以为菹，熟而食之也。"

[2] 作疮者　傅本《新修》、罗本《新修》脱"作""者"2字，据《证类》补。

[3] 差　傅本《新修》、罗本《新修》作"老"，据《证类》改。

[4] 不　《证类》《图考长编》作"少"。

533 繁蒌[1]

味酸，平，无毒。主治积年恶疮不愈。五月五日日中采，干，用之当燔[2]。

此菜人以作羹。五月五日采，曝干，烧作屑，治杂恶[3]疮，有效。亦杂百草乍之[4]，不必止此一种尔。（《新修》页283，《大观》卷29，《政和》页520）

【校注】

[1] 蒌　傅本《新修》、罗本《新修》作"蒌蒌"，据《千金翼》《证类》改。

[2] **用之当爆** 《证类》《图考长编》无"当爆"2字，《纲目》脱"之当爆"3字。

[3] **恶** 《证类》《图考长编》无。

[4] **乍之** 《证类》作"取"。

534 蕺

味辛，微温。主治蠷螋溺疮[1]，多食令人气喘。

世传言食蕺不利人脚，恐由闭气故也。今小儿食之，便觉脚痛。（《新修》页283，《大观》卷29，《政和》页521）

【校注】

[1] **主治蠷螋溺疮** 《医心方》卷30"蕺"条脱此文。

535 葫

味辛，温，有毒。主散痈肿、蜃疮，除风[1]邪，杀毒气。独子者，亦佳。归五脏。久食伤人，损目明。五月五日采之[2]。

今人谓葫为大蒜，谓蒜为小蒜，以其气类相似也。性最熏[3]臭，不可食。世人作齑以啖脍肉[4]，损性伐命，莫此之甚。此物唯生食[5]，不中煮，用[6]以合青鱼鲊食，令人发黄。取[7]其条上子，初种之，成独子葫；明年则复其本也[8]。（《新修》页284，《大观》卷29，《政和》页517）

【校注】

[1] **风** 傅本《新修》、罗本《新修》脱，据《千金翼》、《医心方》卷30、《证类》补。

[2] **之** 《证类》《图考长编》无。

[3] **熏** 傅本《新修》、罗本《新修》作"董"，据《证类》改。

[4] **世人作齑以啖脍肉** "世"，傅本《新修》、罗本《新修》因避唐讳作"俗"。"啖"，《新修》作"敢"，据《证类》改。"脍"，《证类》作"鲙"。

[5] **食** 傅本《新修》、罗本《新修》脱，据《证类》补。

[6] **用** 《证类》《图考长编》无。

[7] **取** 《新修》作"耳"，据《证类》改。

[8] **其本也** 傅本《新修》、罗本《新修》脱"其""也"2字，据《证类》补。

536 蒜[1]

味辛，温，无毒[2]，归脾、肾。主治霍乱，腹[3]中不安，消谷，理胃，温中，除邪痹毒气。五月五日采。

小蒜生叶时，可煮和食。至五月叶枯，取根[4]名薍子，正尔噉之[5]，亦甚熏臭。味辛，性热[6]，主[7]中冷，霍乱，煮饮之。亦主溪毒。食之损人，不可长用之[8]。（《新修》页285，《大观》卷29，《政和》页518）

【校注】

[1] 蒜　傅本《新修》、罗本《新修》作"蒜"，据《千金翼》《证类》改。

[2] 无毒　《证类》《纲目》《图考长编》作"有小毒"。

[3] 腹　万历《政和》作"温"。

[4] 根　傅本《新修》、罗本《新修》脱，据《证类》补。

[5] 噉之　"噉"，傅本《新修》、罗本《新修》作"敢"，据《证类》改。"之"，傅本《新修》、罗本《新修》作"人"，据《证类》改。

[6] 味辛，性热　傅本《新修》、罗本《新修》作"惟辛热"，据《证类》改。

[7] 主　傅本《新修》、罗本《新修》脱，据《证类》补。

[8] 用之　《证类》作"服"，《纲目》《图考长编》作"食"。

米食部药物

上　品

537　胡麻

味甘，平，无毒。主治伤中，虚羸，补五内[1]**，益气力，长肌肉，填髓脑。**坚筋骨，治金创，止[2]痛，及伤寒温疟，大吐后虚热羸困。**久服轻身，不老，明耳目，耐饥**[3]**，延年。**以作油，微寒，利大肠，胞衣不落。生者，摩疮肿，生秃发。一名狗虱，一名方茎，一名鸿藏，**一名巨胜**[4]**。叶名青蘘。生上党川泽。**

八谷之中，惟此为良。淳黑者名巨胜。巨者，大也，是为大胜。本生[5]大宛，故名胡麻[6]。又茎方名巨胜，茎圆名胡麻。服食家当九蒸、九曝、熬、捣，饵之断谷，长生、充肌。虽易得[7]，世中学者犹不能恒[8]服，而况余药耶！蒸不熟，令人发落，其性与茯苓相宜。世方用之甚少，惟[9]时以合汤丸尔。麻油生榨者如此，若蒸炒正可供作食及燃耳，不入药用也。（《新修》页288，《大观》卷24，《政和》页481）

【校注】

[1] **内** 《御览》作"藏"。

[2] **止** 傅本《新修》、罗本《新修》作"心",据《千金翼》、《医心方》卷30、《证类》改。

[3] **饥** 其下,《千金翼》《证类》、《永乐大典》卷8841有"渴"字,傅本《新修》、罗本《新修》、《医心方》卷30俱无"渴"字。

[4] **一名巨胜** 《千金翼》《证类》在"一名狗虱"之前。

[5] **生** 《本草和名》作"出"。

[6] **麻** 傅本《新修》作"摩",罗本《新修》作"摩",据《证类》改。

[7] **充肌。虽易得** "充肌",傅本《新修》、罗本《新修》作"甘肥",据《证类》改。"虽",傅本《新修》、罗本《新修》脱,据《证类》补。

[8] **恒** 其下,傅本《新修》、罗本《新修》脱"服"字,据《证类》补。

[9] **惟** 《证类》无。

538 麻蕡

味辛,平[1],有毒。主治五劳[2]七伤,利五脏下血寒[3]气。破积,止[4]痹,散[5]脓。多食令人[6]见鬼狂走。久服通神明,轻身[7]。一名麻勃,此麻花上勃勃者。七月七日采,良。

麻蕡即牡麻,牡麻则无实,今人作布及履用之。麻勃,方药亦少用,术家合人参服之[8],令逆知未来事[9]。其子中人,合丸药并酿酒,大善,而是滑利性[10]。麻根汁及煮饮[11]之,亦主瘀血、石淋。(《新修》页290,《大观》卷24,《政和》页482)

【校注】

[1] **辛,平** 《御览》倒置。

[2] **五劳** 傅本《新修》、罗本《新修》脱,据《千金翼》《证类》补。

[3] **寒** 《御览》无"寒"字。

[4] **止** 傅本《新修》、罗本《新修》作"心",据《千金翼》《证类》改。

[5] **散** 其上,傅本《新修》、罗本《新修》衍"除"字,据《千金翼》《证类》删。

[6] **多食令人** "食",《纲目》作"服"。"令",《大全》《图考长编》无。《证类》无"人"字。

[7] **久服通神明,轻身** 《御览》"轻身"在"久服"之后。

[8] **合人参服之** "合",傅本《新修》、罗本《新修》作"今",据《证类》、武本《新修》改。《证类》《图考长编》无"之"字。

[9] **来事** 傅本《新修》、罗本《新修》作"然",据《证类》改。

[10] **而是滑利性** 《证类》《图考长编》作"然而其性滑利"。

[11] **饮** 《图考长编》作"服"。

539　麻子[1]

味甘，平[2]，无毒。主补中益气，久服肥健不老[3]。治中风，汗出[4]，逐[5]水，利小便，破积血，复血脉，乳妇产后余疾，长发，可为沐药。久服神仙[6]。九月采。入土中者贼人[7]。**生太山川谷[8]**。畏牡蛎、白薇，恶茯苓。（《新修》页290，《大观》卷24，《政和》页482）

【校注】

[1] **麻子**　《千金方·食治》作"白麻子"，《纲目》作"麻仁"。

[2] **味甘，平**　《御览》无。

[3] **久服肥健不老**　"久服"，傅本《新修》、罗本《新修》脱，据《千金翼》《证类》补；又《御览》作"令人"。"老"字下，《图考长编》有"神仙"2字。

[4] **治中风，汗出**　"治"，《图考长编》作"主"。"汗"，傅本《新修》、罗本《新修》作"汁"，据《千金翼》《证类》改。

[5] **逐**　傅本《新修》、罗本《新修》作"遂"，据《千金翼》《证类》改。

[6] **久服神仙**　"服"字下，《证类》有"肥健不老"4字。《图考长编》无此4字。

[7] **入土中者贼人**　《证类》《图考长编》作"入土者损人"。"土"，傅本《新修》、罗本《新修》作"出"，据《千金翼》《证类》改。

[8] **麻子……川谷**　"麻子"条全文，自《新修》始，即并在"麻蕡"条内。《大观》《政和》沿袭《新修》之旧，仍并在"麻蕡"条内，并引苏敬"唐本注"云："陶以一名麻勃，谓勃勃然如花者，即以为花，重出子条，误矣。"据此可知，苏敬认为陶氏书"重出子条"，故苏敬将"麻子"并在"麻蕡"条内。今为恢复陶氏书原貌，将"麻子"从"麻蕡"条内摘出，单独立为一条。

540　饴[1]糖

味甘，微温。主补虚乏，止渴，去血。

方家用饴糖，乃云胶饴，皆是湿糖[2]如厚蜜者，建中汤多用之。其凝强及牵白者[3]，不入药。又胡麻亦可作糖弥甘补[4]。今酒用曲[5]，糖用蘖，犹同是米、麦，而为中、上之异。糖当以和润为优，酒以熏乱为劣。（《新修》页292，《大观》卷24，《政和》页484）

【校注】

[1] **饴**　傅本《新修》、罗本《新修》、《本草和名》作"粘"，据《千金翼》《证类》改。

[2] **湿糖**　"湿"，《图考长编》作"沙"。"糖"，《本草和名》作"粘"。

[3] **其凝强及牵白者**　"强"，《纲目》《图考长编》作"结"。"者"字下，《纲目》衍"饧糖"2字。

［4］ **又胡麻亦可作糖弥甘补**　《证类》《图考长编》无此文。

［5］ **今酒用曲**　"今"，傅本《新修》、罗本《新修》作"令"，据《证类》改。《证类》无"用"字。

中 品

541 大豆黄卷

味甘，平，无毒[1]。**主治**[2]**湿痹，筋挛，膝痛**[3]。五脏[4]胃气结积，益气，止[5]毒，去黑黚，润泽皮毛。**生大豆：**味甘，平[6]。**涂痈肿，煮饮汁**[7]，**杀鬼毒，止痛。**逐水胀，除胃中热痹，伤中，淋露，下瘀血，散五脏结积、内寒，杀乌头毒。久服令人身重。熬[8]屑：味甘。主胃中热，去肿，除痹，消谷，止腹[9]胀。生[10]太山平泽，九月采。恶五参、龙胆，得前胡、乌喙、杏人、牡蛎良。（《新修》页292，《大观》卷25，《政和》页487）

【校注】

［1］ **味甘，平，无毒**　《医心方》卷30作"味苦、甘，温"。

［2］ **主治**　《千金方·食治》作"主久风"。

［3］ **筋挛，膝痛**　《医心方》卷30作"筋膝挽痛"。

［4］ **脏**　其下，《纲目》《本经疏证》有"不足"2字。

［5］ **止**　傅本《新修》、罗本《新修》作"心"，据《千金翼》《证类》改。下同。

［6］ **味甘，平**　《图考长编》注为《本经》文。

［7］ **饮汁**　《证类》《品汇》《本草经疏》、孙本倒置。

［8］ **熬**　《证类》《本草经疏》《图考长编》作"炒为"。

［9］ **止腹**　傅本《新修》、罗本《新修》作"心"，据《千金翼》《证类》改。

［10］ **生**　傅本《新修》、罗本《新修》作"主"，据《千金翼》《证类》改。

542 赤小豆

主下水[1]，**排痈肿脓**[2]**血。**味甘、酸，平、温，无毒[3]。主寒热，热中，消渴，止泄[4]，利小便，吐逆[5]，卒澼，下[6]胀满。

大[7]、小豆共条，犹如葱、薤义也。以大豆为蘖，芽生便干之，名为黄卷，用之亦熬[8]，服食家[9]所须。煮大豆，主温毒、水肿殊效。复有白大豆，不入药。小豆性逐津液，久食[10]令人枯燥矣。（《新修》页293，《大观》卷25，《政和》页487）

【校注】

[1] **水** 其下,《千金方·食治》《纲目》《本经疏证》、姜本有"肿"字。

[2] **脓** 《御览》无。

[3] **味甘、酸,平、温,无毒** 《千金翼》《证类》在"赤小豆"之后。傅本《新修》、罗本《新修》、《医心方》俱在"脓血"之后。

[4] **止泄** "止",傅本《新修》、罗本《新修》作"心",据《千金翼》《证类》改。"泄"字下,《本经疏证》有"痢"字。

[5] **逆** 傅本《新修》、罗本《新修》脱,据《千金翼》《证类》补。又《医心方》卷30亦无"逆"字。

[6] **下** 《本经疏证》《图考长编》作"上腹"。

[7] **大** 《图考长编》作"赤"。

[8] **亦熬** 《纲目》作"熬过"。"亦",《图考长编》作"以"。

[9] **家** 《证类》《图考长编》无。

[10] **食** 《证类》《图考长编》作"服"。

543 豉

味苦,寒,无毒。主治伤寒头痛寒热,瘴气恶毒[1],烦躁满闷,虚劳喘吸,两脚疼冷。又杀六畜胎子诸毒。

豉,食中之常用。春夏天气不和,蒸炒以酒渍服之,至佳。暑热烦闷,冷水渍饮二三升[2]。依康伯法,先以酢酒溲蒸曝燥,麻[3]油和,又蒸曝[4],凡三过,乃末椒、干姜屑合和,以进食[5],胜今作油豉也。患脚人恒将其酒浸以淬敷脚[6],皆差。好者出襄阳、钱塘,香美而脓,取中心弥善也[7]。(《新修》页294,《大观》卷25,《政和》页493)

【校注】

[1] **瘴气恶毒** "瘴",傅本《新修》、罗本《新修》作"鄣",据《千金翼》《证类》改。"恶",傅本《新修》、罗本《新修》脱,据《千金翼》《证类》补。

[2] **暑热烦闷,冷水渍饮二三升** 《证类》《图考长编》无此文。

[3] **麻** 其上,《证类》有"以"字。

[4] **又蒸曝** "又",《纲目》作"再"。"曝"下,《证类》有"之"字。

[5] **乃末椒、干姜屑合和,以进食** 《纲目》作"末椒、姜治和进食"。"末椒",傅本《新修》、罗本《新修》作"未折",据《证类》改。

[6] **恒将其酒浸以淬敷脚** "恒",《证类》《图考长编》作"常"。"浸",《新修》脱,据《证类》补。"敷",《新修》作"薄",据《证类》改。

[7] **心弥善也** "心"下,《证类》有"者"字。"也",《证类》无。

544　大麦

味咸，温[1]、微寒，无毒。主治消渴，除热，益气调中。又云：令人多热，为五谷长[2]。食[3]蜜为之使。

即今㮚[4]麦，一名䴬麦，似穬麦，惟皮薄尔[5]。（《新修》页295，《大观》卷25，《政和》页492）

【校注】

[1] **温**　《本经疏证》无。

[2] **又云：令人多热，为五谷长**　《本经疏证》无此文。《和名类聚钞》引陶隐居注曰："麦为五谷之长，有芒，秋种夏熟。"

[3] **食**　《证类》、《永乐大典》卷22181、《本草经疏》无。

[4] **即今㮚**　"即"，《证类》无。"㮚"，《证类》、《永乐大典》卷22181、《图考长编》作"稞"。

[5] **惟皮薄尔**　傅本《新修》、罗本《新修》作"唯无皮耳"，据《证类》改。"薄"，《永乐大典》作"得"。

545　穬麦

味甘，微寒，无毒。主轻身，除热。久服令人多力健行[1]；以作蘖，温[2]，消食和中。

此是今马所食者，性乃言[3]热，而云微寒，恐是作屑与合谷[4]异也。服食家，并食大、穬二麦，令人轻身[5]、健。（《新修》页295，《大观》卷25，《政和》页492）

【校注】

[1] **久服令人多力健行**　傅本《新修》、罗本《新修》、《医心方》卷30俱无此文。盖《医心方》所见《新修》与今存本《新修》同。《千金翼》、《永乐大典》卷22182、《纲目》有此文。

[2] **温**　其下，《纲目》《本经续疏》有"中"字。

[3] **言**　《证类》《纲目》《图考长编》无。

[4] **谷**　《证类》作"壳"。

[5] **身**　《证类》《图考长编》无。

546　小麦

味甘，微寒，无毒。主除热[1]，止燥渴咽干[2]，利小便，养肝气，止[3]漏血、唾血[4]。以作麹，温，消谷，止痢；以作面，温，不能消热止烦[5]。

小麦合汤皆用之，热家治[6]也。作面则温，明穬麦亦当如此。今服食家噉面，不及大、穬麦，犹胜于米尔。（《新修》页296，《大观》卷25，《政和》页491）

【校注】

[1] **热** 其上，《本经疏证》作"客热"。

[2] **止燥渴咽干** "止"，傅本《新修》、罗本《新修》作"心"，据《千金翼》、《医心方》卷30、《证类》改。"燥"，《永乐大典》卷22181"小麦"条作"躁"。"咽干"，傅本《新修》、罗本《新修》、《医心方》卷30脱，据《千金翼》《证类》补。

[3] **止** 傅本《新修》、罗本《新修》作"心"，据《千金翼》、《医心方》卷30、《证类》改。

[4] **血** 其下，《千金方·食治》《纲目》有"令女人易孕"。

[5] **不能消热止烦** "不能"，傅本《新修》、罗本《新修》、《医心方》卷30俱脱，据《千金翼》《证类》补。又苏敬注有此2字。小麦作面既云温，则与"消热"意不合，其前应加"不能"2字。"止烦"，傅本《新修》、罗本《新修》作"心烦"，据《千金翼》、《医心方》卷30、《证类》改。

[6] **治** 《新修》作"疗"，据避讳例改。

547 青粱米

味甘，微寒，无毒。主治胃痹，热中，渴利[1]，止泄[2]，利小便，益气，补中，轻身，长年[3]。

凡云粱米，皆是粟类，惟其牙头色异为分别尔。青粱出此[4]，今江东少有。《氾胜之书》云：粱是秫粟，今世用则不尔也。（《新修》页297，《大观》卷25，《政和》页489）

【校注】

[1] **渴利** 《千金翼》《证类》作"消渴"，傅本《新修》、罗本《新修》、《医心方》卷30作"渴利"。盖《医心方》所见《新修》与今存本《新修》同。

[2] **止泄** "止"，傅本《新修》、罗本《新修》作"心"，据《千金翼》、《医心方》卷30、《证类》改。"泄"字下，《千金翼》《证类》有"痢"字。

[3] **年** 其下，《纲目》衍"煮粥食之"。

[4] **此** 《图考长编》作"北"。

548 黄粱米

味甘，平，无毒。主益气，和中，止[1]泄。

黄粱亦[2]出青、冀州，此间不见有[3]尔。（《新修》页297，《大观》卷25，《政和》页490）

【校注】

［1］**止** 傅本《新修》、罗本《新修》作"心"，据《千金翼》《证类》改。

［2］**亦** 《证类》无。

［3］**有** 傅本《新修》、罗本《新修》脱，据《证类》补。

549 白粱米

味甘，微寒，无毒。主除热，益气。

今处处有，襄阳竹根者最佳。所以夏月作粟飱[1]，亦以除热也[2]。（《新修》页298，《大观》卷25，《政和》页490）

【校注】

［1］**飱** 《证类》《图考长编》作"飡"。

［2］**也** 《证类》无。

550 粟米

味咸，微寒，无毒。主养肾[1]气，去胃痹[2]，中热，益气。陈者：味苦，主胃热，消渴，利小便。

江东所种及西间皆是，其粒细于粱米，熟舂令白，亦以当白粱，呼为白粱粟。陈者谓经三五年者，或呼为粢米[3]，以作粉，尤解烦闷，服食家亦将食之。（《新修》页298，《大观》卷25，《政和》页488）

【校注】

［1］**肾** 傅本《新修》、罗本《新修》作"贤"，据《千金翼》《医心方》《证类》改。

［2］**胃痹** 《证类》《品汇》《图考长编》、孙本作"胃脾"，《纲目》作"脾胃"，傅本《新修》、罗本《新修》、《医心方》卷30俱作"胃痹"。

［3］**米** 其下，《新修》衍"粢音溏"，据《证类》删。

551 丹黍米

味苦，微温，无毒。主治咳逆，霍乱，止泄[1]，除热，止[2]烦渴。

此则即赤黍也[3]，亦出北[4]间，江东时有种，而非土所宜，多入神药用[5]。又黑黍名秬[6]，供酿酒祭祀用之。（《新修》页299，《大观》卷25，《政和》页490）

【校注】

[1] **止泄** "止"，傅本《新修》、罗本《新修》作"心"，据《千金翼》、《医心方》卷30、《证类》改。"泄"字下，《纲目》有"痢"字。

[2] **止** 傅本《新修》、罗本《新修》作"心"，据《千金翼》、《医心方》卷30、《证类》改。

[3] **此则即赤黍也** "则"，《证类》《图考长编》无。"黍"字下，《证类》《图考长编》有"米"字。

[4] **北** 傅本《新修》、罗本《新修》作"此"，据《证类》改。

[5] **用** 《图考长编》作"方"。

[6] **秬** 傅本《新修》、罗本《新修》作"稆"，据《证类》改。

552 蘖[1]米

味苦[2]，无毒。主治寒中，下气，除热。

此是以米为蘖尔，非别米名也。末[3]其米脂和傅面，亦使皮肤悦泽，为热不及麦蘖也。（《新修》页299，《大观》卷25，《政和》页491）

【校注】

[1] **蘖** 傅本《新修》、罗本《新修》作"蕚"，据《千金翼》《证类》改。

[2] **苦** 其上，《本经续疏》有"甘"字。

[3] **末** 傅本《新修》、罗本《新修》作"未"，据《证类》改。

553 秫米

味甘，微寒。主止寒热，利大肠，治[1]漆疮。

此[2]人以作酒及煮糖者，肥软而[3]易消；方药不正用，惟嚼以涂漆疮[4]，及酿诸药醪。（《新修》页300，《大观》卷25，《政和》页489）

【校注】

[1] **治** 《本经续疏》作"疮"。

[2] **此** 《图考长编》作"北"。

[3] **而** 《证类》无。

[4] **疮** 《证类》脱。

554 陈廪米

味咸、酸，温[1]，无毒。主下气，除烦[2]，调胃，止[3]泄。

此今久入仓陈赤[4]者，汤中多用之。人以作酢酒[5]，胜于新粳米。（《新修》页 300，《大观》卷 26，《政和》页 497）

【校注】

[1] 温 傅本《新修》、罗本《新修》脱，据《千金翼》《证类》补。

[2] 烦 其下，《千金翼》《证类》有"渴"字。

[3] 止 傅本《新修》、罗本《新修》作"上"，据《千金翼》《证类》改。

[4] 赤 罗本《新修》误作"亦"。

[5] 酢酒 《证类》作"醋"。

555　酒

味苦[1]，大热，有毒。主行药势，杀邪恶气[2]。

大寒凝海，惟酒不冰[3]，明其热性[4]独冠群物。药家多须，以行其势[5]。人饮之，使体弊神昏，是其有毒故也。昔三人晨行触雾，一人健，一人病，一人死。健者饮酒，病者食粥，死者空腹。此酒势辟恶，胜于食[6]。（《新修》页 301，《大观》卷 25，《政和》页 487）

【校注】

[1] 苦 此下，《千金翼》《证类》有"甘、辛"2 字。傅本《新修》、罗本《新修》、《医心方》卷 30 俱无"甘、辛"2 字。

[2] 杀邪恶气 《千金翼》《证类》作"杀百邪恶毒气"。

[3] 冰 傅本《新修》、罗本《新修》作"水"，据《证类》改。

[4] 热性 《证类》《纲目》《图考长编》倒置。

[5] 势 傅本《新修》、罗本《新修》作"热"，据《证类》改。

[6] 食 其上，《证类》有"作"字，《纲目》《图考长编》有"他"字。

下　品

556　腐婢

味辛，平，无毒。主治痎疟，寒热，邪气，泄痢，阴不起。止消渴，病酒头痛。生汉中，即[1]小豆华也。七月采，阴干。

花用异实，故其类[2]不得同品，方家都不用之，今自可依其所主以为治也。但未解何故有腐婢之名？《本经》不云是小豆花，后医显之尔。未知审是否[3]？今海边有小树，状似栀子，茎条多曲，气作腐臭，土人呼为腐婢，用治疟有效，亦酒渍皮治心腹痛[4]。恐此多[5]当是真。若尔，此条应

在木部[6]下品卷中也。(《新修》页301,《大观》卷26,《政和》页497)

【校注】

[1] 即 傅本《新修》、罗本《新修》脱,据《千金翼》《证类》补。

[2] 类 傅本《新修》、罗本《新修》脱,据《证类》补。

[3] 否 傅本《新修》、罗本《新修》作"不",据《证类》改。

[4] 痛 《证类》《图考长编》无,《纲目》作"疾"。

[5] 多 《证类》《图考长编》无。

[6] 木部 傅本《新修》、罗本《新修》脱,据《证类》补。

557 藊豆

味甘,微温。主和[1]中,下气。叶[2]:主霍乱,吐下不止。

人家种之于篱援,其荚[3]蒸食甚美,无正用[4]其豆者。叶乃单行用之。患寒热病者,不可食之。(《新修》页302,《大观》卷25,《政和》页493)

【校注】

[1] 和 玄《大观》脱。

[2] 叶 其上,《图经衍义》有"豆"字。

[3] 荚 傅本《新修》、罗本《新修》作"英",据《证类》改。

[4] 用 其下,《证类》《图考长编》衍"取"字。

558 黍米[1]

味甘,温,无毒。主益气,补中,多热,令人烦[2]。

荆、郢州及江北皆种此。其苗如芦而异于粟,粒亦大。粟而多是秫,今人又呼秫粟为黍,非也。北人作黍饭,方药酿黍米酒,则皆用秫黍也。又有穄米与黍米[3]相似,而粒殊大,食之[4]不宜人,乃[5]言发宿病。(《新修》页303,《大观》卷25,《政和》页490)

【校注】

[1] 黍米 本条全文,孙本注为《本经》文。

[2] 多热,令人烦 《纲目》《图考长编》作"多食令人烦热"。

[3] 米 傅本《新修》、罗本《新修》脱,据《证类》补。

[4] 之 《证类》《图考长编》脱。

[5] 乃 《证类》《图考长编》脱。

559　粳米

味苦，平[1]，无毒。主益气，止烦[2]，止泄。

此即今[3]常所食米，但有白、赤、小、大[4]异族四五种，犹同一类也。前陈廪米，亦是此种，以廪军人，故曰廪尔。(《新修》页303，《大观》卷25，《政和》页489)

【校注】

[1] **苦，平**　"苦"上，《千金翼》《证类》有"甘"字。"平"，《图经衍义》无。

[2] **止烦**　"止"，傅本《新修》、罗本《新修》作"心"，据《千金翼》《证类》改。"烦"下，《纲目》有"止渴"2字。

[3] **今**　《证类》《图考长编》作"人"。

[4] **大**　傅本《新修》、罗本《新修》脱，据《证类》补。

560　稻米

味苦。主温中，令人多热，大便坚。

道家方药有俱用稻[1]米、粳米，此则是两物[2]。云稻米糠[3]白如霜。今[4]江东无此，皆通呼粳米[5]为稻尔。不知其色类，复云何也! (《新修》页304，《大观》卷26，《政和》页495)

【校注】

[1] **稻**　傅本《新修》、罗本《新修》作"称"，据《千金翼》《证类》改。

[2] **物**　此下，《证类》有"矣"字。

[3] **糠**　《证类》《图考长编》无。

[4] **今**　《证类》《图考长编》作"又"。

[5] **米**　《证类》《图考长编》无。

561　稷米

味甘，无毒。主益气，补不足。

稷米亦不识，书多云黍稷，稷恐与黍[1]相似。又有稌[2]，亦不知是何米。《诗》云：黍、稷、稻、粱、禾、麻、菽、麦，此即八谷也，世人莫能证辨，如此谷稼尚弗能明，而况芝英[3]乎? 案汜胜之《种植书》有黍，即如前说。无稷有稻，犹是粳米[4]，粱是秫[5]，禾即是粟。董仲舒云：禾是粟苗名尔[6]，麻是胡麻，枲是大麻，菽[7]是大豆。大豆有两种；小豆一名荅[8]，有三四种。麦有大、小穬，穬即宿麦，亦谓种麦。如此，诸谷之限也。菰米一名彫胡，可作饼。又汉中有一种名枲粱，粒如粟而皮黑，亦可食；酿为酒，甚消玉[9]。又有乌禾，生野中如种[10]，荒年代粮而杀

虫，煮以沃地，蝼蚓皆死。稗亦可食。凡此之类，复有数种尔。（《新修》页304，《大观》卷26，《政和》页496）

【校注】

[1] 稷，稷恐与黍　《证类》《纲目》《图考长编》作"与稷"。

[2] 稌　《图考长编》作"穄"。

[3] 荚　傅本《新修》、罗本《新修》作"莫"，据《证类》改。

[4] 米　《证类》《图考长编》作"谷"。

[5] 秫　其下，傅本《新修》、罗本《新修》衍"禾"字，据《证类》删。

[6] 名尔　《证类》无。

[7] 菽　傅本《新修》、罗本《新修》作"升"，据《证类》改。

[8] 荅　傅本《新修》、罗本《新修》作"苓"，据《证类》改。

[9] 消玉　《图考长编》作"清美"。

[10] 又有乌禾，生野中如稗　"又"，傅本《新修》、罗本《新修》作"人"，据《证类》改。"稗"，傅本《新修》、罗本《新修》脱，据《证类》补。

562　酢酒[1]

味酸，温，无毒。主消痈肿，散水气，杀邪毒。

酢酒为用，无[2]所不入，逾久[3]逾良，亦谓之醯。以有苦味，世呼[4]苦酒。丹家又加余物，谓为华池左味，但不可多食之，损人肌脏尔[5]。（《新修》页306，《大观》卷26，《政和》页494）

【校注】

[1] 酢酒　傅本《新修》卷18、罗本《新修》卷18目录中作"酢"，正文中作"酢酒"。《医心方》卷30目录及正文中俱作"酢酒"。《千金翼》《证类》作"醋"，但《证类》《纲目》"醋"条下引陶隐居注文仍作"醋酒"。

[2] 无　傅本《新修》、罗本《新修》作"元"，据《证类》改。

[3] 逾久　傅本《新修》、罗本《新修》脱，据《证类》补。

[4] 呼　其下，《证类》《图考长编》有"为"字。

[5] 尔　《证类》无。

563　酱

味咸、酸，冷利。主除热，止[1]烦满，杀药[2]及火毒。

酱多以豆作，纯麦者少。今此当是豆者，亦以久久者弥好。又有肉酱、鱼酱，皆呼为醯，不入药用也。（《新修》页306，《大观》卷26，《政和》页497）

【校注】

[1] **止** 傅本《新修》、罗本《新修》作"心"，据《千金翼》《证类》改。

[2] **杀药** 《千金翼》《证类》作"杀百药热汤"。傅本《新修》、罗本《新修》、《医心方》卷30俱作"杀药"。盖《医心方》所见《新修》与今存本《新修》同。

564 盐[1]

味咸，温，无毒。主杀鬼蛊，邪注，毒气，下部䘌疮，伤寒寒[2]热，吐胸中痰澼，止心腹卒痛，坚肌骨。多食伤肺，喜咳。

五味之中[3]，惟此不可缺。今有东海、北海供京都及西川南江用。中原有河东盐池[4]，梁、益有盐井，交、广有南海盐[5]，西羌[6]有山盐，胡中有树盐，而色类各[7]不同，以河东最[8]为胜。此间[9]东海盐、官盐白，草粒细。北海盐黄，草粒大[10]。以作鱼鲊及咸菹，乃言北海[11]胜。而藏茧必用盐官者，蜀中盐小淡，广州盐咸苦。不知其为治体复有优劣否[12]？西方、北方人，食不耐咸，而多寿少病[13]；东方、南方人，食绝欲咸，少寿多病，便是损人，则伤肺之效矣。然以浸鱼肉，则能经久不败；以沾[14]布帛，则易致朽烂。所施处各有所宜[15]也。（《新修》页307，《大观》卷4，《政和》页106）

【校注】

[1] **盐** 《千金翼》《证类》作"食盐"。傅本《新修》、罗本《新修》、《医心方》卷30俱作"盐"。

[2] **寒寒** 傅本《新修》、罗本《新修》脱一"寒"字，据《千金翼》《证类》补。

[3] **中** 傅本《新修》、罗本《新修》脱，据《证类》补。

[4] **今有东海、北海供京都及西川南江用。中原有河东盐池** 《证类》作"有东海、北海盐及河东盐池"。

[5] **盐** 傅本《新修》、罗本《新修》脱，据《证类》补。

[6] **羌** 傅本《新修》、罗本《新修》作"芜"，据《证类》改。

[7] **各** 《证类》《纲目》无。

[8] **以河东最** "以"，傅本《新修》、罗本《新修》脱，据《证类》补。"最"，《证类》《纲目》作"者"。

[9] **此间** 《证类》无。

[10] **大** 《证类》《纲目》作"麁"。

[11] **海** 《证类》《纲目》无。

[12] **否** 傅本《新修》、罗本《新修》作"不"，据《证类》改。

[13] **病** 此下，《证类》有"好颜色"3字。

[14] **沾** 傅本《新修》、罗本《新修》作"沽"，据《证类》改。

[15] **宜** 其下，傅本《新修》、罗本《新修》衍"可"字，据《证类》删。

565　舂杵头细糠

主治卒噎。

食卒噎不下，刮取含之，即去，亦是舂捣义尔。天下事理，多有相影响如此也。（《大观》卷25，《政和》页491）

有名无实类药物

玉石类

566　青玉

味甘，平，无毒。主治妇人无子，轻身不老，长年。一名殼玉[1]。生蓝田。

张华云：合玉浆用殼玉，正缥白色，不夹石，大者[2]如升，小者如鸡子，取穴中者，非今作器物玉[3]也。出襄乡[4]县旧穴中。黄初中，诏征南将军夏候尚求之。（《新修》页315，《政和》页538）

【校注】

[1]　**殼玉**　傅本《新修》、罗本《新修》作"殼玉"，据《千金翼》《证类》改。

[2]　**大者**　《证类》《纲目》倒置。

[3]　**玉**　傅本《新修》作"王"，据罗本《新修》、《证类》改。

[4]　**乡**　傅本《新修》、罗本《新修》作"死"，据《证类》改。

567　白玉髓

味甘，平，无毒。主治妇人无子，不老延秊。生蓝田玉石之间[1]。（《新修》页315，《政和》页538）

【校注】

[1]　**间**　傅本《新修》、罗本《新修》作"门"，据《千金翼》《证类》改。

568　玉英

味甘。主治风瘙皮肤痒[1]。一名石镜，明白可作镜[2]。生山窍，十二月采。

（《新修》页 316，《政和》页 538）

【校注】

[1] **风瘙皮肤痒** "瘙"，傅本《新修》、罗本《新修》作"格"，据《千金翼》《证类》改。"皮"，其上，《千金翼》有"疗"字。

[2] **石镜，明白可作镜** 傅本《新修》、罗本《新修》脱"石""作"2 字，据《千金翼》《证类》补。

569 璧玉

味甘，无毒。主明目，益气，使人多精生子。（《新修》页 316，《政和》页 538）

570 合玉石

味甘，无毒。主益气，消[1]渴，轻身，辟谷。生常山中丘，如硙肪。（《新修》页 316，《政和》538 页）

【校注】

[1] **消** 其上，《千金翼》《证类》有"疗"。

571 紫石华

味甘，平[1]，无毒。主治渴，去小肠热。一名茈石华[2]。生中牛山阴，采无时。（《新修》页 316，《政和》页 538）

【校注】

[1] **平** 傅本《新修》、罗本《新修》脱，据《千金翼》《证类》补。

[2] **华** 万历《政和》作"叶"。

572 白石华

味辛，无毒。主治瘅[1]，消渴，膀胱热。生液北乡北[2]邑山，采无时。（《新修》页 317，《政和》538 页）

[1] **主治痹** "主"，傅本《新修》、罗本《新修》作"王"，据《千金翼》《证类》改。"痹"，《纲目》作"脾"。

[2] **北乡北** 傅本《新修》、罗本《新修》作"此乡此"，据《千金翼》《证类》改。

573 黑石华

味甘，无毒。主治阴萎，消渴，去热，治月水不[1]利。生弗其劳山阴石间，采无时。(《新修》页317，《政和》页538)

【校注】

[1] **不** 傅本《新修》、罗本《新修》脱，据《千金翼》《证类》补。

574 黄石华

味甘，无毒。主[1]治阴萎，消渴[2]，膈中热，去百毒。生液北[3]山，黄色，采无时。(《新修》页317，《政和》页538)

【校注】

[1] **主** 傅本《新修》、罗本《新修》作"二"，据《千金翼》《证类》改。

[2] **渴** 《千金翼》作"胸"。

[3] **生液北** 傅本《新修》、罗本《新修》作"王液此"，据《千金翼》《证类》改。

575 厉石华

味甘，无毒。主益气，养神，止渴，除[1]热，强阴。生江南，如石华，采无时。(《新修》页317，《政和》页538)

【校注】

[1] **除** 傅本《新修》、罗本《新修》作"阴"，据《千金翼》《证类》改。

576 石肺[1]

味辛，无毒。主治疠咳寒，久痿，益气，明目。生[2]水中，状如肺，黑泽有赤文，出水即干。

今浮石亦治咳[3]，似肺而不黑泽，恐非是也。（《新修》页318，《政和》538页）

【校注】

[1] **肺** 傅本《新修》、罗本《新修》作"肺"，据《千金翼》《证类》改。

[2] **生** 傅本《新修》、罗本《新修》作"主"，据《千金翼》《证类》改。

[3] **今浮石亦治咳** 《千金翼》作"陶隐居云：今浮石亦疗效"。

577　石肝

味酸，无毒。主治身痒，令人色美。生常山，色如肝。（《新修》页318，《政和》页538）

578　石脾

味甘，无毒。主治胃寒热，益气，痒瘀[1]。令人有子。一名胃石，一名膏[2]石，一名消石。生隐番山谷石间，黑如大豆，有赤文，色微黄，而轻薄如綦[3]子，采无时。（《新修》页318，《政和》538页）

【校注】

[1] **痒瘀** 《千金翼》《证类》《纲目》无。

[2] **膏** 《本草和名》作"高"，《御览》作"肾"。

[3] **綦** 《千金翼》《证类》作"碁"。

579　石肾

味咸，无毒。主治泄痢。色如白珠。（《新修》页319，《政和》页539）

580　封石

味甘，无毒。主治消渴，热中，女子疽蚀。生常山及少室，采无时。（《新修》页319，《政和》页539）

581　陵石

味甘，无毒。主益气，耐寒，轻身，长年。生华山，其形薄泽。（《新修》页319，《政和》页539）

582 碧石青

味甘，无毒。主明目，益精。去白皮瘕，延季[1]。（《新修》页319，《政和》页539）

【校注】

[1] **皮瘕，延季** 《证类》《纲目》作"癣，延年"。"瘕"，傅本《新修》、罗本《新修》作"疢"，据《千金翼》改。

583 遂[1]石

味甘，无毒。主治消渴，伤中。益气。生太山阴，采无时。（《新修》页319，《政和》页539）

【校注】

[1] **遂** 《千金翼》作"逐"。

584 白肌石

味辛，无毒。主强筋骨，止渴[1]，不饥，阴热不足。一名肌石，一名洞石。生广焦国卷山，青色润泽[2]。（《新修》页320，《政和》页539）

【校注】

[1] **渴** 傅本《新修》、罗本《新修》作"消"，据《千金翼》《证类》改。
[2] **色润泽** 《证类》《纲目》作"石间"。

585 龙石膏

无毒。主治消渴，益寿。生杜陵，如铁脂中黄。（《新修》页320，《政和》页539）

586 五羽[1]石

主轻身，延季[2]。一名金黄。生海水中蓬莨山上仓[3]中，黄如金。（《新修》页320，《政和》页539）

【校注】

[1] **羽** 《本草和名》作"州"。

[2] **延秊** 《千金翼》《证类》作"长年"。

[3] **仓** 《品汇》作"谷"。

587 石流青

味酸，无毒。主治泄，益肝气，明目，轻身长年。生武都山石[1]间，青白色。
（《新修》页320，《政和》页539）

【校注】

[1] **石** 傅本《新修》、罗本《新修》作"名"，据《千金翼》《证类》改。

588 石流赤

味苦，无毒。主治妇人带下，止血，轻身长年。理如石耆，生山石间。
芝品中有石流丹，又有石中黄中。（《新修》页321，《政和》页539）

589 石耆

味甘，无毒。主治咳逆气。生石间，色赤如铁脂，四月采。（《新修》页321，《政和》页539）

590 紫加[1]石

味酸。主治痹血气。一名赤英，一名石血。赤无理[2]。生邯郸山[3]，如爵
茈。二月采。
三十六水方呼为紫贺石。（《新修》页321，《政和》页539）

【校注】

[1] **加** 商务《政和》、《纲目》作"佳"。

[2] **赤无理** 成化《政和》、商务《政和》、《大全》作"赤无毒"，《纲目》作"无毒"。

[3] **山** 《纲目》作"石"，属下句。

591 终石

味辛，无毒。主治阴痿痹，小便难，益精气。生陵阴，采无时。（《新修》页322，

《政和》页539）

以上玉石类二十六种。

草木类

592　玉伯[1]

味酸，温，无毒。主轻身，益气，止渴。一名玉遂。生石上，如松，高五六寸，紫华，用茎叶。（《新修》页322，《政和》页539）

【校注】

[1] **伯**　傅本《新修》作"田"，据《千金翼》《证类》改。

593　文石

味甘。主治寒热，心烦。一名黍石。生东郡山泽中水下。五色，有汁润泽。（《新修》页322，《政和》页539）

594　曼诸石

味甘。主益五脏气，轻身长年。一名阴精。六月、七月出[1]石上，青黄色，夜有光。（《新修》页323，《政和》页539）

【校注】

[1] **出**　《千金翼》无。

595　山慈石

味苦，平，有毒[1]。主治女子带下。一名爱茝。生山之阳。正月生叶如藜芦，茎有衣。（《新修》页323，《政和》页539）

【校注】

[1] **有毒**　《证类》《纲目》作"无毒"。

596　石濡

主明目，益精气，令人不饥渴，轻身长年。一名石芥。(《新修》页323，《政和》页539)

597　石芸

味甘，无毒。主治目痛，淋露，寒热，溢血。一名蚕[1]烈，一名颐喙[2]。三月、五月采茎[3]，阴干。(《新修》页323，《政和》页539)

【校注】

[1] **蚕**　《千金翼》《证类》《纲目》作"螫"。

[2] **颐喙**　《千金翼》《证类》《纲目》作"顾啄"。

[3] **三月、五月采茎**　"三"，《千金翼》作"二"。"茎"，此下，《千金翼》《证类》有"叶"字。

598　石剧

味甘，无毒。主治渴消中[1]。(《新修》页324，《政和》页539)

【校注】

[1] **主治渴消中**　傅本《新修》、罗本《新修》脱"消"字，据《千金翼》《证类》补。《纲目》作"止消渴"，《草木典》作"止消渴中"。

599　路石

味甘、酸，无毒。主治心腹，止汗，生肌[1]，酒痂，益气，耐寒，实骨髓。一名陵石。生草石上，天雨独干，日出独濡。花黄，茎赤黑。三岁一实，实[2]赤如麻子。五月、十月采茎叶，阴干。(《新修》页324，《政和》页539)

【校注】

[1] **肌**　傅本《新修》、罗本《新修》作"肤"，据《千金翼》《证类》改。

[2] **实**　《千金翼》《证类》无。

600 旷[1]石

味甘，平[2]，无毒。主益气，养神，除热，止渴。生江南，如石草。（《新修》页324，《政和》页539）

【校注】

[1] **旷** 《千金翼》作"膹"。

[2] **平** 傅本《新修》、罗本《新修》脱，据《千金翼》《证类》补。

601 败石

味苦，无毒。主治渴、痹。（《新修》页325，《政和》页539）

602 越砥[1]

味甘，无毒。主治目盲，止痛阴，除热瘫[2]。

疑此[3]今细砺石，出临平者。（《新修》页325，《政和》页540）

【校注】

[1] **砥** 傅本《新修》、罗本《新修》作"砺"，据《证类》改。《千金翼》作"砥石"。

[2] **止痛阴，除热瘫** "阴"，《千金翼》《证类》《纲目》无。"瘫"，《千金翼》《证类》《纲目》作"癅"。

[3] **疑此** 《证类》无。

603 金茎[1]

味苦，平，无毒。主[2]治金创、内漏。一名叶金草。生泽中高处。（《新修》页325，《政和》页540）

【校注】

[1] **茎** 《新修》作"华"，据《千金翼》《大观》《政和》改。

[2] **主** 傅本《新修》、罗本《新修》脱，据《千金翼》《证类》补。

604 夏臺

味甘。主治百疾，济绝气。

此药乃尔神奇，而不复识用，可恨。(《新修》页 325，《政和》页 540)

605　柒紫

味苦。主治少[1]腹痛，利小肠[2]，破积聚，长肌肉。久服轻身长年。生宛胸，二月、七月采。(《新修》页 325，《政和》页 540)

【校注】

[1] **少**　《千金翼》《证类》《纲目》作"小"。

[2] **肠**　《千金翼》《证类》《纲目》作"腹"。

606　鬼目

味酸，平，无毒。主明目。一名来甘。实赤如五味，十月采。

世人今呼白草子赤[1]为鬼目，此乃相似。(《新修》页 326，《政和》页 540)

【校注】

[1] **赤**　《证类》作"亦"。《尔雅》注云："符，鬼目。叶似葛，子如耳珰，赤色。"据此，"赤"字为正。《证类》作"亦"，误。

607　鬼盖

味甘，平，无毒。主治小儿寒热痫。一名地盖。生垣墟下，聚生赤[1]，旦生暮死。

一名朝生，疑是今鬼伞。(《新修》页 326，《政和》页 540)

【校注】

[1] **生垣墟下，聚生赤**　《千金翼》《证类》作"生垣墙下，丛生赤"。

608　马颠

味甘，有毒。主治浮肿，不可多食。(《新修》页 326，《政和》页 540)

609　马唐

味甘，寒。主调中，明耳目。一名羊麻，一名羊粟。生下湿[1]地，茎有节，

节^[2]生根。五月采。(《新修》页 326,《政和》页 540)

【校注】

[1] **湿** 傅本《新修》、罗本《新修》脱,据《千金翼》《证类》补。

[2] **节** 《千金翼》《证类》《纲目》无。

610 马逢

味辛,无毒。主癣虫。(《新修》页 327,《政和》页 540)

611 牛舌实

味咸,温,无毒。主轻身益气。一名象尸^[1]。生水中泽旁,大叶长尺^[2]。五月采。(《新修》页 327,《政和》页 540)

【校注】

[1] **象尸** 《千金翼》作"象户",《纲目》作"豕首"。

[2] **大叶长尺** 《千金翼》《证类》作"实大,叶长尺"。

612 羊乳

味甘,温,无毒。主治头眩痛,益^[1]气,长肌肉。一名地黄。三月采,立夏后母死。(《新修》页 327,《政和》页 540)

【校注】

[1] **益** 傅本《新修》、罗本《新修》脱,据《千金翼》《证类》补。

613 羊实

味苦,寒。主治头秃,恶疮,疥瘙,痂癣^[1]。生蜀郡。(《新修》页 327,《政和》页 540)

【校注】

[1] **癣** 傅本《新修》、罗本《新修》作"瘢",据《千金翼》《证类》改。今作"癣"。

614　犀[1]洛

味甘，无毒。主治癃。一名星洛，一名泥洛。（《新修》页328，《政和》页540）

【校注】

[1] **犀**　《新修》作"犀"，据《千金翼》《证类》改。

615　鹿良

味咸，臭。主治小儿惊痫，贲豚，癎疭，大人痉[1]。五月采。（《新修》页328，《政和》页540）

【校注】

[1] **痉**　《千金翼》《证类》作"痓"。

616　菟枣

味酸，无毒。主轻身益气。生丹阳陵地，高尺许，实如枣。（《新修》页328，《政和》页540）

617　雀梅

味酸，寒，有毒。主蚀恶疮。一名千雀。生海水石[1]谷间。叶如李，实如麦李[2]。（《新修》页328，《政和》页540）

【校注】

[1] **石**　傅本《新修》、罗本《新修》脱，据《千金翼》《证类》补。

[2] **叶如李，实如麦李**　《证类》作小字注文。《纲目》作"弘景曰：叶与实俱如麦李"。

618　雀翘

味咸。主益气，明目。一名去母，一名更生。生蓝中，叶细黄，茎赤有刺。四月实，实兑[1]黄中黑。五月采，阴干。（《新修》页329，《政和》页540）

【校注】

[1] **四月实，实兑** 《证类》作"四月实兑"。

619 鸡涅[1]

味甘，平，无毒。主明目，目中寒风，诸不足，水腹[2]，邪气，补中，止泄痢，女子白沃。一名阴洛。生鸡山，采无时。（《新修》页329，《政和》页540）

【校注】

[1] **涅** 傅本《新修》、罗本《新修》作"沮"，据《千金翼》《证类》改。

[2] **腹** 《证类》作"肿"，《千金翼》《新修》作"腹"。

620 相乌

味苦。主治阴痿。一名乌葵。如兰香，赤茎。生山阳，五月十五日采，阴干。（《新修》页329，《政和》页540）

621 鼠耳

味酸，无毒。主治痹寒，寒[1]热，止咳。一名无心。生田中下地，厚华[2]，肥茎。（《新修》页330，《政和》页540）

【校注】

[1] **寒** 傅本《新修》、罗本《新修》脱，据《千金翼》《证类》补。

[2] **华** 《证类》《纲目》作"叶"。

622 蛇舌

味酸，平，无毒。主除留血，惊气，蛇痫。生大水之阳。四月采华，八月采根。（《新修》页330，《政和》页540）

623 龙常草

味咸，温，无毒。主轻身，益阴气，治痹寒湿。生河水旁，如龙蒭，冬夏生。（《新修》页330，《政和》页540）

624　离楼草

味咸，平，无毒。主益气力，多子，轻身长年。生[1]常山，七月、八月采实。（《新修》页331，《政和》页541）

【校注】

[1] **生**　傅本《新修》、罗本《新修》脱，据《千金翼》《证类》补。

625　神护草

可使独守，叱咄人，寇盗不敢入门。生常山北共[1]，八月采。

此亦奇草，计彼人犹应识用之。（《新修》页331，《政和》页541）

【校注】

[1] **共**　《千金翼》《证类》《纲目》无。

626　黄护草

无毒。主治痹，益气，令人嗜食。生陇西。（《新修》页331，《政和》页541）

627　吴唐草

味甘，平，无毒。主轻身，益气，长年。生故稻田中，夜日[1]有光，草中有膏。（《新修》页331，《政和》页541）

【校注】

[1] **夜日**　《千金翼》《证类》倒置。

628　天雄草

味甘，温，无毒。主益气，阴痿。生山泽中，状如兰，实如大豆，赤色。（《新修》页332，《政和》页541）

629　雀医草

味苦，无毒。主轻身，益气，洗浴烂疮，治风水。一名白气。春生，秋花白，

冬实黑。(《新修》页332,《政和》页541)

630　木甘草

主治痈肿盛热,煮洗之。生木间,三月生,大叶如蛇床[1],四四相值,折[2]枝种之便[3]生。五月华白,实核赤。三月三日采。(《新修》页332,《政和》页541)

【校注】

[1]　**床**　《证类》《纲目》作"状",傅本《新修》、罗本《新修》、《千金翼》作"床","状"字义长。

[2]　**折**　傅本《新修》、罗本《新修》作"析",据《千金翼》《证类》改。

[3]　**便**　傅本《新修》、罗本《新修》脱,据《千金翼》《证类》补。

631　益决草

味辛,温,无毒。主治咳逆、肺伤[1]。生山阴,根如细辛。(《新修》页333,《政和》页541)

【校注】

[1]　**伤**　傅本《新修》、罗本《新修》作"肠",据《千金翼》《证类》改。

632　九熟草

味甘,温,无毒。主出汗,止泄,治闷。一名乌粟,一名雀粟。生人家庭中,叶如枣。一岁九熟,七月七日[1]采。

今不见有此之。(《新修》页333,《政和》页541)

[1]　**七日**　《千金翼》《证类》《纲目》无。

633　兑草

味酸,平,无毒。主轻身,益气,长年。生[1]蔓草木上,叶黄有毛,冬生。(《新修》333页,《政和》页541)

【校注】

[1] **生** 《新修》脱，据《千金翼》《证类》补。

634 酸草

主轻身，长[1]年。生[2]名山醴泉上阴居。茎有五叶青泽，根赤黄。可以消玉。一名丑草。

李云[3]是今酸箕，布[4]地生者，而今[5]处处有，恐[6]非也。（《新修》页334，《政和》页541）

【校注】

[1] **长** 《千金翼》《证类》《纲目》作"延"。

[2] **生** 傅本《新修》、罗本《新修》脱，据《千金翼》《证类》补。

[3] **云** 傅本《新修》、罗本《新修》作"乃乃"，据《证类》改。

[4] **布** 傅本《新修》、罗本《新修》作"而"，据《证类》改。

[5] **今** 傅本《新修》、罗本《新修》作"合"，据《证类》改。

[6] **恐** 其上，《证类》有"然"字。

635 异草

味甘，无毒。主治瘘痹寒热，去黑子。生篱木上，叶如葵，茎傍[1]有角，汁白。（《新修》页334，《政和》页541）

【校注】

[1] **傍** 傅本《新修》、罗本《新修》作"温"，据《千金翼》《证类》改。

636 雍[1]草

叶主治痈肿。一名鼠肝。叶滑，青白。（《新修》页334，《政和》页541）

【校注】

[1] **雍** 《千金翼》《证类》《纲目》作"灌"。

637 茝草

味辛，无毒。主治伤金创。（《新修》页334，《政和》页541）

638 莘草

味甘，无毒。主治盛伤痹肿。生山泽，如蒲黄，叶如芥。（《新修》页334，《政和》页541）

639 勒草

味甘，无毒。主治瘀血，止精，溢盛气。一名黑草。生山谷，如栝楼。

疑此犹是薰草，两[1]字皆相似，一误尔。而栝楼为殊也。（《新修》页335，《政和》页541）

【校注】

[1] **两** 傅本《新修》、罗本《新修》作"西"，据《证类》改。

640 英草华

味辛，平[1]，无毒。主治痹气，强阴，治面劳疽[2]，解烦，坚筋骨，治风头。可作沐药。生蔓木上。一名鹿英。九月采，阴[3]干。（《新修》页335，《政和》页541）

【校注】

[1] **平** 傅本《新修》、罗本《新修》脱，据《千金翼》《证类》补。
[2] **疽** 罗本《新修》、《纲目》作"疸"。
[3] **阴** 傅本《新修》、罗本《新修》脱，据《千金翼》《证类》补。

641 吴葵华

味咸，无毒。主理心[1]气不足。（《新修》页335，《政和》页541）

【校注】

[1] **心** 人卫本《政和》、《千金翼》作"心心"，《大观》、商务《政和》、《品汇》、傅本《新修》作"心"字。

642 封华[1]

味甘，有毒。主治疥[2]疮，养肌，去恶肉。夏至采[3]。（《新修》页335，《政和》页541）

【校注】

[1] **封华** 本条，傅本《新修》、罗本《新修》原接抄于"吴葵华"条下，今据《千金翼》《证类》独立为一条。

[2] **济** 傅本《新修》、罗本《新修》作"粉"，据《千金翼》《证类》改。

[3] **采** 其上，《千金翼》《证类》《纲目》有"日"字。

643　北荇华[1]

味苦，无毒。主气，治脉溢。一名芹华。（《千金翼》卷4）

【校注】

[1] **北荇华** 本条，傅本《新修》、罗本《新修》、《证类》脱，据《千金翼》补。

644　陕华

味甘，无毒。主治上气，解烦，坚筋骨。（《新修》页336，《政和》页541）

645　棑华

味苦。主除[1]水气，去赤虫，令人好色。不可久服。春生仍[2]采。（《新修》页336，《政和》页541）

【校注】

[1] **除** 《千金翼》《证类》无。

[2] **仍** 《千金翼》《证类》作"乃"。

646　节华

味苦，无毒。主治伤中，痿痹，溢肿。皮：主脾中客热[1]气。一名山节，一名达节，一名通枼。十月采，暴干。（《新修》页336，《政和》页541）

【校注】

[1] **热** 傅本《新修》、罗本《新修》脱，据《千金翼》《证类》补。

647　徐李

主益气，轻身，长季。生太山阴。如李小形，实青色，无核，熟采食之。（《新

《修》页 336，《政和》页 541）

648 新雉木

味苦，香，温，无毒。主治风头[1]眩痛，可作沐药。七月采阴干，实如桃。（《新修》页 337，《政和》页 541）

【校注】

[1] 头 《千金翼》《证类》《纲目》无。

649 合新木

味辛，平，无毒。主解心烦，止疮痛[1]。生辽东。（《新修》页 337，《政和》页 542）

【校注】

[1] **解心烦，止疮痛** 傅本《新修》、罗本《新修》作"解烦心上疗痛"，据《千金翼》《证类》改。

650 俳蒲木

味甘，平，无毒。主治少气，止烦。生山陵[1]，叶如柰，实赤，三核。（《新修》页 337，《政和》页 542）

【校注】

[1] **山陵** 《千金翼》《证类》《纲目》作"陵谷"。

651 遂[1]阳木

味甘，无毒。主益气。生山中[2]。如白杨叶，三月实，十月熟赤，可食。（《新修》页 337，《政和》页 542）

【校注】

[1] **遂** 傅本《新修》、罗本《新修》作"逐"，据《千金翼》《证类》改。

[2] **中** 傅本《新修》、罗本《新修》脱，据《千金翼》《证类》补。

652 学木核

味甘，寒，无毒。主治胁下留饮，胃气不平，除热。如蕤核，五月采，阴干。
（《新修》页338，《政和》页542）

653 木核

主治肠[1]澼。花：主治不足。子：主治伤中[2]。根：主治心腹逆气，止渴。
十月采。（《新修》页338，《政和》页542）

【校注】

[1] **肠** 傅本《新修》、罗本《新修》作"腹"，据《千金翼》《证类》改。

[2] **中** 傅本《新修》、罗本《新修》脱，据《千金翼》《证类》补。

654 枸核

味苦，主治水，身面痈肿。五月采。（《新修》页338，《政和》页542）

655 荻[1]皮

味苦，主止消渴，去白虫，益气。生江南。如松叶，有别刺，实赤黄。十月
采。（《新修》页338，《政和》页541）

【校注】

[1] **荻** 傅本《新修》、罗本《新修》目录作"荻"，正文作"荻"，据《千金翼》《证类》改。

656 桑茎实

味酸，温，无毒。主治字乳余疾，轻身，益气。一名草王。叶似[1]荏，方茎
大叶。生园中，十月采。（《新修》页339，《政和》页542）

【校注】

[1] **似** 《千金翼》《证类》《纲目》作"如"。

657 满^[1]阴实

味酸，平，无毒。主益气，除热，止渴^[2]，利小便，轻身，长年。生深山谷及园中。茎如芥，叶小，实如樱^[3]桃，七月成。(《新修》页 339，《政和》页 542)

【校注】

[1] **满** 《千金翼》、《御览》卷 993 引《吴氏本草》作"蒲"。

[2] **渴** 傅本《新修》、罗本《新修》作"汤"，据《千金翼》《证类》改。

[3] **樱** 傅本《新修》、罗本《新修》脱，据《千金翼》《证类》补。

658 可聚实

味甘，温，无毒。主轻身益气，明目。一名长寿。生山野道中。穗如麦，叶如艾，五月采。(《新修》页 339，《政和》页 542)

659 让实

味酸。主治喉痹，止泄痢。十月采，阴干。(《新修》页 340，《政和》页 542)

660 蕙实

味辛。主明目，补中。根茎中汤^[1]：主治伤寒寒热，出汗，中风，面肿，消渴，热中，逐水^[2]。生鲁山平泽。(《新修》页 340，《政和》页 542)

【校注】

[1] **汤** 《证类》作"涕"，《千金翼》、傅本《新修》、罗本《新修》作"汤"。

[2] **逐水** 傅本《新修》、罗本《新修》作"遂"，据《千金翼》《证类》改。

661 青雌

味苦。主治恶疮，秃败疮，火气，杀三虫。一名蛊损，一名血推^[1]。生方山出谷。(《新修》页 340，《政和》页 542)

【校注】

[1] **一名蛊损，一名血推** "蛊""血"，《千金翼》《证类》《纲目》作"虫""孟"。

662 白背

味苦，平，无毒。主治寒热，洗浴疥，恶疮。生山陵。根似紫葳，叶如燕虑[1]。采无时。(《新修》页340，《政和》页542)

【校注】

[1] **虑** 《千金翼》《证类》《纲目》作"卢"。

663 白女肠

味辛，温，无毒。主治泄痢肠澼，治心痛，破疝瘕[1]。生深山谷中，叶如蓝，实赤。赤女肠亦同。(《新修》页341，《政和》页542)

【校注】

[1] **瘕** 傅本《新修》、罗本《新修》作"瘦"，据《千金翼》《证类》改。

664 白扇根

味苦，寒，无毒。主治疟，皮肤寒热，出汗，令[1]人变。(《新修》页341，《政和》页542)

【校注】

[1] **令** 傅本《新修》、罗本《新修》作"合"，据《千金翼》《证类》改。

665 白给

味辛，平，无毒。主治伏虫、白瀓[1]、肿痛。生山谷，如藜芦，根白相[2]连，九月采。(《新修》页341，《政和》页542)

【校注】

[1] **瘢** 傅本《新修》、罗本《新修》作"瘢"，据《千金翼》《证类》改。今作"癣"。

［2］ **相**　傅本《新修》、罗本《新修》脱，据《千金翼》《证类》补。

666　白并

味苦，无毒。主治肺咳上气，行五脏，令百病不起。一名玉[1]箫，一名箭悍。叶如小竹，根黄白皮[2]生山陵。三[3]、四月采根，曝干。（《新修》页342，《政和》页542）

【校注】

［1］ **五**　傅本《新修》、罗本《新修》作"王"，据《千金翼》《证类》改。

［2］ **白皮**　《千金翼》《证类》《纲目》倒置。

［3］ **三**　其下，《千金翼》《证类》《纲目》有"月"字。

667　白辛

味辛，有毒。主治寒热。一名脱尾，一名羊草。生楚山。三月采根[1]，根白而香。（《新修》页342，《政和》页542）

【校注】

［1］ **根**　《千金翼》《证类》《纲目》无。

668　白昌

味甘，无毒。主食诸虫。一名水昌，一名水宿，一名茎蒲。十月采。（《新修》页342，《政和》页542）

669　赤举

味甘，无毒。主治腹痛。一名羊饴，一名陵渴。生山阴。二月华兑蔓草上，五月实黑，中有核。三月三日采叶，阴干。（《新修》页343，《政和》页542）

670　赤涅

味甘，无毒。主治瘅，崩中，止血，益气。生蜀郡山石阴地湿处，采无时。（《新修》页343，《政和》页542）

671 黄秫

味苦，无毒。主止心烦、汗出。生如桐，根黄[1]。（《新修》页343，《政和》页543）

【校注】

[1] **主止心烦、汗出。生如桐，根黄**　《千金翼》《证类》《纲目》作"主心烦，止汗出，生如桐根"。

672 徐黄

味辛，平，无毒。主治心腹积瘕。茎：主恶疮。生泽中，大茎细叶，香如蒿[1]本。（《新修》页343，《政和》页543）

【校注】

[1] **蒿**　《千金翼》《证类》《纲目》作"薰"。

673 黄白支

生山陵。三[1]、四月采根，暴干。（《新修》页344，《政和》页543）

【校注】

[1] **三**　其下，《千金翼》《证类》《纲目》有"月"字。

674 紫蓝

味咸，平[1]，无毒。主治食肉得毒，能消除之。（《新修》页344，《政和》页543）

【校注】

[1] **平**　《千金翼》《证类》《纲目》无。

675 紫给

味咸。主治毒风头泄注。一名野葵。生高陵下地。三月三日采根，根如乌头。

（《新修》页344，《政和》页343）

676 天蓼

味辛，有毒。主治恶疮，去痹气。一名石龙。生水中。（《新修》页344，《政和》页543）

677 地朕

味苦，平，无毒。主治心气，女子阴疝，血结。一名承夜，一名夜光。三月采。（《新修》页345，《政和》页543）

678 地芩

味苦，无毒。主治小儿痫，除邪，养胎，风痹，洗浴[1]寒热，目中青翳，女子带下。生腐木积草处，如朝生，天雨生盖，黄白色。四月采。（《新修》页345，《政和》页543）

【校注】

[1] **洗浴** 《千金翼》《证类》《纲目》作"洗洗"。

679 地筋

味甘，平，无毒。主益气，止渴，除热在腹脐，利筋。一名菅根，一名土筋。生泽中，根有毛。三月生，四月实白，三月三日采根。疑此犹是白茅而小异。（《新修》页345，《政和》页543）

680 地耳

味甘，无毒。主明目，益气，令人有子。生丘陵，如碧石青。（《新修》页346，《政和》页543）

681 土齿

味甘，平，无毒。主轻身，益气，长年。生山陵地中，状如马牙。（《新修》页346，《政和》页543）

682 燕齿

主治小儿痫，寒热。五月五日采。(《新修》页346，《政和》页543)

683 酸恶

主治恶疮，去白虫。生水旁，状如泽泻。(《新修》页346，《政和》页543)

684 酸赭

味酸，主治内漏，止血，不足。生昌阳山，采无时。(《新修》页347，《政和》页543)

685 巴棘

味苦，有毒。主治恶疥疮，出虫。一名女木。生高地，叶白有刺，根连数十枚。(《新修》页347，《政和》页543)

686 巴朱[1]

味甘，无毒。主治寒，止[2]血带下。生洛阳。(《新修》页347，《政和》页543)

【校注】

[1] 朱 傅本《新修》、罗本《新修》作"茱"，据《千金翼》《证类》改。
[2] 止 傅本《新修》、罗本《新修》作"上"，据《证类》改。

687 蜀格

味苦，平，无毒。主治寒热，痿痹，女子带下，痈肿。生山阳，如藋[1]菌，有刺。(《新修》页347，《政和》页543)

【校注】

[1] 藋 《千金翼》《证类》《纲目》作"藿"。

688 累根

主缓筋，令不痛。(《新修》页347，《政和》页543)

689　苗根

味咸，平，无毒。主治痹及热中、伤跌折。生山阴谷中蔓草木上。茎有刺，实如椒。（《新修》页348，《政和》页543）

690　参果根

味苦，有毒。主治鼠瘘。一名百连，一名乌蓼，一名鼠茎，一名鹿蒲。生百余根，根有衣裹茎。三月三日采根。（《新修》页348，《政和》页543）

691　黄辨

味甘，平，无毒。主治心腹疝瘕，口疮，脐伤[1]。一名经辨。（《新修》页348，《政和》页543）

【校注】

[1] **口疮，脐伤**　"疮"，傅本《新修》、罗本《新修》作"痛"，据《千金翼》《证类》改。"伤"，傅本《新修》、罗本《新修》脱，据《千金翼》《证类》补。

692　良达

主治齿痛，止渴，轻身。生山阴，茎蔓延，大如葵，子滑小。（《新修》页348，《政和》页543）

693　对庐

味苦，寒，无毒。主治疥，诸久疮[1]不瘳，生死肌，除大热，煮洗之。八月采，似菴蕳。（《新修》页349，《政和》页543）

【校注】

[1] **诸久疮**　《大观》作"诸疮久"，《纲目》作"疮久"。

694　粪蓝[1]

味苦。主治身痒疮，白秃，漆疮，洗之。生房陵。（《新修》页349，《政和》页543）

【校注】

[1] **粪蓝** 傅本《新修》、罗本《新修》作"墦监",据《千金翼》《证类》改。

695 委蛇

味甘,平,无毒。主治消渴,少气,令人耐寒。生人家园中,大支长须多,叶^[1]两两相值,子如芥子。(《新修》页349,《政和》页543)

【校注】

[1] **叶** 其下,《千金翼》《证类》有"而"字。

696 麻伯

味酸,无毒。主益气,出汗。一名君莒,一名衍草,一名道止,一名自死。生平陵,如兰,叶黑厚白里^[1],茎、实赤黑。九月采根。(《新修》页349,《政和》页544)

【校注】

[1] **里** 《千金翼》作"裹"。

697 王明

味苦。主治身热,邪气;小儿身热,以浴之。生山谷。一名王草。(《新修》页350,《政和》页544)

698 类鼻

味酸,温,无毒。主治痿痹。一名类重。生田中高地,叶如天^[1]名精,美根。五月采。(《新修》页350,《政和》页544)

【校注】

[1] **天** 傅本《新修》、罗本《新修》脱,据《千金翼》《证类》补。

699 师系

味甘,无毒。主治痈肿恶疮,煮洗之。一名臣尧,一名臣^[1]骨,一名鬼芭。

生平泽，八月采。（《新修》页350，《政和》页544）

【校注】

[1] **臣** 《纲目》作"巨"。

700 逐[1]折

主杀鼠，明目。一名百合。厚实，生木[2]间，茎黄，七月实黑如大豆。

又杜仲子亦名逐折。（《新修》页351，《政和》页544）

【校注】

[1] **逐** 傅本《新修》、罗本《新修》目录作"逐"，正文作"遂"，据《千金翼》《证类》改。

[2] **木** 《千金翼》作"禾"。

701 并苦

主治咳逆上气，益肺气，安五脏。一名蝛[1]薰，一名王[2]荆。三月采，阴干。（《新修》页351，《政和》页544）

【校注】

[1] **蝛** 商务《政和》、《纲目》作"蜃"，《千金翼》、人卫本《政和》作"蚕"。

[2] **王** 《千金翼》《证类》作"玉"。

702 领灰[1]

味甘，有毒。主治心腹痛，鍊中不足。叶如芒草，冬生，烧作灰。（《千金翼》卷4）

【校注】

[1] **领灰** 傅本《新修》、罗本《新修》、《证类》脱，据《千金翼》补。

703 父陛根

味辛，有毒。以熨痛肿、肤胀。一名膏鱼，一名梓藻。（《新修》页351，《政和》页544）

704 索干[1]

味苦，无毒。主治易耳。一名马耳。(《新修》页352，《政和》页544)

【校注】

[1] **索干** 《千金翼》作"索十"，《纲目》作"索千"，《证类》作"索干"。

705 荆茎

主治灼烂。八月、十月采，阴干。(《新修》页352，《政和》页544)

706 鬼丽[1]音丽

生石上，挼[2]之。日柔为沐。(《新修》页352，《政和》页544)

【校注】

[1] **鬼丽** 傅本《新修》、罗本《新修》目录作"鬼丽"，正文作"鬼丽"。《千金翼》《证类》作"鬼丽(音丽)"。

[2] **挼** 傅本《新修》、罗本《新修》作"接"，据《千金翼》《证类》改。

707 竹付

味甘，无毒。主止痛，除血。(《新修》页352，《政和》页544)

708 秘恶

味酸，无毒。主治肝邪气。一名杜逢。(《新修》页352，《政和》页544)

709 唐夷

味苦，无毒。主治痿折[1]。(《新修》页352，《政和》页544)

【校注】

[1] **折** 傅本《新修》、罗本《新修》作"析"，据《千金翼》《证类》改。

710　知杖

味甘，无毒。主治疝。（《新修》页352，《政和》页544）

711　葵松[1]

味辛，无毒。主治眩痹。（《新修》页353，《政和》页544）

【校注】

[1] **葵松**　《千金翼》《证类》作"坴松"。"坴"，《集韵》："坴，同地"。坴松即地松。陶隐居《集注》序录云："路边地松，而为金创所秘。"

712　河煎

味酸。主治结气，痈在喉头[1]者。生海中。八月、九月采。（《新修》页353，《政和》页544）

【校注】

[1] **头**　《证类》《纲目》作"颈"。

713　区余

味辛，无毒。主治心腹热癃[1]。（《新修》页353，《政和》页544）

【校注】

[1] **癃**　《千金翼》《证类》作"瘕"，但《证类》引掌禹锡注云："蜀本作'癃'"。

714　三叶

味辛。主治寒热，蛇蜂螫人。一名起莫[1]，一名三石，一名当田。生田中。叶一[2]茎小黑白，高三尺，根黑。三月采，阴干。（《新修》页353，《政和》页544）

【校注】

[1] **起莫**　《证类》注引"蜀本"作"赴鱼"，《纲目》亦作"赴鱼"。

[2] **叶一** 《千金翼》《证类》《纲目》无此文。

715 五母麻

味苦，有毒。主治瘘痹不便，下痢。一名鹿麻，一名归泽麻，一名天麻，一名若一[1]草。生田野。五月采。(《新修》页353，《政和》页544)

【校注】

[1] **一** 《证类》注引"蜀本无一字"。《纲目》亦无"一"字。

716 疥栢[1]

味辛，温，无毒。主轻身，治痹。五月采，阴干[2]。(《新修》页354，《政和》页544)

【校注】

[1] **疥栢** 《千金翼》《证类》《纲目》作"疥拍腹"。

[2] **阴干** 傅本《新修》、罗本《新修》脱，据《千金翼》《证类》补。"干"字下，《千金翼》有"生上党"3字。

717 常更[1]之生

味苦，平，无毒。主明目。实有刺，大如稻米[2]。(《新修》页354，《政和》页544)

【校注】

[1] **更** 《千金翼》《证类》《纲目》作"吏"，但《本草和名》作"更"，又《证类》注引"蜀本"作"更"。

[2] **米** 商务《政和》、《纲目》作"粱"。

718 救煞[1]人者

味甘，有毒。主治疝痹，通气，诸不足。生人家宫室。五月、十月采，暴干。(《新修》页354，《政和》页544)

【校注】

[1] **熬** 《千金翼》《证类》《纲目》作"赦"。

719 丁公寄

味甘。主治金疮痛，延年。一名丁父。生石间，蔓延木上。叶细，大枝，赤茎，母大如磺黄，有汁。七月七日采。(《新修》页354,《政和》页544)

720 城里赤柱

味辛，平。主治妇人漏血，白沃，阴蚀，湿痹，邪气，补中益气。生晋平阳。(《新修》页355,《政和》页544)

721 城[1]东腐木

味咸，温。主治心腹痛，止[2]泄、便脓血。(《新修》页355,《政和》页544)

【校注】

[1] **城** 傅本《新修》、罗本《新修》作"小"，据《千金翼》《证类》改。

[2] **止** 傅本《新修》、罗本《新修》作"上"，据《千金翼》《证类》改。

722 芥

味苦，寒，无毒。主治消渴，止血，妇人疾，除痹。一名梨。叶如大青。(《新修》页355,《政和》页544)

723 载

味酸，无毒。主治诸恶气。(《新修》页355,《政和》页545)

724 庆

味苦，有毒[1]。主治咳嗽。(《新修》页355,《政和》页545)

【校注】

[1] **有毒** 《千金翼》《证类》《纲目》作"无毒"。

725 腜[1]

味甘，无毒。主益气，延年。生山谷中，白顺理。十月采。（《新修》页356，《政和》页545）

【校注】

[1] 腜　傅本《新修》、罗本《新修》作"肨"，据《千金翼》《证类》《本草和名》改。

726 凫葵[1]

味甘，冷，无毒。主治消渴，去热淋，利小便。生水中，即荇菜也。一名接余。（《千金翼》卷2，《政和》页237）

【校注】

[1] **凫葵**　《大观》卷9、《政和》页237"凫葵"条引掌禹锡按云："今据唐本注云，有名未用条中载也，而寻有名未用条中，即无凫葵、猪莼，盖经《开宝详定》已删去也。"据此以补之。

727 白菀[1]

一名织女菀，一名茆。生汉中川谷，或山阳。正月、二月采，阴干。（《千金翼》卷2，《政和》页237）

【校注】

[1] **白菀**　《大观》卷9、《政和》页237"女菀"条引"唐本注"云："白菀即女菀，更无别者，有名未用中，浪出一条。"《嘉祐本草》掌禹锡按："今据有名未用中，无白菀者，盖唐修本草时，删去尔。"据此以补之。

以上草木类一百三十四种[1]。

【校注】

[1] **一百三十四种**　《新修》原文注是"一百三十二种"，现据实数改。

按，《证类本草》卷9"凫葵"条引"唐本注"云："猪莼堪食，有名未用条中载也"。据此则有名未用条中应有"猪莼"一药。今"凫葵"条下有《嘉祐本草》注云："今据唐本注云：'有名未用条中载也'。而寻有名未用条中，却无凫葵、猪莼，盖经《开宝详定》已删去也。"查日本传抄卷子本《新修》卷20有名无用条中，亦无凫葵、猪莼，可见并非《开宝详定》所删，可能是《新修》编修时删去。

虫　类

728　雄黄虫

主明目，辟兵不祥，益气力。状如蠮[1]蝓。(《新修》页356，《政和》页545)

【校注】

[1]　蠮　《千金翼》《证类》《纲目》作"蠮"。

729　天社虫

味甘，无毒。主绝孕[1]，益气。状如蜂，大腰，食草木叶。三月采。(《新修》页356，《政和》页545)

【校注】

[1]　孕　傅本《新修》、罗本《新修》作"字"，据《千金翼》《证类》改。

730　桑蠹虫

味甘，无毒。主治心暴痛，金疮，肉生不足。(《新修》页356，《政和》页545)

731　石蠹虫

主治石癃，小便不利。生石中。(《新修》页357，《政和》页545)

732　行夜

主治腹痛，寒热，利血。一名负槃[1]。

今小儿呼为糠槃[2]，或曰死频虫[3]。(《新修》页357，《政和》页545)

【校注】

[1]　槃　《千金翼》《证类》作"盘"。

[2]　为糠槃　《证类》作"䗊盘"，《纲目》作"气盘虫"。

[3] **死频虫** 《证类》作"窍频虫者也"，《纲目》作"气蠜即此也"。

733 蜗篱

味甘，无毒。主治烛馆，明目。生江夏。(《新修》页 357，《政和》页 545)

734 麋鱼

味甘，无毒。主治痹[1]，止血。(《新修》页 357，《政和》页 545)

【校注】

[1] **痹** 商务《政和》作"疳"。

735 丹戬

味辛。主治心腹积血。一名飞龙。生蜀[1]，如鼠负[2]，青股蚩头赤。七月七日采，阴干[3]。(《新修》页 357，《政和》页 545)

【校注】

[1] **蜀** 其下，《千金翼》《证类》有"都"字，《纲目》有"郡"字。

[2] **负** 《大观》作"员"，《纲目》作"妇"。

[3] **阴干** 《千金翼》《证类》《纲目》无。

736 扁前

味甘，有毒。主治鼠瘘瘰，利水道。生山陵，如牛蝱翼赤[1]。五月、八月采。(《新修》页 357，《政和》页 545)

【校注】

[1] **如牛蝱翼赤** 《纲目》作"状如牛蝱赤翼"。

737 蚖类

主治痹，内漏。一名蚖短，土色而文。(《新修》页 358，《政和》页 545)

738 蜚厉

主治妇人寒热。(《新修》页358,《政和》页545)

739 梗鸡

味甘^[1],无毒。主治痹。(《新修》页358,《政和》页545)

【校注】

[1] **甘** 傅本《新修》、罗本《新修》脱,据《千金翼》《证类》补。

740 益符

主治闭。一名无舌。(《新修》页358,《政和》页545)

741 地防

主令人不饥不渴。生黄陵,如濡,居土中。(《新修》页358,《政和》页545)

742 黄虫

味苦。主治寒热,生地上,赤头,长足,有角,群居。七月七日采。(《新修》页358,《政和》页545)

以上虫类十五种。

附录　药名索引

注:本索引药物名称后括号中的数字，为该药物的数字编号。